J-CIMELS公認講習会

J-MELS 母体救命
Advanced Course Text

改訂第2版

監修：日本母体救命システム普及協議会
編集：J-MELSアドバンス編集委員会

J-CIMELS

へるす出版

J-CIMELS 公認講習会
改訂第2版
J-MELS 母体救命 Advanced Course Text

監　　　修	日本母体救命システム普及協議会（J-CIMELS）
編　　　集	J-MELS アドバンス編集委員会
J-CIMELS プログラム 開発・改定 委員会委員長	三宅　康史
編 集 委 員 （五十音順）	新垣　達也 金子　仁 仲村　将光 乃美　証 山下　智幸
日本母体救命 システム 普及協議会 (J-CIMELS)	〔設立団体〕 日本産婦人科医会 日本産科婦人科学会 日本周産期・新生児医学会 日本麻酔科学会 日本臨床救急医学会 京都産婦人科救急診療研究会 妊産婦死亡症例検討評価委員会 〔協賛団体〕 日本看護協会 日本助産師会 日本助産学会

執筆者 (五十音順)

新垣　達也	昭和大学医学部産婦人科学講座
金子　　仁	東京都立多摩総合医療センター救命・集中治療科
神谷千津子	国立循環器病研究センター産婦人科
狩谷　伸享	兵庫医科大学麻酔科学・疼痛制御科学講座
櫻井　　淳	日本大学医学部救急医学系救急集中治療医学分野
関沢　明彦	昭和大学医学部産婦人科学講座
髙橋　　淳	近畿大学医学部脳神経外科
仲村　将光	藤田医科大学医学部産婦人科学講座
永易　洋子	大阪医科薬科大学産婦人科
乃美　　証	日本赤十字社医療センター救命救急センター・救急科
長谷川潤一	聖マリアンナ医科大学・大学院周産期発生病態解明学分野
馬場　慎司	東京都立多摩総合医療センター産婦人科
深田　卓也	日本赤十字社医療センター救命救急センター・救急科
本多　　泉	東京都立多摩総合医療センター産婦人科
安田　貴昭	埼玉医科大学総合医療センターメンタルクリニック
山下　智幸	日本赤十字社医療センター救命救急センター・救急科
山下　有加	昭和大学医学部産婦人科学講座
山本　大輔	さいたま赤十字病院高度救命救急センター

編集協力者 (五十音順)

田中　博明	熊本総合病院産科婦人科
橋井　康二	ハシイ産婦人科
吉田　由惟	日本赤十字社医療センター救命救急センター・救急科

2024年1月末現在

日本母体救命システム普及協議会（J-CIMELS）理事名簿

2024年1月現在

氏　名	現　職	所　属
石渡　勇	石渡産婦人科病院	日本産婦人科医会
長谷川潤一	聖マリアンナ医科大学・大学院周産期病態解明学分野	日本産婦人科医会
関沢　明彦	昭和大学医学部産婦人科学講座	日本産科婦人科学会
佐村　修	東京慈恵会医科大学産婦人科学講座	日本産科婦人科学会
細野　茂春	自治医科大学附属さいたま医療センター周産期科新生児部門	日本周産期・新生児医学会
田中　博明	熊本総合病院産科婦人科	日本周産期・新生児医学会
大瀧　千代	大阪大学大学院医学系研究科生体統御医学講座麻酔集中治療医学教室	日本麻酔科学会
奥田　泰久	獨協医科大学埼玉医療センター麻酔科	日本麻酔科学会
山内　正憲	東北大学医学部麻酔科学・周術期医学分野	日本麻酔科学会
櫻井　淳	日本大学医学部救急医学系救急集中治療医学分野	日本臨床救急医学会
三宅　康史	帝京大学医学部救急医学講座	日本臨床救急医学会
山下　智幸	日本赤十字社医療センター救命救急センター・救急科	日本臨床救急医学会
橋井　康二	ハシイ産婦人科	京都産婦人科救急診療研究会
山畑　佳篤	京都府立医科大学救急・災害システム学教室	京都産婦人科救急診療研究会
池田　智明	三重大学医学部産科婦人科学教室	妊産婦死亡症例検討評価委員会
落合　直美	成城木下病院	日本看護協会
布施　明美	堀病院	日本助産師会
中根　直子	日本赤十字社医療センター看護部	日本助産学会

J-CIMELS プログラム開発・改定委員会

氏　名	現　職
三宅　康史*	帝京大学医学部救急医学講座
長谷川潤一	聖マリアンナ医科大学・大学院周産期病態解明学分野
山下　智幸	日本赤十字社医療センター救命救急センター・救急科
山畑　佳篤	京都府立医科大学救急・災害システム学教室

＊委員長

改訂第2版
緒　言

　わが国の周産期医療は世界トップレベルです．周産期医療の進歩，周産期医療に係る医師・医療スタッフの並々ならぬ努力はもちろんですが，質の高い周産期医療システムによって世界最高の周産期医療が提供されています．

　日本産婦人科医会（以下，医会）は2010年に妊産婦死亡報告事業を開始し，妊産婦死亡症例検討評価委員会とともに多数の症例を分析し検討してきました．一次施設から高次医療施設に搬送される前に心肺停止になっている事案も多数あります．毎年，「母体安全への提言」が発刊されていますが，母体急変の初期の変化を確実に把握し，必要な処置を確実に行えるように，医師・助産師・看護師などの医療チームが連携することが重要で，関係者全員が母体救命に関する教育研修を受け，急変に備えておくことが必要であると提言されています．

　この提言を受けて，日本母体救命システム普及協議会（J-CIMELS）が設立されました．母体急変時の処置技術は，座学で学ぶよりも実際に症例を想定し，実習形式で学ぶシミュレーションによるほうが，知識が確実に身につき，その効果が高いとの考えから，各地で講習会が開催され受講者数も年々増加しています．現在ベーシックコース，アドバンスコースをはじめ，複数のコースが用意されています．さらに周産期医療の高みを目指すべく新たなコースの開発と改良が求められています．

　J-MELSアドバンスコースは医師と助産師が受講対象で，搬送されてきた救急医療を必要とする妊産婦に対して，医療資源の整った高次医療施設で院内他科の医師らと連携して，系統立てて母体の状態を評価，管理，治療していくことを学ぶコースです．このたび，J-CIMELS理事でもある三宅康史（帝京大学教授）のリーダーシップのもと，アドバンスコースがアップデートされ，改訂第2版の発刊となりました．発刊にあたり関係各位に感謝するとともにJ-MELSアドバンスコースを受講いただき，チーム医療により防ぎ得る妊産婦死亡を減らすとともに，ひとりでも多くの"上級母体救命医"が誕生することを期待しています．

2024年1月吉日

日本母体救命システム普及協議会（J-CIMELS）代表

石　渡　勇

緒　言（初版）

　わが国の妊産婦死亡は20年前と比べて半減し，最近の死亡数は年間40〜50例となっているが，日本産婦人科医会の集計によると，その減少傾向は，この約10年間ほぼ停止した状況にあります。今後，さらなる妊産婦死亡の減少を目指すためには，妊産婦急変の初期変化を的確に把握して適切な対応を講じることに加えて，救急医療における蘇生の知識・技術を駆使し，救急医と連携し，また，他領域の医師や，看護師・助産師等のコメディカルとも協力して，集約的な管理につなげることが必要と考えています。

　私達7団体（日本産婦人科医会，日本産科婦人科学会，日本周産期・新生児医学会，日本麻酔科学会，日本臨床救急医学会，京都産婦人科救急診療研究会，妊産婦死亡症例検討評価委員会）は2015年7月の会合において，上記必要性の共通認識に基づき日本母体救命システム普及協議会—J-CIMELSを設立いたしました。掲げる目標は，あらゆる職種の周産期医療関係者に標準的な母体救命法を普及させるとともに，効果的な母体救命医療システムの開発とその実践を促進すること，およびこれによる妊産婦への質の高い医療の提供と周産期医療のさらなる向上を目指すことであります。

　そのなかでも，J-CIMELSの取り組みの第一は講習会（コース）の企画・運営です。まずは，ベーシックコースですが，J-CIMELSの講習会は単に講師の話を聞くのではなく，on site trainingで実践の手技を学ぶものです。現在まで日本国中で1,000コース以上行われ，受講者の評判もよく，希望が多く受講予約が取れない状況も生じています。とくに若手医師は，臨床現場で緊急事態に遭遇する機会が少なく，このようなコースを一度でも受講しているのとそうでない場合では，いざというときの診療の自信に違いが出てきます。多くの若手医師・助産師等に受講してもらいたいと願っています。ベーシックコースで学ぶことは，一次医療機関での母体救命のための対応で，高度医療機関に搬送するまでに必要な処置等が主な内容ですが，次のステップとして搬送患者を高次施設でどう救命につなげるかを学ぶのがアドバンスコースになります。そこでは，"母体救命医"となってチーム医療を実践しなければなりません。状況認識，意思決定，ワークロード，チームワーク，コミュニケーションを，チームパフォーマンスを最大にするためのmedical resource managementとして最大限活用し，より高度な精練されたシステムを学びます。

　本ガイドブックには，"母体救命医"に必要な知識と技術が紹介されていて，それを利用して受講生が主治医となって母体救命にあたるトレーニングを行います。しかし，実際には受講に先立って本書に目を通しておかないとコースについていくのが難しくなります。とくに4つのシナリオについては，熟読理解してコースに臨んでいただきたいと思っています。アドバンスコースは，とくに予習が大切で，本書を蛍光ペンで真っ赤にしてから受講すれば，得られるものが何倍にも大きくなることは間違いありません。ひとりでも多くの"上級母体救命医"が誕生することを期待しています。

2017年3月吉日

日本母体救命システム普及協議会（J-CIMELS）代表
岡井　崇

CONTENTS

改訂第 2 版　緒言 vii
初版　緒言 ix
本書における母体を取り巻く用語 xiv

I　J-CIMELS と J-MELS アドバンスコース

1. J-CIMELS の成り立ちと役割　　2
2. SAM コンセプトとプログラムの実際　　9

II　初期診療のアプローチ

1. 初期診療理論　　20
2. A 気道　　32
3. B 呼吸　　43
4. C 母体循環と子宮胎盤循環　　58
5. D 中枢神経障害　　77
6. E 体表観察と体温管理　　94
7. F 女性，胎児，家族　　103
8. (P) 精神ケア　　114
9. 妊婦心停止の心肺蘇生　　128

III　初期診療に必要なスキル

Primary Survey に必要なスキル

1. POCT（Point of Care Testing）　　154
2. FASO　　169

3 心電図異常と病態	178
4 産科危機的出血：全身管理と補充療法	191
5 産科危機的出血：産科出血の経腟的および開腹止血法	218
6 産科危機的出血：IVR（画像下治療）	237
7 致死的出血におけるダメージコントロール戦略	250

Secondary Survey に必要なスキル

1 心血管疾患	274
2 脳卒中	283
3 麻酔と麻酔合併症	291
4 アナフィラキシー	299
5 産科救急疾患	306
6 妊娠終結と留意点	326
7 敗血症	340
8 呼吸不全	355
9 自殺企図	362
10 妊婦外傷	370

その他に必要なスキル

| 1 特殊な集中治療 | 380 |
| 2 転院搬送と救急隊との連携 | 387 |

IV 初期診療のマネジメント

| 1 ノンテクニカルスキルと MRM | 396 |
| 2 地域連携と院内の体制整備 | 412 |

V 症例から学ぶクリニカルパール

1. 出血性ショック　　　　　　　　　　　　　**424**
2. けいれん　　　　　　　　　　　　　　　　**431**
3. 呼吸困難　　　　　　　　　　　　　　　　**441**
4. 発熱と頻呼吸　　　　　　　　　　　　　　**448**
5. 意識消失　　　　　　　　　　　　　　　　**454**
6. 心停止　　　　　　　　　　　　　　　　　**460**

付　録

1. 薬　剤　　　　　　　　　　　　　　　　　**468**
2. 被ばくと造影剤　　　　　　　　　　　　　**475**
3. 妊娠週数と胎児の成長　　　　　　　　　　**481**

column

瞳孔・眼位・共同偏視による病変部位の予測　　　　　**82**
PMCD/RH と母児の転帰　　　　　　　　　　　　　**150**
酸塩基平衡を評価するための Step 3 以降の方法　　　**160**
産科危機的出血への新たな POCT：血液粘弾性検査　　**167**
子宮仮性動脈瘤/子宮動静脈奇形　　　　　　　　　　**177**
産科 DIC と凝固障害〜DIC の歴史とともに　　　　　**214**
敗血症の早期認知〜qSOFA の位置づけ　　　　　　　**343**
周産期における SOFA スコア　　　　　　　　　　　**344**

索　引

本書における母体を取り巻く用語

本書では大まかに図のように用語を用いる。子どものいる女性全般を「母体」と表現し，妊産婦および授乳婦を広く含む用語として用いる。

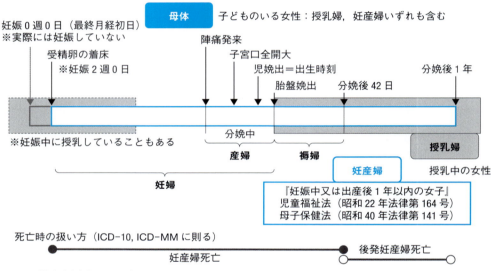

図　母体と妊産婦に関連した用語

妊産婦という用語は『妊娠中又は出産後1年以内の女子』として児童福祉法（昭和22年法律第164号）および母子保健法（昭和40年法律第141号）において定義された法律用語でもあり，本書でも同様に用いる。したがって，妊婦，産婦，褥婦を含み，かつ分娩後42日以降から分娩後1年の女性を含むことになる。

WHOが定めたICD-10（疾病及び関連保健問題の国際統計分類 2013年版）では，分娩後42日以降1年未満の母体死亡をlate maternal death（わが国では後発妊産婦死亡と翻訳される）と分類しており，妊産婦の期間に矛盾しない。

医療法（昭和23年法律第205号）や保健師助産師看護師法（昭和23年法律第203号）において『妊婦』『産婦』『じょく婦』が用いられていることに関連し，厚生省医務局長回答（昭和24年6月9日，医収第669号）が存在しており，日本産科婦人科学会の用語と比較しながら概要を示す（表）。これら3つを包括して「妊産褥婦」と表現することがあるが，本書では産後42日までを強調したいときのみに限って使用する。

表　妊婦，産婦，褥婦の用いられ方

	厚生省医務局長回答	日本産科婦人科学会
妊婦	妊娠期間中の婦人をいうのであるが，妊娠当初においては，平常時の婦人と外見上変化がないので，一般的にいって妊娠したものとの徴候が現れてから分娩開始までの期間における婦人	
産婦	分娩徴候が現れてから後産が完了するまで，すなわち分娩が完全に終るまでの期間における婦人	parturient：分娩中（分娩第1期開始から分娩第3期終了までの期間）の婦人
褥婦	分娩終了後母体が正常に回復するまでの期間（おおよそ6週間）における婦人	puerperant：分娩が終了し妊娠・分娩に伴う母体の生理学的変化が非妊娠時の状態に復するまでの状態（概ね6〜8週間）

　また，本書では母乳を児に与えている女性を授乳婦（breastfeeding woman）と表現し，母乳中への薬剤移行を考慮する必要性を強調している。

　授乳には，直接授乳（母体の乳頭を児に吸啜させて母乳を与えること）と間接授乳（搾乳した母乳を哺乳瓶や経管を用いて児に与えること）が含まれる。人工乳（いわゆるミルク）を哺乳瓶などで与えることを授乳と表現することが一般には存在するが，本書では母乳を与える母体のみを想定して授乳婦を用いる。授乳は産後1年以降に行われていることもある。さらに，第二子以降の子を妊娠しているときに授乳していることもあり，その際は授乳婦かつ妊婦となる（図参照）。

　母乳育児には母児へのメリットが存在しており（表），産科異常出血の治療後などの産褥期には，集中治療室から積極的に授乳を開始することも検討すべきである。

表　母乳育児のメリット

母体のメリット	児のメリット
子宮収縮の促進 愛着形成に促進的 ネグレクトや虐待の減少 排卵抑制・避妊効果 乳癌・卵巣癌・子宮体癌リスクの減少 心血管リスクの減少 2型糖尿病リスクの減少	感染症リスクの減少 　下痢，下気道感染，中耳炎，菌血症，細菌性髄膜炎，ボツリヌス感染症，壊死性腸炎 リスク減少が報告されている疾患 　乳児突然死症候群，糖尿病，クローン病，潰瘍性大腸炎，リンパ腫，白血病，アレルギー疾患など 成長・発達へのよい影響（知能指数を含む）

参考文献
1) 山下有加：母乳育児の母親への影響．NPO法人日本ラクテーション・コンサルタント協会第47回母乳育児支援学習会，2020，pp26-38．
2) 関和男：授乳期の薬物治療における親子へのケア．薬物治療コンサルテーション；妊娠と授乳，改訂3版，南山堂，2020，pp125-130．

J-CIMELS と J-MELS アドバンスコース

1. J-CIMELS の成り立ちと役割
2. SAM コンセプトとプログラムの実際

I　J-CIMELS と J-MELS アドバンスコース

1　J-CIMELS の成り立ちと役割

はじめに

　2000年9月，国連ミレニアム・サミットが147カ国の国家元首を含む189の加盟国代表の出席のもと，ニューヨークで開催され，21世紀の国際社会の目標として国連ミレニアム宣言が採択された．その8項目の課題の一つに「妊産婦の健康の改善」があり，具体的な到達目標として「2015年までに妊産婦死亡率を1990年の水準の1/4に削減する」ことがかかげられた．わが国の1990年の妊産婦死亡率は10万出生あたり8.59であったので，2015年までに2.15までの削減目標が提示されたことになる．一方，わが国の妊産婦死亡率はほかの先進国に比べて高いといわれていたこともあり，「健やか親子21」事業において妊産婦死亡率を2000年の6.3を10年で半減する計画が策定されたが，2012年には4.0と目標達成はできなかった．続く「健やか親子21（第2次）」事業は，2016年から開始され，2012年の妊産婦死亡率（4.0）を2025年までに3割減の2.8まで減少させることが目標とされた．このように，妊産婦死亡は死亡した本人やその家族にとってもっとも幸せなはずのときに死亡という結果であり，その減少への努力は継続的に取り組むべき課題であり，国内外問わずその重要性は高く認識されている．

　日本産婦人科医会（以下，医会）では2004年から偶発事例報告事業を開始し，産婦人科医である会員に，妊産婦死亡や児の脳性麻痺など訴訟になる可能性のある事例の報告を求めた．これは当時，各種医療事故におけるリピーターの存在が社会問題になっていたことに対する専門家組織としての自助努力の一環であった．しかし，妊産婦死亡も対象とされていたものの，実際の報告は現実に発生している妊産婦死亡の50％に満たず，また施設からの報告内容も簡単なものであったことから原因を分析して再発防止に生かすことは難しく，妊産婦死亡の状況把握の範囲内で行われる事業であった．そこで，2010年に妊産婦死亡に関する事業を独立させ，妊産婦死亡症例減少を目指した活動にさらに注力することとなった．この医会の取り組みは，『産婦人科診療ガイドライン産科編2011』[1]において「妊産婦死亡が起こった場合に医会に報告する」ことが推奨度Aで記載されたこともあり，また，多くの産婦人科医の協力もあり，厚生労働省が発出する『母子保健統計』での妊産婦死亡数と同等数の事例が報告される事業として定着した．

　この事業が始まった当初の妊産婦死亡報告数は40〜60件で，事業の周知が進むことで報告事例数も増加し，妊産婦死亡数削減に向けた努力の成果がまったくみえない状況であった．そのようななか，報告事例について救急医療を行う専門家とともに事例検討が行われ，妊産婦死亡に至る事例において，介入を開始すべき徴候を見逃して経過観察されていることが多いことが指摘された．また，救急医療においては初療の段階で，系統的に患者のバ

イタルサインを含む全身状態を評価して診察を行う手法がとられるが、その手法を産科診療のなかにも取り込んでいくことの必要性が指摘された。

このことを受けて、妊産婦急変の徴候を早い段階でとらえて介入を可能にするために、救急科医師や麻酔科医師の協力のもとで産婦人科医が教育・研修できるプログラムを開発して普及することとなり、それが2015年の日本母体救命システム普及協議会（J-CIMELS）の創設へとつながった。

本項では、妊産婦死亡報告事業について、わが国の妊産婦死亡の現状について、J-CIMELSの活動と今後の方向性について解説する。

妊産婦死亡報告事業について

2010年1月に始まった妊産婦死亡報告事業の目的は、①妊産婦死亡の実態を把握するとともに、各々の事例についてより詳細に原因分析を行い、そこから得られた情報をもとに、再発防止策を提言していくことで、より安全な周産期医療の実現を目指すこと、②妊産婦死亡への対応に苦慮する会員を支援することである。妊産婦死亡は事例数が少なく、産婦人科医が危機的状況にある妊産婦の管理法を日常臨床のなかで習得することは難しい。そこで、実際にあった妊産婦死亡の事例を、丁寧に1例ずつ解析し、その情報を産婦人科医全体で共有し、再発防止につなげることが重要であると考えた。

本事業において医会に報告された事例は、施設や個人を識別できる情報を消去した後、妊産婦死亡症例検討評価委員会（委員長：三重大学　池田智明教授）に報告され、1例ずつ検討される。症例検討評価委員会は症例検討評価報告書の原案を作成する小委員会と原案を最終審議する本委員会からなり、産婦人科医のみではなく、麻酔科医、病理医、救急医、循環器内科医、法医、精神科医によって多角的な視点から事例が審議され、報告書が作成される。この報告書のなかには、死亡の原因、医学的な管理の問題点、再発防止に向けた指摘事項などが含まれており、この報告書は医会に戻され、当該医療機関と都道府県の産婦人科医会に送付される。産科医療補償制度における原因分析報告書は患者にも送付されるが、本事業での報告書は患者への開示、送付は行われない。

さらに、妊産婦死亡症例検討評価委員会では『母体安全への提言』についての審議も行っている。個別の事例で指摘された再発防止に向けた指摘事項をもとに、毎年、5～8項目程度の具体的な提言を行っている。この提言は産婦人科医療の安全性をさらに向上させるために、事例から学んだ知識を産婦人科医が広く共有するためのものであり、この啓発が本事業にとってもっとも重要な活動である。また、2015年、2020年には『日本の妊産婦を救うために』[2]を発刊し、妊産婦死亡防止に向けた啓発活動も行っている。

妊産婦死亡の現状について：妊産婦死亡報告事業による解析結果から

2010年からの妊産婦死亡報告事業での報告数の推移を図Ⅰ-1-1[3]に示す。厚生労働省『母子保健統計』と同等数以上の事例が報告されてきており、わが国の妊産婦死亡の全体像が把握できる状況にあるといえる。

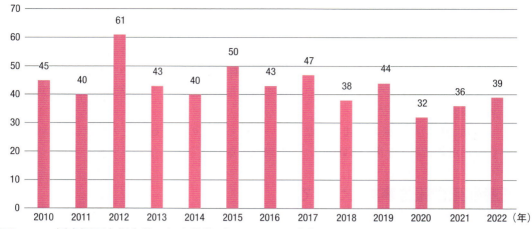

図Ⅰ-1-1　妊産婦死亡報告数の年次推移（2010〜2022年）
〔妊産婦死亡症例検討評価委員会，日本産婦人科医会：母体安全への提言2022, Vol. 13, 令和5年9月, p9. より引用・改変〕

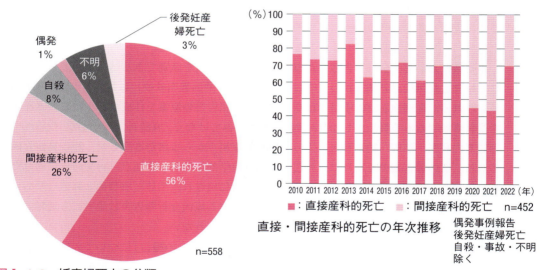

図Ⅰ-1-2　妊産婦死亡の分類
〔妊産婦死亡症例検討評価委員会，日本産婦人科医会：母体安全への提言2022, Vol. 13, 令和5年9月, p12. より引用・改変〕

　妊産婦死亡のうち，妊娠や分娩などの産科的合併症によって死亡したと考えられる直接産科的死亡は56％を占め，妊娠前から存在した疾患または妊娠中に発症した疾患により死亡した間接産科的死亡は26％であった（図Ⅰ-1-2）[3]。事故，犯罪などによる死亡（偶発的死亡）は1％で，自殺による死亡は8％であった。不明は6％で，情報不足や死因の可能性が多岐にわたり分類不能なものなどである。出産後42日以降1年未満に死亡した後発妊産婦死亡の報告は3％あり，自殺，悪性疾患，頭蓋内出血などによる死亡例で，毎年数例ずつ報告されている。

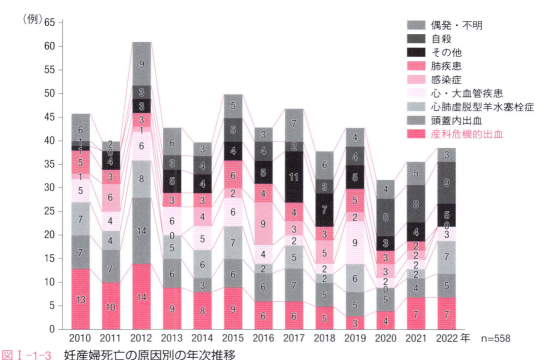

図Ⅰ-1-3　妊産婦死亡の原因別の年次推移
〔妊産婦死亡症例検討評価委員会，日本産婦人科医会：母体安全への提言2022, Vol. 13，令和5年9月，p15.より引用・改変〕

　英国では間接産科的死亡が半数以上を占めているが，わが国では直接産科的死亡が半数以上を占め，間接産科的死亡より直接産科的死亡が多い状況は続いており，直接産科的死亡の割合は減少傾向にあるものの，さらに妊産婦死亡を削減できることを示すデータともいえる。

　妊産婦死亡の原因別の年次推移を図Ⅰ-1-3[3)]に示す。2010年に約30%（年間症例数10〜14例）あった産科危機的出血は2019年には10%（年間症例数3例）を切り，毎年，確実な減少傾向を示してきた。しかしながら，コロナ禍にあった2020年以降は次第に増加する傾向を示し，20%程度にまで増加している状況にある。一方，コロナ禍で減少したのが劇症型A群溶連菌感染症であり，2020〜2022年までの3年間でこの感染症による死亡事例はみられなかった。そのほか，頭蓋内出血，心肺虚脱型羊水塞栓症，心・大血管疾患，肺疾患（肺血栓塞栓症）には明確な減少傾向は観察されない状況が続いている。

　このように，コロナ禍が妊産婦死亡数に影響を与えたことは確かではあるものの，この活動を地道に継続し，絶えず課題を抽出して，改善点についての提言を地道に繰り返していくことが重要であると思われる。

J-CIMELSの活動と今後の方向性

　妊産婦死亡報告事業での事例検討は，当初，医会と厚労科研研究班（池田班）の協働で

実施されてきた。そのようななかで，2014年，厚労科研研究班に「妊産婦死亡における救急との連携を模索せよ」との厚生労働省からの要請のもと，研究分担者に昭和大学医学部救急医学科の有賀徹教授（日本救急医学会および日本臨床救急医学会の前理事長）が加わることになり，妊産婦死亡事例について救急医5人と産科医7人による事例検討会が行われた。その議論を通じ，①産科医療機関で妊産婦の急変が発生した際の初期対応の問題，②医療機関内での多職種連携体制についての課題，③救急医療と産科医療の交流を促進することの必要性，などの課題が共有され，それを改善するためにも産科医に対する教育研修プログラムの必要性が指摘された。

その議論をふまえ，日本産科婦人科学会，日本産婦人科医会，日本周産期・新生児医学会，日本臨床救急医学会，日本麻酔科学会の代表が集まって議論し，周産期医療にかかわるこれらの学会が中心となって教育研修プログラムを作ることが決定した。また，すでに母体救急についての一次医療施設に勤務する医師，助産師などを対象にした研修プログラムを行っていた京都産婦人科臨床救急研究会にも参加を要請すること，また，妊産婦死亡症例検討評価委員会での指摘事項を迅速にプログラムに反映していくために同委員会もメンバーに加わることとなり，上記の7団体で，2015年10月に日本母体救命システム普及協議会（Japan Council for Implementation of Maternal Emergency Life-Saving System：J-CIMELS）を任意団体として設立した。

会則には「わが国の妊産婦死亡の一段の減少を目指すには，産婦人科医師のみでなく，救急医，麻酔科医，コメディカル等との協働及びその実践教育が重要である」との認識のもと，「妊産婦死亡の更なる減少を目指すため，あらゆる職種の周産期医療関係者に標準的な母体救命法を普及させるとともに，効果的な母体救命医療システムの開発とその実践を促進すること，及びこれによる妊産婦への質の高い医療の提供と周産期医療の向上を通じて社会の福祉に貢献することを目的に協議会を設立した」と記載されている。その後，日本看護協会，日本助産師会，日本助産学会が協賛団体として加わった。

実際の教育・研修プログラム（J-MELSコース）では，分娩に携わる医療者が救急医・麻酔科医などの全身管理医がもつ最新の知識を学び，実際の臨床の場で生かせるようになることで，周産期管理における安全性をさらに向上できると考えた。また，妊産婦急変は日常的に産婦人科医が経験することではないため，患者の状態の変化にあわせて適切な評価と介入を行うことを学ぶためには，座学ではなく，実際の事例を想定したシミュレーション教育が適しているとの考え方を基に，教育研修プログラムを開発することになった。さらに，分娩に携わるすべての医療者を対象とするJ-MELSベーシックコースと救急搬送されてきた妊産婦救急に対して二次，三次施設がどのように対応するかを指導するJ-MELSアドバンスコースの2階建てとすることになった。J-MELSベーシックコースについては，当時すでに全国で教育研修を行っていた京都産婦人科臨床救急研究会の妊産婦救急教育プログラム（京都プロトコール）を採用すること，さらに，J-MELSアドバンスコースは日本臨床救急医学会推薦の三宅康史教授（帝京大学）を中心とするプログラム作成・改訂委員会で新たに作成することとなった（図Ⅰ-1-4）。

J-MELSベーシックコースは，2015年10月に最初のコースが開催され，以降，順調にコースが開催され，これまでに受講者数は20,000人以上となっている。2020年には

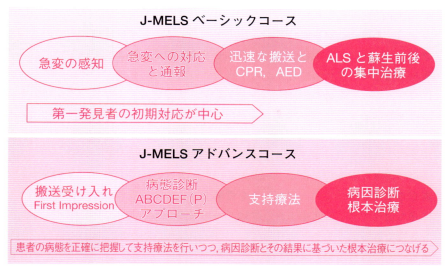

図Ⅰ-1-4　J-MELS コースの概要

　COVID-19 感染まん延の影響でコース開催が激減したものの，2021 年には感染防止も考慮した開催形式が模索され，開催コース数が回復している。2020 年 5 月には「母体急変時の初期対応：改訂第 3 版」が発刊され，内容もその状況に応じてバージョンアップされている。さらに，J-MELS アドバンスコースも順調に開催数を増やしており，今後は適宜プログラムを改訂しながら，指導内容の充実を図っていく予定である。また，J-MELS ベーシックインストラクターコースも開催されており，とくに周産期母子医療センターなどの地域の中核病院に勤務の医療スタッフには，積極的に資格を取得いただいて，各地域での J-MELS ベーシックコースの開催につなげていただきたいと考えている。

　さらに，無痛分娩関連の事故報道に対応し，無痛分娩中の急変への対応を学ぶためのプログラムが 2018 年に作られ，当初は医会主催のコースとして開催されていたが，2019 年からは正式に J-MELS 硬膜外鎮痛急変対応コースとして開催されるようになった。コースの開催数は十分ではなく，受講希望者の要望に応えきれていないものと思われるが，今後は，定期的に開催していく予定である。このプログラムは無痛分娩関係学会・団体連絡協議会（JALA）におけるカテゴリーＢの講習会にも認定されており，無痛分娩の責任者や担当者には受講が求められている。

　現在，プレホスピタル（救急隊・救急救命士）向けのコースが検討されている。これが普及すれば救急搬送時に初期対応がなされるようになるとともに，母体搬送時の蘇生でのサポートも受けやすくなり，救命事例の増加にもつながるものと思われる。

　今後，ベーシックコースの認定を日本産科婦人科学会の専門医受験の必須条件とすること，また，アドバンスコースの認定を母体・胎児専門医（日本周産期・新生児医学会）の受験の必須要件とすること，また，ベーシックコースの受講を専門医更新のための単位として認定すること，さらに発展させて専門医更新のための必須単位とすること，などによって，本プログラムを普及していくことが周産期における母体の安全性の向上につなが

り，結果的に妊産婦死亡率の低下にもつながるものと考えている。

　一方，このプログラムは産婦人科医が受講するのみでは，施設内での迅速な対応は実現できないことから，医療スタッフ全体で受講して備えることが重要である。各施設で多職種が連携して，母体の急変があった場合に役割分担して適切に初期対応を行い，高度医療につなげていくためのシミュレーションが必要である。より質の高い対応を行っていくためには助産師や看護師がベーシックコースを受講して，同じ視点，目標に向かって連動していく必要がある。日本看護協会ではクリニカルラダーレベルⅢの認定条件および資格更新条件にベーシックコースの受講を義務化することを検討している。

　このような動きのなかで，J-MELS ベーシックコースや J-MELS アドバンスコースの受講を希望するすべての人がコースを受講できる体制の整備が重要になってきている。分娩に立ち会うすべての医療スタッフは，日々研鑽をつむことで，妊婦が安全に，また安心して分娩できるような体制を作っていくことが産婦人科医療に携わる医師や助産師の使命である。産婦人科医療の基礎的なレベルを押し上げる一助に，J-CIMELS の活動がなるものと確信している。

おわりに

　妊産婦死亡報告事業が始まって13年が過ぎ，多くの妊産婦死亡事例が報告され，わが国の妊産婦死亡の実態がリアルタイムに把握できるシステムが構築されている。

　これらの報告事例に対し，迅速に事例を検討し，医療機関にその結果をフィードバックすることが当該医療機関における再発防止にきわめて重要である。さらに，数少ない妊産婦死亡の実例から抽出される周産期医療における問題点を再発防止に向けた提言として発出して周知を図って，一つずつ課題を解決していくことで，周産期の安全性は確実に向上していくものと思われる。そのことを周知しつづけること，また，救急医療的な全身管理や産科的救急対応をシミュレーションする研修で定期的に知識を更新していくこと，各医療機関で母体救急への対応について話し合って準備しておくことなどを通じ，日本の周産期医療の安全性は確実に向上するものと考えている。妊産婦死亡報告事業とその症例検討事業，J-CIMELS の活動が連動して継続的に行われることが重要である。この活動にご理解とご支援をお願いしたい。

文　献
1) 日本産科婦人科学会，日本産婦人科医会：産婦人科診療ガイドライン―産科編 2011. http://www.jaog.or.jp/wp/wp-content/uploads/2017/01/guide_2011.pdf（Access：2023/11/20）
2) 日本産婦人科医会医療安全部会 妊産婦死亡症例検討評価委員会監：日本の妊産婦を救うために，東京医学社，東京，2020.
3) 妊産婦死亡症例検討評価委員会，日本産婦人科医会：母体安全への提言 2022，Vol. 13，令和5年9月．

Ⅰ　J-CIMELSとJ-MELSアドバンスコース

2　SAMコンセプトとプログラムの実際

はじめに

　J-MELS（Japan Maternal Emergency Life Support）アドバンスコースは，主に高次医療機関において転院搬送された重症母体を救命するために必要なコンピテンシーを明確化し，効率よく教育するためにJ-CIMELSにより開発された成人教育コースである。

　医療スタッフは，母体救命の質を向上しつづける使命を担っており，いわば母体救急という"道"を極め探究しつづける必要がある。あわせて，それを広く普及していくべきである。これらを達成する一つのツールとしてJ-MELSアドバンスコースが存在しているともいえる。

コースの目的と目標

　J-MELSアドバンスコースは，①防ぎ得る母体死亡（preventable maternal death）をなくし，②防ぎ得る母体障害（preventable maternal disability）を回避することを目的としている。すなわち，危機に瀕した母体を，子どもを養育し社会参加ができる機能を目指しながら，確実に救命することを目指していく。

　これら2つの目的を果たすためには，高次医療機関において複数の診療科や多職種の医療スタッフが有機的な連携をしながら重症母体救急症例に対応する必要がある。医療機関内で発生または来院した重症母体（母体搬送や救急搬送が想定される）に対して，最初から複数の診療科が連携しながら初期診療を行えることが母体にとっては安全であるが，各地域の医療機関の特性により，それがかなわない場合も少なくない。産婦人科医や助産師を含む産科スタッフがリーダーシップをとりながら，他科専門医の到着（あるいは転院搬送）まで全身管理を行う必要があることも考えられる。一方，救急科医や麻酔科医も日常的に妊産婦の診療を行っていないものの，緊急度・重症度が高い病態であるために，産婦人科医が駆けつける（あるいは転院搬送する）まで対応を求められるときがあり得る。また，突発的にさまざまな病態で発生する母体急変では，即席で診療チームを組織することになる。

　これらの状況であっても多職種連携を前提とした質の高い母体のための救急診療を実践できるようにするため，J-MELSアドバンスコースでは，①系統的な診療アプローチの習得，②病態・病因を見抜き，適切に対処するためのテクニカルスキルの習得，③チームパフォーマンスを最大化するマネジメント，④各医療機関における課題検討と継続的な解決，といった4つの目標を定め教育コンテンツを作成している。

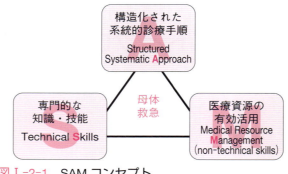

図Ⅰ-2-1　SAMコンセプト

● SAMコンセプトとは

　母体の救急事案は，緊急度や重症度，内因性疾患や外傷など病態は幅広く，妊娠中，分娩中，産褥，授乳中など時期も異なることが想定される。こういったさまざまな状況・状態に対応できる共通した母体救急のための構造化された系統的診療手順（Structured Systematic Approach）を習得しておくことにより，最低限達成すべき安定化が可能になり，また，多診療科・多職種連携においても手順が一致するため共通認識をもちやすく効率的な連携が期待できる。

　このアプローチに沿って診療を実践していく際には，個別の症例ごとに異なる鑑別診断を想定しながら，検査・治療，蘇生処置などを行うこととなる。これら必要な介入に要する個別の専門的な知識や技能（Technical Skills）もあわせて習得しておく必要がある。

　さらに高次医療機関において診療するには，救急初療室・CT室・手術室・血管造影室などを含む診療スペースの確保や，必要な診療科の専門医や多職種を含む医療スタッフといった人的資源の確保，医療機器や手術器械などの物的資源の調整，診療の時間的な管理，情報の管理，必要に応じて転院搬送の手段確保など，医療資源を有効に活用するためのマネジメント（Medical Resource Management；MRM）が重要になる。

　このように，母体救急診療にあたり，構造化された診療手順としてのアプローチ（A）を基軸に，タイミングよくテクニカルスキル（S）を活用し，医療資源を最大限活用できるようにマネジメント（M）することをJ-MELSアドバンスコースの3つの重要な教育コンセプトとしており，SAMコンセプトと呼ぶ（図Ⅰ-2-1）。

● アプローチ Structured Systematic Approach

　まれに遭遇する重症母体の対応に「慣れておく」ことは難しい。しかしながら，日々の業務のなかで重症母体に対するのと同様のアプローチ（診療手順）を実施しておくことで，重症例にも円滑に対応できる。

　J-MELSアドバンスコースでは，診療手順を構造化（structured）し，①患者到着までに行う準備，②患者接触時の最初に行う第一印象，③生命危機を回避するためのPrimary Survey（PS），④詳細の鑑別と専門的加療を行うSecondary Survey（SS）に分けている。

図 I-2-2 母体救命初期診療の流れ

　それぞれの段階はさらに構成要素を含み，とくに PS は **ABCDEF（P）アプローチ**として整理されている．つまり，Airway 気道，Breathing 呼吸，Circulation 循環，Dysfunction of central nervous system 中枢神経障害，Exposure & Environmental control 全身露出後の体表観察・環境管理による体温管理，Females', Fetus, Family 女性・胎児・家族の要素で構成され，それぞれについてアセスメントし，問題点を特定し対処するために一定のアクションを実施する．自傷他害や精神症状にかかわる問題があるときには，Psychiatric care 精神ケアを追加する．ABCDEF（P）アプローチは，**系統的**（systematic）に評価し，問題を特定し解決できるようになっている．

　系統的で体系化されたアプローチであれば，どんな病態や疾病であっても（内因性疾患，外傷に関係なく）緊急度・重症度が高いあらゆる母体症例に必要な普遍的な診療手順が含まれている．実際の症例では，このアプローチを本幹としつつ最適な**治療戦略**（strategy）を捻出していく形になる．戦略の決定は後述するマネジメントと深く関連するが，診療にあたる多職種の医療スタッフが一定のアプローチを実施することにより，共通の目標をもちやすい環境が整う．

　J-MELS アドバンスコースのなかでは，このアプローチを順番に行う手順（**線形アルゴリズム**）として教育される（図 I-2-2，表 I-2-1）．臨床現場においては，複数の医療スタッフが個々の要素を並行してあるいは同時に実施することができるため，必ずしも線形に対応する（各段階を順番に行う）必要はない．

● スキル Technical Skills

　アプローチにより捻出された治療戦略のなかで，展開される個々の**戦術**（tactics）の基

表 I -2-1　J-MELS アドバンスコースのアプローチ

準備	受入判断	
	来院前準備・救急隊対応	
第一印象	緊急度の評価	初療方針の宣言
	異常のある病態の概観評価	投入する医療資源の宣言
		救命処置（LSI*）
Primary Survey	生命危機を回避することを最重視した診療段階である。機能予後・整容予後・精神的評価についても留意する	
	A　Airway	気道の確保
	B　Breathing	酸素化の維持
		酸塩基平衡の維持
		呼吸仕事量の低減
	C　Circulation	循環血液量の確保
		臓器組織灌流の維持
		酸素運搬量の維持
	D　Dysfunction of CNS**	中枢神経保護
	E　Exposure & Environmental control	体表観察
		体温管理
	F　Females', Fetus, Family	妊娠・分娩・産褥の管理
		胎児適応の急速遂娩
		家族（パートナー）対応
	(P)　(Psychiatric care)	切迫する自傷他害への対応
Secondary Survey	鑑別診断と特定した病因ごとの根本治療を重視した診療段階である　病歴聴取，身体診察，画像検査・検体検査・生体検査などの精査，治療を行う	

*　LSI；life-saving intervention：救命に必要な短時間で実施可能な処置全般をいう。OMIU（oxygen：酸素投与，monitor：モニター装着，intravenous line：静脈路確保，uterine displacement：子宮左方移動）はモニタリングの重要性をとくに強調したLSIの対応の一部である
**　CNS；central nervous system：中枢神経系

礎がこのスキルである。母体救急を実践するうえで必要になる知識と技能を包括してテクニカルスキル（technical skills）と呼ぶことができる。職能や専門領域によって，得意とする知識・技能は異なるが，母体を救命するにあたり産婦人科医は救急医学や麻酔科学の，全身管理医は産婦人科学の知識があるとよいのはいうまでもない。また，最低限の安定化をするための技能は個人の専門領域に関係なく必要である。重症母体の鑑別診断を網羅的に記憶するにはABCDEFGHが有用である（表 I -2-2）。母体救急診療に際しては，これらの緊急度・重症度が高く，致死的になり得る疾患を確実に除外（rule-out）していくことが重要になる。この除外には，それぞれの疾患に関する病歴聴取・身体診察・検査・診断・治療に関する一定の知識が必要になるが，すべてを詳細に理解しておくことは現実的ではなく，さらに，妊娠・胎児・分娩の管理や妊娠週数と出生後の新生児管理の関連を考慮すると複雑になる。実際の臨床現場では複数の専門家で知恵を絞りながら診療にあたることになる。診療中の各時点で叡智を結集するためには，後述するマネジメントが必要になるが，各人のテクニカルスキルに基づく戦術なくして診療は成立しない。

　J-MELS アドバンスコースは off-the-job で（とくに専門としない領域の）知識を学ぶのに適しているが，技能の習得・鍛錬は on-the-job に勝るものはなく，日々の臨床業務に真

表Ⅰ-2-2 重症母体の鑑別診断

Anesthetic complications	高位脊髄くも膜下麻酔，局所麻酔薬中毒，気道閉塞，誤嚥，呼吸抑制，低血圧
Accidents/trauma	外傷，自傷行為
Bleeding	凝固障害，弛緩出血，胎盤卵膜遺残，癒着胎盤，胎盤早期剥離，前置胎盤，子宮破裂，子宮内反症，手術関連，輸血合併症
Cardiovascular causes	心筋梗塞，大動脈解離，心筋症，不整脈，弁膜症，先天性心疾患
Drugs	マグネシウム，オピオイド，インスリン，オキシトシン，違法薬物，誤投与，アナフィラキシー
Embolic causes	羊水塞栓症，肺塞栓症，脳血管障害，空気塞栓症
Fever	敗血症，感染症
General H's and T's	Hypoxia, Hypovolemia, Hydrogen ion, Hypo-/hyperkalemia, Hypothermia, Toxins, Tamponade, Tension pneumothorax, Thrombosis（cardiac/pulmonary）
Hypertension	子癇，妊娠高血圧腎症，HELLP症候群，頭蓋内出血

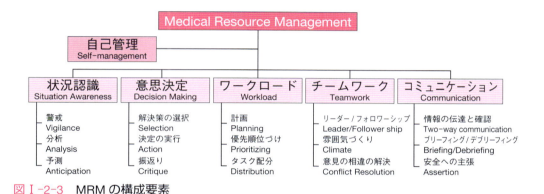

図Ⅰ-2-3 MRMの構成要素

摯に向き合うことも重要である。

● マネジメント Medical Resource Management

　マネジメントスキルはノンテクニカルスキル（non-technical skills；NTS）と表現することもでき，テクニカルスキルを補完し，安全かつ効率的なタスクパフォーマンスを達成するために必要な技能である。マネジメントには，アプローチを実践しテクニカルスキルを発揮する際に必要な自己管理に加えて，認知スキル（状況認識，意思決定，ワークロード）と対人スキル（チームワーク，コミュニケーション）を含んでいる（図Ⅰ-2-3）。
　また，アプローチのなかで定めた戦略に沿って，テクニカルスキルに基づく戦術を実践するためには，兵站（logistics）が不可欠であり，利用可能な医療資源を調整することもマネジメントそのものである。
　ここでいう医療資源とは，人的資源（医師以外の医療スタッフ，他診療科医師，研修医など）や物的資源（医薬品，医療機器，器械，材料など）に限らず，時間（患者の病態ごとに許容される医療介入までの猶予時間，医療介入に要する時間，患者搬送の時間，輸血

輸送時間，家族説明の時間など）や空間（手術室や血管造影室，CT室，集中治療室，時に転院先としての高次医療機関など），情報（患者情報，医療資源情報，最新の医学的知見など）を含んでいる．長期的視点や組織の持続可能性を考慮すると，診療報酬や補助金を含む資金も重要であるが，急性期管理の対象とは異なるのでここでは扱わない．

母体救命のために臨床現場で必要な医療資源は多く，分野横断的であるため**集学的**（multidisciplinary）な対応を求められる．母体救命を目的とした即席医療チームの叡智を結集させるための**知恵**（wisdom）を担うのがマネジメントということもできる．効率的に総合力で挑むためにはマネジメントがきわめて重要で，まさにチームパフォーマンスを最大化できるか否かに直接関係している．

マネジメントスキルは"暗黙知（tacit knowledge）"として長らく受け継がれてきたが，J-MELSアドバンスコースでは"形式知（explicit knowledge）"として教育することを目指している．つまり，Medical Resource Management（MRM）として評価可能な指標（行動指標）を設けて，自らあるいは医療ケアチームで母体救急に際して行った一連の行動を振り返り・評価・指導できるようにしている（表Ⅰ-2-3）．危機的状況では，医療スタッフにかかる負荷は予想以上に強大であり，普段できることができないといったことも発生し得る．人間特性を理解し，弱点を改善し強みを生かすセルフ・マネジメント（self-management）にも触れている．

● コースプログラムの実際

J-MELSアドバンスコースは**4時間のコース**で，受講対象者は医師（産婦人科，麻酔科，救急科など）と助産師である（2024年1月時点）．J-MELSベーシックコースを受講していること（全身管理医に限り，見学していることでも同評価になることがある）が要件である．

プレテストの後に短時間の全体講義が行われ，各ブースに分かれブリーフィングを経て**シミュレーション**により4つのシナリオを経験する．各ブースにはインストラクター2名以上（産婦人科医1名，全身管理医1名）が配置され，受講生は4人（うち最大2名までは助産師も可能）でシミュレーションに参加する．

高次医療機関としての総合病院の想定で，受講生はリーダーの役割を担う産婦人科医，専修医，初期臨床研修医，助産師の役割を各シナリオで順番に担う．

シミュレーションでは，前医からの連絡を受け転院搬送の準備を行い，シミュレーター人形と模擬モニターなどを用いながら模擬診療を実施する．他科コンサルトや輸血部・手術室・血管造影室などへの連絡は受講生内で分担し，インストラクターが模擬的に再現する他診療科医師や各院内部門に連絡を入れ院内調整を切迫した環境下で体験する．これにより，アプローチ（A）を模擬体験しスキル（S）の活用を促しつつ，医療資源を調整するマネジメント（M）を効率よく体験学習することができる．

シミュレーション終了後にはデブリーフィングが行われ，インストラクターはシミュレーション中のチームパフォーマンスについて適宜フィードバックをする．チーム活動を振り返ることでSAMコンセプトの理解を深めることができる．また，受講生のニーズに

表Ⅰ-2-3　MRM 行動指標

分類	要素	行動指標（好ましい行動）
状況認識	警戒	変化に気づく
		一点集中にならず，全体を把握する
		何かおかしいときは，認識をリセットする
	分析	情報の質と量を検討する
		自己と他者の認識を把握し，客観的に状況を評価する
		解決すべき問題点を抽出する
	予測	今後の変化（改善/悪化）を予測する
		"もしも"を想定し，潜在的な危険性に備える
		介入後の変化を想定する
		予測をチームで共有する
意思決定	解決策の選択	譲れない水準を決める
		選択肢を検討し，代替案も考える Plan B
		リスクと効果を考慮する
		自分の意見を言い，他者の意見を聴く
		考える時間を区切って選択する
	決定の実行	決定を宣言（受理）し，根拠を伝える（確認する）
		宣言を理解したことを確認する（伝える）
		各自が役割を理解し実行する
	振返り	決定が正しいか見直す
		行動しながら最良か振り返る
		結果を（希望的ではなく）素直に受け入れる
		誤りがあれば切り替える
ワークロード	計画	業務負荷が高くなるときを想定した計画にする
		状況が変われば計画を見直す（継続/中止/変更）
		タスクに十分な時間をとり，効率的な計画にする
	優先順位づけ	緊急度（時間制限）を考慮する
		重要度を考慮する
		実行容易性（タスク量）を考慮する
	タスク配分	各人が確実に実施できるようにタスクを配分する
		パフォーマンスを監視し，援助する
		不要な業務負荷は排除する
		実施困難な見込みなら早期に助けを求める
チームワーク	リーダー/フォロワーシップ	チームを形成する
		チームとしての目標を共有する
		意向と行動の意図を伝える（理解する）
		権威勾配を適度に保つ
		指揮命令を上手に用いる　Command
		意見を求め，助言を受け入れる
	雰囲気づくり	自分の行動がチームに与える影響を意識して行動する
		「ありがとう」を忘れずユーモアを保つ
		チーム・パフォーマンスが最大になる環境を維持する

表Ⅰ-2-3　MRM行動指標（つづき）

分類	要素	行動指標（好ましい行動）
チームワーク	意見の相違の解決	感情の対立にしない
		「何が正しいか」を念頭にする（「誰が正しいか」ではない）
		自分の主張を変えるときは，客観的な分析を心がける
コミュニケーション	情報の伝達と確認	情報を伝えるタイミングを検討する
		伝達手段を検討する（口頭，電話，書面など）
		わかりやすい言葉で省略せずに伝える
		結論から話し，説明を加える
		情報が理解されたことを確認する
	ブリーフィング/デブリーフィング	情報を共有する時間と場を作る
		情報提供と質問が重要であることを強調する
		積極的に参加する
	安全への主張	疑問は躊躇せず口に出す　Inquiry
		自分の意見を素直に伝える　Advocacy
		危険であると感じたら強く主張する　Assertion
		意見表明を受けたら積極的に応える

あわせたディスカッションも行われ，受講中に配布される別途資料とともに，適宜本書を開きながら学んでいく。受講生の各人が自ら所属する施設に戻った後に学習した内容を役立てられるように，インストラクターはファシリテートすることになる。

インストラクターへの道のり

　J-MELSアドバンスコースを受講した医師は，**インストラクター**を目指すことができる。アドバンスコースの醍醐味はインストラクター参加にあるといっても過言ではなく，他診療科とのディスカッションが可能で，かつ全国から参加する受講生からも医療機関内における工夫などに触れることができ，インストラクターにとっても多くの学びがあるという特徴がある。

　J-MELSアドバンスコースのインストラクターは3段階に分けられ，上級資格から**ゴールド，シルバー，ブロンズ**の順である。コースのなかで担える役割が定められている（表Ⅰ-2-4）。

　「J-MELSベーシックコースのインストラクター」または「成人教育コース*のインストラクター」であれば，アドバンスコースアシスタントインストラクター（インストラクターの補助）として参加することができる（アドバンスコースのインストラクターコースは存在しておらず，J-MELSベーシックコースのインストラクターを経て，アドバンスコースのインストラクターとなることが想定されている）。

　アシスタントインストラクターとしてコースに参加し，要件を満たせばブロンズインストラクターとして認定される（表Ⅰ-2-5）。その後もインストラクションを重ねることで，推薦を受け上級インストラクターになることができる（表Ⅰ-2-5）。

表I-2-4　J-MELSアドバンスコースのインストラクターの階層と役割

資格	コースで担える役割
ゴールドインストラクター	コースディレクター（コースの質全般を管理する）
シルバーインストラクター	ブース長（ブース内の教育質を管理する）
ブロンズインストラクター	ブース内のインストラクション，ファシリテーション

コース開催

　コース開催に際して，J-CIMELS事務局に申請を行うことで正式なコースとして認定される。開催コースには必ず1名のゴールドインストラクターが必要である。各ブースには産婦人科医のインストラクターと全身管理医（救急科，麻酔科，集中治療科）のインストラクターを配置し，うち1名はシルバーインストラクターである必要がある。

　新たにコース開催を希望する場合，そのノウハウについてJ-CIMELS事務局への問い合わせも可能である。ゴールドインストラクターの派遣をJ-CIMELS事務局に相談することもでき，インストラクター派遣の支援が得られる。物品などの準備については，基本的にJ-MELSベーシックコースとまったく同様で問題ない。アドバンスコースのために追加で必要になるポスターや小道具（模擬の血液製剤や画像所見，血液検査所見など）についてはJ-CIMELS事務局からレンタルすることが可能で，必要に応じて事務的業務などもJ-CIMELS事務局の支援を得ることができる。

　昨今報告されている妊産婦死亡は，転院搬送後の高次医療機関における診療中にも発生している。防ぎ得る母体死亡・障害（PMD）を確実に回避するために，国内におけるJ-MELSアドバンスコースの普及が期待されている。質の高い母体救命医療とそれを実現する院内連携および地域連携に寄与すると考えられ，各都道府県の**中核となる高次医療機関**においては，ベーシックコースの開催にあわせて一度開催を検討いただきたい。J-CIMELS事務局は高次医療機関における開催，とくに地域の地元関連医療機関と連携した開催を優先して支援できる。

　中長期的視点でアドバンスコースの独立開催を目指す場合，シルバーインストラクターおよびゴールドインストラクターの育成についてもJ-CIMELS事務局に相談が可能であり，すでにJ-MELSベーシックコースを複数回開催している高次医療機関は（速やかにアドバンスコースインストラクターを育成することができ得るので），J-MELSアドバンスコース普及への積極的な参画を願いたい。

おわりに

　J-MELSアドバンスコースは，構造化された初期診療アプローチとテクニカルスキル，マネジメントスキルをコンセプトに教育プログラムが組まれている。とくにマネジメントについては，ノンテクニカルスキルをMRM行動指標として設定し，教育可能にしている。これらは，多職種連携を前提に安全で効率的な診療に寄与すると考えられる。

　コース開催はJ-MELSベーシックコースと同様の物品でよく，ベーシックコースインス

表Ⅰ-2-5　各インストラクターの推薦要件

資格	推薦を得る要件と認定手続き
ゴールドインストラクター	□インストラクター養成に関して中心的役割を果たす熱意がある □J-CIMELSの組織構成を知っている □J-CIMELSが社会に対して果たすべき役割を理解している □アドバンスコースの目的と教育内容を熟知している □質疑応答への対応ができる（J-CIMELS学術委員会等の資料やガイドライン等を引用しつつ，アドバンスコースの教育内容に基づいて対応できる） □シルバーインストラクターとして複数回の教育経験がある □シルバーインストラクターの教育手法に対して具体的な評価・助言・指導ができる □コース開催に必要な準備ができる □プレテストおよびポストテストからコースの質を評価できる □受講生アンケートからコースの質を評価できる □コースの教育内容について建設的に意見を述べることができる
	ゴールドインストラクター2名からの推薦 J-CIMELSのアドバンスインストラクター認定委員の推薦
シルバーインストラクター	□自信をもってすべてのシナリオをコントロールできると自覚している □会場の設置ができる □複数回のブロンズインストラクター経験がある □ブース設置の指示・指導ができる □すべてのシナリオの教育目標を明確に理解し強調できる（詳細ではなく，主要箇所を確実に伝える力） □すべてのシナリオ進行ができる □時間管理ができる □質疑応答への対応ができる（テキストを引用し，アドバンスコースの内容とそうでないものを明確に分けて伝えられる） □最低インストラクター人数（2名）でシミュレーション教育ができる □ブロンズインストラクターの教育手法に対して具体的な評価・助言・指導ができる
	ゴールドインストラクターからの推薦
ブロンズインストラクター	□シルバーインストラクターを目指して不断の努力をすることができる □少なくとも1つのシナリオのプレゼンテーションができる ●ブース設置ができる ●ブリーフィングができる ●デブリーフィングで，建設的なフィードバックができる ●ディスカッションのファシリテーションができる テキストの引用ができる
	シルバーインストラクターからの推薦 ゴールドインストラクターの承認

* ICLS，JATECなど，国内外の学会などが認定している蘇生に関する成人教育コースをいう

トラクターであれば，アドバンスコース受講後からすぐにアシスタントインストラクターとして活躍できる．各地域の高次医療機関でJ-MELSアドバンスコースが開催され，産婦人科医・助産師と全身管理医の連携が進み，母体救命の一助になることを期待したい．

参考文献
1) Hashii K, Hasegawa J, Yamashita T, et al：Activities of the Japan Council for Implementation of the Maternal Emergency Life Support System reduced direct causes of maternal deaths in Japan. J Obstet Gynaecol Res 49：2252-2266, 2023.

初期診療のアプローチ

1. 初期診療理論
2. A 気道
3. B 呼吸
4. C 母体循環と子宮胎盤循環
5. D 中枢神経障害
6. E 体表観察と体温管理
7. F 女性，胎児，家族
8. （P）精神ケア
9. 妊婦心停止の心肺蘇生

Ⅱ 初期診療のアプローチ

1 初期診療理論

はじめに

　Ⅰ章「2 SAM コンセプトとプログラムの実際」（p9 参照）で，J-MELS アドバンスコースの初療におけるアプローチが示されており，「準備，第一印象，Primary Survey, Secondary Survey」の4段階に構造化され，Primary Survey は系統的な評価のために ABCDEF（P）アプローチが強調されている。

　本項では，構造化の背景にある初期診療の普遍的な理論について述べる。臨床実践にあたり，具体的な内容は次項以降を参照されたい。

母体初期診療理論（theory of maternal emergency care）

スライド 1

母体初期診療理論

1. **トリアージ（第一印象）**
   - 医療資源の評価
   - 患者の評価
   ➡ 優先順位・投入資源・診療方針の決定，救命処置*

2. **安定化（Primary Survey）**
   - 病態診断（生命予後に影響するもの）
   ➡ 支持療法（生命維持）
   ➡ 母体の安定化に関連する妊娠・分娩管理

3. **鑑別と根本治療（Secondary Survey）**
   - 病因診断（機能予後・整容予後，重症化予測，児の病態・疾病）
   ➡ 根本治療（精神疾患治療，社会調整を含む）

常に…
医療資源 vs 医療ニーズ
均衡状態を保っているか？
↓
応援要請／転院搬送

*救命処置（LSI；life-saving intervention）

　あらゆる症例に拡張可能な初期診療の普遍的考え方が初期診療理論である。ここではとくに母体救急における初期診療に特化して記載する。診療の要素はトリアージ，安定化，鑑別と根本治療の3つに分けることができる。

　第一にトリアージを行うが，医療資源と患者を評価し，優先順位，投入する医療資源，診療方針を決定する。

第二に行うのは安定化である。病態診断（pathophysiological diagnosis）に基づき生命維持を最優先として支持療法（supportive therapy）を実施する。胎児よりも母体を優先する（母体優先の原則：mom comes first）。見逃してはならない病態を除外し，母体の安定化に関連する妊娠・分娩管理を行う。

　第三に，疾患の鑑別（differential diagnosis）と根本治療（definitive treatment）を行う。全身状態が安定した後に，より長期的な視点で重症化予測をしながら，病因診断をする。母体の機能予後や整容予後を十分に検討しつつ根本治療を実施する。同時に，児の病態・疾病に対する治療介入も検討する。母体の身体疾患に限らず，精神疾患や社会的な問題に対してもさまざまな専門家と連携しながら母児の健康を担保できるように対応する。

　一般に，各段階の介入は時間経過に沿って順に実施されるが，診療状況や患者の病態が変化すればより初期の段階に戻り，各段階を何度でも繰り返し行うことになる。いずれの段階でも，利用可能な医療資源で対応できないと考えれば，高次医療機関への転院搬送を準備すべきである。時機を逸することなくその決断をしなければならず，医療資源と患者の医療ニーズが均衡状態にあるか，常に検討すべきである。

　本項では3要素についての理論背景を概説し，最後にJ-MELSアドバンスコースとの関連を示す。

● トリアージ ～ 第一印象の背景理論

　臨床医は災害時に限らず，常に多忙ななかで複数の患者に対応することが求められている。そのため，初期診療にあたって利用可能な医療資源の把握と，（時に複数の）患者の緊急度・重症度や主病態の把握に基づき，優先順位，投入する医療資源，初期診療の方針を決定しなければならない。この過程をここでは**トリアージ（triage）**と表現する。

1. 医療資源の評価

　母体救急診療に必要な医療資源（medical resources）は多岐にわたる。診療報酬の制度を参考にすると，医療資源には「ヒト・モノ・カネ」が含まれる[注1]。"ヒト"には，医師[注2]・助産師・看護師に加えて，多くの医療スタッフ[注3]が考えられる。実際に，重症母体の管理には非常に多くの医療スタッフが必要であり，多診療科・多職種連携が欠かせない。"モノ"は，医薬品，血液製剤，医療機器，手術器械，医療材料などがあげられる。こ

[注1] 医療資源：包括評価制度いわゆるDPC（diagnosis procedure combination）制度では医療資源は「ヒト・モノ・カネ」の総体と定義されている。

[注2] 母体救急には，産婦人科医に加えて，全身管理を行う救急科・麻酔科・集中治療科の医師や，母体に合併する各疾患を専門とする放射線科，脳神経科，循環器内科，感染症科，精神科など，さらに児の対応を要する際には新生児科・小児科といった多くの専門医が必要になる。

[注3] 薬剤師，臨床工学技士，診療放射線技師，臨床検査技師，救急救命士は，初期診療に関連する手術，IVR，検査・輸血療法，救急搬送において重要である。また集中治療を含む急性期管理では，理学療法士・作業療法士・言語聴覚士，管理栄養士，公認心理師，医療ソーシャルワーカなどが，急性期リハビリテーション，栄養管理，心理ケア・家族ケア，社会サポートなどの場面で活躍する。

れらは院内各部署（薬剤部門，輸血部門，臨床工学部門，滅菌部門，物流管理部門など）が管理しており，各部署のヒトとの兼ね合いもある．初期診療では，"カネ"の管理を要することはまれであるが，時に問題となる[注4]．その他，時間・空間・情報も医療資源の一部としてとらえるとよい．病態による時間的猶予と状況は時々刻々と変化するので"**時間**"の管理は必要である．医療機関内の場所（分娩室，救急初療室，手術室，CT室，血管造影室，集中治療室など）すなわち"**空間**"の管理も欠かせない．さらに"**情報**"（他医療機関の能力，受け入れ可能状況，搬送時間など）の把握と管理も必要になる．これらの要素を意識して，効率的にこれらの資源を利用できるように調整することが求められる．

2．患者の評価

　診療を開始するにあたり，患者の医療ニーズを大まかに把握する必要がある．事前情報があったとしても，その情報が発せられた時点と実際に患者と接触した時点では病態が変化し得る（不確実性，変動性がある）．継続診療中の患者も病態が変化（いわゆる急変）すれば，改めて医療ニーズを把握しなければならない．

　短時間（概ね30秒）で患者を評価し，**緊急度**（urgency）[注5]と**重症度**（severity）[注6]，**主病態**〔後述するABCDEF（P）のうち，異常のある病態〕を迅速かつ的確に把握する．緊急度は時間的切迫性の指標であるため，優先順位を考えるうえでとくに重要な評価項目である．

3．3つの行動（決定すべきこと）

　医療資源の評価と（時に複数の）患者の評価を照らし合わせながら，優先順位，投入する医療資源，初期診療の方針を決定する．心停止を認識した場合は（医療の需給バランスが不均衡すなわち災害でなければ）直ちに救命処置に移行する．

　優先順位（priority）を決定することで，誰にどの程度の医療資源をどの順に投入すればよいかを決めることができる．集団を対象にする場合は，患者同士の競合関係に留意して判断する（災害時には，まだ来院していないこれから来院し得る患者についても想定が必要になる）．対象患者が1人であっても治療介入の順序を変える必要があるため，優先順位の決定は必要である．緊急度が重症度よりも優先されるのは，時間の切迫性があるからである．治療可能性（curability）や介入の容易性（simplicity）も優先順位を判断する際に考慮する．

[注4] 保険適用外で使用したい医薬品が問題となることがある．産科危機的出血に関連した重篤な凝固障害に対し，遺伝子組み換え活性型血液凝固第Ⅶ因子製剤（ノボセブン®）は選択肢になり得るが，薬価がきわめて高額であり費用の観点も無視できるものではない．

[注5] 緊急度：重症度の時間変化を示す指標．時間経過に伴って急激に治療困難性が増す状態は"緊急度が高い"と表現できる．放置すれば短時間で事態は悪化し，回復不能な状態になり得る．

[注6] 重症度：治療の困難性の大きさを示す指標．治療により健康状態を改善させることが困難な場合を"重症度が高い"と表現できる．外来診療を要する"軽症"，入院診療が必要な"中等症"，長期入院（3週間以上）が必要な状態を"重症"と表現するのが一般的である．"重篤"とは，生命への影響がきわめて大きく，救命救急センターなどに直ちに搬送する必要がある状態をいう．

医療資源の配分（allocation of medical resources）を決定し，実際に投入できるように調整する。患者の主病態から必要な医療資源の種別を判断する。緊急・重症であるほど，情報が少ない初期段階から思いきって医療資源投入をする。とくに難しい病態であるほど，他診療科へのコンサルトが遅延しがちである。確定診断に固執して，いたずらに時間を浪費してはならない。緊急症例ほど早期介入が予後に直接影響することが多いので，速やかにコンサルトする。全身管理に関連した問題点があれば直ちに**全身管理医**[注7]に応援要請する[注8]。全身管理医は，病態の詳細情報がなくても応援要請を受けた場合には快く対応すべきである（一次医療機関や救急隊からの受け入れ要請で，高次医療機関がオーバートリアージ[注9]やワイドトリアージ[注10]を容認するのと同様である）。

医療機関は安全なことが多いが，診療に関連して危険[注11]が及ぶこともある。個人防護具（PPE；personal protective equipment），ゾーニング（zoning）や養生，消防・警察・警備との連携といった，安全管理に必要な追加措置も準備・実行すべきときがあることに留意する。

方針（policy）の明示は重要である。初療の戦略[注12]と兵站[注13]の方向性を示す。どのような安定化が必要か，どこで誰がどのようにそれを行うか，どの程度のスピード感で対応すべきか，何を優先し何を後回しにするかを宣言し，医療ケアチームが共通目標をもって対応できるようにする。初期の方針は短時間で把握された限られた情報に基づく判断であるため，その後の診療でさらなる情報が得られればその都度，柔軟に初療方針を軌道修正し，医療ケアチームに明示する。

4. 救命処置

基本的にトリアージでは治療行為は行わない。ただし，短時間で容易に実施可能な致死的病態の改善に大きく寄与する**救命処置**（LSI；life-saving intervention）を行うことは許

[注7] 全身管理医：J-MELSアドバンスコースでは，全身管理を得意とする，救急科，麻酔科，集中治療科の医師を全身管理医と呼ぶ。

[注8] 院内迅速対応システム（RRS；rapid response system）は重症化や急変を未然に防ぐために，一定の基準を参考に専門チームを呼び，患者の全身状態を評価する院内システムである。RRSを備えた病院では，RRSを早期から活用するのがよい。

[注9] オーバートリアージ（over triage）：実際の緊急度・重症度よりも，緊急度・重症度を高く見積もること。アンダートリアージ（under triage，実際は緊急度・重症度が高いにもかかわらず，あやまって低く見積もってしまうこと）を減少させるために，一定数のオーバートリアージが発生することが知られており，オーバートリアージは許容すべきとされる。

[注10] ワイドトリアージ（wide triage）：ある症候から鑑別不可能な幅広い疾患が想定されるとき，もっとも重大な疾患を中心に考えること。例えば，脳卒中では治療の遅延が機能予後に直接影響するため，ワイドトリアージ（麻痺の原因が脳卒中であるものとして扱う）を容認する。産科領域でも打撲後の腹痛を胎盤早期剥離として対応する場合が例としてあげられる。

[注11] 危険（hazards）：診療においては，未知の感染症や化学物質，中毒物質による二次被害，放射性物質による汚染，危険物や爆発物の持参，故意の犯罪などが問題となることがある。

[注12] 戦略（strategy）：目的を達成するために，先を見据えて定める計画。初療では安定化のための大まかな計画である。戦略を実行するための具体的なタスクや行動は戦術（tactics）という。

[注13] 兵站（logistics）：戦略を実行するために必要な資源の調整と投入をいう。

容される。例えば，圧迫止血[注14]，用手的気道確保とマスク換気，酸素投与，用手的子宮左方移動，簡易な薬剤投与[注15]，静脈路確保[注16]が選択され得る。平時の医療状況では，心停止を認識した場合LSIとして胸骨圧迫を直ちに開始し，一次救命処置（BLS；basic life support）と二次救命処置（ALS；advanced life support）に移行する[注17]。

5. 医療資源と患者の医療ニーズとの不均衡

自施設の医療資源で対応できない見込みがあれば，直ちに高次医療機関への転院搬送を調整しなければならない。後述する安定化や根本治療の最中にも，利用可能な医療資源と患者の医療ニーズに不均衡が生じれば（または予測されれば），躊躇なく方針を変更し**転院搬送**（transportation）に向けて準備する。患者の病態や自施設の医療資源の利用可能性に関する危機予測（crisis prediction）を怠らず，時機を逸しない搬送が重要である。

● 安定化 〜 Primary Survey の背景理論

生命危機（life-threatening condition）から脱するために，**安定化**（stabilization）は病因の特定や根本治療に先立って行う。生体のホメオスタシス[注18]を維持する介入であるが，全身管理に加えて各臓器の専門的介入を要する病態もあり，適時的確に全身管理医と各専門診療科医師は連携する。

1. 安定化の優先順位

安定化の際には，**生命予後**（life prognosis）を第一優先とする。妊娠中は母体の全身管理に加えて，2人目[注19]の患者である胎児の管理も必要になる。このとき，母体優先の原則（mom comes first）を前提とする。母体の救命を目指した安定化を行えば，子宮内胎児蘇生（intrauterine fetal resuscitation）にも類した介入となり，結果的に胎児の安定化にも寄与し得る。

[注14] 分娩管理中の急変では，とっさに双手圧迫を行うことはあり得る。

[注15] アナフィラキシーショックに対するアドレナリン筋注，けいれん重積に対するベンゾジアゼピン系薬剤の筋注（静脈路があれば静注），中毒に対するアトロピン筋注などが該当し得る。諸外国では，自動注射器の製剤として流通しているものもある。

[注16] 静脈路確保は準備と手技に一定の時間を要するが，輸液や薬剤投与経路に有用で効果が高いため，早期に行うことが重要である。

[注17] ただし，大規模災害においては，医療資源の枯渇状況から心停止が蘇生適応外（いわゆる黒タッグ）になる可能性がある。

[注18] ホメオスタシス（homeostasis）：生物のもつ性質で，生体の状態・内部環境の恒常性を一定に保つ機能をいう。分子機械，細胞内小器官，細胞，器官，個体の各階層が，自律性を保ちながら相互に影響し合い，きわめて高度に秩序化されることで生命は維持されている。物理学的には「自由エネルギーを得て構造・機能を保ちつづける非平衡構造」と表現されるが，このエネルギー通貨はATP（アデノシン三リン酸）であり安定化の目標は各細胞のミトコンドリア内膜のATP synthaseでATPを産生できる環境を整えることである。救命のために医学的に介入できるのはマクロレベルであるが，ミクロレベルに乱れた秩序を整えている（エントロピーを下げる）介入でもある。

[注19] 多胎ではさらに人数が増える。

身体的な安定化に引き続き，生命にかかわる精神的問題にも目を向ける．自傷他害は精神症状のなかでもとくに生命を脅かすものであり，医療スタッフの安全確保としての意味合いも含まれており，見逃さないようにする．

2. 系統的な安定化

　生理学的な視点で患者を評価し，**病態診断**（pathophysiological diagnosis）をする．これにより生命維持を阻害する病態を認識でき，実施すべき**支持療法**（supportive therapy）が選択できる．

　生体を維持するためには細胞レベルのATP産生[注20]を目指さなければならず，救命の現場では好気代謝が可能になるように酸素を体内に取り込む流れを重視し（スライド2），**気道**（A；airway），**呼吸**（B；breathing），**循環**（C；circulation）の管理を行う．母体の管理においては，子宮胎盤循環（uteroplacental circulation）も母体の循環（C）の問題としてとらえる．解剖学的・生理学的に子宮胎盤循環は母体循環の一部であり，母体が不安定になれば胎児も不安定になる．胎児徐脈などの胎児機能不全（NRFS；non-reassuring fetal status）を認める場合には，母体のABCが不安定な結果として子宮機能不全に至っていると考え，まずは母体の安定化を図るべきである．

スライド2

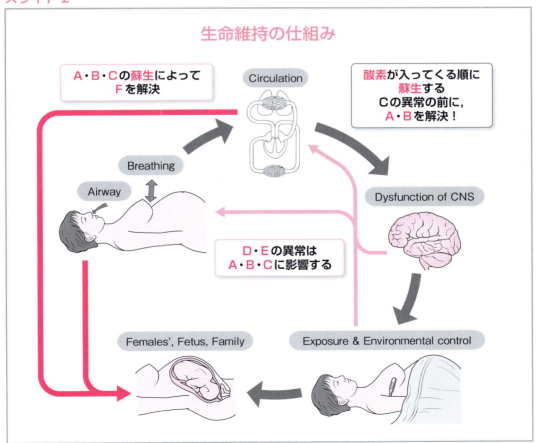

Ⅱ 初期診療のアプローチ

　　酸素欠乏に脆弱な中枢神経系（CNS；central nervous system）は不可逆的な影響を受けやすく，ABCに引き続いて**中枢神経障害**（D；dysfunction of CNS）に対応する。並行してその他の器官系の維持も意識する。体表は人体のうち外界と接した境界部分であるため，外界の影響を受けやすいが，観察が容易で代謝の結果生じる熱，すなわち体温を評価できる。全身露出（E；exposure）のうえで**体表観察**を行い，環境管理（E；environmental control）により**体温管理**を行う。生命に危機が及ぶと代償機構により外皮系や筋骨格系の血液灌流が減少し，重要臓器への血流灌流が維持されるため，四肢を含む体表に目を向け適切に管理することは末梢組織を温存することにつながる。

　　母体管理においては，**女性の生殖器系**（F；females'）とその中で生存する**胎児**（F；fetus）の評価と対処行動が必要である。妊娠を終了することで母体の安定化を図らなければならない場合（母体適応の急速遂娩）や，母体の安定化は達成できても胎児の安定化が見込めない場合（胎児適応の急速遂娩）の対応を判断し，適宜パートナーや家族ら（F；family）に情報提供することで，信頼関係を損なわないようにする。

　　これら身体的安定化に加えて，切迫した自傷他害を認識し対処するために**精神ケア**（P；psychiatric care）が必要になることがある。このとき，精神症状が身体疾患によって生じている可能性に留意し，安易に精神疾患と決めつけない。患者の価値観を尊重し，患者の人権を守ることは重要であるが，精神症状により診療を拒否するような場合に身体的に不安定であれば，生命保護の観点から身体疾患の治療に踏み切るべきときがある（必要に応じて鎮静を考慮する）。

　　全身状態の安定化に際しては，致死的な経過をたどる鑑別疾患を**除外**（rule-out）することが基本である。救急疾患では予後を左右する発症・受傷から医療介入までのアクセス時間を考慮する必要があり，発症・受傷から予後の改善が期待できるまでの限られた時間をゴールデンタイム（golden time）と表現する。ゴールデンタイムが短い順（緊急度が高い順）に，あるいは予後が悪い順（重症度が高い順）に疾患を除外していくことで治療の時期を逃さないことが重要である。また，経過や症候によって想定される鑑別疾患はある程度限られ，見逃しを低減し致死的な病態を早期に診断するためにリスト（表Ⅰ-2-2：p13参照）を活用するのもよい。生命に危機を及ぼす主要な鑑別診断をあらかじめ理解しておき，経過予測にも役立てる。安定化に必要な一連の支持療法をひとまとまりに整理しておくのもよい。

注20) 効率的なATP産生はミトコンドリア内で行われ，その過程には酸素が必要である（好気代謝）。グルコース1分子の分解により得られるATPは正味，解糖系で2分子，酸素が存在していればピルビン酸酸化・クエン酸回路・電子伝達系により28分子である。詳細は生物学に譲るが，ATPは解糖系で4分子，ピルビン酸酸化・クエン酸回路・電子伝達系により30分子，計34分子産生されるものの，消費される4 ATP（解糖系のグルコース加水分解で2 ATP，NADH輸送で2 ATP）があるため，グルコース1分子からATPは$4-2+30-2=30$分子得られることになる。なお，二酸化炭素はピルビン酸酸化とクエン酸回路で産生され，水は電子伝達系で産生される。

鑑別と根本治療 ～ Secondary Survey の背景理論

　　生命危機を回避した後に，比較的時間をかけて鑑別診断（differential diagnosis）が行える。安定化では短期的な生命危機を主眼に対応するが，鑑別はより長期的な重症化予測をもとに病因診断し根本治療（definitive treatment）を実施する。機能予後（functional prognosis），整容予後（cosmetic prognosis）も考慮し，社会復帰（母親としてわが子を育てることを含む）を目指す。この段階は母児の健康[注21]を目指し，母体救命の観点で優先して特定すべき身体疾患に加えて，精神疾患や生活に大きく影響する社会的問題にも目を向ける。母体救急では，胎児の抱える問題にも配慮が必要になる。初期診療の後には超急性期からリハビリテーション期に移行することを意識し，丁寧な鑑別と継続的な介入計画を立てる。

1. 診断推論

　　病歴聴取と身体所見に基づき症候学的に鑑別をあげ，検査により疾病を特定していくが，この過程は**診断推論**（clinical reasoning）と呼ばれる。見逃してはならない重大な疾患[注22]を優先的に除外診断（rule-out）しつつ，並行して母体に存在する疾患の確定診断（rule-in）に向けた検査を計画し，根本治療につなげる。

2. 診断仮説と存在確率

　　母体の重症化原因として何らかの疾患が存在しているはずであるが，診療当初は疾患を特定できない。初療では複数の診断仮説をあげ，それぞれの存在確率を概算することから始める。本来疾患はあるか（確率1）ないか（確率0）のいずれかであるが，臨床的には複数の診断仮説を同時に考える（ベクトル診断という）[注23]。

　　診断仮説の存在確率を，検査閾値よりも下回るようにする行為が除外診断（rule-out）であり，治療閾値よりも上回るようにする行為が確定診断（rule-in）である（スライド3）。

[注21] WHO憲章では健康を，"Health is a state of complete physical, mental and social well-being and not merely the absence of disease or infirmity." と定義し，単に疾病がないことではなく，身体的，精神的，社会的に完全に安寧な状態を目指すべきことがわかる。
[注22] 緊急度が高い，重症度が高い，治療可能性がある疾患は重大な疾患ととらえる。
[注23] n個の診断仮説に対してそれぞれ存在確率P_nを同時に考えるため，n次元ベクトルと考えられる。

スライド3

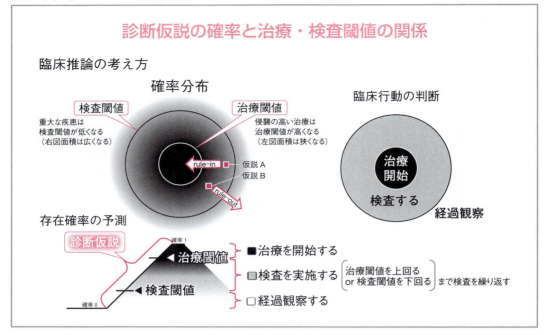

　検査閾値（test threshold）は，疾患の存在を無視してよいか，それとも検査をしてその疾患の存在確率をより高める（あるいは低下させる）べきかを判断する基準になる確率である。重大な疾患であれば，検査閾値を低く設定すべきであり，その疾患がほぼないと考えられるまで除外のための検査が繰り返される（例えば妊婦がけいれんしたとき，脳出血が原因である可能性を考えればほとんどの場合で頭部CTを撮影するであろう。みられた症候からどのような疾患を想起するかによって行動が変化する）。

　治療閾値（treatment threshold）は，疾患の治療に踏み切ってよいと考えられるほどの，その疾患の存在確率である。侵襲の高いあるいは有害事象が比較的多い治療であれば，治療閾値は高く設定すべきである。一方，侵襲が低く有害事象が少ない治療であれば，治療閾値は低くても問題がない（例えば，悪性腫瘍かもしれないだけで抗がん剤は使用しないが，菌血症かもしれない状況で抗菌薬は使用される）。疾患の存在を厳密に証明すべきときもあるが，診断仮説の存在確率が治療に踏み切るに十分であると説明可能な相当の理由を備えればよいこともある。診断的治療はその典型であり，存在が明らかでない診断仮説に対して治療介入を開始し，その後の経過により疾患の確定に至るものである。

3．検査の特性と鑑別

　rule-out/inという用語は，想定される疾患の存在確率を低くする/高くすることであり，決断閾値を超えるように[注24]検査を実施していくことになる。感度と特異度，あるいはこれら2つから計算して導かれる尤度比に基づいて実施する検査を選択するとよい。

[注24] 検査閾値よりも低い確率，あるいは治療閾値よりも高い確率を目指して検査を行う。

感度 Sensitivity の高い検査で陰性 Negative であったときに rule-out でき（SnNout；when Sensitivity is high, a Negative result rules out the disease in question），特異度 Specificity の高い検査で陽性 Positive であったときに rule-in できる（SpPin；when Specificity is high, a Positive result rules in the disease in question）。それぞれ，省略して SNOUT や SPIN と表記することもある。

スライド 4

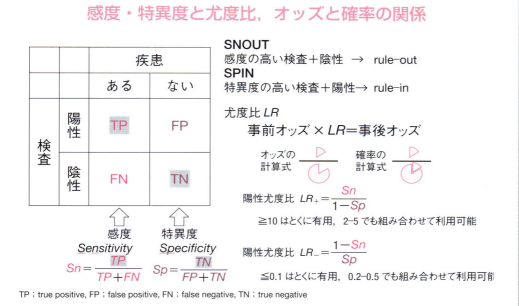

感度および特異度から求められる尤度比（likelihood ratio；LR）は，診断仮説の見積もった事前オッズに乗じることで，事後オッズを導くことができる[注25]。

$$_{pre}Odds \times LR = {}_{post}Odds$$

オッズは疾患が存在する確率 p と，疾患が存在しない確率 $1-p$ の比であり〔$Odds=p/(1-p)$〕，オッズから確率を求めることもできる〔$p=Odds/(1+Odds)$〕。臨床現場では，実際の計算は省かれるが，臨床医の頭のなかでは，検査を複合的に用いることで診断仮説の除外あるいは確定に至っている。これは条件付き確率（conditional probability）と同様の考え方であり，ベイズの定理（Bayes' theorem）と呼ばれている。

実際に必要になる検査は多岐にわたるため詳細は割愛するが，緊急に行われるべき検査の例を示す（表Ⅱ-1-1）。一般に，侵襲が低い，陽性尤度比が大きく（陰性尤度比が小さく），検査の結果が早期に得られる（point of care testing/ultrasound が強調されるのはそのためである），経済的に優れている検査から実施されることが多い。

科学技術の発展とともに検査の精度と有用性は高まっているものの，検査前確率を推定

[注25] より厳密にいえば，検査が陽性のときに陽性尤度比，検査が陰性のときに陰性尤度比を乗じる。

するには現在も病歴や身体所見によるところがきわめて大きい。検査のみに依存することなく，丁寧な病歴聴取と診察を臨床医は実施しなければならない（Primary Surveyにおいては身体所見が医学的判断の重要な根拠になっていることは特筆に値する）。

表Ⅱ-1-1　鑑別に有用な検査項目の例

中枢神経系	頭部CT（血管造影を含む），MRI（MRA/MRV），髄液検査，脳波検査
呼吸器系	胸部単純X線，胸部CT，KL-6，咽頭・鼻腔の抗原検査，尿中抗原（レジオネラ，肺炎球菌）
循環器系	12誘導心電図，心エコー，胸部単純X線，造影CT，冠動脈造影
腎泌尿器系	Cre，尿定性，尿沈渣，腹部超音波，造影CT
消化器系	Bil，AST，ALT，腹部超音波，造影CT
血液凝固系	血小板，Fg，PT%，PT-INR，APTT，FDP，D-dimer
感染症	血液培養，尿培養，喀痰培養，髄液培養，腟分泌物培養，咽頭培養

4．根本治療

　　治療閾値を上回れば，その診断仮説としていた疾患の存在が確信的な状態となり，有効とされる特異的治療を行うことができる。しかしながら，複数の疾患を同時に考える必要性があるとき（ベクトル診断）には，各疾患に対する治療介入の有益性と有害性をそれぞれ考慮して，実際に行う治療を選択する必要がある。その治療反応と一連の経過によって診断仮説をさらに絞ることができることがある。

　　確定診断に対して特異的な治療は根本治療（definitive treatment）と呼ぶことができ，ガイドラインやさまざまなエビデンスを活用して実施する治療を選択する。科学的根拠は有用であるが，目の前の患者に実践することが適切かどうかは，患者の病態や個別性に加えて，患者の価値観や意向，社会や院内の状況（保険適用の有無，医療スタッフの修練度，医療資源の有無など）を加味して検討する。

　　侵襲的な介入を要する際に，患者への説明と理解を得ることが困難で患者の価値観や意向を確認できなければ，家族らが推定した患者本人の意向を参考にするか，その猶予もなければ医学的判断に基づいて介入を開始することを許容すべきである。そのときの介入は医学的に妥当性が広く認められている標準的な介入が基本であるが，救命の観点から可能なかぎりの対応が求められることもあるため，医療ケアチームのなかでコンセンサスが得られる治療を選択する。

まとめ

　　J-MELSアドバンスコースのアプローチの背景にある，初期診療に関する理論の要点は以下のとおりである。医療資源と患者を評価し優先順位・資源配分・方針を決定し救命処置を開始する（第一印象）。引き続き，安定化のためにABCDEF（P）の順に評価と介入を行い（Primary Survey）生命危機から脱した後に，臨床推論を経て根本治療を実施する（Secondary Survey）。

　　初期診療はきわめて動的であり，これらの理論に基づき臨機応変に対応することが重要である。次項から，ABCDEF（P）アプローチについて詳述する。

参考文献

1) Hashii K, Hasegawa J, Yamashita T, et al：Activities of the Japan Council for Implementation of the Maternal Emergency Life Support System reduced direct causes of maternal deaths in Japan. J Obstet Gynaecol Res 49：2252-2266, 2023.
2) 鳥谷部祥一：生物物理学，日本評論社，東京，2022.
3) 山口隆美：生体における流れの概念．谷下一夫，山口隆美編，生物流体力学，朝倉書店，東京，2012, pp8-16.
4) デイヴィッド・サダヴァ：新・大学生物学の教科書　第3巻　生化学・分子生物学，講談社，2021.
5) 外須美夫：麻酔・集中治療のための新呼吸・循環ダイナミズム，真興交易医書出版部，東京，2018.
6) Bhalla MC, Frey J, Rider C, et al：Simple triage algorithm and rapid treatment and sort, assess, lifesaving, interventions, treatment, and transportation mass casualty triage methods for sensitivity, specificity, and predictive values. Am J Emerg Med 33：1687-1691, 2015.
7) Sackett DL：The rational clinical examination：A primer on the precision and accuracy of the clinical examination. JAMA 267：2638-2644, 1992.
8) Fischer BG, Evans AT：SpPin and SnNout are not enough：It's time to fully embrace likelihood ratios and probabilistic reasoning to achieve diagnostic excellence. J Gen Intern Med 38：2202-2204, 2023.
9) 野口善令，福原俊一：誰も教えてくれなかった診断学；患者の言葉から診断仮説をどう作るか，医学書院，東京，2008.

Ⅱ 初期診療のアプローチ

2 A 気 道

スライド5

Airway 気道

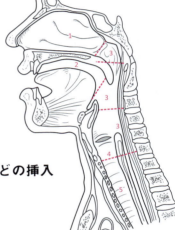

- ■気道の目的
  呼吸ガスの通過経路となる
  （体外〜肺胞まで：ガス交換はしない）
- ■気道管理のポイント（初期診療）
  1．空間を保つ（気道開通）
  ・呼吸ガスが通過できるように開通している必要がある
  2．障害物を退ける / 除く
  ・組織：腫脹，血腫，腫瘍など ➡ **チューブなどの挿入**
  ・分泌物，食物，異物，血液，胃内容逆流物など ➡ **吸引・異物除去**
- ■気道の名称
  ・上気道：1鼻腔・2口腔 → 3咽頭 → 4喉頭（声門上まで）
  ・下気道：4喉頭（声門以下）→ 5気管 → 6気管支 →…終末細気管支

気道（airway；A）は，呼吸ガスを体外から肺胞内まで通過させる経路であり，酸素を肺胞まで取り込むための最初の関門である。口腔〜咽頭は呼吸器系と消化器系を兼ねており，食物と呼吸ガスの通過経路は同一平面上で交差するため，気道は閉塞しやすい[注26]。摂食嚥下の際に気道を保護する仕組みが人体には備わっており，口腔周囲と舌根は強調運動により嚥下が可能で，嚥下のときには軟口蓋・喉頭蓋・声門が閉鎖する[注27]。これらの構造・機能は気道管理にも影響する。

気道には，嚥下機能を兼ねるために可動性の高い軟部組織が多く，意識障害などによって筋肉が弛緩すれば軟口蓋や舌根の沈下により咽頭閉塞から気道閉塞になり得る。喉頭蓋炎による喉頭の閉塞，声帯麻痺や（成人ではまれだが）喉頭けいれんによって声門閉鎖が生じ得る。気道周辺の血腫や腫瘍によって気道が狭窄・閉塞し得る。喉頭から気管は軟骨が支持構造となり空間を保ちやすいが，異物などの容積によって狭窄・閉塞に至る。

唾液を含む分泌物や食物，胃内容逆流物も気道閉塞の原因となる。流動性の高い障害物は吸引（suction）し，固形物はマギール鉗子などによって取り除くのが効率的である。気道の障害物が何であれ，その障害部位を越える位置（例えば気管）までチューブを挿入するなどして呼吸ガスが通過する空間を確保すれば気道は保護される。

一般に，鼻・口から声帯までの上気道[注28]と，声帯から終末細気管支までの下気道[注29]に分けられるが，Primary Survey の A で対象とするのは物理的にアプローチできる範囲をいい，主に上気道である[注30]。J-MELS アドバンスコースでは下気道の末梢（喘息発作による気道狭窄など）は B（呼吸：breathing）で扱う。

[注26] 嚥下しながら呼吸することはできない。しかし，新生児はそれが可能である。新生児期は喉頭位置が高く，母乳（またはミルク）と呼吸ガスが立体交差できるためである（多くの動物も同様である）。喉頭を下げたことで人類は発声できるようになり言語を手に入れたが，同時に窒息するリスクをとることになった。

[注27] 嚥下は，先行期（何をどのように食べるか判断する），咀嚼期（咀嚼し食塊を作る），口腔期（食塊が口腔から中咽頭に送られ，このとき軟口蓋により口腔・上咽頭が閉鎖される），咽頭期（嚥下反射により食塊は下咽頭を経て食道に送られ，このとき喉頭挙上によって喉頭蓋が喉頭を閉鎖し同時に声門が閉鎖する），食道期（食道の蠕動運動で胃内まで食塊が運ばれる）に分けられる。

[注28] 上気道（upper airway）：呼吸ガスの経路を解剖学的に追うと，鼻孔・鼻腔・後鼻孔・上咽頭（あるいは口唇・歯列・口腔）を経て中咽頭・喉頭までが上気道に分類される。上咽頭は頭蓋底から口蓋垂根部まで，中咽頭は口蓋垂根部から喉頭蓋谷まで，下咽頭は喉頭蓋谷から輪状軟骨下縁までをいうが，このうち下咽頭は食道につながる消化器系であり気道ではない。気道として機能するのは上咽頭・中咽頭・喉頭である。喉頭は軟骨で形成され輪状軟骨下縁までをいう。それ以下は気管と呼ばれる。上気道と下気道の境界である声帯は甲状軟骨レベルにある。

[注29] 下気道（lower airway）：声門以下の気道をいうが，解剖組織学的には喉頭の下方，気管，主気管支，葉気管支，区域細気管支，細気管支，終末細気管支までが含まれる。ただし，細気管支以降は Primary Survey の A の対象としない。

[注30] Primary Survey の気道と，解剖生理学的に定義される気道は同義ではない。J-MELS アドバンスコースの Primary Survey では，物理的にアプローチが可能な範囲を A の対象としている。つまり，用手的気道確保から気管挿管などにより解決できる部位であり，主に上気道が対象となる。しかし，まれであるが喀血や気管異物などの場合に，気管支ファイバーやダブルルーメンチューブ・気管支ブロッカーなどによって気管や気管支まで物理的にアプローチできるため，A の介入として整理できる。

スライド 6

妊娠に伴う気道の変化

- 粘膜の充血と浮腫
- Mallampati score 上昇
- 気管径の減少
- 胃食道括約筋の弛緩
- 胃内圧の上昇
- 胃内容排出時間の延長
- 乳房サイズの増大

Difficult Airway
（換気困難，喉頭展開困難，挿管困難）

気管チューブ ID 6.0 ～ 7.0 mm

胃内容逆流・誤嚥・窒息
Mendelson's syndrome

　妊娠に伴って上気道粘膜は水分貯留と充血を認めるようになり，浮腫や出血リスクが高まるため[1]，経鼻エアウエイの挿入に際して注意が必要である。気管挿管には内径7.0 mm 以下の気管チューブを用いる。妊娠・分娩に伴い Mallampati score が上昇するため[2]～[5]，喉頭展開が困難になり得る。乳房が増大し喉頭鏡の操作が難しくなることもある。妊婦は difficult airway の頻度が高まるため[6]～[8]，気管挿管に際してはビデオ喉頭鏡を第一選択とすることもでき，その他の挿管方法を複数備える。

　プロゲステロンの作用によって下部食道括約筋は弛緩しやすく嘔吐しやすい[1]。分娩中は胃内容排出時間が延長するため[9]，嘔吐・誤嚥・窒息に注意する。

スライド 7

気道の評価

- **発語・気道音**
  - いびき音
  - うがい音
  - 吸気性喘鳴（ストライダー）
  - 無音
- **胸郭・腹壁の運動**
  - シーソー呼吸有無
- **口腔～咽頭の観察**
  - 異物の有無
  - 液体
- **呼吸ガスの流れ**
  - 呼気流（風）
  - マスクなどの結露

- **カプノグラフィー**
  - 呼気時の CO_2 検出 / 吸気時の CO_2 消失

  気道開通　　気道狭窄　　気道閉塞
  　　　　　　　　　　　Ⅲ相消失　CO_2 検出されず
  吸気　呼気　吸気

  ■ **緊急度：秒～分単位**
  1. **完全閉塞**
  2. **狭窄（部分閉塞）**
  ■ **病態の特定**
  ・解剖学的部位：軟口蓋，舌根，喉頭蓋，声門，下気道
  ・原因（障害物）：組織，固形物，流動性

気道の評価は，緊急度と病態の特定を目指して行う。完全閉塞はきわめて緊急度が高く，数分以内に確実に心停止する。狭窄（部分閉塞）は気道がわずかに開通しており，若干の猶予が期待できるが心停止リスクは高い[注31]。気道に問題があれば「気道緊急」と表現する。病態の鑑別では，閉塞している部位と原因（障害物）の特定を意識する。部位と障害物を特定することで，気道確保のためのデバイス選択や行動を決定できる。

完全閉塞では呼吸ガスの出入りがなくなり無音になるので見逃しやすい。このとき，初期には呼吸様運動がみられることが多い。すなわち，吸気努力により横隔膜は下がり腹部が膨隆するとともに，肺にガスが流入せず胸腔内圧は陰圧のままで胸壁が陥凹する（前胸部は陥凹するが胸郭は左右に広がる）。この所見は，胸壁が下がり腹壁が上がるため，シーソー呼吸と呼ばれる[注32]。胸腹部を同時に観察するか，胸部と腹部に手を置いて観察すると見逃しにくい。その他，肋間や鎖骨上窩の陥凹，胸鎖乳突筋などの呼吸補助筋の使用，強い横隔膜収縮に伴う気管の牽引（tracheal tug）を認めることもあり，シーソー呼吸を含むこれらの所見は，気道の完全閉塞に限らず，気道狭窄や吸気努力が強いときにも生じる。

気道狭窄では，通過した呼吸ガスの影響で異常な気道音を生じることがあり，いびき音（snoring），うがい音（gurgling），吸気性喘鳴（stridor）などを認める。うがい音であれば流動性の障害物と考えられ，それ以外は組織や固形物の可能性が考えられる。発語があれば気道が開通している可能性が高いが，声がこもっている場合は喉頭周辺組織の腫脹（浮腫，炎症，膿瘍など）を考える。

呼気が水蒸気に飽和されている特徴を活用し，酸素マスクに周期的に生じる結露によって呼吸ガスの流れを確認することもできる。また，気道確保の方法にかかわらず呼気二酸化炭素の検出により気道の開通程度を評価できるため，カプノグラフィーは有用である[注33]。

軟口蓋〜舌根までの問題であれば，経鼻エアウエイや経口エアウエイが有効であり，喉頭周辺の問題は確実な気道確保として，気管挿管や輪状甲状靱帯切開を念頭におく。

[注31] 第一印象の直後に行うLSI（life-saving intervention）に酸素投与が含まれており，エアウエイの異常があるときに猶予時間を延長させるのに寄与する。

[注32] 正常呼吸では，吸気時に腹部と前胸部はともに緩やかに上がる。気道狭窄では，吸気時に腹部は速やかに上がるが，肺へのガス流入が遅くなるため前胸部は吸気初期に下がり遅れて上がりはじめる。胸郭運動は見慣れれば直ちに診断できるが，注意を向けなければ一見呼吸をしているように見えるため見逃しがちである。小児や新生児は胸郭が軟らかいため所見を観察しやすい。出生直後の新生児の呼吸で日常的に呼吸運動の所見に慣れておき，母体の評価に応用するのがよい。

[注33] カプノグラム波形の消失は気道確保ができていないことを意味し，プラトー（第Ⅲ相）の消失（わずかに生じる凸波形のみ）は気道確保が困難な状況，プラトー（第Ⅲ相）を伴う正常波形は十分な気道確保を示唆する。

Ⅱ　初期診療のアプローチ

スライド8

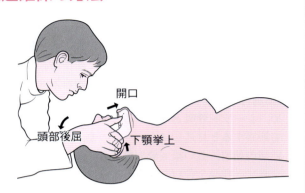

気道確保の方法

- ●用手的気道確保
  - ・下顎挙上法
  - ・頭部後屈あご先挙上法
- ●簡便な器具を使用した気道確保
  - ・経鼻エアウエイ
  - ・経口エアウエイ
- ●その他
  - ・吸引（分泌物による気道閉塞）
  - ・異物除去（固形物による気道閉塞）

●用手的気道確保を行い，気道開通の有無を評価する
●状況に応じて経鼻・経口エアウエイの使用を検討する
●気道開通後も無呼吸，呼吸回数の異常，努力呼吸などを認める場合
　➡バッグ・バルブ・マスクによる換気補助を行う
　➡確実な気道確保の適応ならば熟練者による気管挿管を考慮する

　気道確保が必要な場合，まずは用手的気道確保を実施し，開通の可否を確認する。用手的気道確保は，①頭部を後屈し，②下顎骨を頭蓋骨から離すように患者前方に挙上し，③開口させる手順で行う（triple airway maneuver）。頭部を後屈させることでハンモックをかけた木を外側に倒すとハンモックがまっすぐ引き上げられるように軟部組織が引き上げられ，下顎骨を頭蓋骨に対して前方にスライドさせることで（下顎挙上[注34]）下顎骨に付着する軟部組織がさらに前方に牽引される。これらの作用により舌根周辺の気道を開通できる。頸椎・頸髄損傷が疑われる場合には①を行わない。片手で用手的気道確保が困難な場合は，両手で行う（換気は別の人に実施してもらう：二人法）。バッグ・バルブ・マスク（BVM）換気は「スライド77：p134」を参照されたい。妊婦はdifficult airwayである可能性が高いため，BVM換気が可能であれば熟練者が到着するまで必ずしも気管挿管を急ぐ必要はない（不用意な挿管手技で気道閉塞を招いてはならない）。

　用手的気道確保でも気道開通が不十分な場合はエアウエイの使用を検討する。その他，吸引や異物除去を実施する。

[注34]　下顎挙上には顎関節の関節円板と下顎頭の前方滑走運動が必要であり，顎関節症は気道確保困難の原因になる。開口には顎関節の回転運動が必要である。

スライド9

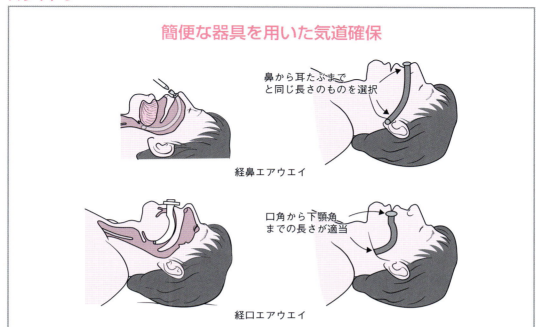

簡便な器具を用いた気道確保

経鼻エアウエイ（鼻から耳たぶまでと同じ長さのものを選択）

経口エアウエイ（口角から下顎角までの長さが適当）

　用手的に気道確保が困難な場合にはエアウエイの使用を検討する。用手的気道確保とエアウエイを併用することでバッグ・バルブ・マスクによる換気が容易になることが多く，状況に応じて積極的に使用を検討する。エアウエイを挿入したら気道が開通したかを必ず確認し，不十分ならさらなる介入を検討する。

　経鼻エアウエイ（nasal airway）は通常 6.0 mm か 7.0 mm を選択し，挿入する長さは患者の尾翼から耳垂までの距離を目安とする。鼻粘膜を傷つけ鼻出血を起こさないように，潤滑剤の使用と愛護的な挿入を心がける。

　経口エアウエイ（oral airway）は口腔から挿入し，舌根を挙上することで気道を開通させる。サイズの選択は口角から下顎角までの距離を目安とする。咽頭反射が残存している場合には，経口エアウエイは嘔吐を誘発することがある。心停止や高度意識障害，麻酔時に使用を検討する。

スライド 10

確実な気道確保の適応

Aの異常
- 用手的気道確保などでは気道確保が不十分
- 血液や吐物による誤嚥の可能性
- 上気道閉塞（喉頭浮腫，気道熱傷など）

Bの異常
- 低酸素血症
- 低換気（高二酸化炭素血症）
- 努力呼吸
- 無呼吸

Cの異常
- 重篤な循環不全（高用量のカテコラミンや大量輸液・輸血などが必要な状態）
- 心停止

Dの異常
- JCS Ⅱ-30 以上の意識障害
  （強い刺激でかろうじて開眼する）
- 急激な意識レベルの低下
- 脳ヘルニア徴候を伴う意識障害
  ・瞳孔不同
  ・片麻痺
  ・Cushing 現象（高血圧を伴う徐脈）

- ●換気ができれば急がない
- ●準備を確実に行う
- ●確実な気道確保の判断は遅らせない
- ●その場にいる熟練者が挿管を行う

　用手換気が行えているのであれば確実な気道確保を急ぐ必要はないが，確実な気道確保の適応判断は遅らせてはならない。挿管が必要と判断されれば，準備を確実に行い，その場にいる熟練者が挿管を行う。

　確実な気道確保の必要性は，「SpO_2 が低い」からだけではない。努力呼吸，頻呼吸など呼吸努力を示す症状があれば，換気がうまくいっていないのではないか？という視点が必要である。つまり，呼吸仕事量の増大（いわゆる努力呼吸）があれば，確実な気道確保を考慮し，積極的に実施する必要がある。

スライド11

経口気管挿管

確実な気道確保
- 気管挿管
  - 経鼻気管挿管
  - 経口気管挿管
- 外科的気道確保
  - 輪状甲状靱帯穿刺/切開
  - 気管切開

- ● 喉頭鏡で喉頭展開し，声門を観察する
- ● 声門の観察が困難（喉頭展開困難）
  - ➡ McGRATH™ MACやエアウェイスコープ®の使用を検討する
- ● 挿管の確認
  - 胸郭の挙上
  - カプノグラフィー
  - 聴診の左右差・胃泡音なし
  - 胸部X線撮影

挿管困難ならば無理をしないで用手換気

挿管の手順

①右手で開口

②舌を左にずらす

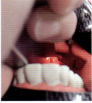
③声門を観察する

④McGRATH™ MAC

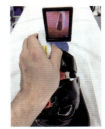
⑤McGRATH™ MAC 使用時

⑥カプノグラフィー

確実に気道を確保するには気管にカフ付きチューブを挿入することが必要となる。気管チューブは一般女性より細めのものを使用し，内径6.0〜7.0 mmとする。

「確実な気道確保」には気管挿管と外科的気道確保があるが，確実な気道確保の第一選択は経口気管挿管であり，全身管理医は手技に習熟しておく必要がある。

挿管の手順

左手で喉頭鏡を持ち，右手の母指と示指で口を開く。喉頭鏡を入れて舌を左にずらしながら，ブレードの先の位置に喉頭蓋と声帯を探す。声門から気管にチューブを挿入し，カフを膨らませる。挿管の確認は，換気により胸郭が左右差なく挙上することを確認しつつ，カプノグラフィーによりチューブ先端が気管内であることを確認し，聴診によって呼吸音の左右差から気管支内ではないこと，胃泡音が聴取されず食道内ではないことを確認する。胸部単純X線撮影も有用である。

喉頭展開が困難な場合はMcGRATH™ MACやエアウェイスコープ®などのビデオ喉頭鏡を使用し，声門を間接的に観察しながら挿管を行う。挿管困難である場合には，無理をせず速やかに用手換気を行い，気道確保に熟練者の応援を待つ。

　妊産婦は生理学的変化に伴い，気道管理が難しくなる。単一の気道管理計画ではなく，バックアッププランを準備しておくことは，一般成人患者に対してと同様に重要である[10)～12)]。

　気道管理でもっとも避けたい危機的状態はCICV（cannot intubate, cannot ventilate：挿管も換気もできない）あるいはCICO（cannot intubate, cannot oxygenate：挿管も酸素化もできない）と呼ばれる。気管挿管ができなくても，マスク換気をして酸素化できれば生命は維持できるので，気管挿管に固執してはならない。

　全身管理医は気管挿管が困難な場合，声門上器具（supraglottic airway；SGA）の使用を考慮する。ただし，SGAが困難な場合として，BMI 30を超えた肥満，開口制限，大きな切歯，歯列不正，頸椎の可動域不良，扁桃腫大，声門～声門下・下咽頭の問題があげられる[13)14)]。それでも気道確保が困難であれば，やはりマスク換気である。この時点でマスク換気と酸素化ができなければCICV/CICOであり，緊急輪状甲状靱帯穿刺/切開などの外科的気道確保を行わざるを得ない。生理学的に気道管理が難しい妊産婦の急変に備えるためには，これらを事前に想定しておくべきである[1)15)]。時に，ECMO（体外式膜型人工肺）の導入を要することもある。

スライド 13

まとめ

- 気道は，呼吸ガスを取り入れる経路
- 気道の完全閉塞と狭窄（気道緊急）は，秒〜分単位の緊急度
- 気道の評価により，閉塞部位と閉塞原因（障害物）を特定する
- 妊産婦は Difficult Airway と認識する
- 用手的気道確保，エアウエイ，気管挿管，声門上器具，外科的気道確保を場面に応じて選択する

文　献

1) Mushambi MC, Kinsella SM, Popat M, et al：Obstetric Anaesthetists' Association；Difficult Airway Society：Obstetric Anaesthetists' Association and Difficult Airway Society guidelines for the management of difficult and failed tracheal intubation in obstetrics. Anaesthesia 70：1286-1306, 2015.
2) Pilkington S, Carli F, Dakin MJ, et al：Increase in Mallampati score during pregnancy. Br J Anaesth 74：638-642, 1995.
3) Leboulanger N, Louvet N, Rigouzzo A, et al：Pregnancy is associated with a decrease in pharyngeal but not tracheal or laryngeal cross-sectional area：A pilot study using the acoustic reflection method. Int J Obstet Anesth 23：35-39, 2014.
4) Boutonnet M, Faitot V, Katz A, et al：Mallampati class changes during pregnancy, labour, and after delivery：Can these be predicted? Br J Anaesth 104：67-70, 2010.
5) Kodali BS, Chandrasekhar S, Bulich LN, et al：Airway changes during labor and delivery. Anesthesiology 108：357-362, 2008.
6) Odor PM, Bampoe S, Moonesinghe SR, et al：General anaesthetic and airway management practice for obstetric surgery in England：A prospective, multicentre observational study. Anaesthesia 76：460-471, 2021.
7) Bonnet MP, Mercier FJ, Vicaut E, et al：Incidence and risk factors for maternal hypoxaemia during induction of general anaesthesia for non-elective Caesarean section：A prospective multicentre study. Br J Anaesth 125：e81-e87, 2020.
8) Bamber JH, Lucas DN, Plaat F, et al：Obstetric anaesthetic practice in the UK：A descriptive analysis of the National Obstetric Anaesthetic Database 2009-14. Br J Anaesth 125：580-587, 2020.
9) Whitehead EM, Smith M, Dean Y, et al：An evaluation of gastric emptying times in pregnancy and the puerperium. Anaesthesia 48：53-57, 1993.
10) Apfelbaum JL, Hagberg CA, Connis RT, et al：2022 American Society of Anesthesiologists practice guidelines for management of the difficult airway. Anesthesiology 136：31-81, 2022.
11) Hagberg CA, Gabel JC, Connis RT：Difficult Airway Society 2015 guidelines for the management of unanticipated difficult intubation in adults：Not just another algorithm. Br J Anaesth 115：812-814, 2015.
12) Japanese Society of Anesthesiologists：JSA airway management guideline 2014：To improve the safety of induction of anesthesia. J Anesth 28：482-493, 2014.
13) Ramachandran SK, Mathis MR, Tremper KK, et al：Predictors and clinical outcomes from failed Laryngeal Mask Airway Unique^{TM}：A study of 15,795 patients. Anesthesiology 116：1217-1226, 2012.
14) Law JA, Broemling N, Cooper RM, et al：The difficult airway with recommendations for management--part 2--the anticipated difficult airway. Can J Anaesth 60：1119-1138, 2013.
15) Mushambi MC, Kinsella SM：Obstetric Anaesthetists' Association/Difficult Airway Society difficult and failed tracheal intubation guidelines：The way forward for the obstetric airway. Br J Anaesth 115：815-818, 2015.

Ⅱ 初期診療のアプローチ

3 B 呼　吸

スライド14

Breathing 呼吸

■呼吸の目的
　ガス交換（O_2摂取，CO_2排出）と酸塩基平衡の維持

■呼吸管理のポイント

1. **酸素化を保つ**
　➡ 酸素投与・PEEP

2. **換気を保つ**
　➡ 換気補助

3. **呼吸仕事量を抑える**
　➡ 換気補助

<肺胞気式>

$$P_{AO_2} = F_{IO_2} \times (P_B - P_{H_2O}) - \frac{P_{ACO_2}}{R}$$

肺胞気酸素分圧　吸入酸素分画　大気圧　水蒸気圧　肺胞気二酸化炭素分圧　呼吸商

糖質	1.0
蛋白質	0.8
脂質	0.7

$$P_{aCO_2} = 0.863 \times \frac{\dot{V}_{CO_2}}{\dot{V}_A} \qquad \dot{V}_A = f \times (V_T - V_D)$$

動脈血二酸化炭素分圧　二酸化炭素呼出量　肺胞換気量　呼吸数　1回換気量　死腔

$$\dot{W} = f \times \int_0^{t_1} P \times \frac{dV}{dt} dt \qquad P = R \times \frac{dV}{dt} + \frac{V_T}{C}$$

1分間の呼吸仕事量　呼吸数　吸気時間　気道内圧　吸気流速　気道抵抗　吸気流速　1回換気量　コンプライアンス

　呼吸（breathing；B）は，酸素を血液中に摂取し代謝により産生された二酸化炭素を血液中から排出すること（ガス交換）[注35]を目的としており，同時に酸塩基平衡のホメオスタシスを保つ機能をもつ．全身管理医には呼吸管理に関する専門的かつ高度なスキルが求められるが，産婦人科医も呼吸管理の概要を把握しておくことで呼吸管理と妊娠分娩管理が相反する場面で議論がしやすくなるので，以下の要点を把握しておくとよい．

　血液の酸素化（oxygenation）を保つ[注36]ことは，効率的なATP産生を可能にするために欠かせず，Bの管理においてもっとも優先すべき事項である．酸素化を改善するには，吸入酸素濃度〔F_IO_2（％）〕を上昇させるか，呼気終末陽圧〔positive end-expiratory pressure；PEEP（cmH_2O）〕[注37]をかけることが主要な介入である．

[注35] Primary SurveyのBで扱うのは外呼吸（external respiration）と呼ばれる肺内のガス交換である．内呼吸（internal respiration）は細胞レベルのガス交換をいい，Primary SurveyのC（循環）で扱う．胎盤で行われる母体血と胎児血の間で行われるガス交換は，本書ではCで扱う．

[注36] 動脈血酸素飽和度〔SaO_2（％）〕と動脈血酸素分圧〔PaO_2（％mmHg）〕を高く保つことを意味する．

[注37] 正常呼吸では，呼気終末は大気圧と同レベルになるが，呼気時に圧をかけることで肺虚脱を防ぎ換気血流不均衡を改善させる目的でPEEPが用いられる．

肺胞内に呼吸ガスを取り入れ（吸気：inspiration）排出すること（呼気：expiration）を換気（ventilation）というが，前述の酸素化に換気が不可欠である．低換気は二酸化炭素が貯留し呼吸性アシドーシスをきたすとともに低酸素になるので，1回換気量〔V_T（mL）〕と呼吸数〔RR（/min）〕[注38]を適切に管理することが求められる（気道狭窄が換気不全を招くこともあるので，Aの問題が解決していることが前提である）．全身管理医はより厳密に，死腔量を加味して肺胞換気量〔$\dot{V}_A$（L/min）〕を保つことで反比例関係にある動脈血二酸化炭素分圧〔$PaCO_2$（mmHg）〕を適切に保つ[注39]．代謝性アシドーシスが著しい場合は，pH管理（7.2以上目標）を考慮して呼吸代償のために$PaCO_2$を通常よりも低く保つこともあり得る．また，次のスライドで示す妊婦の$PaCO_2$基準値を参考にする．

PaO_2や$PaCO_2$が基準値内であっても，呼吸仕事量（work of breathing；WOB）の問題が生じていることがあるため注意する．呼吸仕事量の異常な増加や呼吸筋[注40]疲労では換気を補助することが必要である．また，調節駆動系の機能異常[注41]に対しても換気の補助が必要になる．

酸素化は酸素投与で解決できることもあるが，換気と呼吸仕事量の問題では必ず換気補助が必要であり酸素投与では解決されないので，Bの管理においてとくに留意すべきである．

[注38] 実測された呼吸数はRR（respiratory rate）〔/min〕で表現し，人工呼吸器で設定する換気回数はf（frequency）〔/min〕で表現する．1回換気量と呼吸数の積（$V_T \times RR$）を分時換気量（MV；minute volume）〔L/min〕という．

[注39] $PaCO_2$は二酸化炭素産生量（酸素消費量）に比例するため，高体温や発熱，シバリング，けいれんなどでは代謝の制御も考慮する．また，麻酔器ではソーダライムなどの二酸化炭素吸収剤の飽和に伴う吸気ガスへの二酸化炭素混入に注意する．

[注40] 安静時の吸気には横隔膜が主に働き，外肋間筋・内肋間筋傍胸骨部・斜角筋も寄与する．努力吸気の呼吸補助筋は，胸鎖乳突筋・僧帽筋・大胸筋・小胸筋などがある．努力呼気では内肋間筋・腰方形筋・下後鋸筋・腹筋群（腹直筋・内腹斜筋・外腹斜筋・腹横筋）が補助筋である．

[注41] 頭蓋内病変に伴う呼吸中枢の異常，頸髄損傷やGuillain-Barré症候群・フグ中毒など神経伝達の異常，重症筋無力症クリーゼなどの呼吸筋異常などが該当する．

スライド 15

妊娠に伴う呼吸の変化

- 分時換気量の増加 50 %
  - 1 回換気量の増加
  - 呼吸数はほぼ不変

  生理的に呼吸性アルカローシス

- pH 7.44　$PaCO_2$ 30 mmHg　HCO_3^- 20 mmol/L
- 機能的残気量の低下 30 %
  （妊娠子宮による横隔膜の挙上）

  酸素飽和度の急激な低下リスク

- 酸素消費量の増加 20 %

　妊娠中のプロゲステロンの影響により 1 回換気量は 450〜600 mL に達し分時換気量は 50%増加する[1,2]。一方，呼吸数は 1〜2/min 増加する程度でほぼ不変である[1,2]。妊娠中期以降に横隔膜は 4 cm 挙上するが，胸郭が拡大することで代償される[3]。しかし，この影響で機能的残気量（FRC）[注42]は 30%低下しており[3]，あわせて胎児の代謝も含むため酸素消費量は 20%増加しているため[3]，低換気や呼吸停止時の予備能は低く急激に酸素飽和度が低下し得る（分娩中の酸素消費量の増加は 50%に及ぶ[4]。一方，最大吸気量（IC）[注43]は増加している特徴がある[3]。

[注42]　FRC；functional residual capacity：安静呼気位における肺内ガス量。
[注43]　IC；inspiratory capacity：FRC から最大吸気までに吸気し得る吸入ガス量。

スライド 16

呼吸の評価

- ●自発呼吸の有無
- ●呼吸運動
  - 回数・深さ
  - 呼吸補助筋の使用
  - 陥凹・陥没・膨隆
  - 左右差
  - 胸郭の異常
- ●肺音の聴診
  - 呼吸音の大きさ・長さ・左右差
  - 断続性ラ音
    - coarse crackles
    - fine crackles
  - 連続性ラ音
    - wheezes
    - rhonchi
- ●SpO_2
- ●カプノグラフィー
- ●POCT / POCUS
- ●ポータブル胸部 X 線

■緊急度：分〜時間単位
1. 低酸素血症・低換気
2. 努力呼吸

■病態の特定
- 酸素化の障害
- 換気の障害
- 呼吸仕事量の増大

　呼吸の評価は，酸素化・換気・呼吸仕事量の視点で，緊急度と病態の特定を目指して行う。後述する呼吸不全の定義に留意して評価する。低酸素血症と低換気（高二酸化炭素血症）は緊急度が高く，直ちに酸素投与や補助換気，人工呼吸管理により対応する必要がある。酸素化や換気に問題がなくても，努力呼吸が継続した状態は呼吸仕事量の増大を意味し，呼吸筋疲労や換気の破綻につながるため速やかに換気を補助する必要がある。

酸素化の評価

　酸素化は経皮的酸素飽和度（SpO_2）によって計測するのが客観的かつ簡便である。ただし，口唇のチアノーゼ（cyanosis）[注44]を認める場合はSpO_2測定をすることなく低酸素血症を同定できる。
　SpO_2モニターが動脈血を同定するためには脈波が必要であり，透過光から容積変化を認識しプレシスモグラフ（plethysmograph：SpO_2モニターの波形）を描出している[注45]。ショック状態などで指尖脈波が減弱・消失すればSpO_2は正確でなくなり最終的に計測できなくなることを認識しておく（つまり，SpO_2は循環モニターとしても解釈できる）。

換気の評価

　換気の評価は，呼吸数と1回換気量の両者を観察することで行う。正常な呼吸運動は一見すると呼吸していると認識するのが難しい。脈拍と異なり呼吸数の正常範囲は12〜

[注44] 還元型ヘモグロビンが 5 g/dL 以上で出現するため，貧血では把握できない。
[注45] 赤色光（波長 660 nm 周辺）と赤外線（波長 940 nm 周辺）の吸光・透過の程度により酸素飽和度を測定している。吸光に影響する一酸化炭素ヘモグロビン・メトヘモグロビンといった異常ヘモグロビンや，吸光するマニキュアなどによって正確な計測ができなくなる。

20/min と周期が長い。そのため 10 秒程度の観察を行っても 2 回程度しか呼吸運動を確認できず，評価にはある程度の時間が必要になる（正確な呼吸数の計測には，30 秒間の吸気回数を計測し 2 倍するのがよい[注46]）。また，正常呼吸は穏やかかつ動きはわずかであるため視診だけでは見逃しやすい。腹部に手を当てるなどして観察するほうが確実である。このとき呼吸の深さ，すなわち 1 回換気量も同時に観察する。

呼吸仕事量の評価

遠目からでも，あるいは一見して呼吸運動がみてとれる場合は，努力呼吸である可能性が高く，過度な呼吸仕事量増加を示唆する（次スライド参照）。一文を連続して話せる，数単語のみ話せる，一語のみ，会話不能など，会話の程度によっても緊急度を推しはかることができる。吸気時の胸鎖乳突筋の緊張や肩呼吸，呼気時の腹部緊張は，呼吸補助筋の使用があると判断する。自発呼吸では吸気時に胸腔内が陰圧になるが，吸気時に肋間・胸骨切痕・鎖骨上窩が陥凹する場合は胸腔内の強い陰圧を示唆し，呼吸努力が著しく強いか上気道狭窄の可能性を考える。

その他の評価

胸郭運動の左右差は異常所見であり，末梢気道の閉塞や気胸・胸水・血胸など片側性の病変が考えられる。強い外力が加わった後に胸郭の一部が吸気時に陥没し，呼気時に膨隆する場合はフレイルチェストを考える。その他，皮下気腫や皮下出血は呼吸不全の原因特定の参考になる。

胸部の聴診は大まかな病態鑑別に有用である。吸気時に呼吸音が両側左右差なく聞かれれば換気が行えていることがわかる。呼吸音の減弱は気胸，胸水，無気肺，高度の喘息発作などで発生し得る。断続性ラ音（discontinuous sound）のうち，プツプツ/ポコポコとした水泡音（coarse crackles）は肺炎・肺水腫などで認め，パリパリ/チリチリとした捻髪音（fine crackles）は間質性肺炎などで聞かれる。連続性ラ音（continuous sound）のうち，ヒューヒューのような高調音（wheezes）は喘息発作時の呼気時に特徴的であるが，心不全に伴う肺水腫でも認めることがある。グーグーのような低調音（rhonchi）は比較的太い気管支に貯留した分泌物や気道異物の可能性がある。

カプノグラフィー[注47]により呼気中二酸化炭素をモニタリングすれば頻回な血液ガス検査を省略でき，プラトー（第Ⅲ相）の程度により末梢気道閉塞を認識できることがあるが詳細は成書に譲る。血液ガス検査により，酸素化（PaO_2）と換気（$PaCO_2$）の評価を行うことができ，同時に酸塩基平衡の異常を鑑別できる（POCT：p154 参照）。

胸部単純 X 線画像から肺炎，肺水腫，うっ血，血気胸，肺過膨張などの病態鑑別が可能である。近年，POCUS（point of care ultrasound）として肺エコーの有用性が示され[5)6)]，lung sliding と seashore sign の消失（気胸），B-line 増加（肺炎，肺水腫），tissue-like sign（無気肺）の鑑別ができる。

[注46] 新生児のように呼吸数が速い（周期が短い）場合は，6 秒間計測し 10 倍することも可能である。

[注47] 赤外線（波長 4.3 μm 周辺）の吸光により測定している。B の評価に限らず，気道閉塞や循環不全でも減高や波形変化がみられるため，気道・循環の評価にも活用できる（二酸化炭素排出量は肺血流にも影響されるため，循環動態を把握できる）。

スライド 17

呼吸仕事量

- 仕事量増大のサイン
  - 努力呼吸
  - 頻呼吸
  - 換気量増加
- 進行時の変化
  - 呼吸筋疲労
  - 代償の破綻

肺・胸郭
コンプライアンス↓　気道抵抗↑

（弾性抵抗＋粘性抵抗）…流速に影響される
　　　×
　　呼吸数

1分間の呼吸仕事量

- 努力呼吸：吸気流速↑↑　⇒　粘性抵抗↑↑
- 頻呼吸・換気量増加　⇒　呼吸仕事量↑↑
- 呼吸仕事量↑↑　⇒　酸素消費量↑↑＝酸素需要↑↑

➡ **悪循環から脱するために人工呼吸管理が必要**

　古典物理学において力〔N〕と距離〔m〕の積が仕事〔Nm＝J〕であるが，圧力〔N/m^2〕と体積〔m^3〕の積も同様に仕事〔J〕となる（スライド 14 参照）。このことから，1 回換気量の増加や頻呼吸が仕事量を増加させることが理解できる。

　吸気のためには，肺・胸郭のコンプライアンス（やわらかさ）に応じた仕事が必要になる（弾性抵抗）。さらに，気道抵抗が存在するため気流に対して仕事が必要になる（粘性抵抗）。コンプライアンスの低下や気道抵抗の増加があれば，必要な仕事量が増大する。頻呼吸や努力呼吸によって吸気流速が早くなると必要な仕事量はさらに増加する。呼吸補助筋を含む呼吸筋が増大した仕事量に対応するため呼吸筋の酸素消費量を増させ，総酸素消費量の 50％ に及ぶことがある（安静時は 3％ 以下）[7]。

　このような酸素需要増加の悪循環から脱するためには，原因疾患の治療や呼吸状態の改善のために人工呼吸管理の導入が不可欠である。

　適切な介入が行われなければ，呼吸筋疲労によって 1 回換気量と呼吸数の減少が起き，呼吸パターンは一見すると正常範囲のようにみえるようになる。多くの場合，低換気に移行し呼吸性アシドーシスを呈するようになる。このような代償破綻に至る前に認知し，早期対応するため，B の評価における呼吸仕事量の評価が重要である。

スライド 18

呼吸不全の定義と鑑別

- Ⅰ型呼吸不全
  $PaO_2 < 60$ mmHg
  - $SpO_2 < 90\%$ に相当する
  - 低酸素血症
  - ただし，妊婦は $PaO_2 \geqq 70$ mmHg
    （$SpO_2 \geqq 93\%$，可能なら $\geqq 95\%$）を目指す
- Ⅱ型呼吸不全
  $PaO_2 < 60$ mmHg and $PaCO_2 > 45$ mmHg
  - 低酸素血症に換気障害を伴う
  - ただし，妊婦は $PaCO_2 > 40$ mmHg で換気障害の可能性がある

低酸素血症の鑑別
1. **肺胞低換気** →Ⅱ型
   気道狭窄，呼吸筋疲労，
   呼吸中枢抑制，神経筋疾患
2. **拡散障害**
   肺炎，肺水腫，間質性肺炎など
3. **換気／血流不均衡**
   あらゆる疾患で発生する
4. **右左シャント**
   無気肺，末梢気道閉塞，痰づまり
5. **酸素分圧低下**
   高地，航空機内，酸素供給異常

　非妊婦の呼吸不全の定義は，低酸素血症のみであればⅠ型，換気不全すなわち高二酸化炭素血症を併発するとⅡ型呼吸不全と呼ぶ。ただし，胎児のいる妊婦では胎児機能不全のリスクを加味して，SpO_2 や PaO_2 を高く保つ必要がある。胎児への酸素運搬（子宮胎盤循環）は次項で述べるが，適切な呼吸管理が行えているかの評価に一般的なモニターに加えて胎児心拍数モニタリングを考慮する。妊婦は生理的に呼吸性アルカローシスの状態であり $PaCO_2$ の適正値を考慮する際に留意する。

　低酸素血症は5つの機序で発生し，複数の機序が混在することも多い。このうちⅡ型呼吸不全に至るものは肺胞低換気のみである。呼吸ガスが十分に換気されなければ，肺胞など肺実質に問題がなくてもガス交換障害により低酸素・高二酸化炭素血症となる。

　拡散（diffusion）は，酸素が肺胞から赤血球内のヘモグロビンに結合するまでの受動的過程をいい，肺胞内の酸素分子は肺胞上皮・間質・毛細血管内皮・血漿を通過する必要があるが，肺炎・肺水腫・間質性肺炎など多くの疾患でこのプロセスに障害が起き，低酸素血症の原因になる[注48]。

　ガス交換には，肺胞内に呼吸ガスが分布し（$\dot{V}_A$）その肺胞に血流（$\dot{Q}$）が流れてくる必要があり，この比率を換気血流比（$\dot{V}_A/\dot{Q}$）と呼ぶ。ガスが分布しなければ（$\dot{V}_A=0$）血液はガス交換されず左心系に流れるため肺内右左シャントとなる。血流が流れない（$\dot{Q}=0$）ガス交換機能をもたない肺胞は死腔換気となる。これら極端な状況でなくても，多々ある肺胞のうち部分的にでも換気血流の均衡が保たれなくなれば低酸素血症の原因になる[注49]。この状態を換気血流不均衡（$\dot{V}_A/\dot{Q}$ mismatch）と呼ぶ。拡散障害や換気血

[注48] 二酸化炭素の拡散能は酸素の20倍であるため，拡散障害を生じず $PaCO_2$ は高値にならない。

[注49] 肺内シャントが著しく増加するまで二酸化炭素の貯留に至らないのは，二酸化炭素の拡散能が高いからである。

流不均衡では酸素吸入によりSpO_2の上昇を認めることが多いが，肺内シャント（$\dot{V}_A = 0$）は酸素吸入でSpO_2が改善しない厄介な病態である[注50]．どんなに酸素投与を行っても，$\dot{V}_A = 0$の状態を改善するには末梢気道の開通（喀痰吸引）や人工呼吸管理による呼気終末陽圧（PEEP）が必要である．

酸素分圧低下は，一般的な環境では発生しないため詳述しないが，高山やドクターヘリなどの航空機搬送における気圧低下，酸素ボンベが空になるなどの酸素供給源の問題で発生し得る．

肺全体の酸素化能は，肺胞内と動脈血の酸素分子の比あるいは差を評価すればよい．簡易的にPaO_2を吸入酸素濃度F_IO_2で除したP/F比（P/F ratio）を活用するのが便利である（ARDS：p355参照）[注51]．

酸素化はPaO_2により評価されるが，酸素運搬能の評価には動脈血酸素飽和度（SaO_2）のほうが重要である．組織への酸素運搬は主にヘモグロビンに結合した形で運搬されており，動脈血のヘモグロビンのうち酸素と結合したヘモグロビンの割合を示す酸素飽和度に大きく依存するからである（スライド23：p58参照）．

PaO_2とSaO_2の関係は酸素解離曲線で示される（表Ⅱ-3-1，図Ⅱ-3-1[8]）．肺胞のガス交換により二酸化炭素が排出されpHは7.4程度となり，ヘモグロビンは酸素と結合しやすい状態となる．一方，末梢では二酸化炭素が多くpHは低下しヘモグロビンは酸素を放出しやすくなる．この性質は解離曲線の右方移動として知られ（Bohr効果）[9]，効率的な内呼吸に大きく寄与している．組織で産生される二酸化炭素は，重炭酸イオン78%[注52]，ヘモグロビンと結合したカルバミノ化合物13%，溶存二酸化炭素9%の割合で血液により輸送される[10]．ヘモグロビンが酸素化されるとカルバミノ化合物であった二酸化炭素が放出されやすくなる（Haldane効果）[11]．ガス交換における赤血球やヘモグロビンの役割はきわめて大きく，呼吸の観点からも貧血の補正は必要である．

表Ⅱ-3-1　酸素飽和度と酸素分圧の関係

SaO_2（%）	98	97	95	93	90	85	75	50
PaO_2（mmHg）	100	90	80	70	60	50	40	27

[注50] 吸入された酸素はシャント血と触れることはなくガス交換に寄与しない．ガス交換されたSO_2 100%の血液 x（mL/min）と，ガス交換されていないシャント血SO_2 70% y（mL/min）が混合された血液の酸素飽和度は（100x + 70y）/（x + y）になる．したがって，シャント血流量に依存して低酸素血症になる．

[注51] 酸素分圧の差を評価する肺胞-動脈血酸素分圧較差（A-aDO_2）も肺胞のガス交換能の指標に使用できるが，計算がやや煩雑である（スライド14＜肺胞気式＞により求めたP_AO_2からPaO_2を引き，10 mmHgを超える場合に拡散障害，換気血流比不均衡，シャントを考える）．

[注52] 赤血球中に存在する炭酸脱水酵素（carbonic anhydrase）によって$CO_2 + H_2O \rightleftharpoons H_2CO_3$の反応が促進され，効率的なガス交換が可能になっている．

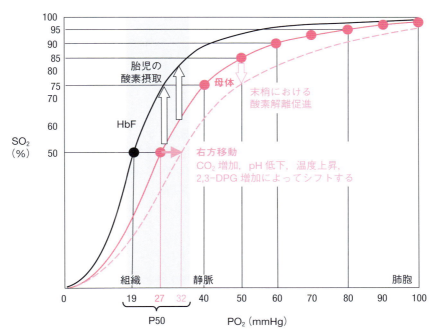

図Ⅱ-3-1　酸素解離曲線
網掛け部分は，胎盤の絨毛間腔の概ねの酸素分圧を示す
P50：ヘモグロビンの特性を示すために，SO_2 50%のときのPO_2の値を用いる
2,3-DPG：赤血球内の解糖系で生成される中間産物 2,3-diphosphoglycerate（bisphosphoglycerate；BPGともいう）
HbF：胎児型ヘモグロビン（fetal hemoglobin）

〔文献8）を参考に作成〕

　胎児のガス交換は胎盤で行われており，胎児の臍帯動脈血（PO_2 15, PCO_2 50 mmHg）は臍帯静脈血（PO_2 28, PCO_2 35 mmHg）までガス交換される（胎児血流：300 mL/min mmHg）[12]。このとき絨毛間腔では母体の子宮動脈血（PO_2 96, PCO_2 28 mmHg）は子宮静脈血（PO_2 33, PCO_2 37 mmHg）になると考えられている[12]。胎児型ヘモグロビンの特性により，胎児の酸素摂取は大きく維持される（図Ⅱ-3-1）。

スライド 19

> ### B の異常への対応
>
> - **酸素療法（酸素化）**
>   - 低流量システム（カヌラ，マスク，リザーバ付きマスク）
>   - 高流量システム（ベンチュリネブライザー，HFNC など）
>   - 高圧酸素療法*
> - **人工呼吸（換気・仕事量軽減）**
>   - 非侵襲的陽圧換気（**NPPV**）
>   - 侵襲的陽圧換気（**IPPV**）
>   - 筋弛緩薬／腹臥位*／NO 吸入*
> - ECMO（体外式膜型人工肺）
> - 体位管理
> - **吸入薬**
>   - **SABA**（サルブタモール／プロカテロール）
> - その他薬剤
>   - **アドレナリン皮下注**
>   - ステロイド
> - 胸腔ドレナージ
>
> * Primary Survey に引き続く集中治療で実施する介入

　酸素療法は低流量システムと高流量システムの2種類がある。低流量システムには，鼻カヌラ，酸素マスク，リザーバ付き酸素マスクが存在する。目標 SpO_2 にあわせて酸素流量を変更するが，急変時は 15 L/min など高い流量で開始する。酸素流量は吸入酸素濃度（F_IO_2）を意識して決定する。安静時の吸気流速は 30 L/min 程度であり，呼吸困難時は流速が大きく上昇する。供給する酸素流量を超えた吸気では大気が引き込まれ酸素濃度が低下することになる[注53]。リザーバは呼気中にも供給されつづける酸素を蓄えておき（一方弁がついているため患者の呼気は混入しない），吸気時に大気ではなくリザーバ内酸素が引き込まれることで大気混入を緩衝し，F_IO_2 を高める道具である。

　吸入ガス流量を吸気流速よりも高く設定できる高流量システムには，ベンチュリマスクやベンチュリネブライザがあり[注54]，近年鼻カヌラを用いて加温加湿が十分に行える HFNC（high flow nasal cannula）の使用が選択されることも多い。いずれも F_IO_2（％）とガス流量（mL/min）を決定する。HFNC は死腔内の二酸化炭素の洗い流しやわずかな呼気陽圧が期待される（加温温度と加湿の設定を追加で要する）。

　酸素療法で改善しない酸素化の問題や換気・呼吸仕事量の問題は人工呼吸管理により対応する。非侵襲的陽圧換気（NPPV；noninvasive positive pressure ventilation）と気管挿管下に行う侵襲的陽圧換気（IPPV；invasive positive pressure ventilation）が選択肢である。呼吸仕事量の問題に対しては，モルヒネによる呼吸困難への対応など苦痛の軽減を図ることや鎮静により過度な呼吸努力を軽減させることも検討する。IPPV に際

[注53] 100％酸素流量 5 L/min 投与中に，安静時 25 L/min であった吸気流速が努力呼吸の出現に伴って 50 L/min に増加すると，大気の混入流量が 25−5＝20 L/min から 50−5＝45 L/min に増加し，吸気酸素濃度は 40％から 30％に希釈されることになる。

[注54] イタリアの物理学者 Giovanni Battista Venturi にちなんだ名称。ベンチュリ効果を利用し酸素流量によって一定比率で大気を引き込み混合させ，F_IO_2 が一定の高流量混合ガスを供給できる。

して肺保護を意図した吸気努力を抑える筋弛緩薬の使用，換気血流不均衡を改善させる腹臥位療法や（成人ではまれであるものの）一酸化窒素（NO）吸入を併用することがあり得る（筋弛緩以外は初療以降の集中治療に該当する）。

人工呼吸管理でも酸素化・換気に問題があれば，ECMO（体外式膜型人工肺）が必要になる（呼吸のサポートのみであればVV-ECMO，循環のサポートも必要であればVA-ECMOの適応である）。

意識があれば自ら楽な姿勢をとることが多いが，重症な場合は病態に応じて体位管理を行う。肺出血に対する気道の保護や喀痰のドレナージ，無気肺における換気血流不均衡改善などのために体位は重要である。

喘息発作など末梢気道の狭窄に対しては，SABA[注55]としてサルブタモールやプロカテロールの吸入が有用である。時にICS[注56]，LABA[注57]，LAMA[注58]の吸入を併用することがある。呼吸困難感から横になれない，動けない場合や，会話不能な状況ではSABAの吸入反復に加えてアドレナリン0.1〜0.3 mg皮下注を20分間隔で反復投与することも選択肢である。このとき，循環動態と心電図を厳重にモニタリングし，HR 130/min以下を目標にする。また，ステロイド静注[注59]やアミノフィリン持続静注[注60]の併用を検討する。

気胸や血胸によるBの異常では，胸腔ドレナージを検討する。妊婦では妊娠子宮によって横隔膜が挙上するため，ドレーンの挿入は通常より1〜2肋間高い位置（第3，4肋間）から挿入することを検討する。

一酸化炭素（CO）中毒を疑う場合，解毒の意味合いで高濃度酸素投与（リザーバマスク O_2 15 L/min）を継続する[注61]。SpO_2の数値は信頼性に欠け[注62]，血液ガス検査によりCOヘモグロビンの割合を評価し，酸素化ヘモグロビンの割合を高く保つように心がける。CO中毒は高圧酸素療法（HBO；hyperbaric oxygen therapy）の適応である。

[注55] SABA；short-acting beta-agonist：短時間作用性β_2刺激薬

[注56] ICS；inhaled corticosteroid：吸入ステロイド

[注57] LABA；long-acting beta-agonist：長時間作用性β_2刺激薬

[注58] LAMA；long-acting muscarinic antagonist：長時間作用性抗コリン薬

[注59] ヒドロコルチゾン200〜500 mg，メチルプレドニゾロン40〜125 mg，デキサメタゾンまたはベタメタゾン4〜8 mgのいずれかを検討する。

[注60] アミノフィリン6 mg/kg（製剤は250 mg/A）を生食200〜250 mLに溶解し，最初の15分で半量を投与し，引き続く45分で残量を投与する。頭痛・嘔気・動悸・期外収縮を認めた場合は投与を一度中止し，減量を検討する。テオフィリンを内服している患者であれば血中濃度測定を行う。

[注61] CO中毒は異常ヘモグロビンによって酸素化の障害，すなわちBの異常をきたすが，酸素運搬障害に伴って末梢組織は低酸素症となり，Cの異常にも該当する。

[注62] SpO_2の測定原理上，誤って高い数値が表示され得る。SpO_2の数値が何であれ，火災や自傷行為などによってCO中毒を疑う病歴があれば，SpO_2によらずCOHb値を確認するまで酸素投与は継続すべきである。

スライド20

非侵襲的陽圧換気（NPPV）

- **定義**：気管挿管などの侵襲的なインターフェースを用いない陽圧換気
- **適応**
  - 肺水腫（重症妊娠高血圧症候群）
  - うっ血性心不全（周産期心筋症，先天性心疾患合併妊娠）
  - 喘息発作 など
- **管理のポイント**
  - 不安を軽減し，人工呼吸器に同調させる
- **IPPVより有利な点**
  - 低侵襲：脱着や手技が比較的容易
  - 鎮静の軽減が可能
  - 会話・食事が可能
  - 人工呼吸器関連肺炎の回避
- **禁忌（IPPVを優先すべきとき）**
  - 嘔吐・気道保護困難
  - 呼吸停止
  - 循環が不安定
  - 非協力的（不穏など）
  - 意識障害

NPPVは，上気道から陽圧を用いて行う換気をいう。CPAP（continuous positive airway pressure）も含む概念として用いられることが多い[注63]。肺水腫やうっ血性心不全，喘息発作などによる急性呼吸不全に用いやすい。その他，間質性肺炎の増悪，神経筋疾患に対して用いられることもある。

意識がよく協力的である，循環動態が安定している，気道は保護される，顔面外傷がない，マスクを装着できる，腸閉塞がない場合に用いやすい[13]。これらを満たさない場合は特殊な例を除いて，むしろ禁忌として扱われることが多い。

導入初期には呼吸困難感を取り除きつつ不安を軽減しながら開始すると協力を得やすい。自発呼吸に応じるspontaneousモード，一定時間ごとに換気を強制的に行うtimedモード，両者を自動で切り替えるS/Tモードなどがある。いずれも，吸気圧（IPAP；inspiratory positive airway pressure）と呼気圧（EPAP；expiratory positive airway pressure），F_IO_2を設定する[注64]。EPAPはPEEPとしての役割，IPAPとEPAPの差が呼吸サポート圧（PS；pressure support）になる。

低侵襲で脱着が容易であり，呼吸仕事量の軽減に用いやすい。鎮静を要さないあるいは軽度の鎮静でよく，人工呼吸器関連肺炎（VAP；ventilator associated pneumonia）を回避できる。呼吸状態が安定してきたら会話や食事が可能なこともある。

NPPVでBの異常が改善できなければ，遅延なくIPPVに移行すべきである。

[注63] CPAPは厳密にはNPPVに含まれず，両者を包括してNIV（noninvasive ventilation）と表現すべきとする意見もある。NIVには陰圧式の換気（いわゆる"鉄の肺"）も含まれる。

[注64] その他，トリガーや立ち上がり時間などを設定する必要があるが，詳細は成書に譲る。

スライド 21

侵襲的陽圧換気
(IPPV)

- ● **定義**：気管チューブなどを介した陽圧換気
- ● **適応**（気管挿管の適応と同じ）
  - 気道閉塞/狭窄またはそのリスク（嘔吐・誤嚥など）
  - 無呼吸，呼吸不全，呼吸仕事量の増加
  - ショックの遷延，心不全
  - 高度意識障害，深鎮静を要する状態
- ● **管理のポイント**
  - 適切な鎮痛・鎮静を行う
  - **肺保護戦略**を意識する（不適切な IPPV は肺損傷を引き起こす）
- ● **NPPV より有利な点**
  - **気道の保護**が可能（喀痰吸引が容易，誤嚥の防止）
  - 自発呼吸を要さない
  - より**高度な人工呼吸器設定**が可能

　気管挿管により気管チューブを，あるいは気管切開によって気管切開チューブを気管内に挿入した状態で行う陽圧換気を IPPV と呼ぶ。呼吸不全に限らず，気管挿管が適応になる場合に IPPV が実施される。NPPV に比して気道は保護され自発呼吸がなくても安全に管理できる。一方，気管挿管中は基本的にフェンタニルなどの麻薬による鎮痛とプロポフォール，デクスメデトミジン，ミダゾラムなどを用いた鎮静が必要であるため，妊娠終了すなわち緊急帝王切開などの際には sleeping baby を前提に新生児科医などと十分な連携をすべきである。

　IPPV 管理に伴う肺損傷[注65]を回避するために，1 回換気量（V_T）の制限，吸気プラトー圧（P_{Plat}）の制限が予後改善に影響し[14)15)]，自発呼吸による経肺圧[注66]の上昇が肺損傷を招く可能性が示唆されている[16)]。また，駆動圧[注67]の増加によって ARDS の予後は悪化するが PEEP や P_{Plat} は予後に関係しないことが知られるため[17)]，駆動圧をなるべく

[注65] 損傷を引き起こす機序から，圧損傷（baro-trauma），容量損傷（volu-trauma），無気肺損傷（atelec-trauma），バイオトラウマ（biotrauma）に分けられる。圧・容量損傷は肺胞の過伸展が有害であること，無気肺損傷は肺胞の膨張と虚脱を繰り返す際の強い剪断力が有害であること，バイオトラウマは惹起された炎症反応による害を示している。包括して人工呼吸器関連肺傷害（VILI；ventilator-induced lung injury あるいは VALI；ventilator-associated lung injury）と呼ばれる。

[注66] 経肺圧（transpulmonary pressure）：気道内圧と胸腔内圧の差をいい，肺を膨張させる圧である。例えば，人工呼吸器による陽圧 20 cmH$_2$O に，自発呼吸の吸気努力 −10 cmH$_2$O があると 20 −（−10）= 30 cmH$_2$O が経肺圧となる。

[注67] 駆動圧（driving pressure）：P_{Plat}−PEEP をいい，強制換気における肺を拡張させる圧である。

低く保つのが望ましい。$V_T \leq 8$ mL/kg, $P_{Plat} < 25$ cmH$_2$O を目標とし，強い吸気努力があれば深鎮静や筋弛緩により自発呼吸を抑制する。

　妊娠子宮の増大に伴って FRC は減少しているが，妊婦の至適 PEEP は明らかではない。一般にコンプライアンスが最大になる PEEP がよく[18]，肺虚脱を防ぐために 10 cmH$_2$O 以上を要することも少なくない。十分な PEEP を用いる必要があるが，静脈還流量減少による低血圧に注意する。

　IPPV 管理が適切に行えているかは，モニタリングや血液ガス検査などの POCT により再評価し，妊婦の場合は胎児心拍数モニタリングなども併用して総合的に評価することが重要である。

スライド 22

まとめ

- 呼吸は，ガス交換と酸塩基平衡の維持が目的
- 妊婦は低酸素に陥りやすく，生理的に呼吸性アルカローシスを呈する
- B の評価は，酸素化・換気・呼吸仕事量の 3 要素を意識する
- 呼吸の異常は分〜時間単位の緊急度である
- 呼吸不全を見逃さない
- 酸素化の問題は，まず酸素療法で対応する
- 換気と呼吸仕事量の問題は，人工呼吸が不可欠である
- NPPV と IPPV を適切に選択する

文 献

1) Hegewald MJ, Crapo RO：Respiratory physiology in pregnancy. Clin Chest Med 32：1-13, 2011.
2) Kolarzyk E, Szot WM, Lyszczarz J：Lung function and breathing regulation parameters during pregnancy. Arch Gynecol Obstet 272：53-58, 2005.
3) Cunningham FG, Leveno KJ, Bloom SL, et al：Williams Obstetrics, 26th eds, McGraw-Hill, New York, 2022, pp1227-1232.
4) Bobrowski RA：Pulmonary physiology in pregnancy. Clin Obstet Gynecol 53：285-300, 2010.
5) 鈴木昭広，野村岳志：肺エコー診断；気胸，無気肺のモニタリング．Jpn J Respir Care 32：173-176, 2015.
6) 野村岳志：Point-of-care lung ultrasound. 日集中医誌 23：123-132, 2016.
7) William C, Wilson and Jonathan L, Benumof：呼吸生理学と麻酔中の呼吸機能．武田純三監，Miller RD 編：ミラー麻酔科学，第1版，メディカル・サイエンス・インターナショナル，東京，2007, pp533-566.
8) Kaufman DP, Khattar J, Lappin SL：Physiology, Fetal Hemoglobin.[Updated 2023 Mar 20]. In：StatPearls [Internet]. Treasure Island (FL)：StatPearls Publishing, 2023. https://www.ncbi.nlm.nih.gov/books/NBK500011/（Accessed：2023/11/15）
9) Bohr C, Hasselbalch K, Krogh A：Ueber einen in biologischer Beziehung wichtigen Einfluss, den die Kohlensäurespannung des Blutes auf dessen Sauerstoffbindung übt 1. Skandinavisches Archiv Für Physiologie 16：402-412, 1904.
10) 外須美夫：麻酔・集中治療のための新呼吸・循環ダイナミズム，真興交易医書出版部，東京，2018.
11) Tyuma I：The Bohr effect and the Haldane effect in human hemoglobin. Jpn J Physiol 34：205-216, 1984.
12) Chestnut DH, Wong SA, Tsen LC, et al：Chestnut's Obstetric Anesthesia, 6th ed, Mosby, 2019.
13) 日本呼吸器学会NPPVガイドライン作成委員会編：NPPV（非侵襲的陽圧換気療法）ガイドライン，改訂第2版，南江堂，東京，2015.
14) Amato MB, Barbas CS, Medeiros DM, et al：Effect of a protective-ventilation strategy on mortality in the acute respiratory distress syndrome. N Engl J Med 338：347-354, 1998.
15) Acute Respiratory Distress Syndrome Network；Brower RG, Matthay MA, Morris A, et al：Ventilation with lower tidal volumes as compared with traditional tidal volumes for acute lung injury and the acute respiratory distress syndrome. N Engl J Med 342：1301-1308, 2000.
16) Grieco DL, Menga LS, Eleuteri D, et al：Patient self-inflicted lung injury：Implications for acute hypoxemic respiratory failure and ARDS patients on non-invasive support. Minerva Anestesiol 85：1014-1023, 2019.
17) Amato MB, Meade MO, Slutsky AS, et al：Driving pressure and survival in the acute respiratory distress syndrome. N Engl J Med 372：747-755, 2015.
18) Maisch S, Reissmann H, Fuellekrug B, et al：Compliance and dead space fraction indicate an optimal level of positive end-expiratory pressure after recruitment in anesthetized patients. Anesth Analg 106：175-181, 2008.

Ⅱ 初期診療のアプローチ

4 C 母体循環と子宮胎盤循環

スライド23

Circulation 循環

● 循環の目的
・運搬すること（酸素，栄養，代謝産物，ホルモン，体温）
・よって，循環不全は「運搬不全」を招く（…細胞組織の低酸素症）

● 循環管理のポイント（初期診療）

1. 酸素運搬量を保つ

$$D_aO_2 \propto CO \times Hb \times S_aO_2$$

動脈血酸素運搬量　心拍出量　ヘモグロビン値　動脈血酸素飽和度

2. 臓器組織の血液灌流を維持する

$$Q = \Delta P \times \sum \frac{1}{R_n}$$

血流量　圧較差　臓器ごとの血管抵抗の逆数の和

並列つなぎの各臓器へ血流が分配される
（血管抵抗で臓器ごとの流量が調整される）

　A（気道）とB（呼吸）で血液中に取り入れた酸素を，全身の細胞に届けることが循環の役割である。その他，栄養や代謝産物（老廃物），情報伝達を担うホルモンやサイトカイン，熱の運搬を担う。熱産生は体内，熱放散は体表で行われるため，生体は体温調節のために体表の血流量を調整している。逆説的にいえば，末梢が温かければ末梢血流は保たれ，末梢が異常に冷たければ末梢血流が著しく低下した状態といえる。

　循環不全はこれら運搬機能が破綻した状態で，酸素運搬がもっとも短時間で細胞に不可逆的変化を生じる。組織が低酸素にさらされる状態を「低酸素症」といい（低酸素血症は，血中の酸素が少ないことをいう），循環管理によって回避すべきである。

　循環による運搬機能は，血流量に依存する。全身への酸素運搬を考えるうえで重要な要素は，心拍出量（CO；cardiac output）である。COは一般に左心室から大動脈に拍出される1分間の血液量をいい，肺以外の臓器血流は左心系のCOに依存する[注68]。

　血液灌流の観点でみると，肺以外の臓器は並列でつながれており，心拍出量が分配され臓器血流となっている。その割合（安静時）は概ね，心筋5％，脳15％，肝・腸管25％，腎20％，皮膚・筋肉25％と考えられている。

[注68] 左心系が体循環，右心系が肺循環を担うが，循環器系は左心系と右心系の2つのポンプが直列につながっていると考えられる。各系で拍出量は基本的に一致すると考えてよい。

スライド 24

妊娠に伴う循環の変化

- 循環血液量の増加（約 40%）
- 増加量は　血漿　＞　赤血球
  ∴ ヘモグロビン値は相対的に低下する（Hb 11 g/dL）
- 心拍出量の増加（約 40%）…酸素運搬量も増加
  - 1回拍出量の増加
  - 心拍数の増加（10/min 増加）
- 末梢血管抵抗の低下
  ∴ 低血圧傾向
  （＞140/＞90 は高血圧ととらえる）
- aortocaval compression
  - 子宮底が臍高以上のとき
  - 概ね妊娠 20 週

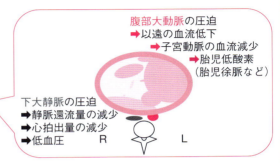

腹部大動脈の圧迫
➡ 以遠の血流低下
➡ 子宮動脈の血流減少
➡ 胎児低酸素（胎児徐脈など）

下大静脈の圧迫
➡ 静脈還流量の減少
➡ 心拍出量の減少
➡ 低血圧

　妊娠により、母体は胎児に酸素や栄養を運搬する必要が生じ、胎児の代謝産物や老廃物も母体臓器が処理することになる。このため、運搬機能を担う循環器系は大きな変化が生じる。

　循環血液量は増加し、心拍出量も増加するため、運搬にとっては有利に変化する。また、末梢血管抵抗は減少し、心臓の後負荷が増加せずに心拍出量や臓器灌流を保つことができる。とくに循環血液量の増加は分娩時の出血に対し、ある程度の耐性にもつながる。しかしながら、出血量が増加しつつあるタイミングでは、これらの代償機構によりバイタルサインが維持され急変を見逃しがちになる。代償機転が破綻する前に、急変を認知することが重要である。

　妊娠子宮は妊娠週数の進行に伴って重量と容量が増大する。妊娠 20 週以降に仰臥位になるとその影響は循環動態に大きく影響することが知られており、低血圧が問題となる（仰臥位低血圧症候群：supine hypotensive syndrome）。下大静脈の圧迫に伴って静脈還流量が減少することが原因であるが、腹部大動脈の圧迫は、子宮血流を減少させ胎児の低酸素状態を招く。これら大血管の圧迫を aortocaval compression（ACC）と呼ぶ。ACC 解除には、用手的に行う子宮左方移動（LUD：intrauterine displacement）や左側臥位が有効である〔母体の心停止では、母体の胸骨圧迫を仰臥位で行う必要があるため、用手的 LUD のみが選択肢である（スライド 59：p104、スライド 76：p133 参照）〕。

スライド 25

子宮胎盤循環
Uteroplacental circulation

- 600 mL/min（心拍出量の 10％）に達する
- 母体循環により，胎盤を通じて胎児に酸素供給する
- 母体が不安定になると，胎児低酸素を生じる
  ∴ 胎児徐脈 ⇒ 母体が不安定 と認識する
- 母体の呼吸不全（動脈血酸素飽和度低下）
- 母体の循環不全（子宮血流量低下）
- 母体の貧血（動脈血酸素含有量低下）

参考
子宮内胎児蘇生
母体に対する介入
・左側臥位
・酸素投与
・輸液
・子宮弛緩

$$\dot{Q}_U = \frac{P_{UA} - P_{UV}}{R_U}$$

子宮血流量　子宮動脈圧　子宮静脈圧　子宮血管抵抗

aortocaval compression
腹部大動脈の圧迫 ➡ $P_{UA}\downarrow\downarrow$
下大静脈の圧迫 ➡ $P_{UV}\uparrow\uparrow$

子宮収縮
子宮血管の圧迫 ➡ $R_U \uparrow\uparrow$

　胎児が育つために胎児の全細胞にくまなく栄養や酸素が運搬される必要がある。これには，母体が摂取した栄養や酸素が母体循環により運ばれ，胎盤を介して胎児に移行し，胎児循環に乗ることでまかなわれている（逆に老廃物や代謝産物は胎児循環→母体循環に移行している）。子宮胎盤循環は母体の心拍出の 10％に達し，絶えず胎児に酸素供給している点で重要である。

　胎児ヘモグロビン（fetal hemoglobin）は，大人のヘモグロビン（α サブユニット 2 つと β サブユニット 2 つからなる）の β サブユニットが γ サブユニットに置換されており，高い酸素親和性をもつ。この性質により，胎児は胎盤で母体血から酸素を受けとることができる。本来，母体血と胎児血は胎盤組織により隔絶され混じることはないが，外傷などで損傷を受けると母児間輸血症候群（児の後遺症や死亡が問題となる）を生じ，母体の血液検体で胎児ヘモグロビンが検出されることがある。

　母体が呼吸・循環不全などを生じ母体の全身状態が不安定になれば，胎児への酸素運搬量が減少し胎児徐脈などの胎児機能不全（NRFS；non-reassuring fetal status）を生じることになる。これを逆説的に考えれば，「胎児徐脈などの NRFS を見たときには，母体が不安定である」と認識すべきことが導かれる。

　J-MELS アドバンスコースの Primary Survey において，C の評価では胎児徐脈などの NRFS を母体の子宮胎盤循環の異常ととらえ，改めて母体の ABC 安定化を図る（NRFS を胎児の異常ととらえて，胎児適応の急速遂娩を検討することについては，F の段階で行うべきことであり，後述する）。母体の安定化は，結果的に子宮内胎児蘇生（IUFR；intrauterine fetal resuscitation）にも通じるものであり[1]〜[3]，胎児にとっても有用である。母体安定化のために，ACC 解除に子宮左方移動や左側臥位を行うべきときがあるが，その介入は同時に子宮血流量の増加も期待され，胎児の安定化にも寄与すると考えられる[4]。

スライド 26

循環の評価

- **皮膚所見**
  - 温度　　冷たい⇒灌流不良
  - 色調　　蒼白⇒灌流不良
  - 湿潤度　発汗⇒ショックのサイン
- **脈拍**
  - 速さ
  - 強さ（脈圧）
- **動脈血圧**
- 活動性出血
- 外頸静脈　仰臥位では怒張
- **意識状態**　不穏はショックのサイン
- 尿量　＜ 0.5mL/kg/hr は臓器灌流低下

- POCT
- 産科的診察
- FASO
- 胎児心拍数モニタリング ← 子宮胎盤循環を反映する
  - 胎児徐脈は，母体が不安定なサインととらえ，母体の安定化を再確認する
- ポータブル胸部 X 線
- 12 誘導心電図

平均動脈血圧 MAP － 右房圧 RAP
　＝ 心拍出量 CO × 末梢血管抵抗 SVR

心拍出力 CO
　＝ 1 回拍出量 SV × 心拍数 HR

1 回拍出量 SV
　＝ 左室拡張末期容量 LVEDV － 左室収縮末期容量 LVESV

　C の評価は，バイタルサインと身体所見，検査所見を総合的に解釈して行う（POCT：p154，FASO：p169 参照）。

　循環動態の把握に，脈拍の速さと強さ，動脈血圧を活用する。心拍出量（CO；cardiac output：1 分間に左心室が拍出する血液量）は酸素運搬と組織灌流に直接関連するものであるが，CO は左心室の 1 回拍出量（SV；stroke volume）と心拍数（HR；heart rate）の積で算出できる（CO＝SV×HR）。この SV による拍動は脈拍として触知でき，脈圧を反映している。したがって，脈拍の速さと脈圧の強さを評価することは心拍出量を確認することにつながる。経皮的酸素飽和度 SpO_2 の測定では，指尖などの動脈血の拍動を計測しモニター上に表示しており〔容積脈波（plethysmograph）〕，末梢血流の指標になる。SpO_2 が測定できないときには十分な拍動がない，すなわち循環不全であることを考慮する。頻脈などにより心臓の拡張が十分に得られない状態で次の心収縮が生じる場合には，心電図上の HR と SpO_2 による脈拍数（PR；pulse rate）に解離が生じる（HR＞PR）ことがあるので，有効な脈拍を確認することが重要である。一般に，橈骨動脈は 80 mmHg，大腿動脈は 70 mmHg，総頸動脈は 60 mmHg を下回ると触れなくなるとされており，血圧の概算に用いることができる。

　動脈血圧を把握することで，臓器灌流に必要な圧が保たれているかを評価することができる。平均動脈血圧（MAP；mean arterial pressure）と右房圧（RAP；right arterial pressure）の差[注69]は CO と末梢血管抵抗（SVR；systemic vascular resistance）の積に相当する（MAP－RAP＝CO×SVR）。

　人体は重要臓器の血流を維持するため，循環不全に対する代償機構として，皮膚や筋肉の血管抵抗を上げ（SVR が上昇）MAP を保つ仕組みが備わっている。皮膚の温度と

[注69] 血流を作り出すのに必要な圧較差に相当する。

色調を観察することでこの代償機構の程度を把握できる。すなわち，代償が働くと，四肢末梢の温度は低下し，色調は蒼白になる。この反応は交感神経系で調整されており，発汗も生じる。したがって，手を握って冷たく湿っていて蒼白であれば，真っ先にショックを考えるべきである。

交感神経系が優位になり内因性カテコラミンが多く放出されている状況では，精神的にも興奮状態になりやすい。意識変容のうち不穏としてこれを観察できるが，状態が悪化すれば反応低下に移行していく。不穏であった患者が落ち着いてくる際には，状態悪化を考慮すべきである。

尿量は，重要臓器の代表である腎への血流量を反映する（腎前性すなわち循環動態の悪化により尿量が減少する）。尿量をモニタリングすることで，腎血流に異常を生じていないかを把握する。ただし，既存の腎性腎障害や利尿薬の使用，尿道カテーテル閉塞といった腎後性の要素が加わると，客観的な指標にならなくなるので注意する。尿量が6時間にわたり 0.5 mL/kg/hr を下回れば急性腎障害（AKI：acute kidney injury）の診断に至るが，アシドーシスや高K血症なども生じるため，POCTを活用する。

活動性出血は直ちに止血すべきであるが，外出血に比して胸腔内，腹腔内，後腹膜，骨盤腔，消化管内への出血は気づきづらい。FASOを併用して評価する。激烈な出血であるほど，止血の優先度は高まるので，積極的に出血を把握することが重要である。産科異常出血ではとくに産科的診察を行い，出血の程度と原因を特定し止血処置を速やかに決定する。

出血性ショックのように循環血液量が減少している場合には，仰臥位でも外頸静脈が虚脱する。通常，外頸静脈は仰臥位では怒張し坐位では虚脱する。一方，坐位や立位でも外頸静脈が怒張している場合はうっ血を生じている可能性があり，うっ血性心不全（先天性心疾患合併妊娠の代償破綻や周産期心筋症）などの鑑別を検討する。また，外頸静脈の視診にあわせてFASOを併用し下大静脈径を参考にするとよい。

その他，循環の評価に際し，X線写真や12誘導心電図を必要に応じて実施する。循環の評価では，胎児モニタリングの異常を母体の子宮胎盤循環の異常，ひいては母体のABCの異常を把握する意味合いで解釈する。

スライド 27

検査のタイミング

ポータブル X 線
- ●検査すべきとき
  - ・呼吸困難，胸部症状
  - ・低酸素，低血圧，高血圧
- ●鑑別
  - ・心拡大：心不全，心筋症
  - ・上縦隔拡大：大動脈解離
  - ・肺野浸潤影：肺水腫，ARDS

12 誘導心電図
- ●検査すべきとき
  - ・胸痛，胸部違和感，動悸，失神
  - ・頻脈・徐脈，低血圧，高血圧
- ●鑑別
  - ・QRS：不整脈，伝導障害
  - ・QT：心筋虚血，電解質異常
  - ・PQ：自動能，伝導障害

スライド 28

ショックの定義

■循環不全によって生じる，酸素需給バランスの不均衡状態
　└ 末梢の灌流障害

末梢組織の酸素需要＞循環による酸素供給量　❶酸素運搬の確保　❷血液灌流の維持

■細胞代謝の変化
　好気代謝（ミトコンドリア電子伝達系における ATP 産生）ができない
　→嫌気代謝（解糖系における ATP 産生）を行い，**乳酸が貯留**する
■POCT によるショックの把握
　∴乳酸値はショックの指標になる
　　Lac＞2 mmol/L は不安定，＞4 mmol/L は集中治療室入室を検討

ショックは，循環不全によって生じる酸素需給バランスの不均衡状態である[注70]。したがって，血圧が低下していなくてもショックは生じ得る。酸素需要を満たすことのできない酸素供給となれば，末梢の細胞は好気代謝を行えず嫌気代謝に切り替わっていく。このときの代謝産物である乳酸（lactate；以後 Lac）が血中にも流出し 2 mmol/L を超えるため，ショックを早期発見するのに Lac 値が参考になる。

また，酸素供給量が仮に一定であったとしても酸素需要が増加した場合，需給バランスは不均衡状態になる。酸素需要を増加させる現象として，高体温や敗血症，異常な運動（けいれんなど），甲状腺クリーゼ，悪性高熱症などがあげられるが，循環の代償が追いつかなくなればショックと同様の病態になる。

ショックの治療は，酸素需給バランスの均衡化であるため，酸素需要を低下させ（例えば，鎮静・筋弛緩，自発呼吸から強制換気への切り替え，体温コントロールなど），酸素供給を増加させることが基本である。循環不全を改善させるには，心拍出量（CO）を保ち（酸素運搬量の増加），動脈血圧（MAP）を適正に保つ（血流再分配）ことである。

[注70] 酸素需給の不均衡は循環不全に限らず低酸素血症でも生じるが，肺で行われるガス交換不全が原因であるためこのときは呼吸不全と呼ばれる。また，貧血でも酸素需給不均衡な状態になり得る。

スライド 29

ショックの分類と治療

分類	病態の例	末梢	治療
循環血液量減少性ショック	産科危機的出血 高度脱水（悪阻）	冷	輸液・輸血
血液分布異常性ショック	アナフィラキシーショック 敗血症性ショック（A群β溶連菌） 高位脊髄くも膜下麻酔	温	輸液 血管収縮薬
心原性ショック	頻脈・徐脈・不整脈（冠動脈解離） 弁膜症 収縮力低下（周産期心筋症）	冷	強心薬 血管収縮薬 必要最小限の輸液
閉塞性ショック	肺血栓塞栓症	冷	輸液・閉塞解除
	緊張性気胸 心タンポナーデ（急性大動脈解離）	冷	輸液 ドレナージ
	仰臥位低血圧症候群	冷	輸液 子宮左方移動

ショックはその病態で4つに分類できる。それぞれの病態に，具体的な疾患病態が含まれている。一般に，ショック状態となると代償（皮膚・筋肉の血流を低下させ，重要臓器への血流が優先される）に伴って末梢は冷たくなる。しかし，血液分布異常性ショックは末梢血管が拡張し中枢の血液が末梢に移動するため，末梢が温かくなることがある。末梢血流がよいときにも，ショックの可能性があることに留意すべきである。

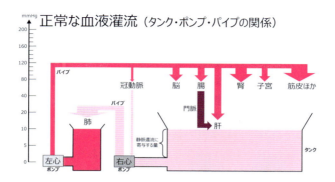

正常な血液灌流（タンク・ポンプ・パイプの関係）

循環血液量減少性ショック（hypovolemic shock）

　出血や脱水などにより循環血液量が減少し，心臓の前負荷（静脈還流量）の減少に伴って心拍出量が減少するためにショックとなる．出血ではまず止血し，輸液や輸血により循環血液量を補充することが重要である．身体は交感神経の作用で代償性に容量血管[注71]を収縮させることで静脈還流量を維持できるように相対的に高い水位を保つ[注72]．鎮痛・鎮静や子宮内反症整復のために使用するニトログリセリンは，容量血管の拡張に伴って急激に静脈還流量が減少し重篤なショック状態に陥るリスクがある．細胞外液の投与や輸血により可能なかぎり循環血液量を多くすることが重要である．心拍出量減少がショックの主原因であるため，血管収縮薬を補充が追いつくまで一時的に使用することはやむを得ないものの，循環血液量の回復を優先すべきでありノルアドレナリンの持続投与を行うことは本来避けるべきである．

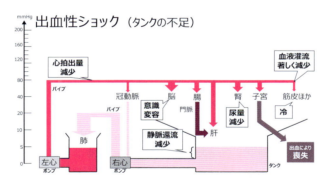

出血性ショック（タンクの不足）

[注71] 循環血液量の2/3が静脈に分布しており，容量血管と呼ばれる．
[注72] 厳密には stressed volume といい，静脈還流量に寄与する血管内の容量をいう．

血液分布異常性ショック（distributive shock）

末梢血管の拡張と血管透過性の亢進に伴って生じるショックである。代償は働かず抵抗血管（末梢動脈）が拡張するため動脈血流の分布が末梢へと移動し，臓器血流が減少する。加えて，容量血管も拡張するため，静脈還流量に寄与する循環血液量が減少する。結果的に心拍出量は減少する。末梢動脈を収縮させて臓器血流を維持するとともに，細胞外液の急速輸液などにより循環血液量を増加させ静脈還流量を回復させることが必要になる。正常な状態では静脈投与された細胞外液は1/4が血管内に残り，3/4が間質液に移行する。血管透過性が亢進していると，血管内に残る容量はさらに減少し，有効な循環血液量を保つのが難しくなる。敗血症性ショックでは，血管透過性が著しく亢進しており，必要な初期輸液量が2Lを超えることも珍しくない。アナフィラキシーショックでアドレナリン（0.01 mg/kg筋注）を用いるのは，血管収縮と心拍出量増加に加えて，免疫系細胞からのケミカルメディエーターの放出を抑制する作用や気管支拡張と気道粘膜浮腫の抑制作用も期待できるためである。高位脊髄くも膜下麻酔でも血管拡張に伴って必要輸液量は増加する。また，副交感神経系優位になるため徐脈を呈しやすく，心拍出量減少をもたらすためショックに不利であるため，アトロピンやドブタミンの使用が必要になる。

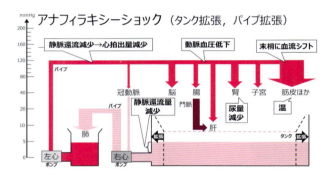

心原性ショック（cardiogenic shock）

不整脈，心筋障害，機械性の3つに分けられる。不整脈は発症と同時に急激に状態が悪化しがちである。ショックに陥った場合，頻脈性不整脈ではカルディオバージョン，徐脈性不整脈では経皮ペーシングが必要になるため，除細動器の手配が必要になる。心筋障害は収縮障害と拡張障害に大きく分けられるが，妊産婦では周産期心筋症による収縮障害や，冠動脈解離に伴う虚血性の拡張障害や収縮障害を生じ得る。機械性は弁膜症に関連し，心筋に問題がなくても弁の狭窄や閉鎖不全により，血流が生み出せないことが原因である。心原性ショックは輸液により前負荷を高く保つべきときもあるが，至適範囲が狭いため過剰輸液になりやすい。強心薬や血管収縮薬を丁寧にコントロールする必要があり，循環補助に大動脈内バルーンパンピング（IABP）や静脈脱血-動脈送血体外式膜型人工肺（VA-ECMO）を要するときもあるため，早期に専門家と連携する。

閉塞性ショック（obstructive shock）

　原因を特定し特異的な治療を行わないかぎりショックからの離脱が困難である。肺血栓塞栓症は薬剤による血栓溶解，カテーテルによる血栓吸引，開胸手術が必要になる。循環虚脱が強く，心停止が切迫していればVA-ECMOの迅速な導入が必要である。外傷や人工呼吸管理中の気胸などで発生し得る緊張性気胸によるショックは，過剰な胸腔内圧上昇による静脈還流量減少が原因であるため，直ちに胸腔ドレナージが必要である。心タンポナーデは妊産婦の大動脈解離で発生し得る。心嚢ドレナージを行い，心臓の拡張障害を解除する必要がある。aortcaval compressionによる仰臥位低血圧症候群は閉塞性ショックに分類できる。用手的子宮左方移動や左側臥位を行いつつ，細胞外液の急速輸液により静脈還流量の回復を図る。

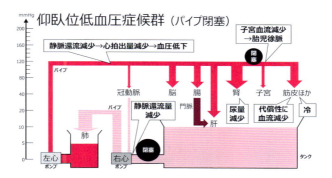

スライド30

ショックへの対応

支持療法
- 静脈路確保：横隔膜上の静脈系
- 初期蘇生輸液：細胞外液の輸液
- 陽性変力作用薬：ドブタミン 1～10 μg/kg/min
  3 μg/kg/min から開始し適宜増減
- 血管収縮薬：ノルアドレナリン 0.01～0.5 μg/kg/min
  エフェドリン　40 mg　計 10 mL に希釈し 1 mL（4 mg ずつ）
  ネオシネジン　1 mg　計 10 mL に希釈し 1 mL（0.1 mg ずつ）
  ノルアドレナリン　1 mg　計 20 mL に希釈し 1 mL（50 μg ずつ）
- 必要に応じて，気道管理・呼吸管理

根本治療
- 原因への対処
  - 出血：止血＋輸血
  - 急性冠症候群：再灌流療法
  - 敗血症：感染巣コントロール＋抗菌薬
  - アナフィラキシー：原因物質除去＋アドレナリン
  - 肺血栓塞栓症：血栓溶解/摘除術/カテーテル
  - 緊張性気胸：胸腔ドレナージ
  - 心タンポナーデ：心囊ドレナージ

　まず，輸液路を確保する。末梢静脈路（IV）が簡便かつ効果的であり，急速輸液・輸血を考慮して18G以上のルートを複数確保する。IV確保が困難な場合，中心静脈カテーテル（CV）を考慮する。大量急速輸血を要するときには透析に用いるカテーテル（バスキュラーアクセス）が用いられることもある。時間的猶予がない場合，骨髄路（IO）が選択可能である。妊産婦の場合，妊娠子宮による下大静脈の圧迫が生じるため，横隔膜上の静脈系に確保する必要があり，CVは内頸ないし鎖骨下静脈，IOは上腕骨近位部などを選択する。

　細胞外液は循環血液量を増加させ，前負荷増大に伴う心拍出量増加が期待でき，初期蘇生輸液（fluid resuscitation）と呼ばれる。それでも心拍出量が確保できなければ，ドブタミン（1～10 μg/kg/min）などの陽性変力作用薬（positive inotropic agents）を使用するが，心臓の仕事量増加に伴う相対的虚血や過剰な頻脈に注意する。敗血症などで末梢血管抵抗が低下していればノルアドレナリン（0.01～0.5 μg/kg/min）などの血管収縮薬（vasoconstrictors）がよい適応である。ショックが遷延する場合やショックに伴う不穏などで適切な治療が困難な場合は，全身管理医の管理下で気管挿管・人工呼吸などを検討すべきである。

　根本治療も並行して行う必要があり，鑑別疾患を網羅的に除外（rule-out）していくことが求められる。病因診断ができれば検査・治療方針を決定するために，その疾患の専門科とディスカッションが必要になることも少なくない。

　例えば，肺塞栓症（図Ⅱ-4-1）の疑いがあれば，安定化した後にSecondary Survey

で造影 CT を行う。Primary Survey の段階で肺塞栓症が強く疑われほかの疾患が否定的であるが，造影 CT が行えず確定診断まで時間を要するときには，ヘパリン 5,000 単位の投与を行ってもよい。治療戦略を決めるうえでは，胎児管理を含む産科的視点に加え，母体全身管理に関する視点，循環器内科・心臓血管外科などの専門各科の意見を交えていくことが重要である。

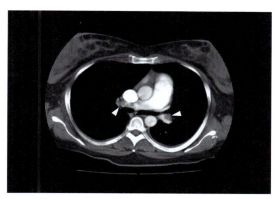

図Ⅱ-4-1　胸部造影 CT
左右の肺動脈の造影欠損を認める

Ⅱ 初期診療のアプローチ

スライド 31

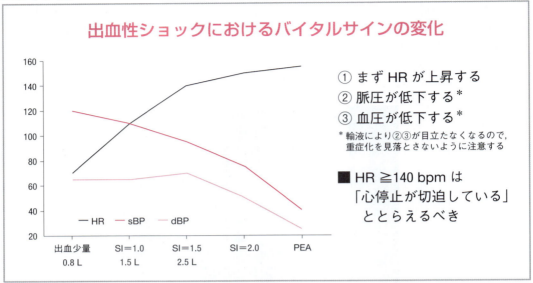

　出血性ショックの増悪に伴って生じる変化を示す。循環血液量の減少に伴って静脈還流量が減少し1回拍出量（SV）が減少する。身体は心拍出量（CO＝SV×HR）を保つため，代償性に心拍数（HR）が上昇していくが，代償性に抵抗血管（動脈）が収縮するため収縮期血圧（sBP）の低下は目立たない。ショックインデックス（shock index；SI＝HR/sBP）が1を超え，さらに出血が続くと頻脈によって心臓の拡張時間が不十分となり，血管収縮の効果も重なるため拡張期血圧（dBP）は上昇し，脈圧が低下する。出血が続けば，sBPの低下がようやく目立つようになり，SIは2に達することもある。SIは重症化を速やかにとらえるための指標であり，安定化できた指標とすべきではない。輸液などの介入によってSIは改善しやすく，出血の重症度を見誤らないようにすべきである。出血性ショックからの改善は，止血の確認を前提として，バイタルサインに加えて尿量や末梢循環の改善程度，POCTを活用した凝固系などの評価と体温を含めて総合的に判断すべきである。

　出血性ショックでは，循環血液量の減少に加えて貧血に伴う酸素運搬量の減少も重なる。HRが140 bpmを上回るときには「心停止が切迫した状態」と認識し，全身管理医と連携して全身状態を速やかに立ち上げるべきである。

スライド32

心不全（HF；heart failure）の定義

なんらかの心臓機能障害により，
　①呼吸困難・倦怠感や②浮腫が出現し
　　運動耐用能が低下する臨床症候群
・心臓機能障害：器質的異常 and/or 機能的異常
・心ポンプ機能の代償機転が破綻したことにより，①②が生じる

左心不全の分類
　　左室拡張機能障害：LVEF≧50%（収縮能→）⇐HFpEF（ヘフペフ）
　　左室収縮機能障害：LVEF＜40%（収縮能↓）⇐HFrEF（ヘフレフ）

　心不全は，心臓機能が障害されポンプ機能と代償機転が破綻した状態である[3]。労作時や仰臥位の息切れや呼吸困難感はとくに注意が必要な症状である。労作に伴って心負荷が増加すること，仰臥位により静脈還流量が増加し心負荷が増加することが影響している。左心系のポンプ機能が破綻すれば「夜，横になって寝られない（起坐呼吸）」「明け方に苦しくて目が覚める」といった訴えが生じ得る。悪化すれば肺うっ血・肺水腫により泡沫状痰や水泡音（coarse crackle）・呼気性喘鳴（wheeze），呼吸不全（低酸素血症，より重症化すれば高二酸化炭素血症に移行する）を呈する。正常の妊娠経過でも浮腫は生じ得るが，右心系のポンプ機能が破綻すると下腿浮腫や頸静脈怒張，心窩部不快感を生じる。これらの症候はポンプより上流の障害によるものである。

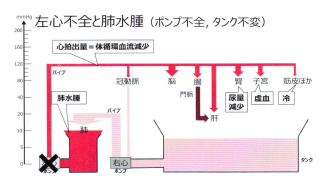

　ポンプより下流で生じる症候は，低心拍出症候群（low output syndrome；LOS）としてまとめられる。心拍出量の低下は易疲労感・倦怠感・めまい・四肢冷感が生じることがあり，消化器系への血流低下から食欲低下・悪心・嘔吐・腹部膨満感，腎血流低下による腎不全，肝血流低下による肝障害などが生じることがある。一見，不定愁訴に見えるので注意を要する。
　心エコー検査の左室駆出率（LVEF）により心不全は分類でき，LVEF が低下（40%未満）していれば HFrEF（heart failure with reduced ejection fraction），LVEF は保

たれているが(50％以上)拡張機能に問題があって左心不全となっている場合はHFpEF（heart failure with preserved ejection fraction）に分けられる。LVEF 40％以上50％未満の場合はHFmrEF（heart failure with mid-range ejection fraction）に分類される。

　心機能が保たれていても，溢水に伴って肺水腫（呼吸不全）を伴うことがある。例えば，産科危機的出血に対して凝固能の立ち上げを意図してFFPを十分投与した後に発生する呼吸不全である。利尿が追いつかず，循環血液量が生理的範囲を超えると発生する。頻脈・高血圧傾向を示すことも少なくない。非侵襲的換気療法（non-invasive positive pressure ventilation；NPPV）により呼吸補助と酸素化を維持しつつ，心臓の前負荷を軽減させることが選択肢である。急性腎障害などによって利尿が期待できない場合は，血液透析（hemodialysis；HD）や限外濾過（extracorporeal ultrafiltration method；ECUM）を要する。

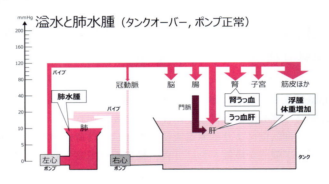

スライド 33

左心不全の臨床分類（Nohria-Stevenson 分類）

うっ血所見		
・起坐呼吸 ・頸静脈怒張 ・浮腫 ・腹水 ・肝頸静脈逆流	なし	Dry
	あり	Wet

低灌流所見		
・小さい脈圧 ・四肢冷感 ・Na＜135 ・腎機能悪化	なし	Warm
	あり	Cold

		うっ血所見	
		なし Dry	あり Wet
低灌流所見	なし Warm	Dry-Warm A 血圧・末梢循環維持	Wet-Warm B 血管拡張薬利尿薬 限外濾過
	あり Cold	Dry-Cold L 輸液 強心薬（循環不全が遷延するとき）	Wet-Cold C 強心薬 低血圧：血管収縮薬 利尿薬（循環安定後） 補助循環

　身体所見から簡便に病態を評価し，大まかな治療方針を決定する分類方法として Nohria-Stevenson 分類がある[5]。

　心臓のポンプ機能が低下により生じる，ポンプ後方障害としてのうっ血所見と，ポンプ前方障害としての低灌流所見に基づき分類される。うっ血があれば Wet（なければ Dry）な状態，低灌流であれば Cold（なければ Warm）な状態として4つの Profile（A，B，C，L）に分けられ，それぞれの治療方針の概要が決まる。心不全の重症度は血行動態の評価が必要であるが，Profile C と B は短期間での死亡例が多いことが知られ，大まかな重症度は把握できる[6]。

　その他，頻用される心不全の臨床分類として，クリニカルシナリオ（clinical scenario；CS）分類が存在する（表Ⅱ-4-1）[7]。

表Ⅱ-4-1　急性心不全に対する初期対応における CS 分類

	CS 分類				
分類	CS1	CS2	CS3	CS4	CS5
主病態	肺水腫	全身性浮腫	低灌流	急性冠症候群	右心機能不全
収縮期血圧	＞140 mmHg	100〜140 mmHg	＜100 mmHg	—	—
病態生理	・充満圧上昇による急性発症 ・血管性要因が関与 ・全身性浮腫は軽度 ・体液量が正常または低下している場合もある	・慢性の充満圧/静脈圧/肺動脈圧上昇による緩徐な発症 ・臓器障害/腎/肝障害/貧血/低アルブミン血症 ・肺水腫は軽度	・発症様式は急性あるいは緩徐 ・全身性浮腫/肺水腫は軽度 ・低血圧/ショックの有無により2つの病型あり	・急性心不全の症状・徴候 ・トロポニン単独の上昇ではCS4に分類しない	・発症様式は急性あるいは緩徐 ・肺水腫なし ・右室機能障害 ・全身的静脈うっ血徴候

〔文献 6）より改変〕
〔日本循環器学会，日本心不全学会合同ガイドライン：急性・慢性心不全診療ガイドライン（2017年改訂版），2018，https://www.j-circ.or.jp/cms/wp-content/uploads/2017/06/JCS2017_tsutsui_d.pdf（Accessed：2023/12/25）．より引用〕

スライド 34

高血圧

- **妊娠高血圧症候群（HDP）**
  sBP≧140 mmHg and/or dBP≧90 mmHg　　sBP：収縮期血圧，dBP：拡張期血圧
  sBP≧160 mmHg and/or dBP≧110 mmHg を超えたら速やかに降圧
  ➡ 160/110 mmHg を下回るように降圧する（胎児徐脈に注意）
- **高血圧緊急症**
  - 臓器障害を伴う場合に診断
    臓器障害を伴わない ➡ 高血圧切迫症

■鑑別診断と臓器障害
1. 脳：くも膜下出血，脳出血，脳梗塞
2. 心：急性心不全，急性心筋梗塞
3. 血管：急性大動脈解離
4. 腎：急性腎不全，急性糸球体腎炎
5. 褐色細胞腫クリーゼ
6. 高血圧性脳症：頭痛，けいれん，意識障害
7. 眼：網膜浮腫，乳頭浮腫，軟性白斑

■降圧
- 降圧目標値と適切な降圧速度は，病態や臓器障害ごとに異なる
- ニカルジピン（Ca遮断薬：動脈系の拡張が強い→後負荷減少）
- ニトログリセリン（硝酸薬：冠動脈や静脈系の拡張が強い→前負荷減少）
- 頻脈にはプロプラノロール（β遮断薬）が選択肢

　妊産婦では，sBP 140 mmHg，dBP 90 mmHg を超えた時点で異常な高血圧ととらえる。HDP は頻度の高い疾患であり，臓器障害を評価し妊娠終結（ターミネーション）の要否を判断する必要がある。160/110 mmHg を下回るように速やかに血圧をコントロールする[8]。降圧目標値や降圧速度は背景疾患や臓器障害の種別により異なるため一概に述べられないが，妊婦の場合は降圧に伴って子宮胎盤循環が悪化し胎児徐脈を生じ得るため，胎児モニタリングを要する点で配慮が必要である。

　異常な高血圧の背景には，重篤な疾患が存在していることがあるため，症状や身体所見，発症経過などを参考に鑑別する[9]。Primary Survey の段階で，臨床的に疾患の鑑別が明確であれば，降圧の目標値や速度は以下を参考にするが，最終的には各専門医と連携して具体的な対応を決定すべきである。

　脳梗塞は降圧が梗塞範囲を広げる可能性があるため，安易な降圧は控える。ただし，220/120 mmHg を超える場合は 15％程度降圧する。脳出血は sBP 140 mmHg 未満がよいが（ただし頭蓋内圧亢進状態は脳灌流圧の低下を招くため，不用意な降圧は脳虚血を招く），臨床的に出血が明らかでなければ Secondary Survey の最初に頭部 CT で鑑別した後の降圧を考える。くも膜下出血や大動脈解離は高血圧により病状が悪化し得る（くも膜下出血では脳動脈瘤の再破裂，大動脈解離では解離の進展）。強い疼痛を伴うことが多く，十分な鎮痛と必要に応じて鎮静を行い，降圧を追加する。

くも膜下出血では脳灌流圧の低下に留意しながら 160 mmHg 以下を積極的に目指していく。

大動脈解離は 120 mmHg 未満を目指すが，頻脈も解離進展を誘発し得るため，プロプラノロール 1〜10 mg 静注（1 mg/min で投与）などの β 遮断薬を併用するとよい。

心不全で高血圧を伴う場合，130 mmHg 未満を目指す。うっ血を解除（前負荷の減少）するにはニトログリセリンが用いやすく，冠動脈拡張も期待できる。

虚血性心疾患では，130/80 mmHg 未満を目指すが，冠攣縮性狭心症では冠攣縮予防にジルチアゼムを用いるとよい。

急性の腎疾患で蛋白尿を伴えば 130/80 mmHg 未満を目指す。褐色細胞腫クリーゼでは 1 時間以内に 140 mmHg 未満までの降圧を目指し，α 遮断薬のフェントラミン 1〜10 mg 静注（1 mg/min を 3〜5 分ごとに投与）を用いる。

高血圧性脳症は，高血圧により血液脳関門が破綻して血管原性脳浮腫を生じ，頭痛，悪心・嘔吐，視力障害，けいれん，意識障害を呈する。可逆性後頭葉白質脳症（PRES；posterior reversible encephalopathy）を認めることがあり，Secondary Survey で MRI を実施する。降圧により脳虚血に陥りやすいため，2〜3 時間で 25% 程度の降圧を行う。

表Ⅱ-4-2

薬剤	分類	用法・用量	主要な有害事象
ニカルジピン	Ca 拮抗薬	0.5〜2 mg 静注 0.5〜6 μg/kg/min	頻脈，頭痛，静脈炎
ジルチアゼム	Ca 拮抗薬	5〜15 μg/kg/min	徐脈，房室ブロック，洞停止
ニトログリセリン	硝酸薬	5〜100 μg/min	頭痛，メトヘモグロビン血症，耐性
フェントラミン	α 遮断薬	1〜10 mg 静注 0.5〜2 mg/min	頻脈，頭痛
プロプラノロール	β 遮断薬	1〜10 mg 静注 2〜4 mg/4〜6 時間	徐脈，房室ブロック，心不全
ランジオロール	β 遮断薬	1〜10 μg/kg/min	徐脈，房室ブロック，心不全

スライド 35

まとめ

- 循環（C）は，全身に酸素を運搬する重要な役割を担う
- 妊婦の場合，子宮胎盤循環に留意し，子宮左方移動を検討する
- バイタルサイン，皮膚所見，意識変容，尿量により，ショックに気づく
- 胎児徐脈は，まず母体の ABC 異常を想起する
- 循環評価に POCT と FASO を活用する
- ショックは，4 つに分類される
- 心不全の症候を見逃さない
- 降圧する際には，胎児徐脈に注意する

文　献

1) Thurlow JA, Kinsella SM：Intrauterine resuscitation：Active management of fetal distress. Int J Obstet Anesth 11：105-116, 2002.
2) Moors S, Bullens LM, van Runnard Heimel PJ, et al：The effect of intrauterine resuscitation by maternal hyperoxygenation on perinatal and maternal outcome：A randomized controlled trial. Am J Obstet Gynecol MFM 2：100102, 2020.
3) Bullens LM, van Runnard Heimel J, van der Hout-van der Jagt MB, et al：Interventions for intrauterine resuscitation in suspected fetal distress during term labor：A systematic review. Obstet Gynecol Surv 70：524-539, 2015.
4) 日本循環器学会，日本心不全学会合同ガイドライン：急性・慢性心不全診療ガイドライン（2017年改訂版）．2018/03/23発行，2022/04/01更新．
https://www.j-circ.or.jp/cms/wp-content/uploads/2017/06/JCS2017_tsutsui_d.pdf（Accessed：2023/12/25）
5) Nohria A, Tsang SW, Fang JC, et al：Clinical assessment identifies hemodynamic profiles that predict outcomes in patients admitted with heart failure. J Am Coll Cardiol 41：1797-1804, 2003.
6) Mebazaa A, Gheorghiade M, Piña IL, et al：Practical recommendations for prehospital and early in-hospital management of patients presenting with acute heart failure syndromes. Crit Care Med 36：S129-139, 2008.
7) 日本循環器学会，日本心不全学会合同ガイドライン：2021年JCS/JHFSガイドラインフォーカスアップデート版：急性・慢性心不全診療．
https://www.j-circ.or.jp/cms/wp-content/uploads/2021/03/JCS2021_Tsutsui.pdf（Accessed：2023/9/15）
8) 日本産科婦人科学会，日本産婦人科医会編集・監修：CQ309-1　妊婦健診において収縮期血圧≧140かつ/または拡張期血圧≧90 mmHgや尿蛋白陽性（≧1＋）を認めたら？　産婦人科診療ガイドライン─産科編2023，2023，pp176-180.
9) 日本高血圧学会高血圧治療ガイドライン作成委員会：高血圧治療ガイドライン2019，ライフサイエンス出版，東京，2019.

Ⅱ 初期診療のアプローチ

5　D 中枢神経障害

スライド 36

D の評価・行動

D の評価
- 意識
- 麻痺
- 瞳孔

D の行動
- 血糖測定
- けいれんコントロール
- ビタミン B_1 の測定・投与を考慮

　ABC の異常が意識状態に影響を与えることがあるため，D の正確な評価のためには，ABC 安定化が必須である。

　D の評価では，意識，麻痺，瞳孔を確認する。D の対応のうち，低血糖の除外，けいれんの対応はもっとも優先される事項である。低血糖の遷延は中枢神経に恒久的障害を残す可能性があり，迅速に補正する。妊娠悪阻などビタミン B_1 欠乏が関係する病態もある。必要に応じてビタミン B_1 採血を実施し，ブドウ糖投与より先行してビタミン B_1 投与を行う。

　意識障害の評価は Japan Coma Scale（JCS）や Glasgow Coma Scale（GCS）を用い，客観的に評価する。JCS は，意識レベルを 3×3 の 9 段階に分けられ，主に覚醒の程度により分類する。

Japan Coma Scale（JCS）

Ⅰ：覚醒している状態（1 桁の点数で表現）	
0	意識清明
1（Ⅰ-1）	見当識は保たれているが，意識清明ではない
2（Ⅰ-2）	見当識障害がある
3（Ⅰ-3）	自分の氏名・生年月日がいえない
Ⅱ：刺激に応じて一時的に覚醒する状態（2 桁の点数で表現）	
10（Ⅱ-10）	普通の呼びかけで開眼する
20（Ⅱ-20）	大声で呼びかけたり，強く刺激するなどで開眼する
30（Ⅱ-30）	痛み刺激を加えつつ，呼びかけを続けるとかろうじて開眼する
Ⅲ：刺激をしても覚醒しない状態（3 桁の点数で表現）	
100（Ⅲ-100）	痛みに対して払いのけるなどの動作あり
200（Ⅲ-200）	痛み刺激で手足を動かしたり，顔をしかめたりする
300（Ⅲ-300）	痛み刺激に対しまったく反応しない

JCS 30 よりも意識が悪い場合には緊急性が高い

意識障害のない状態は便宜上，JCS 0 という。
　刺激をしなくても覚醒している状態はⅠ桁（1〜3）
　刺激により覚醒する状態はⅡ桁（10〜30）
　刺激をしても覚醒しない状態はⅢ桁（100〜300）
JCS 30 以上は重症意識障害であり緊急度が高い。

　自分の名前や生年月日がいえない場合を JCS 3，見当識障害があるものを JCS 2，いまひとつはっきりしないものを JCS 1 と判断する。見当識は自分の置かれている状況を把握する能力をいい，見当識障害を評価するには患者が時・場所・人を把握できているかを確認する。「今，何月ですか？」「ここはどんな所ですか？」「私はどんなことをしている人ですか？」と聞くのがよい。「○月です」「病院です」「お医者さんですか？」と答えられれば見当識があると判断し，この 1 つでも間違えば，見当識障害ありとして JCS 2 をつける。

　自発的には覚醒していなければ，刺激をする。声をかける・軽く肩を叩く程度で開眼する人は JCS 10，強く肩を叩いたり，揺さぶったりして初めて開眼するものを JCS 20，胸骨や指先，眼窩切痕に痛み刺激[注73]を加えて初めて開眼を認めるものを JCS 30 ととる。

　痛み刺激で払いのけるような体動を認めれば JCS 100，顔をしかめる，あるいはわずかな体動だけの場合には JCS 200，痛み刺激でもまったく動かないものを JCS 300 ととる。

Glasgow Coma Scale（GCS）

E（Eye Opening：開眼機能）	
4	自発的に，または普通の呼びかけで開眼
3	強く呼びかけると開眼
2	痛み刺激で開眼
1	痛み刺激でも開眼しない
V（Best Verbal Response：最良言語反応）	
5	見当識が保たれている
4	会話は成立するが見当識が混乱
3	発語はみられるが会話は成立しない
2	意味のない発声
1	発語みられず
M（Best Motor Response：最良運動反応）	
6	命令に従って四肢を動かす
5	痛み刺激に対して手で払いのける
4	指への痛み刺激に対して四肢を引っ込める
3	痛み刺激に対して緩徐な屈曲運動（除皮質肢位）
2	痛み刺激に対して緩徐な伸展運動（除脳肢位）
1	運動みられず

[注73] 痛み刺激：GCS ではかつて pain stimulation と表現されていたが，現在は圧迫刺激（pressure stimulation）に変更されている。

スライド 37

麻痺・言語障害の評価

●顔面麻痺，上下肢麻痺，言語障害の有無を評価する
　３徴候のうち１つでも異常があれば，脳卒中を疑い早急な対応が必要となる
　・**顔面麻痺**：顔面の動きが非対称

　・**上肢麻痺**：片方の腕が上がらないか，水平保持できない
　（上肢 Barré 徴候は閉眼下で評価する）

　・**言語障害**：構音障害や失語症がある
　・**構音障害**：運動中枢の障害 ➡ 流ちょうに言葉を発せなくなる，呂律がま
　　　　　　　　わらない
　　例）「今日の天気は？」の質問に，「ひょうははれてふね（今日は晴れている
　　　　ね）」と答える
　　・**失語症**：言語中枢の障害 ➡ 言葉の理解ができない（感覚性失語），言葉
　　　　　　　　　が出てこないなど（運動性失語）
　　例）感覚性⇒オウム返し，意味不明な言葉や音声，命令どおりに動けない
　　　　運動性⇒言葉で答えられない，命令には従える

●意識障害がある場合の麻痺の評価方法
　・上肢ドロップ試験：仰臥位で両上肢を持ち上げ，同時に離した際に麻痺側
　　が早く落ちる
　・膝立て試験：両側膝立てを行い，同時に離した際に麻痺側が早く倒れる

　麻痺や言語障害の評価方法としては，FAST（face：顔，arm：腕，speech：言語，time：時間）がある[1]。"Face"は顔面麻痺の有無として，左右対称であるかを確認し，"Arm"は開眼下で両側上肢を水平に保持できるかどうかで評価する。"Speech"は言語障害として，構音障害や失語の有無を確認する。これらの３項目のうち，１つでも異常であれば脳卒中の可能性を疑い，早急な治療介入が必要であるため，"Time"も含めた４つの頭文字をとって"FAST"と覚える。しかし，例外として低血糖発作でも麻痺症状を伴うことがあるため，頭蓋内疾患否定とともに必ず血糖値の確認は行う。
　意識障害のためにFASTによる評価が難しい場合には，痛み刺激による上下肢の動きや，上肢ドロップ試験（仰臥位で両上肢を持ち上げ，同時に離した際に麻痺側が早く落ちる），膝立て試験（両側膝立てを行い，同時に離した際に麻痺側が早く倒れる）などで評価を行う。

スライド38

典型的な脳卒中の症状
〜どのようなときに脳卒中を疑うのか？〜

1. 巣症状（脳の局所が担っている機能が壊れたときに出る症状）
    1) 突然，顔面の半分，身体の片側が動かない・しびれる
        → 前頭葉・頭頂葉の障害
    2) 突然，話せない，呂律がまわらない
        → 前頭葉・小脳・脳幹の障害
    3) 突然，視野の片側がみえなくなる
        → 後頭葉の障害
    4) 突然，めまい，あるいは歩けなくなる
        → 小脳・脳幹の障害

2. 頭蓋内圧亢進症状
    1) 意識がおかしくなる
    2) 激しい頭痛がある
    3) 繰り返す嘔吐がある

　脳卒中の症状は，脳の局在機能が障害されたときに起こる巣症状と，出血や脳浮腫により頭蓋内圧が上昇したときの頭蓋内圧亢進症状の2つが組み合わさって起こる。また脳卒中の初発症状の特徴は，突然起こること，かつ片側に起こることである。
　けいれん発作後に残存する運動麻痺に関しては，発作後に脳の活動停止によるTodd麻痺があり，症状による脳卒中との鑑別はきわめて困難である。Todd麻痺は短いもので数時間から数日持続する場合もある。
　脳卒中の巣症状には，突然，顔面や身体の片側が麻痺する・呂律がまわらない・物がみえにくい，めまいがして歩けなくなる，などがあげられる。
　急性期の頭蓋内圧亢進症状は，突然起こる意識障害，強い頭痛，繰り返す嘔吐である。

スライド 39

瞳孔・眼位・眼振の評価
～眼は口ほどにものをいう～

1. 瞳孔所見（2.5～4.5 mm で左右同じなのが正常）
    ● 瞳孔不同 （左右の瞳孔径の差が 1 mm 以上あること）

    （脳ヘルニアによる動眼神経麻痺によって起こる危険な徴候）
    ● pin hole　両側 2 mm 以下となる（橋出血）
    ● 散大　（両側瞳孔が 5 mm 以上で対光反射なし）　脳ヘルニア
2. 眼位（動眼・滑車・外転神経の障害）
    共同偏視の方向による病変（出血・梗塞）部位の予測が可能
3. 水平性・垂直性眼振
    小脳出血では垂直性眼振が認められることが多い

　脳幹症状である瞳孔所見は，意識障害があっても重要な情報を与えてくれる。眼は口ほどにものをいうのである。

　瞳孔径に左右差がなく 2.5～4.5 mm であれば正常であり，0.5 mm 刻みで表現する。もっとも危険な脳ヘルニア徴候を示しているのが，瞳孔不同（左右の瞳孔径に 1 mm 以上の差がある）である。脳ヘルニアにより動眼神経が障害されて起こる，非常に危険なサインである。脳ヘルニアによる瞳孔不同があるときには必ず，意識障害を伴う。緑内障や白内障の手術の後では瞳孔径左右差が生じることがあるが，その場合意識障害は生じない。

column
瞳孔・眼位・共同偏視による病変部位の予測

眼位	眼球症状	病変部位の例	病態生理
	病巣側（右）への共同偏視	右被殻出血	前頭眼野（Area 8）の障害によるもの
	病巣側（右）への共同偏視	右皮質下出血	前頭眼野（Area 8）の障害によるもの
	鼻先凝視 （下方共同偏視）	視床出血	頭蓋内圧亢進による外転神経麻痺によるもの
	著しい縮瞳　pin hole 正中凝視	脳幹（橋）出血	外転神経や内側縦束（MLF）の障害 交感神経障害による縮瞳
	垂直性の眼振 〔健常側（左）への共同偏視〕	右小脳出血	垂直性の眼振 外転神経麻痺

　共同偏視により病変部位を推測できることもある。右に発症した被殻出血や皮質下出血により広範囲に前頭葉が破壊された場合には，両眼の眼位が右を注視する右への共同偏視を認める。これは神経解剖学上は前頭眼野（Area 8）の機能不全を意味する。また視床出血が脳室へ穿破し強い急性水頭症を呈すると，眼位は鼻先を凝視する。脳幹出血である橋出血の場合には眼球は正中に固定し，瞳孔径は pin hole を呈する。小脳の病変の場合には上下方向の眼振を認め，患者は浮遊性のめまいを訴えることが多い。これに麻痺の出現する方向や意識障害の程度を考慮すると，神経症状から病変部位をさらに正確に推測できる。

スライド 40

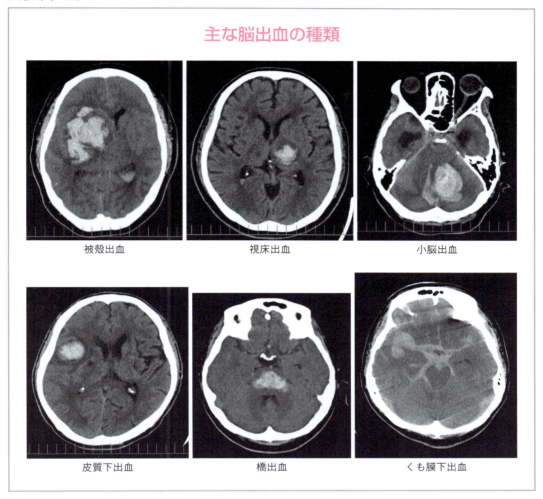

主な脳出血の種類

被殻出血　　視床出血　　小脳出血

皮質下出血　　橋出血　　くも膜下出血

　J-MELS アドバンスコースでは，D の評価で頭蓋内の精査が必要と考えれば，Secondary Survey の最初に画像検査（頭部 CT，MRI など）を撮像する。

　脳出血の頭部 CT を示す。頭部 CT では出血性病変は高吸収域として描出される。左右の脳を比較して出血部位を検索する。くも膜下出血は脳実質内ではなく，くも膜下腔に出血するので，典型的なものでは脳底槽の形である星形の出血像を認める。

スライド41

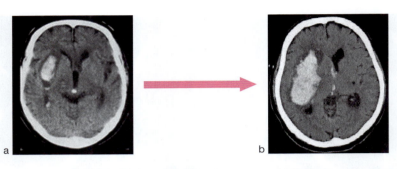

右被殻出血が悪化する典型的な経過

項目	初期所見	悪化所見
麻痺 左片麻痺	左顔面・左上肢の麻痺の出現 右上肢はMMT*4の麻痺出現	左顔面・左上肢・左下肢の麻痺の出現 （麻痺の部位の拡大） 左片麻痺の悪化 異常反射（除脳肢位・除皮質肢位）の出現
瞳孔	左右差のない瞳孔径 瞳孔（右3.0+/左3.0+）** 共同偏視を認めない	右が大きい瞳孔不同の出現と対光反射の消失 瞳孔（右5.0−/左3.0−） 右への共同偏視の出現
意識障害	軽度の意識障害 　JCS1〜JCS20程度	高度意識障害 　JCS30〜JCS300への悪化
頭痛・嘔気	軽度の頭痛，軽度の嘔気・嘔吐	強い頭痛，頻回の嘔吐

*　manual muscle testing：徒手筋力テスト
**　瞳孔径（mm）と対光反射の有無を連続して表記することがある

　　右側の被殻出血が悪化した場合の典型的な症状経過を示す。
　　写真aのような比較的小さな被殻出血の場合には，錐体路障害として顔面や上肢などに軽い左の片麻痺が出現する。頭蓋内圧も軽度の上昇にとどまるため，頭痛や嘔吐も軽度で，瞳孔の左右差もみられない。
　　しかし，写真bのように出血量が増加すると，顔面と上肢にとどまっていた左の片麻痺が下肢にまで広がり（麻痺範囲の拡大），わずかな筋力低下であった上肢がまったく動かなくなる（麻痺の重症化）。頭蓋内圧が上昇することにより，脳灌流圧を保とうと全身の平均動脈圧が上昇する。また，高血圧に伴って徐脈となる（Cushing現象）。同時に強い頭痛や頻回の嘔吐，意識障害を認めるようになる。
　　このような症状の後に脳ヘルニア徴候として，右の瞳孔から拡大してくる。脳ヘルニアが進行すると瞳孔が左右ともに散大し，対光反射が消失する。さらに自発呼吸は停止し心停止する。
　　このように病状の進行に伴って所見が変化する。Dの評価を繰り返し行うことで，意識・麻痺・瞳孔の変化から病状の悪化を見抜く必要がある。

スライド 42

脳出血の手術適応

出血部位	被殻	視床	皮質下	橋	小脳
血腫サイズ*	31 mL 以上	脳室穿破による急性水頭症	50 mL 以上		直径 3 cm 以上
治療	開頭血腫除去術	脳室ドレナージ術	開頭血腫除去術	手術適応なし	後頭下開頭血腫除去術

10 mL 以下の出血に手術適応なし，昏睡状態のものにも適応なし
* 血腫サイズ（mL）＝縦（cm）×横（cm）×高さ（cm）÷2

　開頭手術により血腫を直接的に除去できるのは，被殻出血と皮質下出血と小脳出血のみである。頭部 CT で血腫のサイズに応じて開頭術の適応を判断する。脳の mid-line が 1 cm 以上の偏位や脳幹への圧迫があるものにも開頭術を行う[2]。

　視床出血に血腫除去術の適応はない。視床出血では脳室内穿破による急性水頭症を呈しやすいため，必要に応じて脳室ドレナージ術が行われる。

　小脳は後頭蓋窩という非常に狭いスペースにあるため，比較的小さな出血であっても，その腹側にある脳幹への圧迫をきたしやすい。また第 4 脳室の圧迫による急性水頭症を呈する場合も多く，脳室ドレナージ術が追加されることがある。

　脳幹出血は強い意識障害に伴う舌根沈下や自発呼吸の停止を起こすが，基本的には外科的手術の適応はなく，その他の出血に比べて強い後遺症と高い死亡率を呈する。

Ⅱ 初期診療のアプローチ

スライド 43

急性期脳梗塞の画像検査

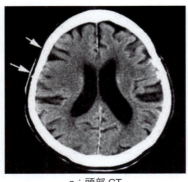
a：頭部 CT

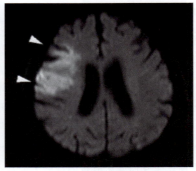
b：MRI-DWI

- 急性期の脳梗塞は CT では描出されない
  （6〜8 時間後から低吸収域として描出される）
- CT 画像上の所見を認めないにもかかわらず，運動麻痺などの臨床症状があることが急性期脳梗塞を示唆している
- 脳梗塞を疑えば頭部 MRI を施行する。DWI が急性期脳梗塞の描出に有用

　急性期の脳卒中を診断するためには頭部 CT を用いることが多い。急性期脳梗塞の頭部 CT 所見は頭蓋内に異常所見を認めないのが特徴である。脳梗塞巣が頭部 CT で低吸収域となるのは発症から約 6 時間が必要といわれている。頭部 CT の画像でとくに異常所見を認めないにもかかわらず，運動麻痺などの神経症状があることが，超急性期の脳梗塞の所見である。

　確定診断は MRI の拡散強調画像（DWI；diffusion weighted imaging）で行う。写真 b のように，脳梗塞巣が白く高信号域として描出される。

　しかし，MRI はシリンジポンプなどの機器類を使用している場合には撮影は困難である。頭部 CT よりも撮影に時間がかかるため，不穏で静止を保てない患者や，嘔吐が強く気道閉塞が起こる可能性がある患者に施行するのは難しい。MRI 撮影が 24 時間できない施設では，頭部 CT と神経症状から診断せざるを得ない場合もある。

　脳梗塞は time is brain といわれ，時間経過とともに，実施可能な治療法が刻一刻と変化する。判断に迷う場合には脳神経外科・神経内科と産婦人科を備えた高次医療機関に転院搬送する必要がある。

スライド 44

急性期脳梗塞に対する治療

● 急性期脳梗塞に対して
『血栓溶解療法』と『機械的血栓回収療法』が行われる

● 血栓溶解療法（rt-PA*静注）
・実施できるのは，原則として急性期脳卒中診療担当医師である。
・妊婦という理由で禁忌とはならない（10日以内の分娩・流早産では慎重投与）。
・発症から4.5時間以内に治療可能な脳梗塞患者に対して行われ，病型（ラクナ梗塞，アテローム血栓性梗塞，心原性脳塞栓症）を問わない。
・治療開始が早いほど良好な転帰が期待できる。
・最終健常確認時刻をもって発症時刻とするが，それが明確ではない場合でも，MRIのFLAIR画像で虚血性変化が明瞭ではない場合は発症4.5時間以内の可能性がある。判断には高度の専門性を求められるので，積極的に脳卒中治療専門科にコンサルテーションを行うべきである。
・血栓溶解療法にはさまざまな禁忌事項が存在する。また施行するためには，収縮期血圧185 mmHg以下，拡張期血圧110 mmHg以下にコントロールされている必要がある。治療適応については脳卒中治療専門科が判断する必要がある。

*遺伝子組み換え組織型プラスミノゲン・アクティベータ

● 機械的血栓回収療法（血管内治療）
・頭蓋内主幹動脈の急性閉塞による脳梗塞に対して，閉塞部位，臨床的重症度スコアおよび画像上の重症度スコアが一定条件を満たせば，発症6時間以内の機械的血栓回収療法が推奨される。
・6時間を超えていても，患者の病態によっては適応となることがある。
・妊婦という理由で禁忌とはならない。
・治療できるのは脳血管内治療専門医またはこれに準じる脳血栓回収療法実施医のみであり，実施施設は限られる。治療実施のためには，迅速に脳卒中治療専門科と協議する必要がある。

　最近の脳出血，凝固機能異常や血小板低下，凝固機能に影響を与える投薬などの出血性リスクがない場合，積極的に血栓溶解療法を考慮する必要がある。血栓溶解療法の適応は発症から4.5時間であるが，発症時刻不明の場合でも，Secondary Survey で行われるMRIによるDWIとFLAIRによる検討から血栓溶解療法の適応とされる場合がある。そのため，脳梗塞を疑う妊産婦は積極的に脳卒中治療専門科にコンサルテーションを行う必要がある。なお，血栓溶解療法は妊産褥婦が理由で禁忌とはならない。
　血栓回収療法は頭蓋内主幹動脈（内頸動脈や中大脳動脈など）の急性閉塞による脳梗塞に対して考慮され，発症4.5時間以内ならば血栓溶解療法とともに，これを超えれば単独で実施される。発症6時間以内が原則であるが，病態によっては最長24時間まで検討されることがある。血栓回収療法も妊産褥婦が理由で禁忌とはならない。
　実際の発症時間は細かい病歴聴取や家族・関係者からの状況聴取によって確定できるものである。また上記の治療に際しては高度な専門的判断を要する。そのため梗塞を疑う患者に対しては，脳卒中治療専門科への積極的なコンサルテーションが必要である[3]。

Ⅱ　初期診療のアプローチ

妊産婦のけいれん

スライド 45

けいれんの鑑別

鑑別疾患

> 心停止（心室細動，肺塞栓症，羊水塞栓症）
> Adams-Stokes 症候群（一過性脳虚血，失神）
> 子癇，てんかん
> 脳卒中（脳出血・脳梗塞・くも膜下出血）
> 低血糖発作，ビタミン B_1 欠乏症
> 髄膜炎，脳炎，脳症
> 硬膜外鎮痛に関連した局所麻酔薬中毒
> 過呼吸発作，解離性障害　など

初発のけいれん→**心停止を含む循環不全をまず除外**
子癇と脳卒中（脳出血・脳梗塞・くも膜下出血）による
けいれんの鑑別は，**困難である**

　けいれん（convulsion）は，発作的に全身あるいは一部の骨格筋群が不随意に収縮する症候をいい，筋収縮が持続するものを強直性けいれん，反復するものを間代性けいれんと呼ぶ。原因は多岐にわたり，その鑑別は容易ではない[4)5)]。けいれんの原因として，心停止はまず除外すべき病態である。循環不全や失神などによる脳虚血もけいれんを引き起こし得るので注意する。頭蓋内疾患，代謝内分泌疾患や電解質異常，薬剤性（硬膜外鎮痛に関連した局所麻酔薬中毒など）も鑑別する必要がある。

　子癇は，妊娠 20 週〜分娩期，産褥期にけいれん発作を発症し，てんかんなどによる二次性けいれんが否定されるものと定義されている[6)]。したがって，けいれんを認めたときに精査により子癇以外の原因を除外できるまで，本来子癇を診断することはできない。子癇の発生頻度は，妊娠子癇 50％，分娩子癇 25％，産褥子癇 25％であり，妊娠管理の向上により，妊娠子癇や分娩子癇の発生頻度は減少傾向にある。

スライド 46

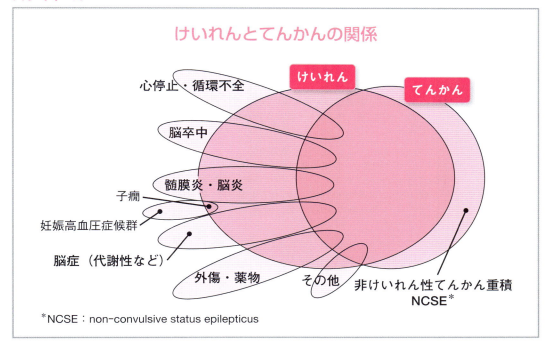

*NCSE：non-convulsive status epilepticus

　妊婦がけいれん（不随意な筋肉の収縮）した場合には，子癇以外の疾患も鑑別する。けいれんのなかには重度の後遺症や生命予後に影響する疾患も存在する。同様に，てんかん合併妊娠であったとしても，けいれん発作を認めた場合にはてんかん以外の疾患も考慮すべきである。

　けいれんの原因で最初に除外すべきは，心停止や循環不全（肺塞栓症，心肺虚脱型羊水塞栓症，致死性不整脈，妊娠関連急性心筋梗塞など）である。その他窒息などによる高度低酸素もけいれんを生じ得る。けいれんに遭遇すれば，第一印象の評価により心停止を早期に認識し速やかに蘇生に移行する。心停止がなければOMIU（酸素・モニター・静脈路確保・子宮左方移動）に引き続き，ABCDEFの評価に移行する。

　Dの評価では，必ず低血糖発作を除外し，代謝性脳症（ビタミンB_1欠乏，電解質異常，肝性脳症，尿毒症など），中毒（無痛分娩や麻酔に関連した局所麻酔薬中毒など）に留意する。髄膜炎や脳卒中（脳出血・脳梗塞・くも膜下出血），頭部外傷（domestic violenceに注意）などの頭蓋内疾患はけいれんの原因になり，緊急度も高い。専門科コンサルトを行いつつABCDEF評価の後にSecondary Surveyの最初に頭部CTを計画し，迅速な診断・治療につなげる。身体疾患が除外されれば，解離性障害や心因性非てんかん性発作なども考えられるため，Pの評価を追加し精神科コンサルトを検討する。

スライド 47

妊産婦におけるけいれん確認後の流れ

```
第一印象（心停止を除外する。心停止⇒蘇生，緊急⇒全身管理医コール）
          ↓
OMIU：気道確保・酸素投与，モニター装着，静脈ルート確保，子宮左方移動
      ABCDEF アプローチによる Primary Survey を行う
          ↓
A  気道確保
B  酸素化，換気の確立，呼吸努力があれば換気補助
C  POCT（けいれんによるアシドーシスの回避，過度な血圧上昇は降圧を考慮）
D  重症悪阻の可能性→ビタミン $B_1$ 検査を提出後，塩酸チアミン 100 mg
   低血糖の除外，対応（50% ブドウ糖 40 mL）
          ↓
鎮静薬＊（ジアゼパム/ミダゾラム/ロラゼパム）を用いてけいれんを抑制
（例）ジアゼパム 5 mg ずつ 2 回静注し，ABC 管理継続
          ↓
けいれん消失後，子癇・羊水塞栓症・局所麻酔薬中毒・他疾患（心血管疾患・頭蓋内疾患・代謝内分泌疾
患など）を鑑別・治療する（血液検査・動脈ガス分析など）
          ↓
子癇発作予防目的の硫酸マグネシウムを持続投与
（例）硫酸マグネシウム 4 g/20 分，引き続き 1～2 g/hr
          ↓
収縮期血圧≧160 mmHg もしくは拡張期血圧≧110 mmHg が確認された場合，降圧を開始（重症域を脱す
る）。高血圧緊急症（180/120 mmHg 以上）では直ちに降圧を実施する。降圧はニカルジピンを用いる
          ↓
けいれんが 5 分以上続けば，「けいれん重積」
専門診療科にコンサルしつつ，抗けいれん薬（レベチラセタム 1,000 mg）の投与を検討する
          ↓
E  体温管理
F  胎児モニタリングを実施し，降圧による NRFS（胎児機能不全）に注意する
          ↓
脳卒中を疑う場合，けいれん消失し気道が保てていれば，頭部 CT を行う
          ↓
胎児評価と早期娩出を考慮
脳卒中を認める場合，脳血管専門医と協議をする
```

＊ 他疾患を除外した子癇の場合，鎮静薬を用いなくても 1～2 分でけいれんが停止するので，鎮静薬は不要である

　文献[6]をもとに J-MELS アドバンスコースの主旨にあわせて修正したアルゴリズムである。けいれんの継続は，脳機能に恒久的障害を残す可能性があり，早期に脳内のけいれん波を停止させることが必要である。ジアゼパムに引き続きその他抗けいれん薬を使用する必要性があるときは，直ちに全身管理医および専門診療科にコンサルトを行う。
　外観のけいれんが停止しても，脳波上のてんかん波が消失したとは限らず，眼位や眼球運動の観察を行い，非けいれん性てんかん重積（NCSE）を見逃さない。

スライド 48

**non-convulsive status epilepticus（NCSE）：
非けいれん性てんかん重積**

- 外観のけいれん発作を伴わないてんかん重積状態
- 特異的な臨床所見はなく，意識変容，言語障害，ミオクローヌス，おかしな行動など多彩な臨床所見を呈する
- NCSE を疑った場合，迅速に神経内科医などにコンサルテーションをする

　外観のけいれんを伴わない非けいれん性てんかん重積が意識障害や意識変容の原因の1つとして指摘されている。この病態は脳波でてんかん波が認められ，明確な「てんかんの重積」の状態である。そのため，迅速にその状態から離脱する必要がある[7]。

スライド 49

鎮静薬の注意点
鎮静薬（ジアゼパム/ミダゾラム/ロラゼパム）投与後による変化

- A 舌根沈下による気道閉塞
- B 呼吸停止による低換気，低酸素血症
- C 血圧低下
- D 意識・神経所見の消失
  　とくに知覚・視野など自覚所見に基づく評価ができない

　ベンゾジアゼピン系鎮静薬は鎮静効果による舌根沈下で気道閉塞が起き呼吸停止しやすいので，気道管理にとくに注意が必要である。
　横隔膜の運動は維持されることが多く一見換気がなされているようにみえても，気道閉塞により換気がなされていないこともあるので，口や鼻から実際にガスが出入りすることを確認したり，呼吸音を確認すべきである。
　また，末梢血管抵抗の低下に伴う血圧低下が起きることもあり，2.5〜5分ごとの血圧測定を行う。必要に応じて子宮左方移動を行う。
　ジアゼパム1アンプル（10 mg）を一度に投与するとこれらの有害事象が発生しやすい。1アンプルを2回に分けて（数分あけて）投与する方法もある。
　鎮静されればけいれんは頓挫するが，知覚や視覚障害などの自覚症状の有無を確認することができなくなるため注意が必要である。

スライド 50

posterior reversible encephalopathy syndrome（PRES）
可逆性後頭葉白質脳症

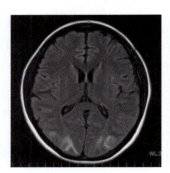

- PRES[8)9)]は多彩な中枢神経症状を示す症候群であり，主病態は血管性浮腫（vasogenic edema）である[注74)]
- 典型的症状は，軽度から昏睡までの意識障害であり，頭痛，けいれん，視野障害，麻痺などの神経症状を伴う場合がある
- PRES を誘発する病態として，産科領域では妊娠高血圧症候群，子癇，HELLP 症候群がある
- その他，自己免疫疾患，臓器移植，免疫抑制薬，血液疾患，敗血症，違法薬物などのさまざまな原因が報告されている
- 画像所見では，MRI による FLAIR や T2 強調画像による高信号，同部位での apparent diffusion coefficient（ADC）マップの低下なし，が典型的。後頭葉から頭頂葉に出現することが多い
- 治療は，症状に対する対症療法（けいれんの管理，血圧の管理など）
- 後遺症や死亡例の報告はあるが，PRES は回復が期待できる
- 血管攣縮に伴う reversible cerebral vasoconstriction syndrome（RCVS）との合併の報告もある

[注74)] 最近は PRES と称することが一般的であるが，reversible posterior leukoencephalopathy（RPLS）と記載される場合もある。

スライド 51

まとめ

- D の評価
  - 意識を JCS で表現する
  - 麻痺（顔面，上下肢）を評価する
  - 瞳孔（サイズ，対光反射，眼位）を評価する

- D の行動
  - 低血糖発作を除外する
  - 脳卒中を疑えば，早期に専門科にコンサルトする
  - 血圧の管理を専門科と連携して行う
  - Secondary Survey の最初に CT などの検査を計画する
  - けいれんの際には，
    - 心停止や循環不全を除外する
    - ジアゼパムを使用し早期にけいれんの消失を図る
    - その後，子癇予防で硫酸マグネシウムの投与を考慮する
    - 鎮静薬使用後の気道状態に注意を払う
    - 早期娩出の可能性を検討する

文　献

1) Wall HK, Beagan BM, O'Neill J, et al：Addressing stroke signs and symptoms through public education：the Stroke Heroes Act FAST campaign. Prev Chronic Dis 5：A49（III）2008.
2) 日本救急医学会，他監，「ISLS ガイドブック 2018」編集委員会編：ISLS ガイドブック 2018；脳卒中の初期診療の標準化，へるす出版，東京，2018，p107.
3) 日本脳卒中学会脳卒中ガイドライン委員会編：脳卒中治療ガイドライン 2021〔改訂 2023〕，協和企画，2021.
   https://www.jsts.gr.jp/img/guideline2021_kaitei2023.pdf（Accessed：2023/9/15）
4) Smith PEM：Initial management of seizure in adults. N Engl J Med 385：251-263，2021.
5) Gavvala JR, Schuele SU：New-onset seizure in adults and adolescents：A review. JAMA 316：2657-2668，2016.
6) 日本産科婦人科学会，日本産婦人科医会編集・監修：CQ309-3　妊産褥婦が子癇を起こしたときの対応は？　産婦人科診療ガイドライン—産科編 2023，2023，pp185-188.
7) Sutter R, Rüegg S, Kaplan PW：Epidemiology, diagnosis, and management of nonconvulsive status epilepticus. Neurol Clin Pract 2：275-286，2012.
8) Geocadin RG：Posterior reversible encephalopathy syndrome. N Engl J Med 388：2171-2178，2023.
9) Cozzolino M, Bianchi C, Mariani G, et al：Therapy and differential diagnosis of posterior reversible encephalopathy syndrome（PRES）during pregnancy and postpartum. Arch Gynecol Obstet 292：1217-1223，2015.

Ⅱ 初期診療のアプローチ

6 E 体表観察と体温管理

スライド 52

E の評価（Exposure & Environmental control）

脱衣し，体表の異常所見を確認し，体温管理を行う

＜評価項目＞
- 皮疹の有無 ➡ 初期対応が必要な異常所見の評価
- 外傷 ➡ 外出血，損傷の有無
- 体温異常の有無

　ABCD の評価と並行して脱衣させ，E の評価を行う。E の評価では体表面の異常の評価と体温管理を行う。アナフィラキシーや重症薬疹といった特徴的な皮疹の有無を確認することで，診断・治療介入を早期から行うことができる。外傷の場合は，C の評価で把握しきれなかった活動性の外出血の有無を確認し，動脈性出血がある場合は圧迫止血などの初期対応を行う[1]。また，重症例は脱衣や大量輸液・輸血などにより低体温を引き起こしやすく，さらに ABCD のいずれかの異常に E の異常が合併していることがある。まず ABCD の安定化を行うが，産科危機的出血や外傷による出血性ショックへの対応の際に低体温を合併すると致死的であるため，可及的速やかに体温管理を開始することが重要である。

スライド53

体表観察：皮疹の評価

所見	鑑別診断例		診療で留意すべきこと
アレルゲン曝露後の皮疹、薬剤/輸血投与後の皮疹	アレルギー反応		アレルゲンの除去を行う / 呼吸器症状や血圧低下などがあればアナフィラキシーを疑い対応する
	アナフィラキシー/アナフィラキシーショック		不安定な症状があればアドレナリン0.01 mg/kg 筋注（最大0.5 mg）する
	薬剤関連	薬疹 SJS(Stevens-Johnson症候群) TEN(中毒性表皮壊死症)	粘膜疹や水疱形成などの重症薬疹への進行がないか観察する / 速やかな原因薬剤の中止とともに皮膚科専門医にコンサルテーションする / 重症例ではステロイド全身投与（プレドニゾロン換算 1 mg/kg/day 程度）を検討する
	輸血関連	AHTR（急性溶血性輸血副作用）	原因の多くが不適合輸血の投与によるため、直ちに輸血を中止し、適合血輸血に切り替える / 呼吸・循環管理とともに、急性腎障害を回避するために尿量維持を図った全身管理を行う
皮下出血、紫斑	血小板減少	HELLP症候群 妊娠性急性脂肪肝	妊娠終結を前提とした治療介入を行う
		TMA（TTP/HUS）/ITP	原因疾患ごとに急性期の治療が異なるために鑑別が必要である
		DIC	原因疾患を特定する / 敗血症の場合は早期抗菌薬の投与を行う
		血液疾患（白血病/MDSなど）	血液内科専門医に早期にコンサルテーションを行う / 治療開始と分娩のタイミングについて協議を行う
	自己免疫性	SLE	妊娠高血圧腎症や早産などの妊娠関連合併症が増える
網状皮疹、紅斑、紫斑、膿疱などのさまざまな皮疹	敗血症		疑った時点で早期に抗菌薬を投与する / 皮膚筋炎などの自己免疫疾患との鑑別が必要である
咬傷、または刺し口を伴う傷	動物咬傷	パスツレラ菌感染症	受傷直後では予防抗菌薬も検討する
		破傷風感染症	局所的な腫脹疼痛にとどまらない皮疹や発熱、全身状があれば敗血症と考え対応する
		ツツガムシ病	全身性のけいれんや開口障害の出現時には全身管理が必要となる
	虫刺症	日本紅斑熱	発熱、体幹部を中心とした紅斑を認めることが多い / アジスロマイシンが第一選択となる
		SFTS（重症熱性血小板減少症候群）	発熱、四肢末梢を中心とした紅斑を認めることが多い / 有効な抗菌薬はテトラサイクリンとニューキノロン系抗菌薬であり、感染症科との協議が必要となる / 有効性が確立している抗ウイルス薬は現時点では存在しない
新旧さまざまな皮下出血や熱傷	家庭内暴力		Secondary Surveyでは社会調整や精神科リエゾンチームの介入が必要となる

Primary Survey で皮疹を評価し，早期診断と治療介入につなげる。

アレルゲン曝露後に全身性の皮疹や粘膜症状を認めた場合にはアナフィラキシーを強く疑い，早期にアレルゲンの除去とアドレナリン投与を検討する[2]（詳細はアナフィラキシー：p299 参照）。

薬疹のなかには全身のびまん性の紅斑，粘膜疹，高熱などを認める重症型として，中毒性表皮壊死症（TEN）や Stevens-Johnson 症候群（SJS）などの可能性がある。抗菌薬や非ステロイド性消炎鎮痛薬や抗てんかん薬などが原因となる場合が多く，原因薬剤の中止とともに皮膚科専門医にコンサルテーションする。治療としてはステロイド全身投与（プレドニゾロン換算 1 mg/kg/day 程度）が基本であり，早期に行うことで皮膚粘膜障害の進行を阻止する効果がある[3]。

敗血症では，皮膚，皮下組織，深部軟部組織に細菌が到達，定着・増殖して紅斑や膿疱，紫斑，膿瘍などさまざまな皮疹を生じることがある。その病変を敗血疹と呼び，不均一，非対称性に分布する傾向がある。

また，まれではあるが，農地や山野の多い地域では，全身性紅斑に加え，発熱，刺し口がある場合はツツガムシ病や日本紅斑熱を考える。ツツガムシ病では経胎盤感染し，妊娠初期では胎児死亡した報告もあり，注意が必要である[4]。ツツガムシ病と日本紅斑熱ともに抗菌薬の第一選択薬は，テトラサイクリン系抗菌薬となるが，胎児の歯の着色，エナメル形成不全や一過性発育不全を起こすことがあり，妊婦には積極的には使用しにくい。そのため，ツツガムシ病ではアミノグリコシド系抗菌薬であるアジスロマイシンを選択する。一方で日本紅斑熱病ではアミノグリコシド系抗菌薬が無効であるため，ニューキノロン系抗菌薬が第二選択となるが，こちらも妊婦では使用しづらいため，感染症科との協議が必要となる。

ほかに，受傷機転がはっきりとせず，新旧さまざまな皮下出血や熱傷がある場合は，家庭内暴力などの可能性を考える。リストカット痕がある場合は精神疾患の既往があることが多く，自殺企図の可能性も考慮する。リストカット痕は通常，利き手と逆側の前腕手掌側が多い。意識障害を伴っていれば，薬物過量内服を行っている可能性もある。これらはいずれも緊急度は低いが，Secondary Survey で本人より病歴聴取などを行い，必要であれば社会調整や精神的な介入も検討する。

以上のように，皮疹の有無を評価することで早期治療介入などができることがあるが，アナフィラキシーや敗血症などを含め，全例で皮膚所見を呈するわけではないことは留意しておく必要がある。

スライド 53　略語

TEN；toxic epidermal necrolysis：中毒性表皮壊死症
AHTR；acute hemolytic transfusion reactions：急性溶血性輸血副作用
TMA；thrombotic microangiopathy：血栓性微小血管症
TTP；thrombotic thrombocytopenic purpura：血栓性血小板減少性紫斑病
HUS；hemolytic uremic syndrome：溶血性尿毒症症候群
ITP；idiopathic thrombocytopenic purpura：特発性血小板減少性紫斑病
MDS；myelodysplastic syndromes：骨髄異形成症候群
SLE；systemic lupus erythematosus：全身性エリテマトーデス
SFTS；severe fever with thrombocytopenia syndrome：重症熱性血小板減少症候群

スライド 54

体温評価

・体温異常の定義：低体温 35℃未満，高体温 38℃以上
・皮膚温は外環境の影響を強く受けやすい
・厳密な体温管理には深部体温を用いる

・腋窩温
・鼓膜温 ｝ 測定は簡便だが，環境温や測定方法により誤差が生じやすい

・食道温
・直腸温 ｝ 環境温に影響されにくく精度も高いが，温度センサー挿入が必要
・膀胱温

　ヒトは恒温動物であり，ある程度の環境温変動のもとでも体温を一定に保つ機能をもった生物である．約10〜50℃までの環境温変動に数時間さらされても，体温を36.9±0.3℃に維持することができる．定義上，体温には外環境の影響を受ける"皮膚温"と，外環境の影響を受けにくい身体深部の"深部体温"がある[5]．

　通常，体温測定は深部体温に近い腋窩温や鼓膜温での測定が簡易であるが，周囲の環境温や測定方法によって誤差が生じることがあることを知っておく．そのため，熱中症や低体温症などの体温異常や，蘇生後脳症に対する体温管理療法などの厳密な体温管理を行う場合には，食道温，直腸温や膀胱温などの精度の高い深部体温をモニタリングとして選択する．食道温や直腸温，膀胱温を測定する場合は温度センサーの挿入が必要であるが，体温の持続モニタリングも可能となる．

スライド 55

> ### 低体温症：深部体温が 35℃未満
>
> ①偶発性低体温症：低温環境への曝露を直接的な原因とする
> ②二次性低体温症：代謝障害や体温調節中枢障害などが原因となる
> ③体温管理療法による低体温：心停止や頭部外傷に対する二次性脳損傷予防戦略としての治療的体温管理
>
> ●重症母体の全身管理において致死的3徴の1つである低体温症を予防することが救命のカギとなる

　低体温症（hypothermia）は，深部体温が35℃未満と定義される。低温環境では皮膚血管の収縮（循環血液量減少）によって熱放散を低下させ，ふるえにより熱産生を促進させるが，代償できなければ偶発性低体温症に陥る[5]。一方，低温環境に曝露しなくても内因性の原因による二次性低体温症を発症し得る。二次性低体温症は甲状腺機能低下症や低栄養などの代謝障害や，脳血管障害，脊髄損傷などによる体温調節障害，ほかに中毒や重症感染症など鑑別は多岐にわたる。
　初療において脱衣や大量輸液・輸血などによって容易に低体温を引き起こしやすく，重症母体であるほど厳密な体温管理を行う。
　復温方法は，温かい毛布や乾いた衣類などの受動的加温と，加温ブランケットなどの積極的体表加温，加温輸液，胃・膀胱洗浄，血液透析，体外式膜型人工肺（extracorporeal membrane oxygenation；ECMO）などの積極的体内加温に分けられる[6]（表Ⅱ-6-1）。重症度や各施設の器材，マンパワー，患者背景などで復温方法を考慮する。復温速度は0.5～2.0℃/hrが推奨される。心室細動などの不整脈のリスクが下がる30℃までは急速復温し，その後緩徐に復温する。35～32℃の軽症では受動的加温が有効であるが，外傷や産科異常出血では積極的加温が必要である（スライド142：p213参照）。32～28℃の中等症では積極的体表加温と積極的体内加温を組み合わせて行う。28～24℃の重症では中等症の復温方法に加え，循環動態が不安定であればECMOを使用する。

表Ⅱ-6-1

復温方法	復温速度	注意点
受動的復温		
乾いた衣類・毛布・温かい飲み物	0.5～4℃/hr（患者の体温調節機能や代謝による）	二次性低体温症の場合は受動的復温では復温できず、状態悪化する可能性もある
積極的体表加温		
加温ブランケット	0.5～4℃/hr	熱傷に注意する
積極的体内加温		
加温輸液	輸液速度によって変化する	
膀胱洗浄	0.5～1℃/hr	侵襲性は低い
胃洗浄	0.5～2℃/hr	侵襲性は低いが，誤嚥リスクがあり，意識障害を伴っている場合は挿管下で行う
胸腔洗浄・腹膜洗浄	1～2℃/hr	膀胱洗浄や胃洗浄に比較し，侵襲性は高く，出血のリスクがある
血液透析	2～3℃/hr	透析用カテーテルの挿入が必要となる。血圧低下，出血，血栓，溶血のリスクがある
ECMO	4～10℃/hr	高度な循環不全や心停止に適応となる。出血，血栓，溶血のリスクがある

スライド 56

高体温：深部体温≧38℃

	発熱（fever）	高体温症（hyperthermia）
病態	セットポイント　上昇	セットポイント　不変
鑑別診断	感染症 炎症（血腫，血栓など） 自己免疫疾患 悪性腫瘍	熱中症 悪性高熱 セロトニン症候群 甲状腺クリーゼ 副腎クリーゼ 褐色細胞腫
解熱剤	有効	無効
治療	原因疾患の根本治療 必ずしも解熱は不要 全身状態にあわせて解熱	39℃未満に急速に冷却

　高体温とは深部体温が38℃以上と定義するが，発熱と高体温の違いは理解しておく必要がある。これらは機序が異なるため，発熱時に使用する解熱薬は高体温には効果がない。

　高温環境では発汗と皮膚血管の拡張（皮膚の血液灌流量増加）によって熱放散を促進させる。高温曝露が持続することにより，めまいや立ちくらみ，生あくび，筋肉痛，筋肉の硬直（こむら返り），頭痛，嘔吐，倦怠感，意識障害，けいれん，せん妄，高体温などの諸症状を呈し，熱中症となる。熱中症は除外診断であり，感染症による発熱や中枢性高体温などのほかの原因疾患を除外する必要がある。けいれん重積，悪性高熱症，甲状腺・副腎クリーゼなどの内分泌疾患，褐色細胞腫などのさまざまな疾患で高体温症を引き起こすためにそれぞれの疾患の鑑別が必要となる。また，Dの異常（意識障害）を契機として高温環境にさらされ，結果として熱中症になる可能性も考慮する。

　熱中症の場合，スポーツや労働による労作性と日常生活動作の低下や精神疾患などによる非労作性に分かれる。重症度分類に基づき治療を開始する（表Ⅱ-6-2）[7]。

　Ⅲ度熱中症の場合，38℃台まで早急に冷却させることが，後遺症の予防に重要となる[7]。冷却方法としては，体表冷却法，体腔冷却法，血液冷却法がある（表Ⅱ-6-3）[8]。体表冷却法ではアイスパックや濡れたガーゼに扇風機を併用した蒸散冷却や，水冷式体表冷却装置を使用する方法がある。体腔冷却法は冷水胃洗浄や冷水膀胱洗浄などがある。血液冷却法では冷却輸液の投与や，深部冷却装置である血管内冷却カテーテルを挿入する方法などがある。まずは，もっとも簡便で侵襲性の低い体表冷却法や冷却輸液の投与を第一選択とする。Ⅲ度熱中症では迅速な冷却が必要であり，追加で体腔冷却法や深部冷却装置などの使用を検討する。

表Ⅱ-6-2 熱中症重症度分類（日本救急医学会熱中症分類2015）[7]

重症度	症状	治療
Ⅰ度	めまい，立ちくらみ，生あくび 大量の発汗，筋肉痛，筋肉の硬直（こむら返り） 意識障害を認めない（JCS＝0）	通常は現場で対応可能 ➡冷所での安静，体表冷却，経口的に水分とナトリウム摂取
Ⅱ度	頭痛，嘔吐，倦怠感，虚脱感，集中力や判断力の低下（JCS≦1）	医療機関での診察が必要 ➡体温管理，安静，十分な水分とナトリウム摂取（経口摂取が困難であれば経静脈的に投与）
Ⅲ度	下記の3つのうちいずれかを含む ・中枢神経症状（意識障害：JCS≧2，小脳症状，けいれん発作） ・肝・腎機能障害（入院経過観察，入院加療が必要な程度） ・血液凝固障害（急性期DIC診断基準でDICと診断）	入院加療（場合により集中治療）が必要 ➡体温管理（体表冷却に加えて体内冷却，血管内冷却などを追加），呼吸・循環管理，DIC治療

表Ⅱ-6-3 水冷式体表冷却装置，深部冷却装置

装置		
ブランケットロールⅢ （IMI）		冷却水を循環させたパッドで体表を冷却させる 熱伝導の効率から目標体温を保つことが難しい
Arctic Sun™ 5000 （IMI/メディコン）		体幹や大腿にジェルパッドを装着し，パッド内に冷却水を循環させ，体表を冷却させる。精度が高い体温管理が可能。熱中症では適応が認められていない
サーモガードシステム （旭化成ゾールメディカル）		バルーン付き中心静脈カテーテルのバルーン内に生理食塩水を循環させて血管内で血液と熱交換を行う
クーデック®アイクール （大研医器）		咽頭に挿入したカフ内に5℃の水を2時間循環させ，頸動脈を介して冷却する

スライド 57

> **まとめ**
> - Eの評価では体温，外傷による活動性出血の有無，皮疹の有無を評価する
> - 体温評価は深部体温の測定が望ましい
> - 皮疹の評価によって早期に診断，治療介入が行える場合がある
> - 出血性ショックでは全身管理において致死的3徴の1つである低体温症を予防することが救命のカギとなる

文　献

1) 日本外傷学会外傷初期診療ガイドライン改訂第6版編集委員会編：外傷初期診療ガイドラインJATEC，改訂第6版，へるす出版，東京，2021.
2) 日本アレルギー学会 Anaphylaxis 対策委員会編：アナフィラキシーガイドライン2022，日本アレルギー学会，東京，2022.
3) 重症多形滲出性紅斑ガイドライン作成委員会：重症多形滲出性紅斑　スティーヴンス・ジョンソン症候群・中毒性表皮壊死症診療ガイドライン．日皮会誌 126：1637-1685，2016.
4) 竹之下秀雄，中村聡一，清水孝郎，他：妊娠後期の妊婦に発症したツツガムシ病の1例．皮膚科の臨床 54：345-349，2012.
5) 森本武利：ヒトの体温調節．繊維製品消費科学 44：256-262，2003.
6) 佐藤信宏：低体温．Hospitalist 7：894-899，2019.
7) 日本救急医学会「熱中症に関する委員会」：熱中症診療ガイドライン2015.
https://www.jaam.jp/info/2015/pdf/info-20150413.pdf（Accessed：2023/9/15）
8) Bouchama A, Knochel JP：Medical progress：Heat stroke. N Engl J Med 346：1978-1988, 2002.

Ⅱ 初期診療のアプローチ

7 F 女性，胎児，家族

スライド 58

Fの評価・行動

Fの評価
- 子宮・会陰
- 分娩進行
- CTG
- 胎児・新生児
- 家族

Fの行動
- 子宮内胎児蘇生
- 急速遂娩
- 新生児蘇生
- 家族説明

　母体救命へのアプローチに特徴的な項目である。Fの評価および対応を行う際には産婦人科医が産婦人科医としての能力を発揮すべきである。一方で母体急変にあたり，バイタルサインの安定化には全身管理医のサポートが必要である。産婦人科医が母体救命を行う際にはF（Females', Fetus, Family）の評価および対応において，その目的や意義を全身管理医にわかりやすく伝える必要がある。産婦人科医と全身管理医は協働して母体救命を行う際に本項で述べる共通言語を用いることで，お互いの認識を正確に理解することができる。

Ⅱ 初期診療のアプローチ

スライド 59

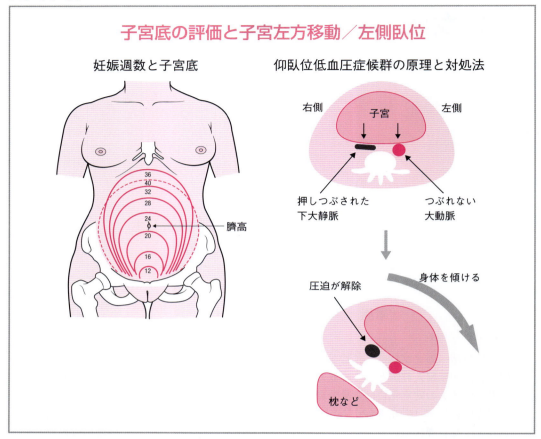

　子宮は下腹部正中に位置するのが生理的である。子宮腫瘍などがなければ妊娠初期には触知できないことが多いが，週数が進むにつれ増大する。妊娠末期には剣状突起の 2 横指下まで至る。妊娠中期以降は仰臥位低血圧症候群を発生し得るが，その原因は増大した子宮が下大静脈を圧迫することにより，右心房への静脈還流量が減少し，心拍出量が減少することによる低血圧である。妊娠 20 週以降，子宮底が臍の高さ以上の妊娠子宮では，仰臥位低血圧症候群を起こすリスクがある。急変時対応では，臍の高さ以上を目安に，子宮左方移動を実施する。

　分娩直後は，子宮底が臍高付近となり，5 日目頃には臍と恥骨の中間程度（臍下 2～3 横指）まで収縮する。比較的短時間にダイナミックな変化をみせる臓器である。

　急変時は子宮について妊娠中か，大きさと何週程度か，陣痛様の子宮収縮があるか，それは何分ごとか，生理的なものか板状硬などの病的なものではないか，圧痛はないか，などについて触診や胎児心拍数陣痛図（CTG；cardiotocogram）を用いて評価する。全身管理医にも評価が伝わるようにわかりやすく説明する。

　会陰の評価は，Ｃの産科的診察でも実施しているが，改めて会陰切開創の状況や性器出血や血腫の有無など詳細について確認する。

スライド60

分娩進行の評価

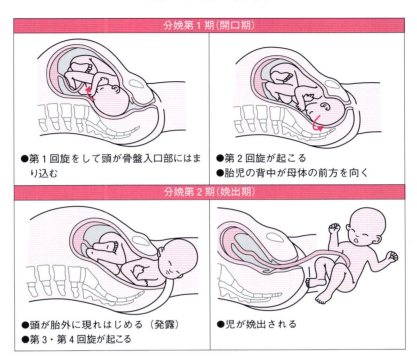

分娩第1期（開口期）
- 第1回旋をして頭が骨盤入口部にはまり込む
- 第2回旋が起こる
- 胎児の背中が母体の前方を向く

分娩第2期（娩出期）
- 頭が胎外に現れはじめる（発露）
- 第3・第4回旋が起こる
- 児が娩出される

＜内診で子宮口と児頭下降を評価＞

Bishop スコア

スコア	0	1	2	3
開大（cm）	閉鎖	1〜2	3〜4	5≦
展退（%）	0〜30	40〜50	60〜70	80≦
児頭下降度	−1	−2	−1	+1　+2
硬度	硬	中	軟	―
子宮口の位置	後方	中央	前方	―

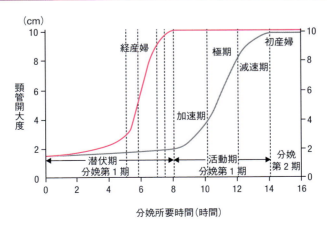

● 分娩第1期　陣痛開始から子宮口全開大まで

	発作時 陣痛がきているとき 子宮が収縮	間欠時 陣痛と陣痛のあいだ 子宮が緩んでいる
母体心負荷	↑	↓
胎児・胎盤循環	↓	↑

● 分娩第2期　子宮口全開大から児娩出まで
　　初産婦　1～2時間
　　経産婦　0.5～1時間
　　排臨：発作時に児頭が会陰から見え，間欠期には見えなくなる
　　発露：児頭が見えたまま間欠期も戻らない

● 分娩第3期　児娩出から胎盤娩出まで
　　初経産婦いずれも　約30分

● 初産か経産かで分娩進行が異なる
　　例：経産婦で全開→次の数回の怒責で娩出されると予想
　　　　「30分以内に生まれます」
　　例：初産婦で全開→いきみ方次第で1時間か，それ以上か
　　　　「最短30分ですがまだよめません。1時間以上かかる可能性もあります」

　分娩とは，胎児および胎児付属物が母体外に娩出され妊娠を終了することをいう。陣痛による子宮筋の収縮時は子宮を循環する血液が体循環に戻ることで母体心負荷が増し，胎盤循環は減少する。分娩後は弛緩出血を含む産褥出血による失血の可能性があるが，増大した子宮が急激に収縮することで子宮の血液が体循環に戻り一時的に心負荷が増大する。分娩時は，母体の循環動態が大きく変化することに注意する（先天性心疾患既往があるとその影響を受けやすい）。

　分娩中であれば，分娩進行度を評価する。全身管理医は，「全開しました」のような内診所見だけでは分娩の進行状況を具体的にイメージできない。母体救命に際して協働する場合，産婦人科医は全身管理医に対して，分娩進行状況を評価して「○分程度で分娩に至る」「少なくとも○時間は分娩に至らない」といった具体的な時間を提示するよう心がける。

スライド 61

急速遂娩

- 器械分娩
  - 吸引分娩
  - 鉗子分娩
- 帝王切開

	器械分娩（吸引分娩・鉗子分娩）	帝王切開
メリット	準備時間が少ない 次回妊娠への影響が少ない 手術や麻酔のリスクを避けられる	未陣発でも実施できる 確実に娩出できる 娩出後に止血目的の子宮全摘に移行可能
デメリット	実施できる条件が限られる（子宮口全開大，児頭下降度，有効陣痛） 不確実性がある 特有の児合併症がある	準備に時間がかかる 創が大きい・出血が多い 麻酔リスク 次回妊娠への影響が大きい

　母体優先の原則から，産婦人科医と全身管理医で協議し，母体適応により児の娩出が必要と判断された場合は急速遂娩とする。急速遂娩には吸引・鉗子分娩（器械分娩），帝王切開がある。

　有効陣痛があり，子宮口が全開，児頭が下降していれば，器械分娩による娩出が可能で，それを完遂させることができれば母体負担は帝王切開より少ない。一方，意識障害の妊婦が従命しない場合は，器械分娩が困難なことがある。条件の悪い器械分娩は母児の損傷や肩甲難産のリスクが高まる。

　器械分娩ができない場合は帝王切開を施行する。帝王切開は手術であり，手術室にて麻酔下に実施する必要がある。また，出血量が経腟分娩より多くなることが多い。一方で，未陣発であっても，母体に意識がなくても，確実に娩出できる方法である。開腹手術であるため，子宮出血がコントロールできない際のcompression sutureや子宮全摘術に移行することもできる。

　産婦人科医主体で分娩方針を決めることになるが，それぞれの方法のメリット・デメリット，時間経過，予想される母体病態の変化を全身管理医と共有して実施する。

スライド 62

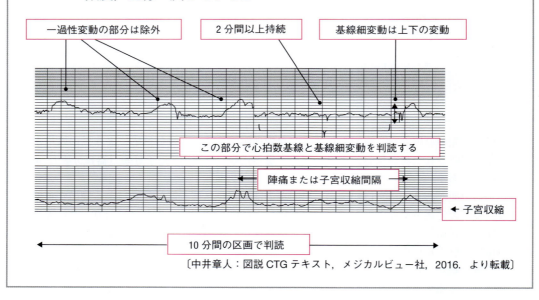

　胎児心拍数陣痛図（CTG）とは，胎児心拍数を上段，子宮収縮の外圧値を下段に示し，経時的に記録した図である。CTG波形は基線が110～160 bpm，基線細変動および一過性頻脈を認め，一過性徐脈を認めない，という所見がそろえば胎児の酸素化が正常であると判断される（RFS；reassuring fetal status）。一方，110 bpm未満の徐脈，160 bpm以上の頻脈，基線細変動の減少・消失，一過性徐脈を認めた場合は胎児機能不全（NRFS）である可能性を考慮する。

　CTGを装着し，子宮収縮の状況とCTG波形を評価する。母体の安定化が優先されるが，胎児機能不全は母体の不安定さを示している可能性について評価する。妊娠週数，胎児発育，現在の胎児状況から，「○分以内の娩出が必要」あるいは「妊娠継続が妥当」などの判断を行い，情報共有する。

　胎児機能不全と診断したら，胎児蘇生や娩出後の新生児蘇生を考慮する。

スライド63

Fetus：子宮内胎児蘇生

- 妊婦の体位変換
  - 左側臥位→心拍が戻らなければ右側臥位へ
- 子宮左方移動
- 妊婦への高濃度酸素投与
  - リザーバマスクを使用
- 急速輸液
  - 細胞外液 500～1,000 mL/20 min
- 緊急子宮弛緩
  - ニトログリセリン
  - リトドリン塩酸塩

薬剤	薬剤調整	使用方法
ニトログリセリン0.5％注射液 ミリスロール 1 mg/2 mL, 5 mg/10 mL 1回50～100 μg	①1 mL＋生理食塩水4 mLで, 100 μg/mLに希釈 ②原液を1 mLシリンジに充填	①50 μg/0.5 mL～100 μg/1 mLずつ静注 ②100 μg/0.2 mLずつ静注 ＊血圧低下に注意
リトドリン塩酸塩静注用 50 mg/5 mL	①原液 ②リトドリン塩酸塩1 A＋5％ブドウ糖液500 mL	①0.5～1 mLを数分かけてゆっくり静注 ②300 mL/hrで持続投与

　胎児機能不全を認めたときの対応として，子宮内胎児蘇生（IUFR；intrauterine fetal resuscitation）がある。胎児・胎盤循環を考慮していくつかの方法が試みられている。母体の循環を改善させるために子宮左方移動や左側臥位をとるなど，体位変換を行う。母体への高濃度酸素投与（リザーバマスク使用）を考慮する。ただし，母体酸素投与が帝王切開回避や児のpH低下を予防したという明確なエビデンスは存在しないため，必ず必要というわけではない。また，母体の循環血漿量の増加を図るために急速輸液を行う。胎児機能不全に対して，帝王切開時の麻酔導入前に乳酸リンゲル液の急速投与（500～1,000 mL/20 min）が胎児血酸素飽和度上昇に寄与する可能性が報告されている。過強陣痛などの子宮収縮が胎盤循環の悪化や臍帯静脈の圧迫によって胎児機能不全に影響していると考えられる場合は，一時的な子宮収縮抑制を図る。ニトログリセリンは50～100 μg/回，リトドリン塩酸塩は5～10 mgを静脈投与，リトドリン塩酸塩50 mg（1 A）を5％ブドウ糖液に500 mLに溶解し300 mL/hrで点滴静注する方法がある。いずれの薬剤も劇薬であるため，副作用の予防には緩徐に投与することが重要である。

　胎児蘇生を行っても胎児機能不全が改善しない場合は，急速遂娩を考慮する。ただし，母体が安定化しない場合には母体の状態改善を優先する。

II 初期診療のアプローチ

スライド 64

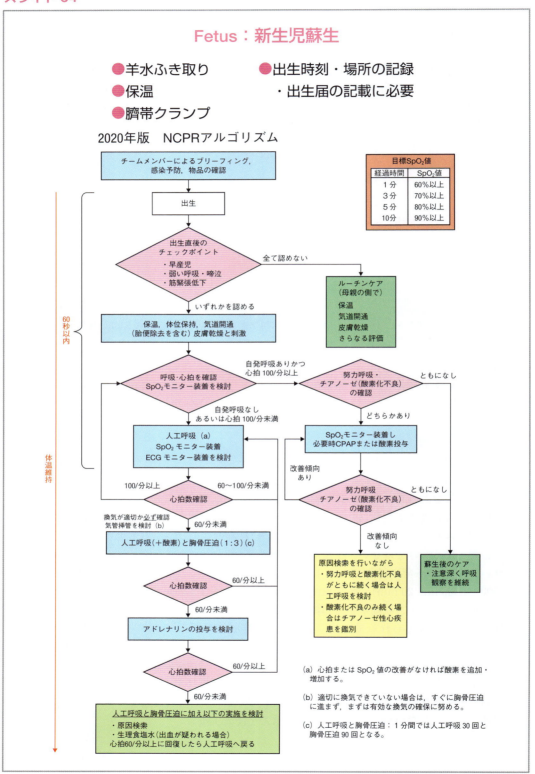

〔日本蘇生協議会監修：新生児の蘇生．JRC 蘇生ガイドライン 2022, 医学書院, p234. より〕

胎児は出生後，新生児になる。

出生後の新生児仮死を認めた場合は，新生児蘇生を開始しながら新生児科医に応援を求める。新生児状態を観察する人員を配置することが重要である。

新生児蘇生はNCPR（neonatal cardiopulmonary resuscitation）に準じて実施する。やむを得ず，搬送中の救急車で分娩に至った際も（車内分娩や車中分娩という）基本的にはNCPRに準じた新生児蘇生を行う。娩出直後は羊水や血液を拭き取り保温に努め，気道を確保し，必要なら人工呼吸をする。臍帯は新生児側をクランプ（臍帯クランプ）し，胎盤側を切断してよい（臍帯切断）。出生届には，児の娩出日時と場所の記載が必須であるため，それらを記録しておくことが重要である。

スライド 65

家族の評価と対応

- 来院している家族は誰か
  - 夫・パートナーはいるか
  - 話を聞ける状態か

- できるだけ早く伝える
  - 現在の重症度　命にかかわる状況である
  - 全力を尽くして診療にあたっていること
  - 母体優先の原則

- 家族からの情報取得
  - 母子健康手帳を預かる
  - 既往妊娠週数
  - 帝王切開含む手術歴
  - 母体合併症
  - 生殖補助医療（ART）の有無
  - 硬膜外無痛分娩実施の有無

　母体の家族が来院しているのか確認する。分娩には夫（児の父）・パートナーが付き添うことが多いが，帰省分娩では，来院している男性が母体兄弟や父親の場合があるため注意する。母体の病状説明は状況に応じて正確に伝える。説明する相手は夫・パートナー，親族であることが多いが，夫・パートナーが不在である場合は，可及的速やかに来院するよう連絡する。速やかに来院できない場合は電話で状況説明する。

　母児の状態が急激に悪化し，高次医療機関に搬送されることを家族は想定していないことが多く，早い段階で状況と対応について伝えることが重要である。母体の状況にかかわらず，丁寧な言葉遣いと冷静な態度で家族に説明する。家族感情に寄り添い，正確な情報提供に努める。予後不良となる可能性がある場合は，回復を過剰に期待させたり，予後不良であることだけを説明したりするのではなく，回復に向けて施設をあげて努力し，母体の回復に努めていること，経時的に説明する機会を設けること，などを伝えるとよい。

　診療情報が不足している場合，家族から情報を得られる場合がある。妊娠中の血圧や体重の変化，検査値の情報を母子健康手帳から得られることがあるため，必要な情報を抽出する。既往妊娠週数，帝王切開を含む手術歴，母体合併症，生殖補助医療（ART；assisted reproductive technology）の有無，分娩中であれば硬膜外無痛分娩実施の有無などの情報が得られることが多いため，必要に応じて家族から情報を聴取する。

スライド 66

まとめ

- ABCDEF アプローチにおける項目 F は，妊産婦の急変に特有な問題
- 妊産婦の救命では，母体の生命が最優先であるが，胎児，妊孕性および家族に対する配慮が必要
- 胎児は分娩後，新生児となるため新生児科医へうまくバトンタッチできるよう配慮
- J-MELS アドバンスコースにおいて産婦人科医は項目 F に関する専門性を発揮するよう，全身管理医はそのことに配慮することが重要

文　献
1) 日本産科婦人科学会，日本産婦人科医会編集・監修：産婦人科診療ガイドライン―産科編 2023，2023．
2) 中井章人：図説 CTG テキスト，メジカルビュー社，2016．
3) 日本蘇生協議会監修：新生児の蘇生．JRC 蘇生ガイドライン 2020，医学書院，東京，2021，pp232-263．

Ⅱ 初期診療のアプローチ

8 （P）精神ケア

● はじめに

　妊産婦死亡のなかで自殺は大きな割合を占めるようになり，自傷や自殺企図は母体救急の初期診療においても無視できない存在である。ABCDEFと同様にPrimary Surveyにおいて命にかかわる事態を早期にみつけ対処するために，精神ケア（Psychiatric care）の項目を必要に応じて追加する。

　本項ではPrimary Surveyを中心に述べるが，精神的問題や社会的問題も大きく影響する特性上，Secondary Survey以降において介入すべき内容が多岐にわたる。そのため一部Secondary Surveyについても触れる。

スライド67

P；Psychiatric care　精神ケア

■精神ケアの目的
　母体の保護（医療スタッフの安全）のため
■（P）の評価を追加すべきとき
- **自傷行為** or **他害行為**を**疑う** ⇒ 精神科的（P）評価
    - 自傷行為：精神障害のために，自己の生命・身体に害する行為
    - 他害行為：他人の生命，身体，自由，貞操，名誉，財産などに害を及ぼす行為（刑罰法令に触れる程度の行為）

■緊急度評価
- "**自傷他害のおそれ**"は，緊急性の高い病態である

■行動
- 自傷他害が切迫 ⇒ 精神科コンサルト and/or **110番通報**

第一印象の所見や状況によっては来院前の情報から，自傷・他害行為に関連した症例であることがわかるときがある。その際には，ABCDEF に引き続き精神ケア（Psychiatric care）の項目，すなわち精神科的評価と状況に応じて精神科的な行動を追加する。この段階を付加的に行うため，括弧をつけて（P）とし「ABCDEF（P）アプローチ」と表記する。

　自傷の方法は，薬物・毒物の摂取，飛び降り，飛び込み，入水，ガスの曝露，縊頸，切創，刺創などさまざまなものが想定される。その手段の致死性によって深刻度が異なる。自傷のおそれがある場合は，患者から目を離してはならず決して患者一人にしてはならない。また，精神症状によって保清・衛生管理，摂食，排泄などの身辺行動の履行困難を生じ，生活を破綻させ母体の自律不全をきたすことも想定される。

　他害行為は一般に刑罰法令[注75]の構成要件に該当するような触法行為をいい[注76]，医療スタッフの安全にも留意する。手段や対象の違いによって，言語による威嚇や暴言，対物への攻撃性，対人への攻撃性に分けられる。他害のおそれがあれば，医療スタッフは適切な距離をおき安全な環境を整えるように努める。

　これらの自傷他害のおそれは，自己の生命・身体を害し，あるいは関係者らの法益を損なう可能性のある緊急性が高い病態ととらえるべきであり，Primary Survey の段階で早期に認識し，院内に精神科医がいる場合には速やかにコンサルトのうえで対処方法について相談する。

　身体疾患が明らかではない状態で，今にも自傷あるいは他害に及びそうな場合（詳細は自殺企図：p362 参照）は，110 番通報して精神科救急医療につなげる（第一印象の時点で他害行為が切迫していれば，その時点で 110 番通報を行うことも検討する）[1]。とくに，言動が不安定であったり，突発的な行動が繰り返されたり，制止が効かない場合には速やかに通報する。

　警察官は精神症状の患者を保護することができ[注77]，精神保健福祉法に定められた流れ（警察官の通報）[注78]に従って，患者の同意の有無にかかわらず都道府県知事の権限[注79]による診察（措置診察または緊急措置診察）につなぐことができる。時に警察官の姿によって患者が落ち着くこともあり，警察官が患者の説得などに協力してくれることで診療が円滑になることもある。

[注75] 刑法に限らず，刑罰規定を有する法令全般をいう。
[注76] 責任能力がなければ犯罪とはいえないので，安易に「犯罪行為」と表現しない。
[注77] 警察官職務執行法（昭和23年法律第136号）
　第3条　警察官は，異常な挙動その他周囲の事情から合理的に判断して次の各号のいずれかに該当することが明らかであり，かつ，応急の救護を要すると信ずるに足りる相当な理由のある者を発見したときは，取りあえず警察署，病院，救護施設等の適当な場所において，これを保護しなければならない。
　　一　精神錯乱又は泥酔のため，自己又は他人の生命，身体又は財産に危害を及ぼすおそれのある者
　　二　迷い子，病人，負傷者等で適当な保護者を伴わず，応急の救護を要すると認められる者（本人がこれを拒んだ場合を除く。）
[注78] 精神保健及び精神障害者福祉に関する法律（昭和25年法律第123号）
　第23条　警察官は，職務を執行するに当たり，異常な挙動その他周囲の事情から判断して，精神障害のために自身を傷つけ又は他人に害を及ぼすおそれがあると認められる者を発見したときは，直ちに，その旨を，最寄りの保健所長を経て都道府県知事に通報しなければならない。

医療機関は，違法行為を取り締まる法執行機関でもなければ，法に基づき人を裁く司法でもない。あくまでも，医療は患者の健康を主眼とすべきであり患者を保護する立場にあることを理解し，犯罪の告発が目的ではないことを認識しておく。

身体疾患を疑えない状況で，医療スタッフが説明を尽くし説得を試みても患者が説明を理解したうえで明確に診療を拒否していると精査・入院などの身体科介入は困難になる。また，医学的には精神科入院などを検討すべきと考えられる状況でも，本人の強い意向に家族が同調し精神科介入を逃してしまうこともある。家族などに状況を丁寧に説明し，医学的助言に沿う対応ができるように真摯に向き合うことが重要である。

注79) 同第27条　都道府県知事は，第22条から前条までの規定による申請，通報又は届出のあつた者について調査の上必要があると認めるときは，その指定する指定医をして診察をさせなければならない。

スライド68

Psychiatric care の位置づけ

- **身体疾患優先**の原則
  - ABCDEFへの対応を優先（まずは身体疾患への対応）
  - **身体疾患の緊急度が高ければ，鎮静を含む全身管理を優先**する

- 精神症状が，**身体疾患によって生じている可能性**に注意する
  - ABCの異常による不穏や意識変容
  - DやEの異常に関連した精神症状の可能性
  - Secondary Surveyでは，鑑別疾患を念頭に，病歴聴取・身体診察・検査を計画する

　身体疾患が合併した精神症状の場合は，身体疾患[注80]の治療を優先する。ある治療が法的に正当化されるためには[注81]，①医学的適応性（治療が生命・健康を回復あるいは維持するためのものであること），②医術的正当性（治療行為が一般に承認された準則に則っていること），③患者の同意，の3要素を満たすことが学説上重要とされている。しかし，意識障害があり患者が判断できない場合は推定的同意として[注82]，また，生命に危機が及んでいる状況では人の尊厳に基づき生命や身体を保護する観点[注83]から患者の意思に反していても（例えば，自殺企図後に治療を拒んでいても）医学的介入をすることは一般に許容されている[2]。したがって，身体疾患の緊急度が高ければ，精神症状が著しく患者が治療を拒否したり診療に同意しない言動をしたりしても，鎮静薬（ミダゾラムやプロポフォール）などを使用して安全な状態で身体治療を行うことを検討できる。

　これらの対応において，精神症状を安易に精神疾患によるものだろうと決めつけてはならず，身体疾患による所見である可能性を念頭におく。意識障害を認めるときは，とくに身体疾患が疑わしい状況である。意識は，覚醒機能[注84]と認知機能[注85]に分けられ，前者の障害は意識混濁（覚醒レベルの低下），後者の障害は意識変容（意識内容の変化）

[注80] 精神症状の原因になり得る疾患以外に，精神症状に伴って合併症として生じる身体疾患（呼吸不全，循環不全，意識障害，中毒，外傷，熱傷，感染症など）への根本治療も念頭におく。

[注81] 医療行為（侵襲的行為）は傷害罪等の構成要件を満たすが，正当行為（刑法第35条）として違法性が阻却される。

[注82] 患者から同意を得ることが不可能ないし困難な場合に，患者本人が事情を知っていたら同意していただろうと推定すること。社会通念上一般に同意される内容であればよい。

[注83] 人は尊い厳かな存在であるから生命や身体は保護されるべきであり，本人の意思により放棄されてはならない，と考えられている。これは，生命権・身体権という自身でも放棄できない実質的な内容を有する憲法上の権利とされ，医療には自己加害的行為を阻止することも求められている性質により，緊急度・重症度の高い身体疾患があれば生命保護を優先して介入することも許容され得る。

[注84] 覚醒機能の障害は清明度の変化として現れるため，意識混濁が生じる。脳幹網様体賦活系と大脳皮質機能が関連している。

[注85] 認知機能の障害により意識の内容が変化し，見当識障害や注意障害といった意識変容を生じる。大脳皮質や皮質下の機能が影響すると考えられている。

と表現できる。Dの評価で用いるJCSやGCSは意識混濁つまり覚醒の程度の評価に優れる。一方，意識変容を評価するには，見当識障害（人・時・場所を認識できるか）の評価に加えて，言い間違いはないか，会話にまとまりはあるか，100−7など簡単な計算が可能か，話したことを覚えているか，といった注意障害の評価を行う必要がある。意識混濁や意識変容があれば，身体疾患の存在を考え意識障害の鑑別を計画する[3]（表Ⅱ-8-1）。

意識障害を伴わなくても精神症状が身体疾患によって生じることもあるので，表Ⅱ-8-1の疾患を念頭にSecondary Surveyでは頭部画像検査（CTやMRI）や血液検査（血液ガス・血算・生化学・凝固，必要に応じて甲状腺ホルモンや副腎皮質ホルモン），尿中薬物スクリーニング，髄液検査，脳波検査などを検討し，詳細の病歴（現病歴，生活歴，既往歴，精神科受診/入院歴，自傷歴，家族歴，旅行歴，職業歴，薬剤・薬物の使用歴など）や全身の身体所見（ROS；review of system，系統的な評価）に基づき取捨選択するのがよい。健忘[注86]や巣症状[注87]を認める場合は早期に神経内科にコンサルトし，検査の助言を得る。

表Ⅱ-8-1 精神症状や意識障害で鑑別すべき身体疾患（AIUEO TIPS）

A	Alcohol	アルコール
I	Insulin	低血糖・高血糖
U	Uremia	尿毒症（代謝性脳症：肝性脳症やビタミン欠乏を含む）
E	Endocrinopathy	内分泌異常（とくに甲状腺）
	Encephalopathy	急性脳症・脳炎・髄膜炎
	Electrolytes	電解質異常（とくにNa）
O	Overdose	薬剤性（とくにステロイド）・中毒
T	Trauma	外傷（とくに頭部外傷）
	Temperature	体温異常
I	Infection	感染症（とくに菌血症や敗血症）
	Inflammation	炎症（とくに自己免疫性の全身性エリテマトーデスや辺縁系脳炎）
P	Psychogenic	心因性
S	Stroke/SAH	脳卒中・くも膜下出血
	Seizure	てんかん・非けいれん性てんかん発作

※Oにoxygen（低酸素血症），Sにshock（ショック）を含むこともあるが，アドバンスコースではABCの段階ですでに評価されているべきなので省いている

注86）健忘（amnesia）とは，一定期間または一定の事実の追想欠如である。健忘により時にだます意図のない作話となるため，誤って詐病と認識してはならない。外傷・脳血管障害・感染・薬剤性・中毒・アルコールなどの器質性の原因に加え，心因性のこともある。

注87）大脳半球の特定の領域が障害され生じる巣症状として，失語（aphasia：発語，聴覚的理解，書字，読字などの障害），失行（apraxia：言語命令による動作の障害，模倣や道具の使用障害など，行うべき行為や動作はわかっていても実行できない状態），失認（agnosia：視覚失認は見ただけでは対象が何かわからない状態，聴覚失認は音はわかるが言語や音楽として聞き取れない状態，触覚失認は触ったものが何かわからない状態，相貌失認は人の顔が認識できない状態）がある。

スライド69

精神症状と対処方法のポイント

■**注意すべき精神症状***
- 興奮・攻撃的言動
- 幻覚・妄想
- 躁状態
- 抑うつ状態
- 自殺念慮

＊意識障害（混濁/変容）の有無は丁寧に評価する

■**精神症状へ対処方法**
- 退避・安全確保
- 人員確保
- 危険の排除
- 110番通報
- ディエスカレーション
- 必要なら鎮静
- 児童相談所などとの連携

■**精神疾患の例**
- 産後精神病
- せん妄
- 産後うつ病
- うつ病/双極性障害
- 不安障害
- 統合失調症
- 適応障害　など

注意すべき精神症状

いずれの症状を認めても，丁寧に覚醒レベルと意識内容を評価し，意識混濁や意識変容を認めた場合には身体疾患の存在を念頭に緊急性を意識して対応する。ここでは自傷行為や他害行為のおそれの判断[4]に関連した，母体救急の現場で注意すべき精神症状を中心に述べる。

興奮（aggression）：些細な刺激にも過度に反応する状態で，意識障害や錯乱，幻覚・妄想，攻撃的言動を伴うこともある。突発的に自傷あるいは他害に至り得る。

幻覚（hallucination）：外界からの刺激を伴わない知覚であり，五感ごとに幻聴，幻視，幻触，幻嗅，幻味があり，運動感覚や内臓感覚といった通常は自覚しない感覚である体感幻覚も存在する。言語性の幻聴は統合失調症に認めやすいが，環境音や音楽性の幻聴や，幻聴以外の幻覚は身体疾患を考慮する。

妄想（delusion）：あらゆる合理的な根拠や反証によっても訂正不能な誤った考えをいう。自己価値を否定する微小妄想（貧困妄想[注88]，罪業妄想[注89]，心気・疾病妄想[注90]，虚無・否定妄想[注91]など）はうつ病でみられやすく，被害妄想[注92]は統合失調症・うつ病・双極性障害などあらゆる精神疾患でみられる。誇大妄想[注93]は統合失調症や双極性障害で生じやすい。いずれの妄想も身体疾患に伴って生じ得る。

幻覚妄想状態は，現実的な検討能力を失い興奮状態に陥りやすく，自傷あるいは他害

[注88] 貧困妄想：事実と異なり経済的に困窮しているという妄想的確信。
[注89] 罪業妄想：倫理や社会規範に反したという妄想的確信。
[注90] 心気・疾病妄想：健康を害したとする，あるいは不治の病や重大な疾病にかかっているという妄想的確信。
[注91] 虚無・否定妄想：自分の身体や存在，周りの世界の存在を否定する妄想。
[注92] 被害妄想：他者から悪意を感じ，危害を加えられるような被害的内容の妄想。関係妄想（自分のうわさをしている），被毒妄想（毒を入れられた），注察妄想（監視されている），嫉妬妄想（浮気をされた），物盗られ妄想（盗まれた）などがある。
[注93] 誇大妄想：自分の価値や自己評価を過大評価した妄想。血統妄想（天皇家の者である），発明妄想（世界的発見をした），宗教妄想（預言者である）などがある。

に至ることがあるため精神科救急につなぐ必要がある。

　躁状態：気分高揚[注94]，易怒性・易刺激性，不眠，誇大性[注95]，抑制消失[注96]，転導性の亢進[注97]，逸脱行為[注98]，観念奔逸[注99]といった症状を複数一定期間以上生じる状態である。悪化すると思考は滅裂[注100]になり，思考や運動の抑制は不十分となるため傲慢不遜な態度も著しくなり，自傷あるいは他害行為に至り得る。

　抑うつ状態（depressive state）：気持ちが沈み，絶望感や焦燥感，悲哀感などの抑うつ気分に，意欲の低下や興味関心の喪失が重なった状態である。易疲労感，焦燥，罪責感，無価値観，集中困難，思考制止を認めることがある。不眠，自律神経症状，疼痛などの身体症状も生じ得る。抑うつ的な幻覚・妄想（微小妄想）を伴うこともあり，自殺念慮や心中念慮によって自傷や他害に及び得る。

　自殺念慮（suicidal ideation）：能動的な行為で人生を終わらせようとする考えのことである[注101]。「大切なことなので教えてほしいのですが，死にたいと感じていましたか？」と直接聞くこともできる。死にたい気持ちと生きたい気持ちは変動するため（両価的），複数回，複数人で評価する。自殺企図により高まっていたフラストレーションが一時的に解消し，精神状態が改善したように見えるカタルシス効果に注意して評価する。「消えたい」「いなくなりたい」「必要のない母親だ」などの表現も自殺念慮と同様の意味合いとなり得る。気持ちを表出してくれた際には「つらい気持ちを話していただき，ありがとうございます」など，ねぎらいを示すことも大切である。**不眠，不安，焦燥，衝動性**を伴うときは自殺リスクが高いときなので，精神科医療の介入が必要である。自殺企図後の症例で「眠りたかった」「逃げ出したかった」「つらくて休みたかった」などとあいまいに話すときは，その行為が死に至る可能性をどれだけ認識していたか（致死性予測）を確認する（図Ⅱ-8-1）。育児負担の訴え，「子どもがかわいそう」などのふびんさの訴え，養育に関する不安・自信のなさ・悩みがあるときは，拡大自殺（家族を殺して自殺する，いわゆる心中[注102]）の可能性もあるため5)，「家族を殺して，自分も死のうと思うことはありますか？」などと直接尋ねてもよい。また，そう考えるに至った理由を聴取する。否定されなければ，「人を殺したり，自殺したりしないですむ方法は必ずあるので，そのような行動は絶対にしないでください」と告げ，決して目を離さず，閉鎖病棟への入院を調整する。Secondary Survey では，自殺念慮の評価（表Ⅱ-8-2）と自殺再企図の危険因子（表Ⅱ-8-3）を詳細に評価する。

注94)　気分高揚（hyperthymia）：快活で楽天的な気分状態（正常心理でも現れる）。
注95)　誇大性：自尊心が肥大して尊大になる。万能感を生じる。
注96)　抑制消失：過剰に意欲的で活動的になり，じっとしていられない状態。
注97)　転導性の亢進：注意が散漫し，集中できない状態。
注98)　逸脱行為：無分別な消費・浪費とそれによる借金，無謀な運転，性的逸脱などをいう。
注99)　観念奔逸：多弁になり，思いつきにより話題が次々と変化する。
注100)　滅裂：考えに関連がなくなり，まとまりを失った状態。
注101)　自殺念慮に対して希死念慮は，漠然と死を願うが具体的な自殺までは考えていない状態をいう。
注102)　虐待死のうち，心中によるものは年間30人ほど発生している。

8 (P) 精神ケア

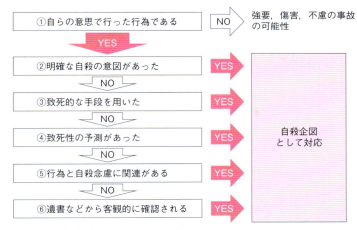

図Ⅱ-8-1　自殺企図であるかの確認

表Ⅱ-8-2　自殺念慮の評価

いずれか１つを認めるなら再企図リスクが高いと考える

具体的計画性
□時期の設定
□手段の設定・確保
□場所の設定
□予告
□死後の準備
出現時期と持続性
□衝動的に高まる
□変動しコントロール不能
□日常的に持続し消退しない
強度
□確信的で強くなっている
□自制困難
客観的要素
□本人が明言しなくても，周囲からみて明らか
□客観的に明らかなのに，否定する

表Ⅱ-8-3　自殺再企図の危険因子

□自殺企図歴
□喪失体験（死別）
□苦痛な体験（家庭問題，ドメスティック・バイオレンス）
□職場問題，経済問題，生活問題（リストラ，多重債務，生活苦，不安定な日常生活）
□精神疾患や身体疾患の悩み（うつ病，病苦，妊娠・子育てに関する悩み）
□ソーシャルサポートの欠如（支援者の不在，夫から協力が得られない，協力的両親の不在）
□企図手段にアクセスしやすい（薬のため込み，農薬，ロープ購入後など）
□自殺につながる心理状態（絶望感，衝撃性，孤立感，易怒性，悲嘆など）
□家族歴

表Ⅱ-8-4　ディエスカレーションテクニック

患者との接し方
背を向けない
複数で対応し，戦意を減退させる
可能なかぎり，腕の長さ2本分の距離をとる
斜め45°の位置から接する
部屋の角や壁に追いつめられないようにする
ふるまい方
凝視を避ける（完全に目をそらさず，アイコンタクトは保つ）
淡々とした表情を保つ
両手は身体の前に出し，手掌を向けるか下腹部前で軽く組む（攻撃の意思がないことを示す）
高慢・威圧的な姿勢を避ける（腰に手を当てない，腕を組まない）
動きを最小限にする（手振りや身体を揺らすことは避ける）
ゆっくり移動する（急な動作はしない）
事前に告知してから，接近し，相手に触れる
言語的コミュニケーション
穏やかに，はっきりと，短く，具体的に話す
低い声で静かに話す
相手が発言できるように，注意深く聞く
主張に対し理解を示す（肩入れや安易な約束はしない）
批判せず，感情を話させる（先に「気持ちはよくわかります」などといわない）

精神症状への対処方法

　医療スタッフ自身の安全確保が大前提であり，危険があれば距離をおき，同室内から退避することも検討する。複数の人員を確保することで，患者が潜在的に「勝ち目がない」と認識し攻撃性が低下することが期待できる。室内に危険な要素があれば部屋から出すなどして排除し，患者の安全を確保する。鋭利物が入った医療廃棄物は移動し，怪我や故障を防ぐために不必要な医療機器等を室内から出す。自らの服装など（ポケットのペンや首からかけた名札，PHS，その他不要なもの）も身につけないほうがよい。

　危機が差し迫っていれば，躊躇なく110番通報をする。速やかに精神科医と連携することが望まれるが，困難なことも少なくない。ディエスカレーションテクニック（表Ⅱ-8-4）を活用し，患者を刺激しないように努め，複数人（必要に応じて警備員や事務職員を含め）で対応し，患者の言動を制止するように努める。切迫した状態で代替手段がなければ，生命または身体を保護するために患者の尊厳を保ちながら一時的な身体拘束を実施することもやむを得ない。精神科評価が行えなくなるので鎮静薬の使用は極力避けたほうがよいが，身体疾患に対する介入を要する場合は必要に応じて鎮静する。

　自殺念慮や心中念慮を認める母体に必要な介入は精神科医療に限らず，養育支援や経済支援，子どもにとっても安全な環境（虐待の回避）などの，具体的な支援が必要である。Primary Surveyで自傷他害を回避した後に，Secondary Surveyでは必要な具体的支援を見極めるために，自傷行為に至る背景因子を探り，具体的な支援につなげる計画を定める。また，母体に子どもがいる場合には，母体の自殺企図に伴ってその子どもは，「保護者に監護させることが不適当であると認められる児童（要保護児童）[注103]」あるい

[注103]　児童福祉法（昭和22年法律第164号）第6条の3第8項。

は「児童虐待[注104]」に該当する可能性がある。いずれも児童相談所などへ通告する[注105]。また，児童虐待防止法において[注106]，医療機関や医療スタッフは保護者の心身の状況について情報を提供することが求められている（守秘義務よりも情報提供が優先される[6]）。要保護児童や児童虐待には該当しないが「保護者の養育を支援することが特に必要と認められる児童（要支援児童)[注107]」や「支援を行うことが特に必要と認められる妊婦（特定妊婦)[注108]」に該当する場合は，市町村に情報提供するように努める[注109]（守秘義務違反等にはならない[7]）。これら虐待や要保護あるいは要支援児童，特定妊婦の判断は，主観的な判断で十分とされ，客観的な証拠や蓋然性を検討する必要はない。

精神疾患の例

産後精神病（postpartum psychosis，産褥精神病ともいう）はまれではあるが，必ず鑑別にあげるべき疾患である（産後うつ病とはまったく別の疾患概念である）。精神症状が多彩で短時間で変化する特徴をもち，突如として異常行動が出現し自傷他害に至ることもあり得る重大性の高い疾患である。タイミングによってはあたかも精神的問題がないような言動に見えるので，見逃さないように注意する。

せん妄は身体疾患や薬剤などにより惹起される急性発症する注意・意識・認知の障害である。意識障害を背景に，幻覚・妄想，情動・気分の障害，興奮，焦燥，拒絶，攻撃性など多彩な精神症状を呈し，日内変動がある。身体疾患の治療が重要である。

その他，さまざまな疾患が鑑別にあがるが，確定診断までは週単位の時間を要することもある。Primary Survey においては，医療スタッフの安全と患者の安全・尊厳を保つように努めることが重要である。

[注104] 児童虐待の防止等に関する法律（平成12年法律第82号）第2条。
[注105] 要保護児童の通告は児童福祉法 第25条第1項，被虐待児の通告は児童虐待法 第6条第1項による。
[注106] 児童虐待の防止等に関する法律（平成12年法律第82号）第13条の4（資料又は情報の提供）。
[注107] 児童福祉法 第6条の3第5項。
[注108] 児童福祉法 第21条の10の5。

スライド70

Primary Surveyの心得

■Psychiatric careにおける注意点
1. **陰性感情**が生じていることを**自覚**する
2. 陰性感情を**表出しない**ように**統御**する

■すべての母体救急に対する所作
- **安全**と**安心**を両立する（心情に配慮）
- 礼儀正しく，相手の立場に立って接する
- どのようなときも"魅せる"意識をもつ
- なごやかさを心がける

陰性感情対応のポイント
- 一呼吸おいて自分を客観視する
- 意識的にゆっくりした口調で話す
- 声のトーンを意識的に下げる
- 大きな声を避け，ちょうどよい声量で話す
- 礼儀正しく，穏やかに対応する
- 患者の話に耳を傾け，真剣にとらえる
- 患者の苦労をねぎらい，共感する
- 批判的にならず，受容する

　医療者もひとりの人間であり，患者やほかの医療スタッフに対して陰性感情（嫌悪感など否定的な感情）を抱くことがある。しかし，医療者が気づかないうちに患者に対して批判的，威圧的あるいは挑発的な態度をとるようなことがないようにしなければならない。陰性感情に適切に対応するには，①陰性感情が生じていることを自覚し，②陰性感情を表出しないように統御することが必要である。

　患者の言動により陰性感情が生じることは自然なことであり，それ自体に問題はない。感情[注109]が自分の気づかないうちに表情や態度などの言動として表出され，患者側（あるいはチーム内の医療スタッフ）がそれに気づき事態が悪化していくのが問題である[注110]。例えば，患者が陰性感情に気づくとラポール形成は阻害され精神症状はより悪化し対応の困難性が増し，自らの業務量が増加していく。医療スタッフに伝播するとチームパフォーマンスが低下していく。メディカルリソースマネジメント（MRM）の「セルフマネジメント」とも重なるが，メタ認知すなわち自らを俯瞰的に見ることが重要である（p397参照）。診療の場では4つの目を意識するとよい[8]。①医療者が患者をみる目，②医療者が自己の内面をみる目，③患者が医療者をみる目（患者にとって医療者はどう映るか），④診療の場全体をみわたす目である。

　①では，身体科的評価と精神科的評価を意識し，患者の言動をそのまま受けとらず医学的観点で客観的に患者の状態を評価すると自らの陰性感情につながりにくい。②は自身の感情をモニタリングすることである。③は他者の視点で自身をみる自己認識手法であり，患者の価値観・精神状態・心情も考慮することが求められる。④により全体を俯瞰し，冷静沈着さを保つように努める。「患者の精神症状に影響されて医師が感情的になっている姿」は，好ましくない状況と認識しやすい。通りすがりの人にはどうみえる

[注109] 感情とは，主体が対象に抱く主観的な印象のことであり，快・不快を基調とする，相反する二極性（前者は陽性感情，後者は陰性感情）があるのが特徴である。感情に反応して生じる身体的な随伴所見など外から観察できる動きを伴ったものを情動，比較的長く持続する感情を気分という。

[注110] 精神分析では「逆転移（counter transference）」と呼ばれる現象で，医師の抱く嫌悪感に影響されて患者がさらに攻撃的になるときなどが該当する。

図Ⅱ-8-2　ジョハリの窓（Johari window）

		自分が	
		知っている	知らない
相手が	知っている	❶解放の窓 相互に＜開示＞	❷盲点の窓 自分の＜漏洩＞ 相手の＜隠蔽＞
	知らない	❸秘密の窓 自分の＜隠蔽＞ 相手の＜漏洩＞	❹未知の窓 ＜非交流的＞

〔文献9）を参考に作成〕

だろうか，という自問自答は有効である．また，同僚に自身の振る舞い方について意見を求めれば新たな視点で自己を認識できる．これら4つの目を参考にしながら，自らの陰性感情が無意識のうちに相手に伝わらないように，まずは自分の感情を認識することが重要である〔ジョハリの窓で述べれば，❷を減らし❶とすることである（図Ⅱ-8-2参照）〕．

また，疲労，体調不良，深夜の勤務，焦り，個人的悩み，テクニカルスキルの不足，治療がうまくいかない状況などでは冷静さを失い陰性感情を表出しやすいことを知っておく．これらに留意しつつ陰性感情を統御するが，いかなる状況でもそれを実行できるようにするためには，日々自らの心身を健康に保つことも重要であるし，自分なりの不快感情の処理方法（趣味や旅行，家族と過ごすなど）によってセルフケアを行うことも重要である．

とくに繰り返す自殺企図や患者の示す敵意・非難・苦情では陰性感情を生じやすいので，精神病理学的な視点で患者の苦悩・苦痛・問題を把握するように努め，職業意識に裏づけられた博愛・慈悲の念・思いやりの精神で病む者を癒やす姿勢を示しつづける．古くから「医は仁術」と表現されるが[注111]，プロフェッショナリズムはこのような場面でとくに重要である．

陰性感情を統御するこれらの取り組みは，医療者の感情に鋭敏に反応する精神症状を認める患者に限らず，患者・家族への説明の場面などにおいても有用である．母体の急変を目の当たりにした家族は，精神疾患の有無にかかわらず，動揺・混乱するものである．時に家族が錯乱状態となったり，怒りを露わにしたりすることもある．このような際にも，母体を大切に思うゆえの家族の言動であることを認識し，医療スタッフは冷静沈着に礼儀正しく接する．入院時重症患者対応メディエーター[注112)10)]や公認心理師[注113]の介入が可能なら検討する．

[注111] 貝原益軒が江戸時代に著した『養生訓』には，「医は仁術なり．仁愛の心を本とし，人を救うを以て志とすべし」と記載され，博愛の重要性が示されている．同様の考えは丹波康頼が平安時代に作成した日本最古の医学書『医心方』に「先に大慈惻隠の心を発し，含霊の疾を普救せんことを誓願すべし」とあり，慈悲の念をもって苦しむ魂を救うために全力を尽くすべきことを説いている．

[注112] 入院時重症患者対応メディエーター：重症患者やその家族らと医療者の架け橋となって対話を促進し，意思決定支援を行う者．診療報酬では，重症患者初期支援充実加算（A234-4）に反映されている．

Ⅱ　初期診療のアプローチ

　とくに家族のなかに小さな子どもがいる場合は配慮すべきである。子どもは自分の家族内の大人たちが困惑する様子を敏感に察し，さらに自分の母親と会えない状況から，心理反応として退行[注114]が発生したり，保育所・幼稚園や学校で攻撃的になったり，些細なことを怖がったりするようになることもある。また，大人の過度な配慮で母親に関する情報をまったく与えずはぐらかす状態が続くと，疎外感を感じ信頼する家族を失うことになりかねない。子どものこれらの反応は（大人の反応も同様であるが）「異常な事態における"正常な反応"」であることを知識として教育し，大人は子どもに対して特別何かをしようとするのではなく，子どもの傍でただ寄り添い，スキンシップを図り，子どもがいつもどおり安全な環境にいられるようにすればよいことを伝える。状況によっては，学校などへの情報提供も検討する。重症母体を抱える家族が，家族にとっての危機を家族が一丸となって乗り越えられるように支援することも重要である。

　母体救急の場面（危機的な緊急事態）は医療スタッフに相当のストレスを生じ，医療チームは高い緊張感のなかで緊迫した雰囲気を発し，時に怒号が飛び交うこともあるだろう。こういった状況によって患者が強い恐怖感や著しい不安を感じ，心的外傷に類する体験をすることも考えられる。前述した4つの目のうち③④を意識して自分とチームの状況を認識し，相手の立場に立って礼儀正しく接し過度な負荷とならないように努める。常に患者を魅了するつもりで振る舞い，わずかでも和やかな瞬間を創るように心がけることで，患者・家族に対して安全と安心を提供することが望まれる。

　患者とその家族への対応を，医療ケアチームのメンバー同士との関わりにも応用し，チームパフォーマンスをが高く保たれるように努めることにも留意する。

[注113]　公認心理師：文部科学大臣および厚生労働大臣が指定する国家資格。保健医療，福祉，教育その他の分野において，心理学に関する専門的知識および技術をもって，心理状態の観察・分析，心理に関する相談および助言，指導その他の援助などを行う。

[注114]　退行（regression）：自我の防衛機制（適応機制）の一種。危機などにさらされたときに，発達段階を戻すことで現実に直面することを回避する無意識の反応。

スライド 71

まとめ

- 精神症状があれば（P）精神ケアを追加する
- 自傷他害は生命を危険にさらす緊急性の高い病態である
- スタッフの安全を確保し，母体を保護する（必要なら110番通報）
- 身体疾患が明らか ➡ 治療を優先する
- 精神症状が，身体疾患による可能性を考慮する
- 陰性感情を自覚し，表出しないように統御する
- すべての Primary Survey で患者・家族の心情に配慮して振る舞う

文 献

1) 山下智幸，河嶌譲：受け入れ救急医療機関における救急医療対応．日本臨床救急医学会「自殺企図者のケアに関する検討委員会」監修，妊産褥婦メンタルケアガイドブック，へるす出版，東京，2021，pp152-164．
2) 村山淳子：「医療契約」の法的特性と説明義務の意義；自己決定の支援と抑制の構造．国民生活研究 第59号第2号，2019．
3) 尾久守侑：精神症状から身体疾患を見抜く．金芳堂，京都，2020．
4) 精神保健及び精神障害者福祉に関する法律第28条の2の規定に基づき厚生労働大臣が定める基準．昭和63年4月8日厚生省告示第125号（最終改正平成12年12月28日厚生省告示第532号）．
5) 社会保障審議会児童部会児童虐待等要保護事例の検証に関する専門委員会：子ども虐待による死亡事例等の検証結果等について．第18次報告，令和4年9月．
6) 厚生労働省雇用均等・児童家庭局総務課長：児童虐待の防止等に係る児童等に関する資料又は情報の提供について．雇児総発1216第1号，平成28年12月16日．
7) 厚生労働省雇用均等・児童家庭局総務課長，母子保健課長．要支援児童等（特定妊婦を含む）の情報提供に係る保健・医療・福祉・教育等の連携の一層の推進について．子家発0720第4号，子母発07200第4号，平成30年7月20日．
8) 加藤温：診察室の陰性感情．金芳堂，京都，2021．
9) 太田敏男：精神科診療のヒント．星和書店，東京，2023．
10) 日本臨床救急医学会教育研修委員会 入院時重症患者対応メディエーター養成小委員会編：入院時重症患者対応メディエーター養成テキスト．へるす出版，東京，2023．

Ⅱ 初期診療のアプローチ

9 妊婦心停止の心肺蘇生

スライド72

〔日本救急医療財団心肺蘇生法委員会監：改訂6版 救急蘇生法の指針2020 市民用・解説編．より引用〕

　心停止などの生命危機や，その危機的状態が切迫している人を救命し，社会復帰に導くためには，「救命の連鎖」[1]が必要である．
　救命の連鎖とは，
　（1）心停止の予防
　（2）早期発見と通報
　（3）一次救命処置〔心肺蘇生（CPR；cardiopulmonary resuscitation）とAED〕
　（4）二次救命処置と集中治療
と4つの要素で構成されている．
　心停止になると救命率が著しく低下してしまうため，救命の連鎖では，まず心停止を未然に防ぐことが重要である．心停止に陥った場合には，早期発見から一次救命処置，二次救命処置，そして蘇生後の集中治療へと速やかにつなげていくことで救命効果が高まり，社会復帰への可能性も高まる．

スライド 73

心停止の判断基準

心停止とは"脳血流を含む重要臓器への有効な循環維持が不可能な状態"
　①意識がない，深昏睡
　②正常な呼吸がない，死戦期呼吸
　③頸動脈の脈拍がない，または判断に迷う場合
①〜③を認める場合，心停止と判断する
　呼吸と頸動脈の脈拍の確認は 10 秒以内
　　　　　　　　　　　　　　➡　判断に迷う場合は心肺蘇生

●死戦期呼吸（agonal breathing）
　心停止時に認めることのある，しゃくりあげるような呼吸様式であり，胸郭や腹部の動きはない

　心停止とは「脳血流を含む重要臓器への有効な循環維持が不可能な状態」であることを示す。そのため，心停止とは心臓の動きが完全に止まっている状態（心静止）だけではない点に注意する。①意識がない，深昏睡，②正常な呼吸がない，死戦期呼吸，③頸動脈が触知できない，または判断に迷う場合には心停止と判断する。

　評価の方法としては，肩を叩きながら大声で呼びかけたり，痛み刺激を加えて開眼やなんらかの返答，または目的のある仕草などがみられない場合には意識がないと判断する。呼吸の有無は，口や顎の動きをみるのではなく，胸郭や腹部の動きをみて判断する。心停止時にみられることがある死戦期呼吸は，しゃくりあげるような呼吸様式であり，胸郭や腹部の動きはなく，呼吸をしているわけではない。頸動脈の拍動は，示指および中指で甲状軟骨を探り，その指先を外側にスライドし，胸鎖乳突筋と甲状軟骨の間で触知できる。頸動脈の拍動が触知できた場合は心停止ではないと判断できるが，熟練した者でないと判断に迷う場合がある。判断に迷う場合は，心停止と考え，心肺蘇生法を実施する。

スライド 74：妊婦 BLS

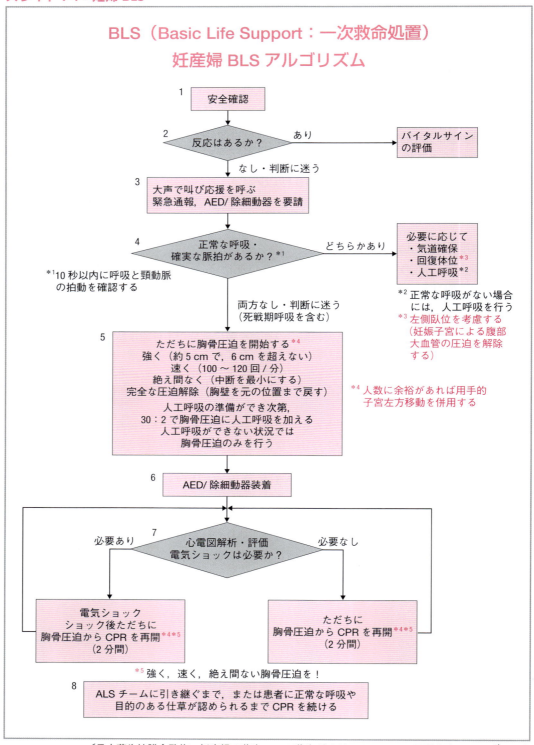

〔日本蘇生協議会監修：妊産婦の蘇生．JRC 蘇生ガイドライン 2022, 医学書院, p267.[2] より〕

妊婦に対する一次救命処置（以下，BLS）で非妊婦への対応と異なるのは，①用手的子宮左方移動を行うこと，②回復体位は左側臥位が優先されることの2点である。これらは，妊婦が仰臥位のときに増大した妊娠子宮によって心拍出量が減少することに対応するための介入である（aortocaval compression；ACC についてはスライド 24：p59，スライド 59：p104 参照）。したがって，妊婦 BLS とすべきときは「子宮底が臍高（概ね妊娠 20 週）以上」のときである。

倒れた人がいれば，[1] 救助者は自らの安全確認を行い，[2] 反応を確認する。J-MELS アドバンスコースの流れでは第一印象の確認に相当する。反応がない，あるいは判断に迷えば，[3] 応援要請（院外であれば119番通報）しつつ除細動器（または AED）を確保する。このとき，女性の傷病者であれば，所持品や膨隆した腹部所見から妊娠の可能性を考え，必要に応じて子宮底の高さを確認する。子宮底が臍高以上〔入院中などで妊娠週数が正確に把握できれば妊娠 20 週以降（以降，妊娠後半）〕であれば，"妊婦蘇生"として対応すべきである。院内の妊婦心停止であれば，BLS に引き続く二次救命処置（ALS）に備えるために，❶帝王切開と❷新生児蘇生の準備を同時に要請する。

続いて [4] 呼吸の確認と頸動脈触知によって正常呼吸や確実な脈拍が確認できなければ（あるいは判断に迷えば），[5] 心停止と判断し直ちに胸骨圧迫（C；chest compression）を開始する。胸骨圧迫に際し，妊娠後半の妊婦の場合は人手を確保し，ACC 解除のために用手的な子宮左方移動（U；uterine displacement）を併用する。半側臥位は胸骨圧迫の質を低下させるので避ける。

人工呼吸の準備ができ次第，胸骨圧迫 30 回に対し気道確保（A；airway）しながら人工呼吸（B；breathing）2 回を実施する（30：2）。

[6] 除細動器（または AED）が到着次第装着し，[7] 心電図を解析のうえで除細動（D；defibrillation）すなわちショックが必要なら速やかに実施し，ショック後直ちに胸骨圧迫を再開する。ショックが不要な場合も直ちに胸骨圧迫を再開する。

蘇生努力は [8] ALS に引き継ぐか，正常な呼吸の回復や目的のある仕草が認められるまで胸骨圧迫は継続する。ただし，救助者が危険にさらされる場合は蘇生を中断せざるを得ないこともある。

これら BLS で行う一連の介入は，"CUABD" と記憶できる[注115]。『JRC 蘇生ガイドライン 2020』に即したこの順序は，胸骨圧迫の間に静脈還流量の改善を図る子宮左方移動が早期に行われるため合理的である。人工呼吸の訓練を受けていない救助者が胸骨圧迫のみの蘇生（compression-only CPR）を行う際にも（強い推奨，エビデンスの確実性：非常に低い，Grade 2D）[3]，子宮左方移動を併用することを検討する。

[注115] アメリカ心臓協会の Scientific Statement 2015 では CABU の記載があったが[4]，子宮左方移動は蘇生の間継続することが強調されており，CUABD と意図は矛盾しない。J-MELS アドバンスコースでは『JRC 蘇生ガイドライン 2020』を優先し，CUABD である（妊婦蘇生の判断は子宮底の高さで判断するので，腹部をみる意味で I'll see（C）your（U）abdomen（ABD）とも読むのも一案である）。

Ⅱ 初期診療のアプローチ

スライド 75：妊婦 BLS

Chest compression（胸骨圧迫）
有効な胸骨圧迫とは

強く	約 5 cm で，6 cm を超えない
速く	100〜120 回/min のテンポ
絶え間なく	できるだけ中断せず，中断する場合も 10 秒以内を心がける
リコイル	完全な圧迫解除

● 圧迫位置は胸骨の下半分

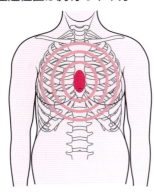

● 視線は側胸部
● 救助者の肩-肘-手根は，患者の胸骨と脊椎を結ぶ直線上に位置させ，垂直に圧迫する

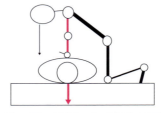

● 胸骨圧迫の質の確保のためにも，可能であれば 1〜2 分ごとに交代する

　BLS において，各重要臓器への循環維持にもっとも重要なのが，有効な胸骨圧迫である。有効な胸骨圧迫が実施されていなければ，ほかの蘇生処置が適切に実施されていたとしても，救命は困難である。心停止と判断した際には，コードブルー宣言による蘇生チームの招集，人手の確保と蘇生に必要な物・場所の確保と同時に，胸骨圧迫を直ちに開始する。有効な胸骨圧迫とは，「強く」「速く」「絶え間なく」「リコイル」である。
　圧迫位置は成人と同様に胸骨下半分であるが，母体は乳腺の発達に伴い乳頭の位置は参考にならないため注意が必要である。
　強く：圧迫の深さは，胸壁が約 5 cm 沈む程度とし，過剰な圧迫による外傷を防ぐためにも 6 cm を超えない。目安として約 5 cm とは単三電池 1 本分の長さとなる。
　速く：1 分間に 100〜120 回のテンポで圧迫する。
　絶え間なく：胸骨圧迫は可能なかぎり中断しない。中断時間が長いほど予後不良となるためである。中断する場合も 10 秒以内となるように心がける。
　リコイル：圧迫により心臓から全身に拍出した血液をまた心臓へ還流するために，胸郭の形状が元に戻るように完全に圧迫を解除する。
　また，入院ベッドのマットがやわらかい場合などでは，有効な胸骨圧迫が困難な場合もあり，CPR モードのあるベッドは CPR モードを使用し（『JRC 蘇生ガイドライン 2020』：弱い推奨，エビデンスの確実性：非常に低い，Grade 2D）[5]，ほかに背板の挿入などを検討する。胸骨圧迫はかなりの労力を要するため，有効な胸骨圧迫の維持が困難であると判断した場合には速やかに交代するのがよい（1〜2 分ごとの交代を目安とし，交代時の中断は 10 秒以内とする）。

スライド76：妊婦BLS

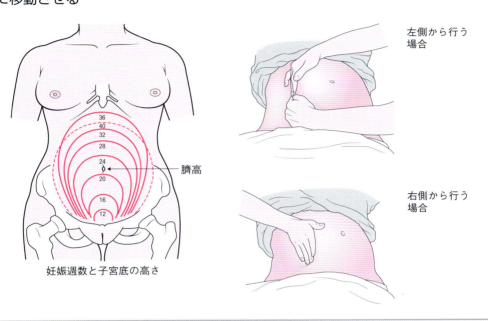

Uterine displacement（子宮左方移動）

妊娠子宮による腹部大血管の圧迫を解除するために，用手的に子宮を左方に移動させる

左側から行う場合

右側から行う場合

妊娠週数と子宮底の高さ

臍高

　健康な母体であっても妊娠後半（妊娠20週以降）に，仰臥位で妊娠子宮が下大静脈を圧迫するため，静脈還流量が低下し心拍出量の低下を引き起こすとされている。

　母体の心肺蘇生時に有効な胸骨圧迫を行うために仰臥位にするが，下大静脈の圧迫を改善するために用手的子宮左方移動を行う（『JRC蘇生ガイドライン2020』：弱い推奨，エビデンスの確実性：非常に低い，Grade 2D）[2]。妊娠子宮の大血管の圧迫解除のための骨盤の左方傾斜や左半側臥位は，胸骨圧迫の質が低下するために，心肺蘇生時には仰臥位での用手的子宮左方移動が推奨される[6]。用手的子宮左方移動には成人BLSに加えて，さらに人員が1人必要となるため，早期から多くの人員招集をしておくとよい。

　用手的子宮左方移動を患者左側から行う場合，左腹側に向かって子宮を持ち上げるように力を加える（スライド右上）。患者右側から行う場合は，左腹側に押し上げるようにして子宮を移動させる（スライド右下）。いずれの場合も誤って子宮を母体背側に移動させ，下大静脈を圧迫しないように注意する。

スライド77：妊婦BLS

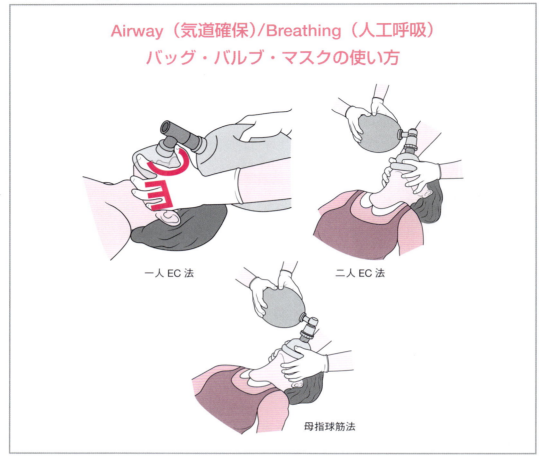

　換気を行うための気道管理器具として，バッグ・バルブ・マスクがある。バッグ・バルブ・マスクで換気を行う際には，まず舌根沈下などによる気道閉塞を解除する必要があるため，用手的またはエアウエイなどを併用して気道を開通させる。用手的にはバッグ・バルブ・マスクを患者の鼻と口を覆うようにフィットさせた状態で下顎を引き上げることで気道が開通する（下顎挙上）。

　換気手法には一般的に，一人EC法，二人EC法，母指球筋法がある。EC法とは母指と示指で"C"の形を作りマスクをフィットさせ，残りの3本指で"E"の形になるように下顎を挙上させる手法である。二人EC法は一人EC法と比較し，換気が容易となるため，人員が確保されていれば検討してもよい。また，母指球筋法は両手の母指と母指球でマスクをフィットさせつつ残りの指で下顎挙上させる手法であり，二人EC法と同様に換気が容易となる。

　心肺蘇生時には人工呼吸としてバッグ・バルブ・マスクを用いて30回の胸骨圧迫後に2回の換気を行う。1回の換気は1秒間で胸が軽く上がる程度にとどめ，過剰な圧はかけないようにする。過剰な圧は胸腔内圧を上げ，静脈還流量が低下してしまうため，心拍出量の低下につながるためである。また，換気がたとえ不十分だと感じても，胸骨圧迫の中断を最小限とするために2回以上の換気は行わない。

スライド 78：妊婦 BLS

Defibrillation（除細動）
AED（自動体外式除細動器）の使用方法

①：電源を入れる（フタを開けると自動で電源が入る機種もある）
②：パッドを装着する
③：AED が心電図自動解析と電気ショックの適否を判断する
　　解析中は患者に触れない
④：電気ショックの適応があれば，自分と周りの人が患者から離れていることを確認し，ショックボタンを押す
⑤：電気ショック後，または適応がない場合でも速やかに胸骨圧迫を再開する

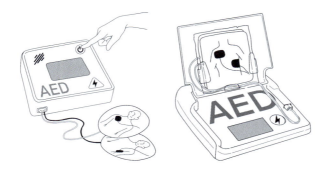

　AED（automated external defibrillator）は非医療従事者でも簡単に扱える除細動器であり，音声ガイドと心電図自動解析機能を有する。使用方法は以下の5つのステップで行う。

　①電源を入れる（フタを開けると自動で電源が入る機種もある）。電源が入ると，音声ガイドが流れるため，以降はガイドに沿って操作する。

　②右鎖骨下と左側胸部にパッドを装着する。乳房が発達している場合には乳房を避けるように装着する。パッドを装着する間も，胸骨圧迫を中断しないように心がける。

　③パッドを装着すると自動解析が始まり，除細動の適否について AED が自動で判断する。自動解析開始時には，胸骨圧迫などによるノイズ混入で除細動の適否の判断を誤る可能性があるため，胸骨圧迫は中断する。

　④電気ショックの適応があると判断されると自動で充電が始まり，ショックボタンを押す指示が流れるため，周囲に電気ショックを実施することをはっきりと伝え，安全を確認した後，ショックボタンを押す。

　⑤電気ショック後，または適応がない場合でも音声ガイダンスに従って速やかに胸骨圧迫を再開する。心電図自動解析と電気ショックの適否は2分ごとに行われる。

　以降，蘇生チームが到着するまで，または患者に正常な呼吸や目的のある仕草が認められるまで続けることが重要である。

Ⅱ 初期診療のアプローチ

スライド 79：母体 ALS

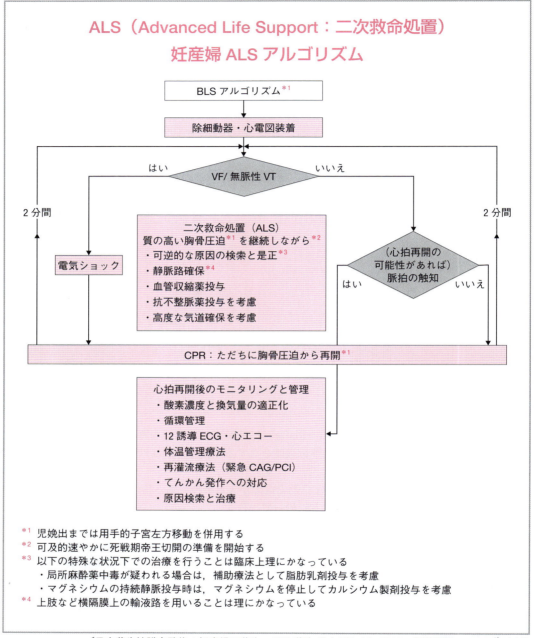

〔日本蘇生協議会監修：妊産婦の蘇生．JRC 蘇生ガイドライン 2022，医学書院，p268.[2]より〕

蘇生チームに加え，蘇生に必要な人員・資器材などの医療資源がそろえば，高度な気道確保などの二次救命処置（以下 ALS）へと移行する。

　妊婦 ALS で行うことは（Primary Survey とは異なるが）Airway（気道管理），B（人工呼吸管理），C（循環管理），Defibrillation/Drugs/Differential diagnosis（除細動/薬剤/鑑別診断），ECPR（体外循環補助を用いた CPR），Females' organ/Fetus（蘇生的子宮切開/新生児蘇生）で記憶できる[注116]。

　妊婦 ALS においても，質の高い胸骨圧迫と子宮左方移動を継続することが重要である。BLS の早期から帝王切開と新生児蘇生の準備は開始されているはずである。蘇生に反応がなければ母体救命のための帝王切開を可及的速やかに実施し，妊娠22週以降は新生児蘇生にも備える。

　自己心拍再開（ROSC；return of spontaneous circulation）後は神経集中治療を前提とした全身管理に加え，産科異常出血への対応が必要となる[7]。

[注116] ここで示した ALS の ABCDEF は線形アルゴリズムではなく，それぞれの介入順序は症例ごとに個別に判断する。つまり ECPR を帝王切開より優先することを勧めるものではないし，挿管などを真っ先に実施するように促しているのではない。

スライド80：妊婦ALS

Airway（気道確保）/Breathing（人工呼吸）
気管挿管

- 妊産婦は非妊産婦に比較し，difficult airway となりやすい
- 気管チューブ：6.0〜7.0 mm の通常より細いチューブを用意する
- ビデオ喉頭鏡の使用を検討する
- 気管挿管の先端位置の確認として，カプノグラフィーや胸部単純X線を使用する

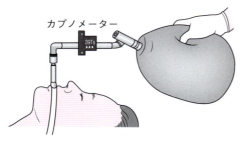

- カプノグラフィー波形の解釈

（1）波形がしっかり出ている：気管チューブが気管内に留置されている

（2）波形が出ないか，短時間で波形が消失する：食道挿管，または有効な胸骨圧迫ができていない

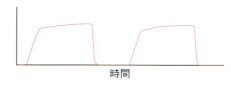
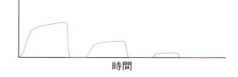

　気管挿管は確実な気道確保が可能であるが，妊産婦は非妊産婦と比較し上気道が狭く胃内容物の逆流も起きやすいなどの理由から，difficult airway となり得る。そのため，気管挿管は全身管理医などの熟練者が行うのが望ましく，気管チューブも内径6.0〜7.0 mm と通常より細い径を選択し，喉頭展開も可能であればビデオ喉頭鏡などのデバイスを用いることが望ましい。

　熟練者がいない場合や気管挿管がうまくいかない場合には，気管挿管にこだわらずに用手換気とエアウエイの併用や声門上気道デバイスの挿入などを行い，換気がなされていることを確認する。

　気管チューブが気管内に挿入されているかはカプノグラフィー波形や呼気終末二酸化炭素分圧（$ETCO_2$）の数値により確認できる。

　気管挿管後は，胸骨圧迫と換気は非同期でそれぞれ独立して行う。胸骨圧迫は1分間に100〜120回/min のテンポを継続し，換気は10回/min とする（6秒に1回）。蘇生処置の際の換気回数や換気量の過大な増加は，胸腔内圧の上昇を引き起こし，静脈還流の低下を招く可能性がある。

スライド 81：妊婦 ALS

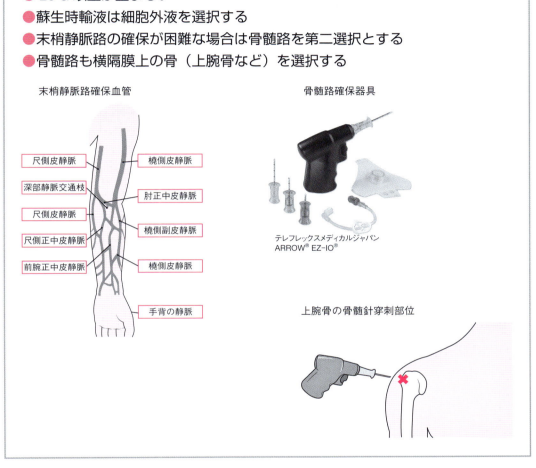

　母体は妊娠子宮による下大静脈圧迫の影響を考慮し，横隔膜上の静脈系に静脈路確保し（『JRC 蘇生ガイドライン 2020』：優れた医療慣行に関する記述）[2)8)]，アプローチしやすい上肢の静脈系を第一選択とする。急変時には大量輸液や輸血が必要となることも多く，20 G 以上の静脈路を確保するのが望ましい。末梢静脈路確保が困難な場合には骨髄路を第二選択とする（『JRC 蘇生ガイドライン 2020』：弱い推奨，エビデンスの確実性：非常に低い，Grade 2D）[2)]。骨髄路も上腕骨などの横隔膜上の骨に確保するのがよい。

　蘇生時の輸液は生理食塩水，酢酸リンゲル液，乳酸リンゲル液などの細胞外液を選択する。

スライド 82：妊婦 ALS

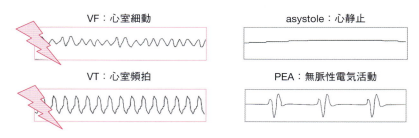

マニュアル除細動器は AED（自動体外式除細動器）と異なり，医療者が心電図波形を確認し，電気ショックの適否を判断する。パッド装着位置は AED と同様に右鎖骨下と左側胸部であり，パドルでの電気ショック時も同様の位置でよい。妊娠中でも胸壁インピーダンスに有意な差はなく[9]，電気ショックは成人と同様のエネルギー量でよいが，メーカーにより推奨値が異なるために各機器の表示に従う。

心停止時の電気ショックの適応となる心電図波形は，VF（ventricular fibrillation：心室細動）と無脈性 VT（pulseless ventricular tachycardia：無脈性心室頻拍）の 2 つであり，PEA（pulseless electrical activity：無脈性電気活動）と asystole（心静止）は電気ショックの適応外となる。VT と PEA は，無脈性（pulseless）であるかの判断は頸動脈の触知を行うことで確認できるが，頸動脈の触知が困難であっても，①意識がない，深昏睡，②正常な呼吸がない，死戦期呼吸であれば心停止であると判断する。

電気ショック施行時には AED と同様に，周囲に電気ショックを実施することをはっきりと伝え，安全を確認した後に実施する。ショック実施後は，速やかに胸骨圧迫を再開することも母体 BLS と同様に重要である。

スライド 83：妊婦 ALS

Drug（薬剤）

薬剤	適応心電図波形	投与量	投与経路	投与間隔	その他
アドレナリン	すべての心停止	1 mg	IV・IO	3〜5 分ごと	
アミオダロン	電気ショックに反応しない VF, 無脈性 VT	1 回目：300 mg 2 回目：150 mg	IV・IO	初回投与後も電気ショックに反応しない場合，追加投与可能	5%ブドウ糖 20 mL に溶解
アミオダロンがない場合は下記投与を考慮してもよい					
リドカイン	電気ショックに反応しない VF, 無脈性 VT	1 回目：1〜1.5 mg/kg 2 回目：0.5〜0.75 mg/kg	IV・IO	初回投与後も電気ショックに反応しない場合，追加投与可能	局所麻酔薬中毒における不整脈には投与禁忌

VF：ventricular fibrillation（心室細動），無脈性 VT：pulseless ventricular tachycardia（無脈性心室頻拍）
IV：intravenous（静脈路），IO：intraosseous（骨髄路）

アドレナリン注 0.1%のプレフィルドシリンジ：
1 mg 製剤であり，開封後そのまま投与できる

　心停止時には波形にかかわらず，非妊婦と同様にアドレナリン 1 mg を 3〜5 分ごとに静脈路または骨髄路から投与する。ALS のアルゴリズムは 2 分ごとに心電図波形の確認をするため，2 サイクル（4 分）ごとの投与がよい。電気ショックの適応となる VF と無脈性 VT は，薬剤投与よりも電気ショックのほうが治療効果は高いため，電気ショックの妨げにならないタイミングでアドレナリンを投与する。さらに VF または無脈性 VT が電気ショック実施後も継続する場合には抗不整脈薬の投与を検討する。抗不整脈薬の第一選択はアミオダロンであり，アミオダロンがない場合には代替薬としてリドカインを使用してよい。アミオダロンは 300 mg（2 アンプル）を 5%ブドウ糖液 20 mL に溶解して投与する。
　また，心停止時の炭酸水素ナトリウムをルーチンに投与することは推奨されない[5]。

スライド 84：妊婦 ALS

Differential diagnosis（鑑別診断）

母体 ALS においては蘇生を行いながら，可逆的な原因の検索と是正を行う
母体の心停止の原因は "ABCDEFGH" で整理される（表Ⅰ-2-2：p13 参照）

〜特殊な状況で母体心停止を起こし得る病態〜
- 硬膜外麻酔の過量投与や血管内誤注入による局所麻酔薬中毒
- 妊娠高血圧症候群や切迫早産に用いる硫酸マグネシウム長期投与による高マグネシウム血症　など

　母体 ALS では蘇生処置を行いつつ，心停止の可逆的な原因検索と是正を行う必要がある。しかし，やみくもに原因検索を行うのではなく，"ABCDEFGH" のように網羅的に鑑別疾患を考慮しながら検索する。

　特殊な状況で母体心停止を起こし得る病態として，局所麻酔薬中毒や高マグネシウム血症などがあり，『JRC 蘇生ガイドライン 2020』でも触れられている[2]。

　局所麻酔薬中毒は，無痛分娩における硬膜外麻酔での過量投与や血管内誤注入などで発生し得る。局所麻酔薬中毒に伴う不整脈に対してのリドカイン投与は禁忌である。脂肪乳剤は，局所麻酔薬が血漿中の脂肪乳剤に取り込まれ，血中濃度が低下するなどの機序で効果があるといわれ，治療の第一選択となる（『JRC 蘇生ガイドライン 2020』：優れた医療慣行に関する記述）[2]。

　高マグネシウム血症は妊娠高血圧症候群や子癇，切迫早産で入院となった場合，硫酸マグネシウムの長期投与や過量投与などで発生し得る。治療としては硫酸マグネシウムの中止と，カルシウム製剤の投与（『JRC 蘇生ガイドライン 2020』：優れた医療慣行に関する記述）[2,10]を行い，腎障害があれば腎代替療法も検討する。

スライド 85：妊婦 ALS

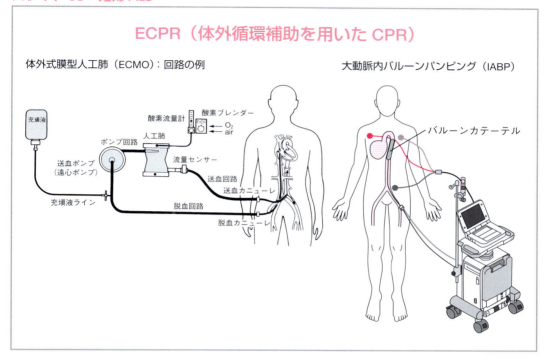

ECPR（extracorporeal cardiopulmonary resuscitation）とは心停止症例に対し，体外循環補助（体外式膜型人工肺；extracorporeal membrane oxygenation；ECMO）を用いた心肺蘇生法と定義され[11]，適応は非妊娠症例と同じである。ECPR を考慮すべき症例は，標準的な心肺蘇生法を行うも治療抵抗性があり，心停止の原因が可逆的で自己心拍再開後に社会復帰が期待できる場合などである。適応疾患としては肺塞栓症や羊水塞栓症，周産期心筋症，中毒，偶発性低体温症などがあるが，導入の可否やタイミングなどは PMCD を実施する場合と同様に，全身管理医，産婦人科医，臨床工学技士を含む多職種チームで検討する必要がある。一方で，決定は短時間に行う必要があるため，どのような症例に導入するか一定の基準を事前に決定しておくことも有用である。さらに，ECMO による左室後負荷の軽減と冠動脈灌流圧の維持のために大動脈内バルーンパンピング（intra-aortic balloon pumping；IABP）の併用も検討する。

ECPR 導入による循環確保後には自己心拍再開後と同様に出血傾向となる点や，PMCD も併せて行うことが多く，ECMO 管理のみならず，止血管理が救命のカギとなる。

Ⅱ　初期診療のアプローチ

スライド 86：妊婦 ALS

**Females' organ/Fetus
帝王切開（蘇生的子宮切開）と新生児蘇生**

- 心停止時の帝王切開：母体救命を目的とした蘇生手術である
  PMCD や resuscitative hysterotomy；RH と呼ぶ（児の蘇生にも備える）
- 適応：子宮底が臍高以上の妊婦心停止
  （妊婦が蘇生適応の間は，時間経過にかかわらず適応と考える）
- ポイント：胸骨圧迫・子宮左方移動を含む ALS を確実に実施する
- 準備：妊婦心停止を認識　➡　直ちに準備開始
- 手術開始：蘇生に反応しなければ可及的速やかに PMCD/RH 開始
- 児頭の下降が十分なら，母体救命のための経腟分娩（器械分娩など）を検討
- 蘇生後：危機的出血に注意する

　ACC が心停止に大きく影響するため，BLS では用手的子宮左方移動を実施し，ALS では母体救命を目的とした帝王切開（PMCD；perimortem cesarean delivery[注117]）が必要である（近年，母体の蘇生を目的とすることが明らかになるように resuscitative hysterotomy；RH が提唱され[12]，PMCD を根強く指示する意見もあるが[13]，RH の使用が広く目立ってきている[14)-17)]）。

　PMCD/RH は，子宮底が臍高以上（概ね妊娠 20 週以降）の妊婦で適応となる（子宮左方移動と同様）。妊婦心停止を把握した時点から直ちに PMCD/RH の準備を開始し，蘇生に反応しなければ可及的速やかに PMCD/RH を開始する。母体心停止から早いほど母体と胎児の予後がよいことが知られているが（column：p150 参照），胸骨圧迫下で施行するため手技困難性が高いと考えられ皮膚切開から児娩出までの時間も考慮すると，心停止後なるべく早く実施すべきとする考え方もできる。

　一方，ACC 以外の心停止原因に対する特異的治療（心室細動に対する除細動，気道異物に対する異物除去と酸素化など）によって心拍再開（ROSC）が見込まれる場合は，PMCD/RH を開始する前に蘇生介入の反応を確認することもあり得る。わが国の『JRC 蘇生ガイドライン 2020』では妊婦心停止で PMCD/RH を提案している（弱い推奨，エビデンスの確実性：非常に低い，Grade 2D）[2]が，『帝王切開を始める特定の時期を決定する十分なエビデンスはない』としており，開始タイミングは個別に判断する。『AHA ガイドライン 2020』[注118)14)]では母体心停止または蘇生開始から 5 分以内に ROSC が得られなければ PMCD/RH を直ちに開始することを考慮すべきとしており，『ERC ガイドライン 2021』[注119)15)]では 4 分間の母体蘇生に反応しなければ心停止から 5 分以内に分娩で

[注117] わが国では死戦期帝王切開と翻訳される。ただし，心停止直前に行われる帝王切開も死戦期帝王切開と表現されることもあり，文献にあたる際には注意が必要である。また，家族説明などで"死"という用語を用いる困難性も指摘されている。

[注118] 北米で広く用いられている蘇生ガイドラインである。

[注119] ヨーロッパ諸国で広く用いられている蘇生ガイドラインである。

きるようにすべきとしているため，分単位で決断するのが無難である。

　PMCD/RH が適応とならない時期についての記載はいずれのガイドラインにもないが，心停止から 45 分後に実施され生存した症例もあり[18]，基本的には母体が心肺蘇生の適応である間は PMCD/RH の適応と考えるべきである。

　また，母体救命のために ACC 解除を意図した介入は PMCD/RH に限らず，状況が許せば器械分娩による経腟分娩（ここでは resuscitative vaginal delivery；RVD）も選択可能である[4]。子宮口全開大で児頭の下降が十分であれば RVD も検討する。

　児を娩出後は，新生児蘇生の必要性も生じる。早期から成人に共通した蘇生（医療機関によっては ECPR を含む）を行う蘇生チームに加えて，PMCD/RH を実施する母体蘇生チームや新生児蘇生チームの招集・起動がスムーズに行われる必要があるため，各医療機関で事前にシミュレーションなどで検証しておくのがよい。PMCD/RH を速やかに行うためには，必要な資器材や実施場所などについてあらかじめ定めておくほうが円滑である。

　ROSC 後は血流再開に伴う創部や子宮からの出血が問題となる。とくに，ECPR 実施例と母体心停止から ROSC まで 20 分を超えると出血量が有意に増加する[7]。PMCD/RH に備える際には Damage Control 戦略への移行も含めて検討しておくことが望ましい。

スライド87：母体ALS

自己心拍再開後のケア

　心停止後症候群（PCAS：post-cardiac arrest syndrome）は全脳虚血を含む虚血・再灌流障害を主体としたさまざまな病態が出現し，急性期は以下を目標とし全身管理を行う

急性期管理目標
- 呼吸管理：SpO$_2$ 94％以上を維持するが，高酸素血症を避ける
  PaCO$_2$ 40〜45 mmHg を目標とする
- 循環管理：平均動脈圧 65 mmHg 以上，妊娠中は胎児心拍数モニタリングを活用する
- 尿量：0.5 mL/kg/hr 以上を維持
- 血糖管理：180 mg/dL 以下を目標とし，低血糖には注意する
- 経腸栄養：24〜48時間以内の早期経腸栄養が有用であるが overfeeding に注意する
- 体温管理：蘇生後，昏睡状態であれば体温管理療法を行う
  低体温療法を行う場合は32〜36℃を目標とし，少なくとも24時間維持する
  低体温療法に伴う，シバリングや循環抑制に注意する
  体温管理療法中，72時間は37.7℃の異常の高体温を避ける
- 神経予後の評価は自己心拍再開後72時間以降に行うのがよい
- てんかん発作時の対応：抗けいれん薬投与

　自己心拍再開後はPCASによる虚血・再灌流障害に伴う，脳や心筋，腎などの多数の臓器障害を引き起こし得る[19]。そのため，PCASには虚血・再灌流障害を考慮した全身管理を行う必要がある。さらに，母体の代謝上昇，妊娠子宮に起因する機能的予備容量の低下，および低酸素血症による胎児の脳損傷リスクのためにも，呼吸・循環管理はとくに重要となる。

　呼吸管理はSpO$_2$ 94％以上を維持するが，高酸素血症に伴う脳障害や心筋障害を引き起こす可能性が示唆されており，適宜FiO$_2$などの酸素濃度を調整する必要がある[20]。また過換気により脳血流が低下すると，脳虚血障害を悪化させる可能性があり，PaCO$_2$は40〜45 mmHgの範囲で管理するのが望ましい。

　循環管理は各主要臓器への循環維持の観点から平均動脈圧は65 mmHg以上に管理するのがよい。妊娠中であれば，子宮も主要臓器であり，胎児心拍モニタリングにより早期に子宮の臓器障害を発見することができる。

尿量は腎血流の維持の指標となり，0.5 mL/kg/hr 以上を維持する。しかし，PCAS では急性尿細管壊死などに伴う腎障害を引き起こし，尿量維持が困難なことがある。そのような場合には，体液バランス管理や溶質除去目的に一時的な血液透析も必要となることがある。

血糖管理に関しては，高血糖が神経予後に影響するといわれており[21]，180 mg/dL 以下での管理を行うが，低血糖にも注意が必要である。

消化管の飢餓状態は侵襲に対する生体防御機能を低下させるとされ[22]，経腸栄養は 24〜48 時間以内の早期開始が望ましい。しかし，早期から過量なエネルギー投与（over-feeding）を行うと高血糖を引き起こしやすく，1 週間程度を目安に必要エネルギー量に達するように徐々に増加させていくのがよい。

PCAS に対し低体温療法が脳障害の軽減に有効な可能性があり，『JRC 蘇生ガイドライン 2020』では非妊産婦ではあるが，体温は 32〜36℃を目標とし，少なくとも 24 時間以上維持する低体温療法を提案している（『JRC 蘇生ガイドライン 2020』：弱い推奨，エビデンスの確実性：非常に低い)[5]。妊産婦に対しての低体温療法の有益は不明であるが，高体温が脳障害を進行させることは明らかであり，避けるべきである。具体的には少なくとも 72 時間以上は 37.7℃以上の高体温を避ける。

神経学的評価は予後判定精度が高まる 72 時間以降に行うのが望ましい。また，けいれんが生じたときにはレベチラセタムなどの抗けいれん薬などの治療を積極的に行う。

以上のような集中治療を行っていくことが PCAS 管理において重要と考える。

スライド88

まとめ

BLS（一次救命処置）
- 安全を確保したうえで，意識・呼吸（頸動脈）を確認する
- 意識と正常な呼吸がなければ，心停止と認識する
- 妊婦 疑い ➡ 子宮底の確認：臍高以上であれば妊婦蘇生とする
- 妊婦蘇生：蘇生チーム，母体蘇生チーム，新生児蘇生チームの起動
- 胸骨圧迫（C）＋用手的子宮左方移動（U）を実施する
- 胸骨圧迫30回に，気道確保（A）＋人工呼吸（B）2回を継続する
- AEDが到着次第，電気ショック＝除細動（D）を実施する

ALS（二次救命処置）
- 質の高い胸骨圧迫を継続する
- PMCD/RHの準備は直ちに開始する
- 静脈路・骨髄路は横隔膜上の静脈系を用い，蘇生薬は非妊婦と同様に使用する
- 実施可能ならECPRを検討する
- 蘇生に反応がなければPMCD/RHを可及的速やかに開始する
- 子宮口全開大で児頭の下降があれば，PMCD/RHのかわりに器械分娩を検討する
- 蘇生後は，Damage Control戦略やPCAS管理などの集中治療に移行する

文献

1) 日本救急医療財団心肺蘇生法委員会：改訂6版 救急蘇生法の指針2020 市民用・解説編，へるす出版，東京，2021.
2) 日本蘇生協議会監：妊産婦の蘇生．JRC蘇生ガイドライン2020，医学書院，東京，2021，pp266-277.
3) 日本蘇生協議会監：一次救命処置．JRC蘇生ガイドライン2020，医学書院，東京，2021，pp18-46.
4) Jeejeebhoy FM, Zelop CM, Lipman S, et al：Cardiac arrest in pregnancy：A scientific statement from the American Heart Association. Circulation 132：1747-1773, 2015.
5) 日本蘇生協議会監：二次救命処置．JRC蘇生ガイドライン2020，医学書院，東京，2021，pp48-150.
6) Enomoto N, Yamashita T, Furuta M, et al：Effect of maternal positioning during cardiopulmonary resuscitation：A systematic review and meta-analyses. BMC Pregnancy Childbirth 22：159, 2022.
7) Kobori S, Toshimitsu M, Nagaoka S, et al：Utility and limitations of perimortem cesarean section：A nationwide survey in Japan. J Obstet Gynaecol Res 45：325-330, 2019.
8) Nakamura E, Takahashi S, Matsunaga S, et al：Intravenous infusion route in maternal resus-

citation : A scoping review. BMC Emerg Med 21 : 151, 2021.
9) Nanson J, Elcock D, Williams M, et al : Do physiological changes in pregnancy change defibrillation energy requirements? Br J Anaesth 87 : 237-239, 2001.
10) Nakao M, Takeda J, Tanaka H, et al : Effectiveness of calcium administration in maternal cardiac arrest associated with hypermagnesemia : A scoping review. Hypertension Research in Pregnancy 10 : 4-7, 2022.
11) 日本呼吸療法医学会, 日本経皮的心肺補助研究学会編：ECMO・PCPS バイブル, メディカ出版, 東京, 2021, pp202-203.
12) Rose CH, Faksh A, Traynor KD, et al : Challenging the 4- to 5-minute rule : From perimortem cesarean to resuscitative hysterotomy. Am J Obstet Gynecol 213 : 653-656, 2015.
13) Lipman SS, Cohen S, Mhyre J, et al : Challenging the 4- to 5-minute rule : From perimortem cesarean to resuscitative hysterotomy. Am J Obstet Gynecol 215 : 129-131, 2016.
14) Panchal AR, Bartos JA, Cabañas JG, et al : Part 3 : Adult basic and advanced life support : 2020 American Heart Association guidelines for cardiopulmonary resuscitation and emergency cardiovascular care. Circulation 142 : S366-S468, 2020.
15) Lott C, Truhlar A, Alfonzo A, et al : European Resuscitation Council Guidelines for Resuscitation 2021 : Section 6 Cardiac arrest in special circumstances. Resuscitation 161 : 152-219, 2021
16) Dave SB, Shriki J : The big five-lifesaving procedures in the trauma bay. Emerg Med Clin North Am 41 : 161-182, 2023.
17) Combs CA, Montgomery DM, Toner LE, et al : Society for Maternal-Fetal Medicine Special Statement : Checklist for initial management of amniotic fluid embolism. Am J Obstet Gynecol 224 : B29-B32, 2021.
18) Schaap TP, Overtoom E, van den Akker T, et al : Maternal cardiac arrest in the Netherlands : A nationwide surveillance study. Eur J Obstet Gynecol Reprod Biol 237 : 145-150, 2019.
19) Adrie C, Adib-Conquy M, Laurent I, et al : Successful cardiopulmonary resuscitation after cardiac arrest as a "sepsis-like" syndrome. Circulation 106 : 562-568, 2020
20) 黒田泰弘：PCAS；心停止後症候群に対する神経集中治療, 総合医学社, 東京, 2014, pp143-149.
21) Steingrub JS, Mundt DJ : Blood glucose and neurologic outcome with global brain ischemia. Crit Care Med 24 : 802-806, 1996.
22) Fukatsu K, Kudsk KA : Nutrition and gut immunity. Surg Clin North Am 91 : 755-770, 2011.

column

PMCD/RH と母児の転帰

　Katzらは心停止時の帝王切開が行われた38例（胎児救命目的の帝王切開を含む）をreviewし，心停止の原因から蘇生の可能性があったと判断された20例のうち13例（65％）が良好な状態で生存退院したと報告している[1]。

生存退院　13/38例（34％）

蘇生の可能性があった20例のうち13例（65％）が救命

（1985〜2004年の症例review）

母体心停止の原因			
外傷	8	麻酔合併症	2
心疾患	8	子癇	1
塞栓（羊水，空気）	7	自然子宮破裂	1
Mg過量投与	5	脳出血	3
敗血症	3	計	38

〔Katz V, Balderston K, DeFreest M：Perimortem cesarean delivery：Were our assumptions correct? Am J Obstet Gynecol 192：1916-1921, 2005.より引用・改変〕

　またEinavらは94例の心停止症例を解析し，母体の良好な転帰を予測する因子として，心停止から帝王切開分娩までの時間が10分未満，あるいは院内で発生した心停止をあげている[2]。

母体救命の成否を分ける要因
➡ 心停止から帝王切開分娩＜10 min，院内発生

生存 27例　10.0±7.2 min（median 9，range 1〜37）
死亡 30例　22.6±13.3 min（median 20，range 4〜60）

（1980〜2010年の症例review）

〔Einav S, Kaufman N, Sela HY：Maternal cardiac arrest and perimortem caesarean delivery：Evidence or expert-based? Resuscitation 83：1191-1200, 2012.より引用・改変〕

　前述したKatzらの検討では児は38例中30例（79％）で救命されていた[1]。心停止から5分以内に娩出された児では低酸素性虚血性脳症に起因する神経学的後遺症を認めなかった。心停止から児娩出まで6分を超える症例では神経学的後遺症を残す児を認める一方で，良好な転帰を得た児も少なくなかった。

生存 34児（30妊娠）/38妊娠（1985〜2004年の症例review）

time（min）	妊娠週数	転帰
0〜5	25〜42	8（正常），1（未熟児網膜症，聴覚障害），3（N/A）
6〜10	28〜37	1（正常），2（神経学的後遺症），1（N/A）
11〜15	38〜39	1（正常），1（N/A）
＞15	30〜38	4（正常），2（神経学的後遺症），1（呼吸障害）
unknown	N/A	4（正常），1（神経学的後遺症），5（N/A）

〔Katz V, Balderston K, DeFreest M：Perimortem cesarean delivery：Were our assumptions correct? Am J Obstet Gynecol 192：1916-1921, 2005.より引用・改変〕

　また，Einavらは児の良好な転帰を予測する因子は院内で発生した心停止のみであったと報告している[2]。生児を得た症例の心停止から児娩出までの時間は中央値が10分であり，47分後に娩出したにもかかわらず児が生存した症例も存在した。

> 生存 31/62 例（50%）[2]（1980〜2010 年の症例 review）
> 胎児救命の成否を分ける要因 ➡ 院内発生
>
> 生存　14±11 min（median＝10, range＝1〜47）
> 死亡　22±13 min（median＝20, range＝4〜60）
>
> 〔Einav S, Kaufman N, Sela HY：Maternal cardiac arrest and perimortem caesarean delivery：Evidence or expert-based? Resuscitation 83：1191-1200, 2012.より引用・改変〕

　帝王切開の施行が許容される母体心停止後の経過時間については，信頼性の高いエビデンスは得られていない。母体および児の50%が後遺症なく生存退院できると予測される心停止から児娩出までの時間は，それぞれ25分，26分と推奨されている5分を大きく超えている[3]。

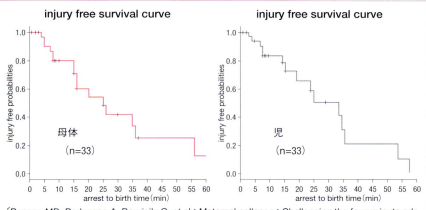

〔Benson MD, Padovano A, Bourjeily G, et al：Maternal collapse：Challenging the four-minute rule. EBioMedicine 6：253-257, 2016.より引用・改変〕

　したがって，仮に準備に手間どり心停止から10分以上が経過した場合でもあきらめずに心肺蘇生を継続しつつ帝王切開術を行い，母児の救命に努めるべきであろう。

1) Katz V, Balderston K, DeFreest M：Perimortem cesarean delivery：Were our assumptions correct? Am J Obstet Gynecol 192：1916-1921, 2005.
2) Einav S, Kaufman N, Sela HY：Maternal cardiac arrest and perimortem caesarean delivery：Evidence or expert-based? Resuscitation 83：1191-1200, 2012.
3) Benson MD, Padovano A, Bourjeily G, et al：Maternal collapse：Challenging the four-minute rule. EBioMedicine 6：253-257, 2016.

III 初期診療に必要なスキル

Primary Survey に必要なスキル

1. POCT（Point of Care Testing）
2. FASO
3. 心電図異常と病態
4. 産科危機的出血：全身管理と補充療法
5. 産科危機的出血：産科出血の経腟的および開腹止血法
6. 産科危機的出血：IVR（画像下治療）
7. 致死的出血におけるダメージコントロール戦略

III 初期診療に必要なスキル

Primary Survey に必要なスキル
1 POCT（Point of Care Testing）

● POCT

スライド 89

> **Point of Care Testing；POCT**
>
> 迅速に結果の出る検体検査
>
> - 現場でできる
> - リアルタイムにわかる
> - 臨床判断に結びつく
>
> 例
> ・血液ガス
> ・血算
> ・血糖測定
> ・溶連菌迅速抗原検査
> ・ウイルス迅速抗原検査
> ・血液粘弾性検査
> ・FibCare®（血液凝固分析装置）

　POCTは臨床現場，とくに患者の側にいる医療従事者が実施し，比較的簡便で中央検査室での検査結果よりも早期に結果を得ることができる，かつ，臨床判断を決定することに役立つ検査である[1]。POCTにより迅速な臨床的介入が可能となり，医療の質の向上が期待できる。また，繰り返しPOCTを実施することにより，治療効果の判定，介入行為の修正を行うことができる。産科領域では，凝固線溶系機能に対するPOCT活用の有用性が報告されている[2]。

スライド 90

血液（動脈血）ガスの基準値（非妊娠時と妊婦）

	非妊娠時	第1三半期	第2三半期	第3三半期
pH	7.40	7.44	7.44	7.44
PaO_2 (mmHg)	100	107	105	103
$PaCO_2$ (mmHg)	40	30	30	30
HCO_3^- (mmol/L)	24	21	20	20
BE (mmol/L)	0	—	—	—
AG (mmol/L)	12	—	—	—

妊婦は軽度の呼吸性アルカローシスを呈している

これら以外にも
- Hb，Ht
- Na，K，Cl，iCa（ionized Ca）
- 血糖値，乳酸値

などの項目が短時間で測定可能な血液ガス分析装置もある

　妊婦は子宮の増大により横隔膜の挙上と運動制限が起こる。この結果として呼吸器系の予備能力の低下が起こるが，プロゲステロンの呼吸刺激作用による1回換気量の増大，結果として分時換気量が増える。このため，妊婦は生理的に呼吸性アルカローシスである。しかし，腎の代償機構によりpHは7.40～7.45程度の値となる。

　産科施設には臍帯血分析のために血液ガス分析装置が設置されていることが多い。同一の装置を用いて，母体血を評価することで母体の酸塩基平衡を評価することが可能である。

　動脈血穿刺を避けたい，できないなどの場合，静脈血でも評価は可能である。このとき，pHは静脈血で動脈血よりおおよそ0.033程度低い値（動脈血pH＝静脈血pH＋0.033）[3)-5)]，HCO_3^-は静脈血で動脈血よりおおよそ1 mmol/L程度高い値（動脈血HCO_3^-＝静脈血HCO_3^-－1）となる[4)]。乳酸値は基本的に動脈血ガスを検討すべきであるが，静脈血が動脈血よりおおよそ0.18 mmol/L～1.06 mmol/L程度高い（動脈血乳酸値＝静脈血乳酸値－0.18～1.06）とされる[6)]。一方で，$PaCO_2$とPaO_2については，静脈血と動脈血間の関係を示すのは難しいとされる[3)]。結論として，代謝性障害については比較的容易に酸塩基平衡の状態が推定できるが，呼吸性アシドーシスを含む高二酸化炭素血症や酸素化の障害については静脈血液ガスからの推定は困難であり，動脈血液ガスによる評価が必要である。

スライド91

血液ガス評価の目的

- 酸塩基平衡の評価
- 酸素化・換気（$PaCO_2$）の評価
- 電解質（Na，K，Cl，iCa）の評価
- 乳酸値
- 血色素量（Hb）

　血液ガス評価の目的は，酸塩基平衡，酸素化，換気（具体的には $PaCO_2$）の評価が主たる対象である．酸塩基平衡については，現在のアシデミア，アルカレミアが代謝性障害によるものか，呼吸性障害によるものかを知ることを目的にする．酸素化および換気は呼吸のどこに問題があるかを推定するために，血液ガスの結果を用いる．酸塩基平衡の評価方法は生理学的方法，base-excess 法，Stewart 法が知られている[7)8)]が，臨床現場では，簡便さやその妥当性などの利点があること[9)]，とくに救急や集中治療の領域では生理学的方法が一般的である．生理学的方法については，初学者向けも含めた複数の優れた成書があるため，それらも参考にされたい[10)-12)]．Stewart 法は $PaCO_2$，強イオン（差），弱酸の総和によって H^+ 濃度が規定される，という定義に基づいて，酸塩基平衡を考える方法であり，酸塩基平衡の原因や病態までを深めることができる優れた方法である．しかし，数式を使用するなど現実にはアプリケーションを用いるなどが必要であり，簡便ではない．また，base-excess 法は，血液の pH を 7.40 に戻すために必要な酸の量を示す[13)]．base-excess がマイナスの場合，代謝性アシドーシスを呈していることがわかる．本書では生理学的方法を使用して，酸塩基平衡を解説する．

　多くの血液ガス検査装置が電解質，乳酸値，その他項目が測定可能であり，POCT として使用できる．

酸塩基平衡の評価

スライド 92　Step 1：pH のチェック

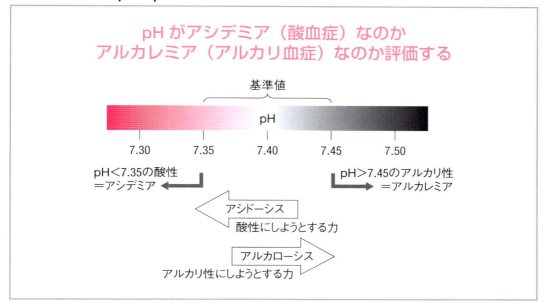

　酸塩基平衡の生理学的評価方法について述べる。前提として，生命活動を維持するためには，体内が適切な pH に維持されていることが必要である。動脈血 pH の正常範囲内は，7.40±0.05 である。これが 7.35 未満に逸脱するとアシデミア（acidemia），7.45 を超えるとアルカレミア（alkalemia）と呼ばれる。

　pH は HCO_3^- と CO_2 により規定される。つまり，アルカレミア，アシデミアが存在する場合，HCO_3^-，CO_2 の異常のいずれか，ないしは両者の異常の併存が起きている。しかし，一次性酸塩基平衡異常があっても代償機構により，pH が正常範囲となることもあるため，必ず Step 2 で酸塩基平衡の病態評価を行う。

スライド93　Step 2：アシドーシス・アルカローシスを検索する

呼吸性（$PaCO_2$）/代謝性（HCO_3^-）酸塩基平衡障害があるか評価する

● $PaCO_2$の評価

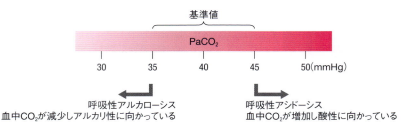

● HCO_3^-の評価

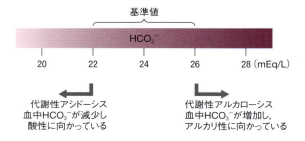

● 酸塩基平衡異常をみつけ出すことで病態の把握が可能となる

評価項目		病態		考えられる原因（例）
$PaCO_2$	上昇	呼吸性アシドーシス	換気量の低下 呼吸数の低下	意識障害，鎮静薬の使用 代謝性アルカローシスの呼吸性代償
	減少	呼吸性アルカローシス	換気量の増加 呼吸数の増加	妊婦の生理的変化 疼痛，発熱，心因性 代謝性アシドーシスの呼吸性代償
HCO_3^-	減少	代謝性アシドーシス	高乳酸血症*	循環不全，けいれん発作，肝不全
			高ケトン血症*	飢餓性，糖尿病性，アルコール性
			その他不揮発性酸の増加*	尿毒症，腎機能障害（重度），薬物中毒（サリチル酸，メタノール）
			塩基（HCO_3^-）喪失	下痢，尿細管アシドーシス，腎機能障害（軽度） 呼吸性アルカローシスの代謝性代償
	上昇	代謝性アルカローシス	酸（H^+）の喪失	嘔吐，低K血症，利尿薬の使用
			塩基（HCO_3^-）増加	クエン酸投与（大量輸血など），炭酸水素ナトリウムの投与 呼吸性アシドーシスの代謝性代償

＊ アニオンギャップ開大代謝性アシドーシスとなる➡Step 5：p161 参照

次に酸塩基平衡の病態評価として，pHを規定するPaCO$_2$，HCO$_3^-$の評価を行う。PaCO$_2$が上昇/減少している場合，呼吸性アシドーシス/アルカローシスと呼び，HCO$_3^-$が減少/上昇している場合，代謝性アシドーシス/アルカローシスと呼ぶ。

また，アシデミア（pH＜7.35）があれば必ず主たる（Primaryな）呼吸性もしくは代謝性アシドーシスが存在し，アルカレミア（pH＞7.45）があれば必ず主たる（Primaryな）呼吸性もしくは代謝性アルカローシスが存在する。例えば，pH 7.20（アシデミア）のとき，HCO$_3^-$が18 mmol/L，PaCO$_2$ 30 mmHgであれば，代謝性アシドーシスが主たる酸塩基平衡の異常である。一方で，pH 7.50（アルカレミア）のとき，前述と同様にHCO$_3^-$ 18 mmol/L，PaCO$_2$ 30 mmHgであれば，呼吸性アルカローシスが主たる酸塩基平衡の異常と考える。

さらに，それぞれの酸塩基平衡異常は合併し得る例を示す。

●代謝性アシドーシスと呼吸性アシドーシスの合併例

産科危機的出血が進行すると，循環不全により高乳酸代謝性アシドーシスをきたす。さらに循環不全が進行し，意識障害も呈すると低換気によるCO$_2$上昇により呼吸性アシドーシスを合併し得る。

●代謝性アルカローシスと呼吸性アルカローシスの合併例

悪阻による嘔吐により胃酸（H$^+$）が失われることで，代謝性アルカローシスをきたす。その状況で精神的緊張による心因性の過呼吸が発生すれば，PaCO$_2$低下による呼吸性アルカローシスが合併する。

●代謝性アシドーシスと呼吸性アルカローシスの合併例

糖尿病ケトアシドーシスはケトン体産生が原因の代謝性アシドーシスとなる。そこに，酸塩基平衡異常に対する代償機構としてPaCO$_2$を低下させるために過換気となることで，呼吸性アルカローシスを合併する。つまり，代謝性アシドーシスと呼吸性アルカローシスの合併が認められる。

複数の酸塩基平衡異常の合併を生理学的方法で明らかにしていくためには，次項column『酸塩基平衡を評価するためのStep 3以降の方法』やその他成書などを参考にされたい[10)-12)]。

> **column**
>
> ## 酸塩基平衡を評価するための Step 3 以降の方法
>
> **Step 3：呼吸性代償・腎性代償に注目する**
>
> 　アシデミア，アルカレミアに対して，人体は正常の pH に戻るように『代償機構』が働く。この代償機構の 1 例として，代謝性アシドーシスによるアシデミアを補正するために，換気を増やして $PaCO_2$ を減少させることで，pH を一定に保とうとする（呼吸性代償）。呼吸性アシドーシスに対して，腎の働きにより HCO_3^- を増やして，pH を正常化する（腎性代償）。これが代償機構である。この代償は，『$PaCO_2$ と HCO_3^- は同じ方向に動く』，『pH 7.40 に近づくが，完全には正常化しない』，『肺による代償（$PaCO_2$）は短時間で，腎による代償（HCO_3^-）は数日の時間がかかる』という原則がある。この代償の程度を示す。
>
> ・代謝性酸塩基平衡異常の場合
>
> | | HCO_3^- → | $PaCO_2$ |
> |---|---|---|
> | 代謝性アシドーシス | 1 mmol/L 低下 | 1.2 mmHg 低下 |
> | 代謝性アルカローシス | 1 mmol/L 上昇 | 0.7 mmHg 上昇 |
>
> ・呼吸性酸塩基平衡異常の場合
>
> | | | $PaCO_2$ → | HCO_3^- |
> |---|---|---|---|
> | 呼吸性アシドーシス | 急性 | 10 mmHg 上昇 | 1 mmol/L 上昇 |
> | | 慢性 | 10 mmHg 上昇 | 3.5 mmol/L 以上上昇 |
> | 呼吸性アルカローシス | 急性 | 10 mmHg 低下 | 2 mmol/L 低下 |
> | | 慢性 | 10 mmHg 低下 | 4 mmol/L 低下 |
>
> 　例えば，①HCO_3^- 14 mmol/L（正常値 24 mmol/L）の主たる代謝性アシドーシスが存在している場合，$PaCO_2$ は正常値から 12 mmHg 低下した【$(24-14) \times 1.2$】28 mmHg が予測される。呼吸性アシドーシス/アルカローシスに対する腎性代償は HCO_3^- の濃度を増減することによって行われる。腎性代償は急性と慢性では代償反応が異なる。②$PaCO_2$ 30 mmHg（正常値 40 mmHg）の呼吸性アルカローシスが存在する場合，慢性の腎による代償（HCO_3^-）の変化は 20 mmol/L と推定される（10 mmHg の低下のため，HCO_3^- は正常値より 4 mmol/L 低下する）。
>
> **Step 4：代償が適切か評価する**
>
> 　Step 3 で算出した推定の代償値と実際のデータを比較して，その他の酸塩基平衡の合併が存在しないか，検討をする。例えば上記①に $PaCO_2$ の測定値が 20 mmHg であれば，予想される $PaCO_2$ の代償値 28 mmHg よりも低く，呼吸性アルカローシスの合併が存在する。②において，HCO_3^- の実測値が 28 mmol/L であれば，代謝性アシドーシスが合併している。

Step 5：代謝性アシドーシスの場合，アニオンギャップを計算する

アニオンギャップ（Anion Gap；AG）の計算式が示すように，AG は血液ガスで測定できない陰イオンの総称である。正常時，アニオンギャップは主としてアルブミンや少量であるがリン酸塩や硫酸塩などを表わす。正常値はおおよそ 12 mmol/L である。

$$アニオンギャップ（AG）= Na^+ - (Cl^- + HCO_3^-)$$

AG が正常か否かにより，下記のような鑑別診断が考えられる。

AG 正常代謝性アシドーシス：下痢，尿細管アシドーシス，腎機能障害（軽度），生理食塩水大量投与，アセタゾラミド

AG 開大代謝性アシドーシス：乳酸性，ケトアシドーシス，尿毒症，腎機能障害（重度），薬物中毒（サリチル酸，メタノールなど）

Step 6：HCO_3^- の補正値を求める（代謝性アシドーシスでアニオンギャップが正常値を超える場合）

アニオンギャップが 12 mmol/L を超える場合，補正した HCO_3^- を算出する。測定された AG から正常値 12 を引き，その分を測定された HCO_3^- に加える。

$$補正 HCO_3^- = HCO_3^-（測定値）+ (AG-12)$$

補正 HCO_3^- の値を Step 2 と照らし合わせて，再度代謝性アシドーシス/アルカローシスの合併を評価する。

主たる参考文献
　田中竜馬：竜馬先生の血液ガス白熱講義 150 分，中外医学社，東京，2017.

酸素化・換気の評価

スライド 94

酸素化の評価

- 低酸素血症：$PaO_2 \leqq 60$ mmHg
- P/F 比
  - PaO_2 を吸入酸素濃度（FiO_2）*で割る（PaO_2/FiO_2）
  - P/F 比 300 mmHg 以下：軽度酸素化不良
  - P/F 比 200 mmHg 以下：中等度酸素化不良
  - P/F 比 100 mmHg 以下：高度酸素化不良
- 低酸素は母体の脳に不可逆的障害を生じる危険性があるため、早期に対応が必要となる

次に動脈血液ガスによる酸素化・換気の評価について述べる。

低酸素血症の定義は PaO_2 が 60 mmHg 以下であるが、一方で P/F 比は肺胞における O_2 の拡散能を示す指標となる。そのため、低酸素血症でなくとも、吸入酸素濃度に見合わない酸素化能低下を P/F 比でみつけることができる。

低酸素血症は母体脳に不可逆的障害を引き起こす危険性があるため、呼吸管理として、FiO_2 を上げることに加え、早期に PEEP（呼気終末陽圧）を導入することを考慮する必要がある。

スライド 95

換気の評価

- 高二酸化炭素血症：$PaCO_2 \geqq 45$ mmHg
  ※妊娠後期の妊婦基準値（30 mmHg）は通常の呼吸管理に加え留意する
- 高二酸化炭素血症は主に換気障害によるものであり、補助換気などの呼吸管理が必要である
- B の評価では必ず、PaO_2、$PaCO_2$ に加えて呼吸回数や呼吸努力の有無を評価する

高二酸化炭素血症の定義は $PaCO_2$ が 45 mmHg 以上であり、原因としては主に換気障害によるものが多い。対応として、低酸素血症に対する対応（FiO_2 を上げる、PEEP の導入）ではなく、補助換気などの呼吸管理（呼吸回数の増加、換気量の増加）を行う必要がある。また、PaO_2 や $PaCO_2$ の数値だけでは呼吸仕事量の評価はできないため、B の評価では必ず呼吸回数や呼吸努力の有無も評価する。

その他項目の評価

スライド 96

電解質の評価

- 動脈血液ガスでは主に（Na，K，Cl，iCa）の評価を行う
- 電解質異常により，さまざまな症状や所見を呈する
- 産科危機的出血における注意すべき電解質異常
  - 大量輸血やアシドーシスによる K 上昇
  - 大量輸血による iCa の低下
- POCT として継続的に再評価していくことが重要である

スライド 97

イオン化カルシウム（iCa）

- iCa＞1.0 mmol/L を目標に管理する
- 急速大量輸血の場合，血液保存液中のクエン酸により iCa がキレート化され，iCa 血中濃度が低下する
  ➡ 対応として，8.5％ グルコン酸カルシウムや 2％ 塩化カルシウムで補正する
  例）輸血 1 単位ごとにカルシウム製剤 1mL を目標とし，POCT で評価する
- iCa 低下による弊害
  - 血圧低下
    （心収縮力低下，末梢血管平滑筋の収縮不良）
  - 血液凝固異常（iCa は第Ⅳ凝固因子）
  - テタニー

スライド 98

血色素量（Hb）

- ヘモグロビンは末梢組織への酸素運搬に必要な要素の1つである
  ➡ 貧血が進行すると乳酸値は上昇する
- 産科危機的出血では，循環不全を改善するために Hb 7 g/dL 程度を目標とする
- RBC 投与の際は，希釈性凝固障害，低体温，iCa 低下に注意しながら管理を行う

スライド 99

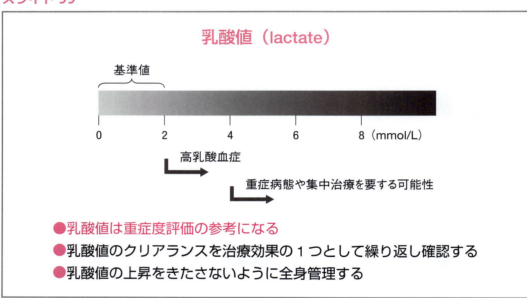

- 乳酸値は重症度評価の参考になる
- 乳酸値のクリアランスを治療効果の1つとして繰り返し確認する
- 乳酸値の上昇をきたさないように全身管理する

　組織が低酸素状態になると，嫌気性代謝による ATP 産生に頼らざるを得なくなり，その際に蓄積したピルビン酸が乳酸脱水素酵素（LDH）により乳酸へ転換され，高乳酸血症となる。

　つまり，産科危機的出血に伴う循環不全や，全身けいれんによる低酸素状態などで乳酸値は上昇する。

　乳酸値の主たる単位は「mmol/L」と「mg/dl」が存在する。本書では，救急外来などの初療室で使用されることが多い「mmol/L」を使用する。なお，両単位は「mmol/L＝mg/dL×0.11101」で換算される。

スライド 100

その他のPOCT装置

- 血液凝固分析装置 FibCare®
- TEG®・ROTEM® などの血液粘弾性検査*
- 迅速 PT-INR 測定装置
- 迅速 Cr 測定装置

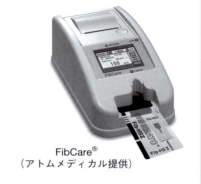

FibCare®
（アトムメディカル提供）

　その他のPOCTとして，迅速に血中フィブリノゲン値が測定できる血液凝固分析装置（FibCare®）や，凝固異常の評価が可能な血液粘弾性検査（TEG®・ROTEM®）などがある。

　これらの装置を使用することで，中央検査室の結果を30分～1時間ほど待つ必要があったものが，数分～15分程度で治療方針を決定できる可能性がある。

* column『産科危機的出血への新たなPOCT：血液粘弾性検査』（p167）参照

スライド 101

> **まとめ**
> - POCT は迅速に結果の出る検体検査のことである
> - 血液ガス分析装置を用いて，母体血を評価する
> - 動脈血液ガスは酸塩基平衡，酸素化・換気，電解質，乳酸値などの評価が可能である
> - POCT における酸素化，換気の評価では，呼吸仕事量の評価はできない
> - 大量輸血は iCa の低下や K の上昇を引き起こし得る
> - 乳酸値は母体の重症度評価に有用である
> - 出血症例では，血液凝固分析装置や血液粘弾性検査による凝固障害の評価を行うことで，迅速な治療方針の決定が可能となり得る
> - POCT は継続的に再評価を行っていく

文 献

1) Gerald JK：Goals, guidelines and principles for point-of care testing. Principles & Practice of Point of-Care Testing, Gerald JK, ed, Lippincott Williams & Wilkins, New York, 2001, pp1-12.
2) Karlsson O：Experience of point-of-care devices in obstetrical care. Semin Thromb Hemost 43：397-406, 2017.
3) Byrne AL, Bennett M, Chatterji R, et al：Peripheral venous and arterial blood gas analysis in adults：Are they comparable? A systematic review and meta-analysis. Respirology 19：168-175, 2014.
4) Bloom BM, Grundlingh J, Bestwick JP, et al：The role of venous blood gas in the emergency department：A systematic review and meta-analysis. Eur J Emerg Med 21：81-88, 2014.
5) Gokel Y, Paydas S, Koseoglu Z, et al：Comparison of blood gas and acid-base measurements in arterial and venous blood samples in patients with uremic acidosis and diabetic ketoacidosis in the emergency room. Am J Nephrol 20：319-323, 2000.
6) van Tienhoven AJ, van Beers CAJ, Siegert CEH, et al：Agreement between arterial and peripheral venous lactate levels in the ED：A systematic review. Am J Emerg Med 37：746-750, 2019.
7) 藤井智子：代謝性アシドーシス. INTENSIVIST 7：445-456, 2015.
8) 宮内隆政, 藤谷茂樹：Stewart approach. INTENSIVIST 7：470-476, 2015.
9) Berend K, de Vries AP, Gans RO：Physiological approach to assessment of acid-base disturbances. N Engl J Med 371：1434-1445, 2014.
10) 柴垣有吾：より理解を深める！体液電解質異常と輸液, 改訂第 3 版, 中外医学社, 東京, 2007.
11) 丸山一男：酸塩基平衡の考え方, 南江堂, 東京, 2019.
12) 須藤博：Dr. 須藤の酸塩基平衡と水・電解質；ベッドサイドで活かす病態生理のメカニズム, 中山書店, 東京, 2015.
13) Berend K：Diagnostic use of base excess in-acid-base disorders. N Engl J Med 378：1419-1428, 2018.

column

産科危機的出血への新たなPOCT：血液粘弾性検査
〔viscoelastic test（VET）/viscoelastic hemostatic point-of-care assays〕

VETの位置づけ

　救命救急・集中医療や麻酔領域では，外傷による出血や心臓手術などで出血の制御や輸血戦略を決定する方法として，血液粘弾性検査（viscoelastic test：VET）が用いられている[1]。最近，VETは産科領域でも緊急性のある出血病変に対する新たなPOCTとして注目されている[2]。産科危機的出血に対する有用性を示したシステマティックレビュー[3]が報告され，胎盤早期剥離に対する輸血戦略の選択に有用とする報告もある[4]。

　産科危機的出血ではフィブリノゲン（Fg）値やその機能の低下および線溶系亢進を早期に認識すべきである。VETは検査開始から10〜15分以内の短時間で出血病態の鑑別が可能であり，VETを使用することにより中央検査室の結果を待たずに止血・輸血戦略を決できる[5)6)]。

VETの原理

　VETの基本原理は，全血のサンプル内で血餅が形成されていく血小板（PLT）凝集と血液凝固の過程を，弾性粘度（血餅の硬さ）として経時的に計測することである（図1）。血餅形成にかかわる経路や因子を促進あるいは阻害する試薬を用いることで，出血病態の鑑別（①外因系，②内因系，③Fg不足/機能不全，④線溶系，⑤ヘパリン効果）が可能になる。わが国ではTEG®とROTEM®がよく知られた検査装置であり，両者とも本質的には同じ原理を用いている（本書が一方の使用を推奨するものではない）。

図1　典型的なTEMogram　　〔図提供：Werfen/アイ・エル・ジャパン〕

CT［秒］：検査開始からフィブリン産生開始までの時間
CFT［秒］：形成された血餅硬度が20 mmに達するまでの時間
ML［％］：線溶により血餅が溶解しMCFから低下した硬度の割合

産科領域での使用例

　参考として ROTEM® について解説する。PLT 機能を抑制し Fg 機能をみる検査系（FIBTEM）と PLT と Fg の機能をみる検査系（EXTEM）の A5 ないし A10 の値から，早期に Fg 不足/機能低下や線溶亢進を判断できる[5]。例えば，FIBTEM A5＜9 mm は Fg 不足/機能低下や線溶亢進が示唆され，EXTEM A5≦35 mm は PLT 低下，Fg 不足/機能低下，線溶亢進，PLT 低下のいずれかが示唆される。FIBTEM の ML%（線溶の効果）が経時的に上昇すれば線溶亢進が示唆される。これらを検知できれば，フィブリノゲン濃縮製剤（FC）や FFP の積極的投与，線溶亢進に対するトラネキサム酸の投与を評価できる。

　1 例として，線溶亢進・Fg 低下（病態としては消費性凝固障害）による産科危機的出血の，FC および FFP 投与前後の検査所見を示す。輸血介入前は，FIBTEM A10 は測定感度以下であり，著しい Fg 低下と線溶を示唆する一方で，血小板機能は残存しており，Fg 低下による血餅硬度低下と考えられる（図 2）。FC による Fg 補充と FFP による凝固因子全般の補充によって，血餅硬度は大きく改善している（図 3）。このように VET は治療介入の効果判定に対しても有用性がある。

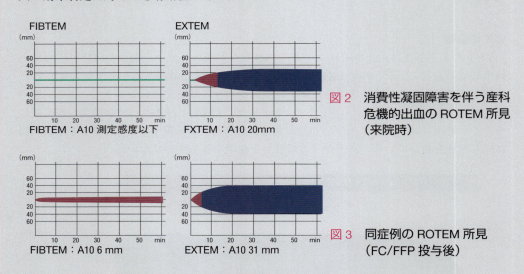

図 2　消費性凝固障害を伴う産科危機的出血の ROTEM 所見（来院時）

図 3　同症例の ROTEM 所見（FC/FFP 投与後）

1) 香取信之：線溶検査としての血液粘弾性検査の可能性；ROTEM, ClotPro. 日血栓止血会誌 34：332-337，2023.
2) Dias JD, Butwick AJ, Hartmann J, et al：Viscoelastic haemostatic point-of-care assays in the management of postpartum haemorrhage：A narrative review. Anaesthesia 77：700-711, 2022.
3) Amgalan A, Allen T, Othman M, et al：Systematic review of viscoelastic testing (TEG/ROTEM) in obstetrics and recommendations from the women's SSC of the ISTH. J Thromb Haemost 18：1813-1838, 2020.
4) Brandt JS, Ananth CV：Placental abruption at near-term and term gestations：Pathophysiology, epidemiology, diagnosis, and management. Am J Obstet Gynecol 228：S1313-S1329, 2023.
5) Görlinger K, Pérez-Ferrer A, Dirkmann D, et al：The role of evidence-based algorithms for rotational thromboelastometry-guided bleeding management. Korean J Anesthesiol 72：297, 2019.
6) Collins P：Point-of-care coagulation testing for postpartum haemorrhage. Best Pract Res Clin Anaesthesiol 36：383-398, 2022.

Ⅲ 初期診療に必要なスキル

Primary Survey に必要なスキル
2 FASO

スライド 102

FASO（focused assessment with sonography for obstetrics）

- 妊産婦の急変時には迅速な原因検索とバイタルサインの評価を行う
- 迅速に原因検索を行うために，超音波検査はベッドサイドでリアルタイムに施行可能であることから，point of care ultrasound（POCUS）が有用とされている
- 救急医療における外傷領域では，腹腔内出血の有無や出血源を迅速に評価するための forcused assessment with sonography for trauma（FAST）が施行されてきたことを受け，妊産婦版の forcused assessment with sonography for obstetrics（FASO）が施行されるようになった
- FASO は経腹的に施行する POCUS に含まれる
- 胎児が存在する妊娠中および分娩後では，評価のポイントが異なるため 2 つのパターンに分けて解説する

スライド 103

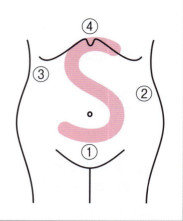

FASO（分娩後）

【子宮内腔】
・凝血塊
・胎盤・卵膜遺残
・子宮内反症

【胸腹部】
・Douglas 窩
・脾周囲および肝（Morison 窩）周囲
・心筋の動き＋心嚢液＋下大静脈径

・分娩（胎児・胎盤娩出）後に確認すべき FASO の所見を示す。
・①子宮周囲から，②脾周囲（脾腎境界）および左胸腔内の echo-free-space（EFS），③肝周囲（Morison 窩）および右胸腔内の EFS，④心筋の動き，心嚢液貯留，および下大静脈径の順に超音波検査で確認する。
・FASO を行う際は，①〜④のプローブ操作手順で母体の下腹部から胸部にかけて，大きな S の字を描くように超音波プローブを操作すると，系統的に胸腹部の EFS の有無を確認できる。
・所見を確認するための①〜④のプローブ操作手順は，胎児の有無にかかわらず同様である。

スライド 104

①子宮内腔，子宮の形状　　②Douglas窩

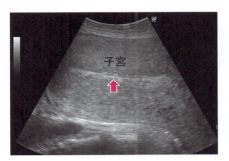
↑：線状の子宮内腔

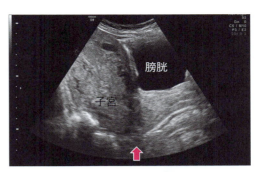
↑：Douglas窩

- 分娩（胎児・胎盤娩出）後のFASOにおける子宮およびその周囲の超音波所見を示す。
- 生理的に子宮内腔は線状エコーを認め，子宮復古に向かう。子宮破裂などの損傷がなければ，Douglas窩などの子宮周囲にEFSは認めない。

スライド 105

③Morison窩　　④脾腎境界

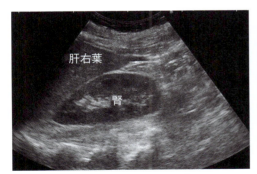

右側腹部から超音波プローブをあて，肝右葉と右腎を描出し，Morison窩に腹腔内出血に伴うEFSの有無を確認する

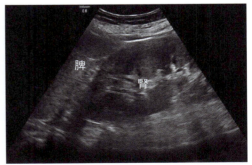

左側腹部から超音波プローブをあて，脾と左腎を描出し，脾周囲に腹腔内出血に伴うEFSの有無を確認する

スライド 106

⑤右肺肝境界

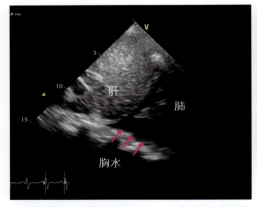

側腹部から腹腔内のEFSの有無を確認後に，そのまま頭側にスライドさせると，胸腔内のEFSの有無を確認できる。本画像はセクタープローブであるが，コンベックスプローブでも同様の所見が確認できる

⑥心筋の動き，心嚢液

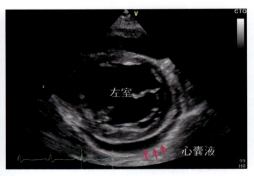

心窩部または前胸壁に超音波プローブをあて，母体心臓の心筋の動きを確認する。心嚢液を認める場合は心筋の外側にEFSが確認できる

⑦下大静脈径

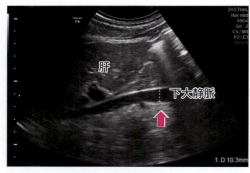

↑：測定位置

下大静脈ができるだけ長く描出される断面で，肝右葉辺縁直下の血管を静脈壁に垂直かつ内側から内側を計測する

スライド107

子宮内腔の異常所見：胎盤・卵膜遺残

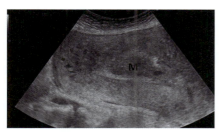

M：子宮内腔の肥厚と腫瘤像

B-mode
- 子宮内腔の肥厚
- 子宮筋層と比較して高輝度〜等輝度の腫瘤像

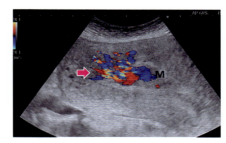

M：子宮内腔の腫瘤像，➡：腫瘤像への血流

color doppler 法
- 子宮筋層から腫瘤像への血流
- 仮性動脈瘤や動静脈奇形との鑑別が重要

- 子宮出血の際に，子宮内の腫瘤性病変が確認できる場合がある。
- 胎盤遺残では子宮復古が障害されることが出血の原因である。
- 胎盤遺残は，B-mode では不均一エコー像として，color doppler 法では腫瘤へ流入する flow が確認できることがある。
- 近年，分娩後の RPOC（retained product of conception）による後期分娩後異常出血が問題となっている。生殖補助医療のホルモン補充周期で妊娠した場合，脱落膜の肥厚が不十分だとそのリスクが高くなるといわれている。

スライド108

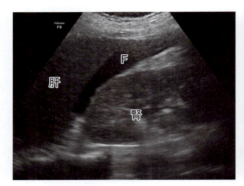
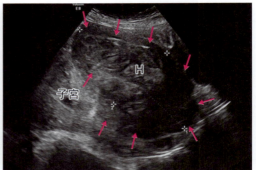

子宮破裂

F：Morison 窩の EFS

H：膀胱子宮窩の網状腫瘤像

- 子宮破裂部位の high echoic area
- 子宮外の EFS
- 子宮外の血腫（矢印）を疑わせる網状腫瘤像

- 子宮破裂を含む臓器損傷がある場合，子宮周囲の EFS を確認できることがある。
- 腹腔内出血が増加すると Morison 窩や脾周囲に EFS が確認できるようになる。血液が凝固すると，不均一エコー像として描出される。

スライド109

子宮内反症

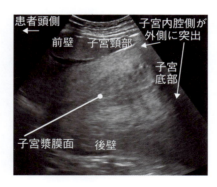

- 矢状断面で子宮底部が内腔に陥入している像

- 子宮底部が反転し，子宮頸部に食い込むような像は子宮内反症を疑う。
- 子宮内反症では胎盤娩出後に子宮底部内膜面が子宮口から露出しており，一見して何が起きているのかわからないことがあるが，FASO を行うことで診断が容易になる。
- 矢状断面では子宮底部が子宮頸部方向に反転し陥入している像が，横断面では子宮内腔に高輝度な腫瘤像とその周囲の低輝度領域（target sign）が確認できることがある。

スライド 110

FASO（妊娠中）

【子宮内腔】
- 胎位
- 胎児心拍
- 胎盤後血腫
- 胎盤・臍帯付着部位

【胸腹部】
- Douglas 窩
- 脾周囲および肝（Morison 窩）周囲
- 心筋の動き＋心嚢液＋下大静脈径

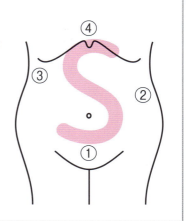

- 所見を確認する順番は分娩後と同様である。また，子宮以外の胸腹部における確認すべき超音波所見についても，分娩後と同様である。
- 子宮内の所見について，胎児心拍の有無，胎位，胎盤後血腫の有無，胎盤の付着位置といった所見を確認する。
- 子宮内の所見は母体の管理においても重要な所見である。

スライド 111

胎盤早期剥離（早剥）

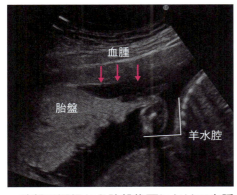

胎盤の辺縁から胎盤後面にかけて血腫が確認できる

- 胎盤と子宮筋層の間隙に血腫が確認されれば，診断は確定的である
- 発症早期には血腫の所見が明らかでない場合があるため，否定できるまで繰り返し観察する必要がある

- 早剥発症後の時間によって，凝固前の新鮮血や血漿成分は比較的均一な低エコー領域，血腫形成した凝血塊は不均一な比較的高輝度エコー領域まで多様な超音波所見をみることがある。

スライド 112

胎盤・臍帯付着部位

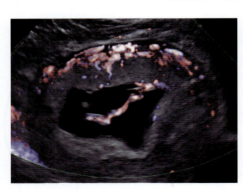

- 胎盤付着は子宮前壁か，後壁か，子宮体下部ではないかを確認する
- 臍帯は胎盤実質上にあるかを確認する
- 児の娩出方法にかかわる超音波所見の確認が重要である

スライド 113

まとめ（FASO）

- 妊産婦の急変に対して鑑別診断を目的とした FASO を行う
- 妊産婦の意識がない場合，胎児の有無を評価する
- 胎児がいる場合：児と胎盤を評価する
- 胎児がない場合：子宮内腔を評価する
- 母体の腹腔，胸腔，心臓を評価する
- 分娩後出血の鑑別診断ができる
- 後腹膜血腫の検出は困難である
- 経時的に繰り返し施行することが大切である

参考文献

1) Oba T, Hasegawa J, Sekizawa A：Postpartum ultrasound：Postpartum assessment using ultrasonography. J Matern Fetal Neonatal Med 30：1-4, 2016.

column

子宮仮性動脈瘤

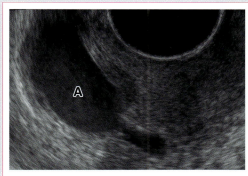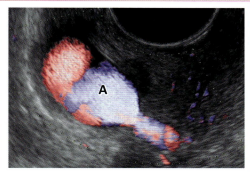

A：子宮仮性動脈瘤

- 頻度はまれであるが，仮性動脈瘤が子宮出血の原因となる場合がある。
- B-mode で辺縁整な低輝度腫瘤として観察される。
- color doppler 法を用いることにより，腫瘤内腔の乱流が観察される。
- このような仮性動脈瘤内腔では，血流の方向が頻回に変化するため，duplex doppler image では，to-and-fro pattern として，また速い流速と高い抵抗値を示す波形が観察される。

子宮動静脈奇形

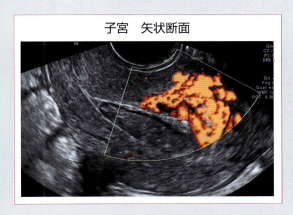

子宮　矢状断面

- 頻度はまれであるが，子宮動静脈奇形が子宮出血の原因となる場合がある。
- B-mode では子宮内腔に異常を認めない場合が多く，また，子宮筋層もしくは子宮筋層に接した多発する低〜無エコーパターンとして観察される。
- color doppler 法では，粒状のモザイクパターンが多数観察される。duplex doppler image では速い流速で抵抗値の低い波形が観察される。

III 初期診療に必要なスキル

Primary Surveyに必要なスキル
3 心電図異常と病態

スライド 114

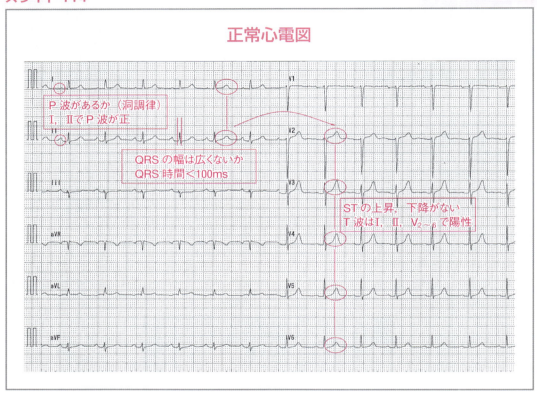

重症母体のPrimary Surveyにおいて，circulationすなわち循環動態の評価は必須である．初期は心電図モニターで代用されるが，12誘導心電図は，致死性不整脈や心筋梗塞などの緊急治療が必要な疾患の鑑別診断に役立つとともに，胸部X線，心エコーとあわせて，詳細な循環器疾患の鑑別と循環動態の考察を可能にする．心電図波形の正常値は，妊娠中も，非妊娠時と同じである．

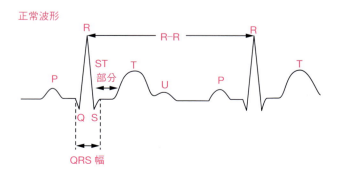

スライド 115

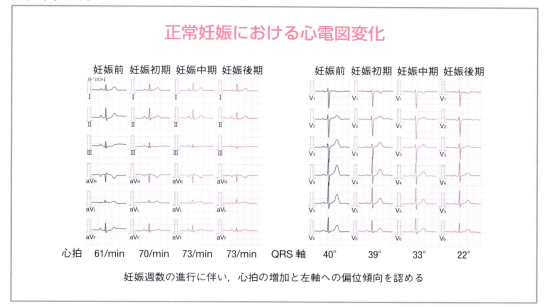

　妊娠中は交感神経活性が亢進し，妊娠後期の母体心拍は非妊娠時の約 1.2 倍に増加している。妊娠週数の進行（妊娠子宮の増大）とともに横隔膜が挙上し，心臓が左方にローテートするため，12 誘導心電図では左軸への偏位を認める。また，正常妊婦において，前胸部誘導での T 波陰性化や軽微な ST 変化が出現する場合もあるが，有意な ST 上昇を認めることはない。

スライド 116

心電図異常

- 期外収縮

- 頻脈性不整脈
    洞性頻脈
    上室性頻拍
    心房粗動・細動
    脈あり/脈なし心室頻拍（脈なしは心停止）
    心室細動（心停止）

- 徐脈性不整脈
    洞不全症候群
    房室ブロック

- ST変化（虚血疑い）
- その他の異常

　重症母体では必要に応じて速やかに12誘導心電図を記録する。とくに失神やけいれんで不整脈を考慮すべきときや，胸痛，背部痛，胸部圧迫感，呼吸困難，顎～頸～肩～腕の放散痛では10分以内の12誘導心電図評価が必要である。

　急性冠症候群（ACS）はST上昇型心筋梗塞（ST-elevation myocardial infarction；STEMI）と非ST上昇型急性冠症候群（non-ST-elevation ACS；NSTE-ACS）に分けられるが，STEMIは早期に血栓溶解療法や経皮的冠動脈インターベンション（percutaneous coronary intervention；PCI）を開始することが重要である[1]。

スライド 117

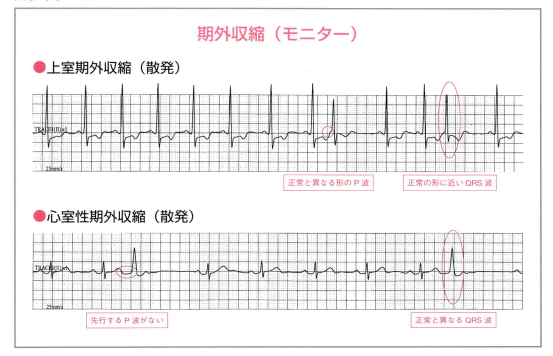

　上室性期外収縮や心室性期外収縮は，よく見かける不整脈であり，一般に循環動態が大きく変動する妊娠中は増加傾向にある。多くの場合で期外収縮が単独で発生しているが，なかに，器質的心疾患を伴う場合がある。そこで，これまで精査されていない期外収縮の散発を認める妊産婦においては，心疾患の合併を除外するための心エコーや，頻度・連発の有無を確認するためのホルター心電図などを行う。

スライド118

頻脈性不整脈―洞性頻脈

- HR 100/min 以上
- P-QRS 関係が 1：1
- Ⅰ，Ⅱ，aV_F 誘導の P 波が陽性

妊産婦における洞性頻脈の原因疾患・病態

出血その他ショック状態
悪阻・脱水
薬剤性（リトドリン塩酸塩など）
心不全（器質的心疾患，周産期心筋症など）
急性冠症候群
肺血栓塞栓症
甲状腺機能亢進症
感染症・敗血症
パニック障害などの心因性　　　　　　など

　妊娠による心拍数の増加や貧血，増大子宮の下大静脈圧迫による静脈還流量の低下などを背景に，正常妊産婦でも動悸の訴えは多い。そのような訴えのほとんどが妊娠による洞性頻脈であり，動悸症状が必ずしも有意な不整脈に起因しない，という点が周産期の特徴である。

　重症母体において頻脈を認める際は，まず，P-QRS 関係を確認し，洞性頻脈かその他の不整脈かを鑑別する。

　P-QRS 関係が 1：1 で Ⅰ，Ⅱ，aV_F 誘導の P 波が陽性であれば，ほぼ洞調律と考えてよい。陰性 P 波を認める場合は心房頻拍（洞結節以外の心房の別部位に異所性の興奮起源が存在）を，QRS の後ろに P 波を認める場合はリエントリー性の発作性上室性頻拍の可能性が高い。

　妊産婦で洞性頻脈を認める場合，スライドのような病態・疾患を鑑別診断にあげる。洞性頻脈が直接的に血圧の低下や意識の障害をきたすことはないため，これらの状態を認める際はほかの検査を追加し，出血や心不全，肺血栓塞栓症など，洞性頻脈と血圧低下・意識障害の原因となる疾患・病態について鑑別診断する。

スライド 119

頻脈性不整脈—心室頻拍

- 幅広い QRS 波形
- HR 100/min 以上で 3 連発以上連続する
  基線を中心に QRS 波形の極性が周期的に変化 ➡ torsade de pointes
- 単形性心室頻拍

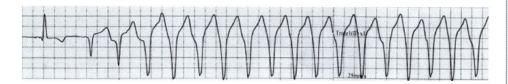

- torsade de pointes

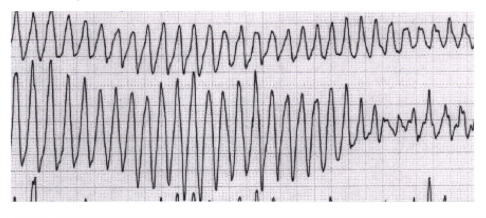

　His 束分岐部以下に起源を有する幅の広い QRS 波形が，100/min 以上の速さで，3 連発以上連続するものを心室頻拍という。特発性心室頻拍の症例もあるが，多くは器質的心疾患を伴っている。器質的心疾患合併妊娠の 1〜2％に，臨床上有意な心室頻拍を認め，妊娠後半の出現が多い。心筋症や心不全症例に多く，心室頻拍を合併した症例では，母体死亡や新生児死亡，早産，低出生体重などもより高率に認める[2]。血行動態が不安定な場合は，電気的除細動を施行する。安定していれば，β遮断薬やベラパミル，ソタロールやほかの抗不整脈薬による薬物治療を行う[3]。心室頻拍中の QRS 波形が一定である単形性心室頻拍と，QRS 波形が変化する多形性心室頻拍に分類される。多形性心室頻拍のなかで，基線を中心に QRS 波形の極性が周期的に変化を繰り返すものを torsade de pointes と称し，後述の QT 延長症候群などでみられる。重症例では植え込み型除細動器の適応を検討する。

スライド 120

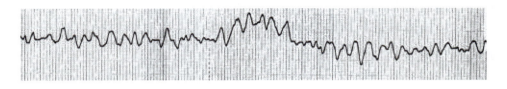

心室筋細胞が無秩序に脱分極―再分極を繰り返す状態であり，心電図では振幅，周期とも不規則な波形の連続となって記録される。致死性不整脈であり，直ちに胸部圧迫や子宮左方移動を含む心肺蘇生，除細動を行う。

スライド 121

徐脈性不整脈

● HR 60/min 以下
　・P-QRS 関係は一定であるが，P 波の出現が不規則 ➡ 洞不全症候群
　・P 波と QRS 波が無関係に出現 ➡ 完全房室ブロック

洞不全症候群

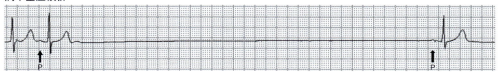

7.3 秒の洞停止を認める

完全房室ブロック

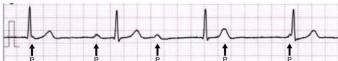

P 波と QRS 波が無関係に出現している

　妊娠中は心拍数が増加するため，非妊娠時にペースメーカの適応がない徐脈症例では，問題なく妊娠・出産を終えることが多い。一方，産後は，妊娠中の交感神経活性の亢進が解除され，一時的に副交感神経優位になる。徐脈性不整脈をもつ女性では，産後の徐脈の増悪に注意する[4]。

洞不全症候群
　洞結節や洞房伝導能の機能低下により，めまい・失神・Adams-Stokes 発作をきたし得る症候群である。多くは緩徐に進行するが，急性心筋梗塞や心筋炎では急激に進行し得る。心電図では一定の P-QRS 関係を有しているが，P 波の出現が不定規則である。また，一部に心房細動を含む上室性頻拍が合併する徐脈頻脈症候群を認める。

完全房室ブロック
　不整脈により脳血流が減少し，めまい，失神，けいれんなどを生じる一過性の脳虚血発作を Adams-Stokes 発作というが，その半数以上が，房室ブロックが原因である，といわれている。急性心筋梗塞や心筋炎，感染性心内膜炎などでは，急速に房室ブロックが進行する場合がある。既往のない妊産婦の失神と高度房室ブロックを認める際には，これらの原因疾患について鑑別し，適宜ペーシング留置などで対応する。完全房室ブロックの心電図では，P 波と QRS 波がまったく無関係に出現している。

スライド122

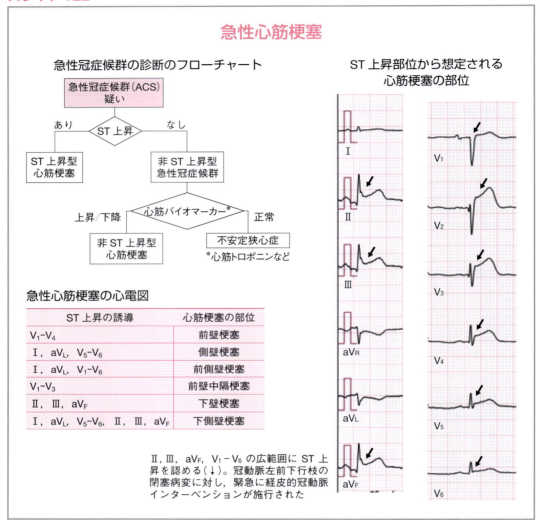

Ⅱ，Ⅲ，aV$_F$，V$_1$–V$_6$の広範囲にST上昇を認める（↓）。冠動脈左前下行枝の閉塞病変に対し，緊急に経皮的冠動脈インターベンションが施行された

急性冠症候群（ACS）は，ST上昇を伴う心筋梗塞（ST-elevation myocardial infarction；STEMI）とST上昇を伴わない非ST上昇型急性冠症候群（non-ST-elevation ACS；NSTE-ACS）に分類される。STEMIでは，採血結果を待たずに直ちに再灌流療法の適応を検討する。有意なST上昇とは，隣接する2つ以上の誘導で次のように定義され[5]，おおよその心筋梗塞の部位を知ることができる。

【V$_{2-3}$誘導】
　40歳以上の男性の場合：2.0 mm以上
　40歳未満の男性の場合：2.5 mm以上
　女性の場合：年齢を問わず1.5 mm以上

【V$_{2-3}$誘導以外】
　1.0mm以上

ST上昇を認めない場合，経時的に心筋トロポニンやCK-MBなどの心筋バイオマーカーを測定し，非ST上昇型心筋梗塞（non-ST-elevation myocardial infarction；NSTEMI）と不安定狭心症（unstable angina；UA）の鑑別を行う。

スライド 123

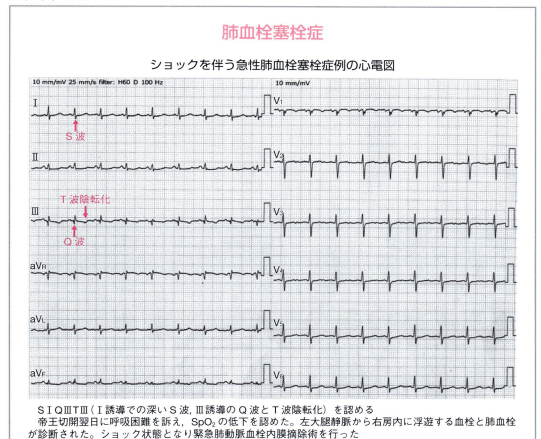

肺血栓塞栓症
ショックを伴う急性肺血栓塞栓症例の心電図

SⅠQⅢTⅢ（Ⅰ誘導での深いS波，Ⅲ誘導のQ波とT波陰転化）を認める
帝王切開翌日に呼吸困難を訴え，SpO_2の低下を認めた。左大腿静脈から右房内に浮遊する血栓と肺血栓が診断された。ショック状態となり緊急肺動脈血栓内膜摘除術を行った

　妊産婦では凝固能が亢進しているために，血栓塞栓症リスクが高まる。重症肺血栓塞栓症では，洞性頻脈を高頻度に認める。心電図変化としては，右側前胸部誘導の陰性T波（右室の虚血所見），SⅠQⅢTⅢ，右脚ブロック，ST低下，肺性Pなどを，中等度以上の急性肺血栓塞栓症で右心負荷を示す症例に認める[6]ことがあるが，全例に認められるわけではないため，注意が必要である。

　循環虚脱あるいは心肺停止状態ではV-A ECMOを早期導入する。V-A ECMO装着例やショック状態であれば，抗凝固療法に加えて，血栓溶解療法や外科的もしくはカテーテル的血栓摘除術を施行する。

スライド124

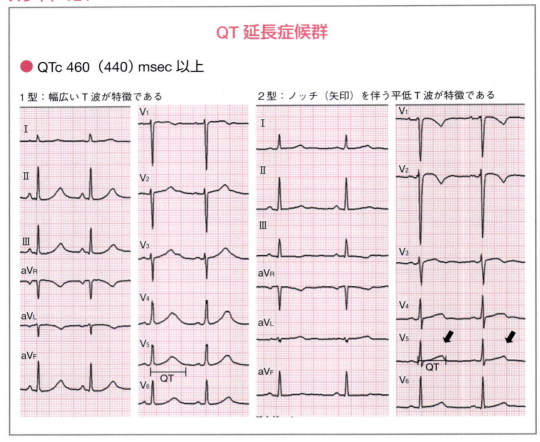

QT時間とはQRS波の始まりからT波の終わりまでで，心室筋細胞の活動電位持続時間，すなわち心室興奮の開始から終了（脱分極から再分極）までの時間をいう。心電図のQT時間の延長に伴い，torsade de pointes（TdP）を引き起こし，失神や突然死の原因となる。イオンチャネルなどに関与する遺伝性を認める先天性QT延長症候群と，薬剤や徐脈，電解質異常など，QT延長の明らかな原因が存在し，これを取り除けばQT時間がほぼ正常化する後天性QT延長症候群に分類される。Bazett式により心拍数補正した修正QT時間（$QTc=QT\sqrt{RR}$）が440 msec以上の場合にQT延長と定義されるが，440〜460 msecは境界域であり，健常者にも時に認める。また，女性は男性に比べてややQT時間が長い。特徴的なQT延長症候群の心電図を示す。

先天性QT延長症候群では，妊娠中よりも産後に不整脈イベントが多いことが知られている[7][8]。TdPの停止と急性期の再発予防には硫酸マグネシウムの静注が有効である。また，β遮断薬の予防的内服がイベント予防に有効である。

スライド 125

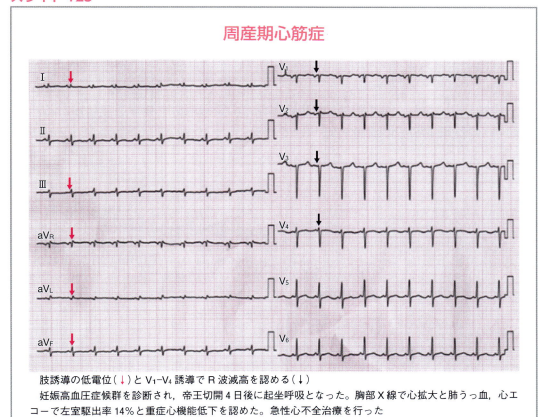

肢誘導の低電位（↓）と V_1–V_4 誘導で R 波減高を認める（↓）
妊娠高血圧症候群を診断され，帝王切開 4 日後に起坐呼吸となった。胸部 X 線で心拡大と肺うっ血，心エコーで左室駆出率 14％と重症心機能低下を認めた。急性心不全治療を行った

　心筋疾患を指摘されていない妊産婦が，原因不明の左室収縮能低下をきたす心筋症を周産期（産褥性）心筋症と称する。高齢，妊娠高血圧症候群，多胎が，周産期心筋症の危険因子として知られ，先進国におけるこれら危険因子の合併率はよく似ている。なかでも，妊娠高血圧症候群は，周産期心筋症患者の 4 割が先行発症しており，最大危険因子である。12 誘導心電図は，心筋梗塞や心筋炎では，それぞれに特異的な ST や T 波の異常を認めるのに対し，周産期心筋症では，低電位や R 波減高といった非特異的所見しかないのが特徴である[9]。

スライド 126

まとめ

- 妊娠における生理的変化はあるものの，妊産褥婦の心電図評価も非妊婦と同様に行うことができる
- 失神，けいれん，胸背部痛，呼吸困難などの緊急対応を要する症状があるとき，直ちに心電図評価を行うべきである

文 献

1) Highlights of the 2020 American Heart Association Guidelines for CPR and ECC. https://cpr.heart.org/-/media/cpr-files/cpr-guidelines-files/highlights/hghlghts_2020_ecc_guidelines_english.pdf（Accessed：2023/9/15）
2) Ertekin E, van Hagen IM, Salam AM, et al：Ventricular tachyarrhythmia during pregnancy in women with heart disease：Data from the ROPAC, a registry from the European Society of Cardiology. Int J Cardiol 220：131-136, 2016.
3) Priori SG, Blomström-Lundqvist C, Mazzanti A, et al：2015 ESC guidelines for the management of patients with ventricular arrhythmias and the prevention of sudden cardiac death. Eur Heart J 36：2793-2867, 2015.
4) Nakashima A, Miyoshi T, Aoki-Kamiya C, et al：Predicting postpartum cardiac events in pregnant women with complete atrioventricular block. J Cardiol 74：347-352, 2019.
5) 日本循環器学会，日本冠疾患学会，日本胸部外科学会，他：急性冠症候群ガイドライン（2018年改訂版）. https://www.j-circ.or.jp/cms/wp-content/uploads/2020/02/JCS2018_kimura.pdf（Accessed：2023/9/15）
6) 日本循環器学会，日本医学放射線学会，日本胸部外科学会，他：肺血栓塞栓症および深部静脈血栓症の診断，治療，予防に関するガイドライン（2017年改訂版）. https://www.j-circ.or.jp/cms/wp-content/uploads/2017/09/JCS2017_ito_h.pdf（Accessed：2023/9/15）
7) Seth R, Moss AJ, McNitt S, et al：Long QT syndrome and pregnancy. J Am Coll Cardiol 49：1092-1098, 2007.
8) Ishibashi K, Aiba T, Kamiya C, et al：Arrhythmia risk and β-blocker therapy in pregnant women with long QT syndrome. Heart 103：1374-1379, 2017.
9) 厚生労働科学研究（難治性疾患政策研究事業）「周産期（産褥性）心筋症の，早期診断検査確立研究の継続と診断ガイドライン作成」班「特発性心筋症に関する調査研究」班編：周産期心筋症診療の手引き，中外医学社，東京，2019.

Ⅲ 初期診療に必要なスキル

Primary Survey に必要なスキル
4 産科危機的出血 全身管理と補充療法

　産科異常出血の初期診療において，Primary Survey は失血死あるいは出血性ショック死を回避するための重要なフェーズである。

　失血死（exsanguination）は身体の 1/2 近い血液が短時間で急激に失われ，循環が破綻することによる死亡である。止血処置と輸液・輸血などの初期対応があれば失血死は避けられることが多いが，出血性ショック（hemorrhagic shock）が遷延し死亡に至ることは現在も少なくない。すなわち，初期には代償性ショック（compensated shock）として頻脈などにより酸素運搬や血液灌流が保たれるものの，しだいに非代償性ショック（decompensated shock）となり血圧は低下し臓器の低酸素症をきたし，最終的に不可逆的ショック（irreversible shock）の状態に至り，細胞機能や臓器機能が破綻し高 K 血症に関連した心室細動や高度なアシドーシスに関連した無脈性電気活動によって心停止する。

　これらの病態を回避するために，❶出血制御 と❷全身管理を両立することが重要である。また，出血原因の鑑別は 4Ts，すなわち Tone（子宮の収縮），Trauma（子宮・産道の損傷），Tissue（胎盤卵膜の遺残や癒着），Thrombin（凝固障害）に整理される。鑑別の手順を含め初療の流れをスライド 127 に示す。本項では，全身管理について詳細を述べ，次項以降で出血制御について述べる。

　これらを行ったにもかかわらず止血が得られず，あるいは全身状態が安定化できない場合は，❸Damage Control 戦略が必要であり，さらに詳述する（致死的出血におけるダメージコントロール戦略：p250 参照）。

　産科異常出血の多くは分娩後出血であるが，子宮破裂，常位胎盤早期剥離，前置胎盤では妊娠中に出血が始まるため，Primary Survey の F で帝王切開などを検討する必要が生じ得る。ただし，原則として胎児救命よりも母体救命が優先される。

スライド 127

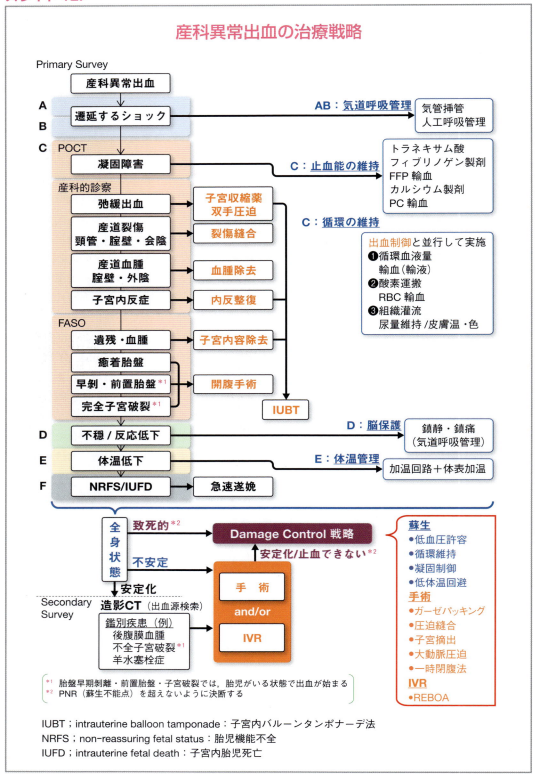

スライド128

〔日本産科婦人科学会，日本産婦人科医会，日本周産期・新生児医学会，他：産科危機的出血への対応指針2022．より引用・改変〕

『産科危機的出血への対応指針 2022』[1])は，分娩後の出血に関して重要な事項をわが国の分娩取扱医療機関に広く周知するために作成されており，一次医療機関と高次医療機関に向けた対応が同時に記載されていることに注意する。

出血が始まる前からの備え（①），早期発見（②），重症度評価（③），致死的状況の把握（④）の各段階が示されている。

分娩取扱医療機関の規模にかかわらず，「産科危機的出血」を宣言する③のタイミングでは，集学的治療が可能な高次医療機関への搬送が促されている。地域ごとに適切な搬送先医療機関は異なると考えられるが，1）輸血用血液製剤が十分確保できる，2）フィブリノゲン濃縮製剤の使用に慣れている，3）開腹止血術や IVR を実施できる，4）重症母体の集中治療に移行できる，5）Damage Control 戦略を選択できる，といった機能に留意して具体的な搬送先を決定するとよい。周産期医療の高次医療機関である総合周産期母子医療センターに限らず，重症母体の集中治療が可能な救急医療の高次医療機関である救命救急センターなども選択肢である。

産科危機的出血ではコマンダーを決定すべきことも記載されている。多診療科連携とその際の指揮命令系統を確立することは重要であり，医療機関ごとの事前準備の必要性が述べられている。J-MELS アドバンスコースでは，メディカル・リソース・マネジメント（MRM）においてチームパフォーマンスを最大化する手法について述べており，コマンダーとリーダーの違い，フォロワー（リーダーを支えるチームメンバー）の重要性を強調している（ノンテクニカルスキルと MRM：p396 参照）。産科危機的出血に対峙するためには，有機的な連携を実現するマネジメントスキルが不可欠である。

致死的状況（産科危機的出血として対応しても，出血が持続あるいはバイタルサインの異常が持続する状況）では，「危機的出血」を宣言し（④），『危機的出血への対応ガイドライン（2007年）』[2])の対応に移ることが記載されている。

スライド 129

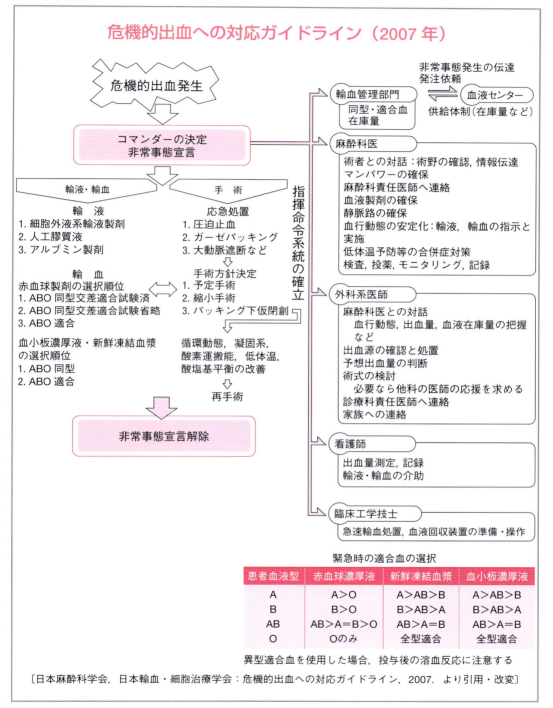

〔日本麻酔科学会，日本輸血・細胞治療学会：危機的出血への対応ガイドライン，2007．より引用・改変〕

　危機的出血では，ガーゼパッキングや大動脈遮断，一時閉腹法を実施して，全身状態を改善させたのちに再手術を計画すべきことが示されている。これを，J-MELS アドバンスコースでは Damage Control 戦略と呼び，危機的出血は産科危機的出血と混同するおそれがあるため，"致死的出血"と記載する。

Ⅲ 初期診療に必要なスキル　Primary Survey に必要なスキル

スライド 130

産科危機的出血のPrimary Survey

安定化できるまで，Primary Surveyは継続される

A　気管挿管 ┐
B　人工呼吸管理 ┘ **酸塩基平衡の維持**：アシドーシスの管理
C　1）循環の維持：❶**止血処置**，❶循環血液量，❷組織灌流，❸酸素運搬
　　2）止血能の維持：線溶抑制，フィブリノゲン（Fg），凝固因子（Fg以外），
　　　　イオン化カルシウム（iCa），**血小板**（PLT）
D　鎮痛・鎮静
E　体温の維持：回路加温・体表加温
F　必要なら急速遂娩

※**太字**は重篤症例ほど必要性が増す

■ 安定化　⇒　Secondary Surveyの最初に造影CTを行う
■ 安定化できない or 止血できない　⇒　**Damage Control戦略**

　Primary Survey は，止血できるか安定化できるまで継続する。産科異常出血の場合，Primary Survey においてショックの病態鑑別と支持療法に限らず，出血原因を鑑別し根本的な止血戦術をとる必要がある。

　輸血用血液製剤による補充療法は循環血液量の補充と組織灌流の維持を目指すことは当然ながら，酸素運搬の改善には赤血球液（RBC；red blood cells），凝固因子の補充には新鮮凍結血漿（FFP；fresh frozen plasma），血小板補充には濃厚血小板（PC；platelet concentrate）が用いられる。循環の維持に際して，同時に止血能を維持することが重要である。

　出血を制御でき全身状態の安定化ができれば，Secondary Surveyに移行し造影CTによる精査を実施する。（ハイブリッドER[注120]などの特殊な環境でなければ）安定化を行わずにショック状態で造影CTを撮像することは致死的経過をたどり得るので避ける。臨床上，全身管理医と連携して，わずかにショックが継続していても，全身状態を維持しながら安全に造影CT検査が行えることはあるが，豊富な経験と高度な判断が必要であり，安定化前の安易な造影CTは危険であると認識する。

　造影CTで出血源を特定するには，単純撮影（造影剤投与前），動脈相（造影剤投与から30～35秒後），平衡相（造影剤投与から180秒後）の撮影が望ましい。

　懸命な治療にもかかわらず，出血が制御できず，全身状態が安定しない，あるいは状態が徐々に悪化していく場合には，致死的出血と考えて「Damage Control戦略」を選択する。

[注120]　ハイブリッドER（hybrid emergency room）：救急外来の治療室に，血管造影装置とCT装置を置き，CT検査と手術・IVRを同時に行えるようにした救急初療室。

スライド 131

出血性ショックの評価項目と管理目標

		身体所見	バイタルサイン/モニター	POCT/FASO
A	気管挿管			
B	人工呼吸管理		RR ＜ 20/min SpO$_2$ ≧ 95% EtCO$_2$ ＜ 35 mmHg	pH ≧ 7.2 PaCO$_2$ ＜ 40 mmHg
C	1）循環の維持 　循環血液量 　組織灌流 　酸素運搬	外頸静脈虚脱なし 出血量・出血速度 尿量 ≧ 0.5mL/kg/hr 皮膚　温かくピンク CRT ＜ 2 秒	HR ＜ 120/min MAP ≧ 60mmHg SpO$_2$ ≧ 95%	IVC 呼吸性変動なし K ＜ 5 mmol/L Hb ≧ 7g/dL BE ≧ －4mmol/L Lac ＜ 4mmol/L
	2）止血能の維持 　フィブリノゲン 　凝固・線溶 　iCa 　PLT	出血性状		Fg ≧ 150mg/dL 血液粘弾性検査 iCa ≧ 1mmol/L PLT ≧ 50×10^3/μL
D	鎮痛・鎮静	不穏なし 反応低下なし		
E	体温の維持	末梢　温かい	深部体温 ≧ 36℃	
F	必要なら急速遂娩			

出血性ショックの初期には血圧は低下せず頻脈のみしか出現しない〔ショックインデックスはこの特性を利用した指標である（スライド 128：p193 参照）〕。したがって，循環血液量の減少量は頻脈から推測しなければならない。出血量の計測は，喪失した血液量を把握するために有用であるが，すべての出血を計測できない，リアルタイムに把握できない，出血が長期化すると実際の喪失分とのズレが大きくなる，外出血のみしか把握できない，といった問題もあるので注意する。

ある時点の母体の循環血液量を把握するには，その時点の外頸静脈の怒張の程度（仰臥位では怒張しているのが正常である）や下大静脈径（FASO により確認する）が参考になるが，補充療法を実施する際は循環動態（頻脈や血圧の程度，組織灌流の程度＝CRT や尿量，嫌気代謝の程度＝乳酸値）に重点をおき，補充量を決定する。

血液量が確保できれば静脈還流量や心拍出量は保たれ，組織灌流を維持できる。できるだけ平均動脈血圧（mean arterial pressure；MAP）は 60 mmHg 以上を目指す。身体が重要臓器への血液灌流を優先すると，皮膚や筋肉への血流は減少し，末梢が冷たい，毛細血管再充満時間（capillary refilling time；CRT）[注121]が延長するといった変化が生じるので参考にする。臓器血流も減少すると，尿量減少としてとらえられる。出血性ショックの治療に際して，尿量 0.5 mL/kg/hr 以上を確保し，CRT 2 秒未満を目指す。

組織灌流の低下や貧血によって酸素運搬が不十分になり，細胞が低酸素状態になれば嫌気代謝に切り替わり乳酸が血中に増加してくる。乳酸値（Lac）2 mmol/L を超えれば異常であるが，重症例では 4 mmol/L を超える（8 mmol/L を超えれば致死的ととらえる）。早期に 4 mmol/L 未満となるように循環動態を管理し，可能なら 2 mmol/L 未満を目指す。ヘモグロビン値（Hb）は 7 g/dL 程度を確保し，酸素飽和度を 95％ 以上に保てば，酸素運搬を維持できる。乳酸アシドーシスが高度に進行する場合，さらなる低血圧を回避するために呼吸管理を行い，pH 7.2 以上を保つように適度な呼吸代償を図るとよい。

　輸血合併症である，低イオン化カルシウム（iCa）血症や高カリウム（K）血症を避けるため，血液ガス分析で iCa 値や K 値を確認する。また，FibCare® 装置などを用いてフィブリノゲン（fibrinogen；Fg）値を測定し，凝固の改善を確認する。フィブリノゲン以外の凝固因子や血小板機能も含めて評価するには，血液粘弾性検査（ROTEM® や TEG®）が有用である。

　上述した検査値は POCT として容易に確認できる。合計の輸血が 10 単位を超えるような場合は，A-line を挿入するなどして，30～60 分ごとに POCT を確認し治療の効果判定を行う。また，急速大量輸血を継続する場合は 1～2 時間ごとに血算・凝固・生化学検査も確認することを検討する。

　産科危機的出血では，温度センサーのついた尿道カテーテルなどを活用し，深部体温（膀胱・直腸・食道）をモニタリングすることで，低体温による凝固障害を回避する。

[注121]　CRT：5 秒間指先を圧迫すると爪床は蒼白となるが，圧迫解除後に爪床が何秒間でピンクに戻るかを計測する。2 秒以上の場合は末梢循環不全ととらえる（重要臓器への灌流シフトが考えられる）。

スライド 132

AB：気道呼吸管理

気管挿管と人工呼吸管理の目的

1. 気道の保護
妊産婦は誤嚥しやすく，気道管理が困難になる
　➡ 余裕をもって早期に**確実な気道確保**をする
　　　遷延するショックでは**気管挿管**が望ましい

2. 酸素化の維持
酸素飽和度を保つ（酸素運搬にかかわる）
凝固改善のためにFFPを投与 ⇒ 容量負荷が多く肺水腫になり得る
　➡ **PEEP**（呼気終末陽圧）が必要

3. 酸塩基平衡の維持
ショックでは代謝性アシドーシスを呈する
高度なアシデミアは**高カリウム血症**を悪化させる
　➡ pH ≧7.2 を維持するように**呼吸代償**を調整する

　遷延するショック状態では，初期には不穏を示すこともあるが，重症化するとぐったりして意識障害に陥り，舌根沈下や嘔吐による気道閉塞リスクが高まる。早期に気管挿管・人工呼吸管理を選択する。妊産婦は胃内容物の誤嚥により呼吸不全に至りやすい（Mendelson 症候群）[3]。非妊婦に比して妊産婦では difficult airway のリスクが高いため，余裕をもって早期に挿管を行う。

　ショック状態で酸素運搬量を保つために，酸素飽和度を 95％以上に保つことは重要である。凝固因子補充にFFPを多く要する場合，容量負荷に伴って肺水腫になることが知られるが，人工呼吸管理を行っていれば呼気終末陽圧（positive end-expiratory pressure；PEEP）を調整でき有利である。

　呼吸管理に際しては，酸塩基平衡の維持を目指し，ショックにより生じる代謝性アシドーシスを適度（pH≧7.2 を目安）に呼吸代償させる。過度な呼吸性アルカローシスは，末梢組織におけるヘモグロビンからの酸素解離を低下させるので避ける[注122]。

　アシデミアが高度になると，細胞内から血中にカリウムイオンが移動し高カリウム血症となる[注123]。循環動態が維持され，腎から尿としてカリウムが体外に排出されればよいが，ショックが遷延する場合にはカリウム値を適宜測定し，カリウム値を適正化するとともに，酸塩基平衡を維持する（スライド 138：p207 参照）。

[注122] アルカローシスは，酸素解離曲線を左方移動させ，末梢組織におけるヘモグロビンからの酸素解離が低下するため，酸素運搬に不利に働く。

[注123] アシデミアによって細胞外液から細胞内に多くの水素イオン（H^+）が移行し，それに対応して細胞内の陽イオンでもっとも多いカリウムイオン（K^+）が細胞内から細胞外液に移行するため，高K血症となる。

スライド 133

C：循環の維持　❶循環血液量

急速加温輸血とMTP（massive transfusion protocol）

- 循環と凝固能の維持に**急速加温輸血**が重要
- 輸血用血液製剤の確保

MTPセット例1＊

RBC	6 単位
FFP	8 単位

MTPセット例2＊

RBC	10 単位
FFP	14 単位
FC	3 g
PC	10 単位

＊MTPでは，**カルシウム製剤**の投与を忘れない（iCa 1 mmol/L を保つ）

SL One®（IMI提供）
- 日本製
- ローラーポンプ
- 気泡除去
- 確実な加温
- 流量調整
- 積算量モニタリング
- 送血圧モニタリング
- ボーラス投与
- リザーバ
- 2ルート送血

レベル1™システム1000（スミスメディカル・ジャパン提供）
- 米国製
- 加圧式
- 気泡除去
- 確実な加温

※熱交換部分がアルミニウム製であり曝露回避のため，適切に使用する

出血性ショックの病態は，循環血液量の減少が根本的問題であり，止血により血液の喪失を最小限にするとともに，十分な補充が救命のカギになる。補充すべき量は，すでに喪失した血液量に加えて補充中に喪失していく血液量も加味しなければならないが，妊娠末期の子宮血流量は600 mL/min 以上といわれ[4]，出血速度に追いつく補充を行うには「急速輸血」が不可欠である。産科危機的出血では出血量も多いため「大量輸血」にもなる。

急速輸血装置として，ローラーポンプを用いた国産のSL One® と，加圧式で米国産のレベル1™システム1000が選択できる。RBCは4±2℃で管理されているため，急速大量輸血ではとくに医原性の低体温をきたし得る。これらの装置は十分な加温性能をもっており，低体温を回避しながら急速輸血が可能になる。

大量に確保すべき輸血用血液製剤は，凝固障害を回避する目的も含めてRBCとFFPの比率を1：1以上とする[5)6)]（MTPセット例1）。常位胎盤早期剥離や羊水塞栓症などで著明な凝固障害を合併しやすい状況では[注124]，RBC：FFPを1：1.4以上とすることも検討し，フィブリノゲン濃縮製剤（FC；fibrinogen concentrate）の併用を検討する（MTPセット例2）。

注124) フィブリノゲン値が測定限界以下のことも少なくない。

スライド 134

C：循環の維持　❶循環血液量

異型適合血の選択と血液型の確定

患者と血液製剤の血液型が異なっていても（異型），適合する血液（適合血）は投与できる

血液型未確定時の適合血

- 赤血球液　　　RBC　　O 型　　　　RBC：O 型が万能供血者
- 新鮮凍結血漿　FFP　　AB 型　　　　　　　　　FFP：AB 型が万能供血者
- 濃厚血小板　　PC　　　〃

例
❶血液型採血
❷クロスマッチ採血

患者の血液型確定には，異型適合血輸血の**前**に，異なる **2 時点**の採血が必要

- × 一度に採血した血液を 2 つの採血管に分注した：同時点採血は禁止
- ○ A-line から異なる時点で採血し，それぞれ別の採血管に注入した

　患者の血液型を確定するには，自医療機関において異なる時点の 2 検体により，オモテ検査およびウラ検査が一致していることを確認する必要がある[7]。前医の検査結果をそのまま参考にすることはエラーを誘発し，不適合輸血を生じ得るので避ける。

　救急搬送などで母体が来院した場合，血液型確定までの検査に時間を要すため[注125]，しばらくの間，患者の ABO 血液型が確定できない状態にある。緊急で輸血を開始すべきときは ABO 同型血を目指さず，異型であるが適合する血液型の輸血用血液製剤，すなわち RBC は O 型，FFP・PC は AB 型を用いる。ただし，血液型を確定するための検体は輸血前に採血する必要がある（異型適合血輸血後は，ABO 血液型の赤血球が混在し，血液型は判定できなくなる）。

　すべての血液型の患者に対して[注126]，A 抗原・B 抗原の両者をもたない O 型赤血球を投与しても，抗原抗体反応は起こらず問題とならない（RBC について，O 型は万能供血者である）。一方，すべての血液型の患者に対して[注127]，抗 A 抗体・抗 B 抗体の両者を含まない AB 型の FFP や PC を投与しても，抗原抗体反応は起こらず問題とならない（FFP や PC について，AB 型は万能供血者である）。

　大量輸血に伴って同型血の在庫がなくなった場合や，RhD 陰性患者に対して RhD 陰性血の輸血を優先する場合に，ABO 異型適合血を使用する（異型適合血の優先順位はスライド 129：p195 参照）。

[注125] ABO 血液型の検査には，遠心分離に要する時間，オモテ検査（患者赤血球の A 抗原・B 抗原の有無を調べる）とウラ検査（患者血清中の抗 A・抗 B 抗体の有無を調べる）に要する時間が含まれ，検体の輸送時間を除いて概ね 25 分程度を想定する必要がある。RhD 抗原の検査も同程度の時間で並行して確認できるが，不規則抗体スクリーニングはさらに検査に時間を要する。

[注126] A 型患者は血清中に抗 B 抗体，B 型患者は抗 A 抗体，AB 型は抗 A 抗体・抗 B 抗体の両者をもつ。

[注127] A 型患者は赤血球表面に A 抗原，B 型患者は B 抗原をもつ（O 型患者は A 抗原・B 抗原のいずれももたない）。

スライド 135

C：循環の維持　❷酸素運搬，❸組織灌流

酸素運搬と組織灌流の評価と目標

■ **酸素運搬を維持する**：3要素に比例する
1. **心拍出量**：循環血液量と心機能を保つ
2. **ヘモグロビン値**：Hb ≧ 7 g/dL となるようにRBC輸血
3. **動脈血酸素飽和度**：気道呼吸管理

嫌気代謝とならないように管理
- 目標Lac ＜ 4 mmol/L
- 目標pH ≧ 7.2
- 目標BE ≧ －4 mmol/L

■ **臓器ごとの血液灌流を確認する**（優先順位：重要臓器 ＞ 末梢組織）
　ショックでは，代償機構によって心拍出量が臓器ごとに再分配される
- 心筋：**ST低下**は虚血のサイン
- 脳：**不穏** or **反応低下** は重症のサイン
- 腎：**尿量**をモニタリングする　→　**≧ 0.5 mL/kg/hrを維持**する
- 皮膚：**CRT ≧ 2秒**は灌流障害とみなす
　　　手の温度が**温かく**，色調が**ピンク**な状態を目指す

　出血性ショックの循環維持には，循環血液量の確保に加えて，酸素運搬と臓器灌流の維持が必要である．とくに，重度の後遺症を引き起こす低酸素性脳症や死に至る心筋虚血などは確実に回避する．

　酸素運搬量は，心拍出量，ヘモグロビン値，酸素飽和度の積に比例する（スライド23：p58 参照）．RBC を投与し，少なくとも Hb 7 g/dL 程度を保つ．心拍出量は，静脈還流量と心室の拡張末期容量に大きく依存するため，循環血液量が不可欠である．心筋の酸素摂取率は 60〜80％と非常に高いため，高度の貧血や低酸素血症は心筋虚血を招きやすいので，確実な呼吸管理と RBC 補充が重要である．

　左室から拍出された血液が肺以外の臓器に分配されることで，臓器灌流がまかなわれる．この血流分配は重要臓器（脳，心筋，肝，腎，など）が優先されるため，ショックでは再分配に伴って末梢組織（皮膚，筋肉）への血流が低下する．各臓器の血流が低下すれば，臓器特有のサインが出現する．とくに最初に犠牲になる皮膚の灌流は，CRT により観察できる．また，尿は血圧とボーマン嚢内圧の圧較差によって生成されるため[注128]，尿量を維持した循環管理を行えば，ある程度重要臓器の灌流圧が保たれていると考えることができる．ただし，局所的な血流が常に保証されるわけではなく，例えば，Sheehan 症候群[注129][8]は分娩後の出血性ショックに伴って生じる後遺症として有名であるように[9]，臓器ごとに特性があるため，平均動脈血圧（MAP）は 60 mmHg 以上を目標とする．

[注128] より厳密には，静水圧差（糸球体内血圧 − ボーマン嚢内圧）から膠質浸透圧差を差し引いた圧により血液が濾過され，原尿が生成される．

[注129] 下垂体梗塞・壊死による下垂体機能低下症．妊娠中の下垂体腫大に伴って血行動態の影響を受けやすくなること，上下垂体動脈の圧迫が発生するなどの影響で高度ショックでなくても発症することがあるとされる．近年は，自己免疫との関連も指摘されている．

循環血液量を十分に回復させるまでの間に MAP を保つため，ノルアドレナリンやフェニレフリンなどの昇圧薬により末梢血管を収縮させ血圧を維持することは臨床上，許容せざるを得ない。ただし，昇圧薬は単回投与や短時間の使用にとどめ，急速補充を行い速やかに昇圧薬を終了する。昇圧薬は根本的な問題である循環血液量の回復にはまったく寄与せず，あくまでも末梢組織を犠牲にした介入であり，出血性ショックの安定化には急速大量輸血が戦術として欠かせない。

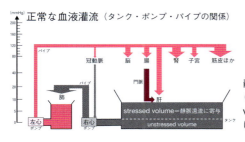

正常な血液灌流（タンク・ポンプ・パイプの関係）

　循環血液量は保たれている。静脈還流に寄与する静脈血容量を stressed volume といい，図では静脈（タンク）内の水位が高いことで模擬的に stressed volume が高いことを示している。一方，静脈還流に寄与しない容量は unstressed volume と呼ぶ。

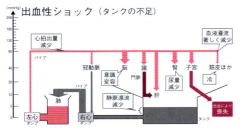

出血性ショック（タンクの不足）

　循環血液量は出血により減少し，静脈（タンク）内の血液は減少するが，代償機構により静脈が収縮するため，stressed volume が保たれている。そのため，静脈還流は減少するが保たれる。
　心拍出量は減少するが，筋肉・皮膚への血液灌流は減少し末梢は冷たくなる。一方，重要臓器の血液灌流は比較的保たれるが，心拍出量減少の影響が大きくなると，尿量減少や意識変容を生じるようになる。

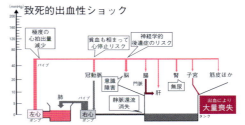

致死的出血性ショック

　代償機構を超えて出血すると，stressed volume は不十分になり静脈還流が生じず，心臓は拡張しないため心拍出量は極度に減少し，心停止する。
　心拍出量も減少し，出血に伴う貧血も影響すれば心筋虚血に至ることもあり得る。また，脳への血液灌流は低下し，意識障害を呈する。腎血流が不十分であれば無尿となる。このような状況でノルアドレナリンなどの血管収縮薬は効果が期待できない。出血制御と補充療法による循環血液量の回復が必要である。

スライド 136

C：止血能の維持

凝固障害の分類・原因と対応・管理目標

分類	希釈性凝固障害	消費性凝固障害
機序	輸液やRBCによる希釈	消費，線溶亢進，持続出血
鑑別	大量輸液 不適切なRBC/FFP比	羊水塞栓症 常位胎盤早期剝離
Fg値	150 mg/dL未満	さらに低値傾向
FDP値	→ or ↗	↑↑↑

原因		対応
低Fg血症	フィブリノゲン濃縮製剤	
凝固因子欠乏	FFP・クリオプレシピテート	
線溶亢進	トラネキサム酸	
低体温	加温回路・体表加温	
アシドーシス	呼吸管理	
低iCa血症	カルシウム製剤	

止血能に関連した管理目標
- Fg ≧ 150 mg/dL
- iCa ≧ 1 mmol/L
- pH ≧ 7.2
- 体温 ≧ 36 ℃
- PLT ≧ $50 \times 10^3 / \mu L$

産科危機的出血のうち，重症例はとくに凝固障害（coagulopathy）[注130]を伴う。出血量が多い状態で細胞外液やRBCを大量に投与すると，結果的に血漿が希釈され，凝固因子の濃度が低下し止血ができなくなる。この状態は希釈性凝固障害（dilutional coagulopathy）と表現される。

一方，出血部位における凝固反応で凝固因子が消費されフィブリノゲン（fibrinogen；Fg）は低下する。引き続いて線溶が亢進するとプラスミンによりFgが分解され，さらにFgは低下し，分解産物のFDP（fibrin/fibrinogen degradation products）が増加する。常位胎盤早期剝離では，胎盤の組織因子による凝固亢進と，胎盤で産生されるプラスミノゲン活性化抑制因子の線溶抑制作用が破綻して線溶亢進も重なるため，出血量に見合わない著明なFg低下とFDP著増を呈する。羊水塞栓症では，羊水中の異種蛋白[注131]が母体血流に侵入することで，自然免疫反応と凝固が活性化され[注132]，出血量が少ないうちからFg著減とFDP著増を呈しやすい。このように，凝固と線溶の両者が活性化され著しいFg低下を招く状態を消費性凝固障害（consumption coagulopathy）という。

これらの機序による凝固障害に対しては，MTPで述べたようにRBCよりもFFPを多く輸血する。いずれの凝固障害も最初に止血限界を下回るのはFgであり，FFPのみではFg上昇に限界があるため[10]，低Fg血症（Fg＜150 mg/dL）に対してはフィブリ

[注130] ここでは，凝固障害を「何らかの原因により血液止血能が低下し，止血が得られなくなる状態」として記載する。
[注131] 胎児は，自己由来の遺伝子とパートナー由来の（非自己）遺伝子をもつため，胎児の蛋白質は母体にとって抗原になる。
[注132] 補体系と凝固系は相互に影響し合うことが知られ，クロストークと呼ばれる。

ノゲン濃縮製剤（fibrinogen concentrate；FC）やクリオプレシピテート（cryoprecipitate）[注133]による補充を検討する[11]。

　線溶亢進は，トラネキサム酸（TXA；tranexamic acid）の投与により対応する。TXAは[注134][12)13)]，プラスミノゲンや遺伝子組み換え組織型プラスミノゲン・アクティベータ（rt-PA），プラスミンのリジン結合部位と結合し，線溶活性化を阻害する作用がある[14]。分娩後出血を対象とした2万症例を超える多施設共同の二重盲検ランダム化比較試験（WOMAN trial）により，有害事象の増加なく出血死を有意に減少させることが示された[15]。スタディーデザインに基づき，出血を認めてからTXA 1 gを投与し，30分後も出血が続く場合，または一度止血されたが24時間以内に再出血した場合に1 gを追加投与することを検討できる。TXA大量投与で出血量が減少したとする報告もあるが[16]，減少しない報告もあり[17]，最適投与量は不明である。出血から3時間以内の投与が重要であり，15分投与が遅延するごとに10％程度効果が低下すると考えられている[18]。

　血液凝固反応は酵素反応であるため，至適pHや至適温度を保つことは重要である。多くが出血死である外傷領域では，「アシドーシス，低体温，凝固障害」が致死的3徴（lethal triad）とされ，これらを回避する治療介入が強調される。過度なアシデミアと低体温を回避することは，出血性ショックの管理では凝固機能を保つために重要である。

　輸血用血液製剤には製剤の凝固を防ぐ目的で多くのクエン酸が含まれている。輸血速度がゆっくりであれば，クエン酸は肝で代謝されるが，急速投与や大量投与では代謝が追いつかずクエン酸中毒となり，イオン化カルシウム（iCa）がキレート化され低値となる。近年，外傷領域で致死的3徴を4徴（lethal diamond）として低iCa血症を含みつつあり[19)20)]，iCaが心収縮や平滑筋の収縮に重要，かつ血液凝固第Ⅳ因子[注135]であるため，塩化カルシウムやグルコン酸カルシウムを用いて積極的に補正する。概ね輸血1単位ごとにカルシウム製剤1 mLを投与し，血液ガス検査などにより生理的範囲であるiCa値1 mmol/Lを維持できているかを適宜確認し追加投与を検討する。

[注133] FFPを低温で融解し，遠心分離によって血漿蛋白質を濃縮した製剤。Fg，第Ⅷ凝固因子，第ⅩⅢ凝固因子，von Willebrand因子などを含む。各医療機関の輸血部で作製する必要がある。

[注134] トラネキサム酸は日本人（岡本彰佑および岡本歌子）が発見した薬剤であり，WHO Model Lists of Essential Medicinesにも掲載されている。

[注135] iCaは，FⅪa，TF/FⅦa複合体，FⅨa/Ⅷa複合体（tenase），FⅩa/Ⅴa複合体（prothrombinase）のかかわる凝固反応に必要である。また，これらの効率的な反応には活性化血小板の細胞表面に発現するリン脂質も必要である。

スライド 137

不適合輸血の予防と早期発見・治療

不適合輸血

O型		A型 or B型 or	AB型
A型	患者に,誤って	B型 or	AB型
B型		A型 or	AB型

患者のIgM抗体（凝集素）が,製剤抗原（凝集原）に作用し**溶血**

赤血球液（RBC）を投与した場合,**急性血管内溶血**により多臓器障害・死亡に至り得る

不適合輸血の予防
- 確実な血液型特定：**2時点採血**（検体取り違えを回避）
- 認証作業：患者と輸血用血液製剤のバーコードを電子カルテなどを用い**デジタル照合**する

早期発見に役立つ症候
- 血管痛, 悪寒戦慄, 腹痛, 呼吸困難, 血圧低下
- ヘモグロビン尿, LDH上昇, K上昇
- 播種性血管内凝固（DIC）
- 急性腎障害（AKI）

不適合輸血の治療
- 直ちに不適合血の投与を中止
- 臓器保護のために集中治療に移行する
  - 尿量維持
  - 呼吸循環の管理

急性溶血性輸血副作用（acute hemolytic transfusion reactions；AHTR）は，輸血療法に関連した致死的合併症である。原因の多くがABO不適合輸血による急性血管内溶血であるので[注136]，不適合輸血の回避が重要である。血液型特定に加えて，患者と血液製剤のバーコードと電子カルテを用いたデジタル照合を行い，患者の血液型に適合する製剤を投与する。急速輸血や大量輸血を要する場面では，焦りや緊張から口頭や目視による確認は誤りやすい。血液製剤の認証作業を省略することは絶対禁忌と認識し，デジタル照合により速やかかつ安全な輸血療法に努める。

不適合輸血では，患者のIgM抗体による「血管内溶血」が速やかに発生し[注137]，多臓器障害に移行し得る。初期症状を鋭敏に察知することは重要であるが，人工呼吸管理下では気づきづらい。循環動態に注意するとともに尿量のモニタリングの際には尿色も観察し，ヘモグロビン尿の可能性を常に考慮する（高度な凝固障害では，血尿を認めることもあるため，鑑別する）。

不適合輸血を疑えば直ちに輸血を中止し，適合血輸血に切り替えつつ，呼吸・循環管理を徹底し，急性腎障害を回避するために尿量維持を図る。

[注136] ABO不適合のRBC輸血が原因であることが多いが，高力価の赤血球抗体を含む血漿製剤（FFPなど）でも発生し得る。まれにLewis血液型などでも発生するとされる。

[注137] RhD抗体や不規則抗体といったIgG抗体による溶血は「血管外溶血」と呼ばれ，赤血球が脾で破壊されることで発生する。輸血後24時間以降に発症し，3～14日程度で溶血を認める（遅発性溶血：delayed hemolytic transfusion reactions；DHTR）。

スライド 138

輸血合併症の対応（1）

高K血症：K ≧ 5.5 mmol/L, ≧ 7 mmol/L は心停止リスク
RBC輸血でとくに注意　　代謝性アシドーシスにより細胞内からK⁺が流出

【治療の優先順位】
- ● 心電図をモニターし**除細動器**を準備（心室細動に備える）
- ❶ **カルシウム投与**
  カルシウム製剤 10〜20 mL　5分かけて静注　反復投与
- ❷ **グルコース・インスリン（GI）療法**
  50％ブドウ糖 40 mL＋速効型インスリン 5単位　緩徐に静注
- ❸ **$β_2$刺激薬吸入**
  サルブタモール0.5%　2 mL
- ❹ **アシデミアの補正**
  pH ≧ 7.2目標に炭酸水素ナトリウム投与（BE×BW×0.2）
- ⑤ **ループ利尿薬**
  循環血液量を確保したうえで使用（フロセミド 20〜80 mg静注）
- ⑥ **イオン交換樹脂**，⑦ **血液透析**

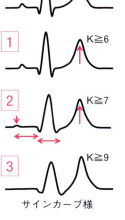

正常
1　K≧6
2　K≧7
3　K≧9
サインカーブ様

　産科危機的出血の患者が死亡する背景に，高K血症が存在している。わが国のRBCは，輸血後GVHD（移植片対宿主病：graft versus host disease）の予防を意図して放射線照射が行われているが，時間経過に伴って血液製剤の上清K値が上昇することが知られている。通常の輸血で問題となることは少ないが，大量輸血（RBC 8単位以上では留意）や過度な陰圧や陽圧を生じるような不適切なポンピングによる溶血，ショックに伴う乏尿・無尿，高度のアシドーシスに関連して高K血症となることはあり得る[注138]。

　重症例ほど血液ガス検査などを頻回（重症例では30分ごとを目安）に行ってモニタリングすることが望ましいが，心電図の看視は高K血症の早期発見に役立つ。①K 6 mmol/Lを超えると左右対称性にT波が徐々に増高しテント状T波を呈するようになり，②7 mmol/L以上になるとPQ延長とともにP波は減高・消失し，8 mmol/Lを超えるとwide-QRSを生じ，③9 mmol/Lに達するとサインカーブ（正弦波）のようになる。②以降は洞不全や房室ブロック，心室性不整脈や心室細動により突然心停止になり得る。心停止した場合，一次救命処置（BLS）と二次救命処置（ALS）を行うが，ECPR（体外循環式心肺蘇生）を導入し，血液透析を併用しなければ救命は難しいので，予防が大切である。

　除細動器を備えつつ，心筋細胞の膜電位安定化を意図して❶カルシウム製剤 20 mLを緩徐に静注する。数分で効果は得られるが，30〜60分程度しか効果は継続しないので反復投与する。

　細胞内へのKシフトのために，❷グルコース・インスリン（glucose-insulin；GI）療

注138）輸血後1時間以内に血清K値＞5 mmol/L，または前値より＞1.5 mmol/L増加した場合，輸血による高カリウム血症（transfusion-associated hyperkalemia）とする。

法を行う。30分程度で効果が出現し4〜6時間持続する（K値0.5〜1.5 mmol/L程度の低下が期待される）。50％グルコース40 mL（20 g）にインスリン5〜10単位を使用するが，低血糖に注意する。❸ β_2 刺激薬（サルブタモール0.5％ 2 mL＝10 mg）の吸入も30分程度で効果が出現し2〜4時間持続する（K値0.5〜1.5 mmol/L程度の低下が期待される）。必要に応じて反復するが，心機能低下症例では循環動態に注意しながら使用する。高度のアシデミア（pH＜7.2）に対しては，呼吸管理を前提として❹8.4％炭酸水素ナトリウム（1 mmol/mL）製剤を体重〔BW（kg）〕にBE値（mmol/L）と0.2を乗じた量（BW×BE×0.2 mmol）投与することで，アシデミアを補正でき，それに伴うKの細胞内シフトを期待できる。

　これらの介入により応急的にK値低下を図りつつ，Kを体外に排出するために，⑤フロセミドを静注し利尿を図るが，腎障害や極度の低血圧状態では効果が期待できなくなる。その他，排泄を促すために一般にはイオン交換樹脂を消化管内に投与するが出血性ショック時には効果が期待できない。⑥K吸着フィルターを通してRBCを投与することで体内に投与されるK量を減少させる[注139]。⑦透析（hemodialysis；HD）は利尿が得られない状況ではもっとも効果的な治療になるが，循環動態が保たれている必要があり，大量の透析液を確保できる場所が必要である[注140]。

[注139] K吸着フィルターは，使用に際して生理食塩水を用いた前準備が必要である。容量の大きいフィルターであっても，RBC 4単位ごとに交換を要する（イオン交換樹脂が飽和して，効果を失う）。イオン交換は比較的速やかに行われるが，50 mL/min以下の流速（概ねRBC 4単位を10数分で投与する速度）にとどめる必要がある。ポンピングでは，流速が変化するので十分な効果が得られない可能性がある。

[注140] 透析効率を考えると，透析液流量（Qd）500 mL/minは必要であり，1時間に30 L以上透析液を確保できる集中治療室（ICU）への入室が必要である。手術室や血管造影室でHDを実施することはできないため，Damage Control戦略に切り替え，速やかに全身状態の立て直しを図る。

スライド 139

輸血合併症の対応（２）

アレルギー
　蕁麻疹・瘙痒感，呼吸困難，血圧低下など，さまざまな反応を示し得る【軽微な症状（発赤，蕁麻疹，浮腫など）にとどまる場合】
　対症療法
　　　H_1抗ヒスタミン剤（ジフェンヒドラミン 5 mg）
　　　ヒドロコルチゾン or メチルプレドニゾロン
【アナフィラキシーに該当する場合】
❶その血液製剤の**投与を中止**する
❷**アドレナリン筋注**（0.01 mg/kg，最大 0.5 mg）
❸ほかの輸血用血液製剤で**補充療法を継続**する

　輸血によりアレルギー反応を生じることは少なくない。出血性ショックでは輸血を中断することはできないため，ABC 管理を行いつつ補充療法を継続し，対症療法に努める。アナフィラキシーに該当する場合，原因と考えられる血液製剤は中止しつつ，ほかの薬剤などの原因も鑑別する。別の輸血用血液製剤を用いて，必要な補充療法は継続する。

Ⅲ 初期診療に必要なスキル　Primary Survey に必要なスキル

スライド 140

輸血合併症の対応（3）TACOとTRALI

評価項目
① 急激に発症
② 低酸素血症
③ 画像上明らかな両側肺野の浸潤影
④ 左房圧上昇の証拠がない
　or 左房圧上昇を認めるが低酸素血症の原因ではない
　（④に該当しない場合，a〜c の少なくとも一つに該当する）
　a. 基礎疾患では説明できない心血管系の変化
　b. 体液過剰
　c. BNP（NT-proBNP）の基準範囲を超え，かつ輸血前の1.5倍以上
⑤ 輸血中 or 輸血後6時間以内に発症
⑥ 時間的に関係のある**ARDSの危険因子*なし**
⑦ 輸血前12時間以内の呼吸状態の安定

輸血に関連した呼吸不全の鑑別アルゴリズム

分類＼評価項目	①	②	③	④	⑤	⑥	⑦
TRALI Type Ⅰ	○	○	○	○	○	○	○
TRALI Type Ⅱ	○	○	○	○	○	×	○
TRALI/TACO	○	○	○	×	○	—	○
TACO	○	—	—	×	○	—	—
ARDS	—	○	○	—	—	×	×
TAD	—	—	—	—	×	—	—

○ 該当する　× 該当しない

TRALIおよびTACOに該当しない症例は，ARDSやTADなどに分類する

* ARDS の危険因子			
肺炎	肺以外の敗血症	肺血管炎	非心原性ショック
溺水	胃内容物の誤嚥	有害物吸入	薬物過剰投与
膵炎	重症熱傷	外傷	肺挫傷

〔日本赤十字社：日本赤十字社における TRALI 及び TACO の評価基準変更のお知らせ．令和3年3月．より引用〕

　出血性ショックと輸血に関連して生じる呼吸不全は，鑑別疾患が多岐にわたる．発症経過，うっ血の有無，輸血時期との関連を考慮し上記アルゴリズムを参考に鑑別する．Primary Survey では診断に至らないことも少なくないが，いずれの疾患も呼吸管理を要する点では同様である．ここでは，2021年度に変更された新基準に基づき[21]，輸血合併症について簡単に記載する（次頁表に輸血に関連した呼吸障害の特徴をまとめた）．

　輸血関連循環過負荷（transfusion-associated circulatory overload；TACO）は，循環血液量が過剰で肺水腫や IVC 拡張や BNP 上昇を伴う．凝固障害の立て直しのために FFP を多く要する場合に発生しやすい．フィブリノゲン濃縮製剤やクリオプレシピテートの活用で予防できる．発症後は呼吸管理に加えて積極的に利尿を図る．

　輸血関連急性肺障害（transfusion-related acute lung injury；TRALI）は血液製剤中の白血球抗体が発症に関連していると考えられている，非心原性の急激な肺水腫である．輸血を中止し呼吸管理を行うが，出血性ショックでは原因と考えられる輸血用血液製剤（RBC または FFP または PC）のみを中止し，輸血自体は継続せざるを得ない．

　輸血関連呼吸困難（transfusion associated dyspnea；TAD）は TACO や TRALI に合致しない，輸血以外に原因を特定できない呼吸困難をいうが，産科危機的出血に対応する状況では鑑別困難な可能性が高い．

　炎症を誘発する何かしらの原因疾患によって，肺血管透過性が亢進し生じる呼吸不全は急性呼吸促迫症候群（acute respiratory distress syndrome；ARDS）と診断され得る（ARDS：p355 参照）．新基準[21]では，TACO や TRALI との鑑別において ARDS は輸血前から生じていることを前提としている．ARDS の危険因子の有無は参考になるが，臨床現場でこれらの呼吸不全の病態を明確に区別することは難しい．

　いずれの疾患でも，鑑別には血液ガス，心エコー，胸部 X 線，12誘導心電図が有用であり，Primary Survey で実施できる．Secondary Survey ではうっ血や肺水腫，細菌性

肺炎，非定型肺炎，間質性肺炎などが鑑別にあがるため，BNPやKL-6，喀痰のグラム染色と培養検査，レジオネラや肺炎球菌といった尿中抗原の検査や，CT検査，集中治療室では肺動脈カテーテル検査などが検討される。

表　輸血に関連した呼吸障害の特徴

輸血関連急性肺障害	TRALI Type Ⅰ	a. ⅰ. 急性発症 　　ⅱ. 低酸素血症〔P/F≦300 または SpO$_2$＜90％（room air）〕 　　ⅲ. 画像上両側肺水腫の明らかな証拠 　　　　（例えば，胸部X線写真，胸部CT，または超音波） 　　ⅳ. LAHの証拠がない，またはLAHが存在する場合は，低酸素血症の主な原因ではないと判断される b. 輸血中または6時間以内に発症 c. ARDSの危険因子＊との時間的関係なし
	TRALI Type Ⅱ	a. TRALI TypeⅠのカテゴリaおよびbに記載されている所見 b. 輸血前12時間の安定した呼吸状態 　（輸血前からARDS危険因子＊が存在していたが，輸血12時間前からの呼吸状態は安定していた状態）
TRALI/TACO		TRALIとTACOが両方関与している，またはTRALIとTACOの区別ができない
輸血関連循環過負荷（TACO）		a. 急性または悪化している呼吸窮迫の証拠 b. 急性または悪化した肺水腫の証拠 c. 心血管系の変化を示す証拠 d. 体液過剰の証拠 e. BNP（NT-proBNP）の上昇 　（aまたは/およびbを満たし，c〜eを含む3つ以上に当てはまる）
急性呼吸窮迫症候群（ARDS）		輸血前からあったARDSの悪化
輸血関連呼吸困難（TAD）		主に輸血後6時間を超えて発症した肺水腫など
その他		上記以外

〔日本赤十字社：日本赤十字社におけるTRALI及びTACOの評価基準変更のお知らせ．令和3年3月．より引用・改変〕
＊スライド140参照

スライド 141

<u>D：脳保護</u>

脳保護のための全身管理と鎮痛・鎮静

- ■出血性ショックに伴う意識変化
    - 不穏…出血性ショックの重症化の前兆
    - ぐったり…ABの問題が生じる前に，気管挿管・人工呼吸管理
- ■全身管理のポイント
    - 止血処置に伴う苦痛・疼痛　⇐　**緩和**
    - 鎮痛と鎮静　➡　**安全で円滑な止血処置が可能**
        - 鎮痛による呼吸抑制 ⎫
        - 鎮静による舌根沈下 ⎬ 確実な気道呼吸管理
    - 脳の不可逆的なダメージを確実に回避する
        - ABCの確実な管理

　出血性ショックの初期に不穏状態を認めることは少なくない。内因性カテコラミンによる反応と考えられるが，安易な鎮静は舌根沈下による呼吸停止などを誘発するので，気道呼吸管理を前提とすべきである。

　止血処置のための経腟アプローチは疼痛を伴うことも少なくない。とくに子宮内反症は強い疼痛を生じ得る。処置に際して安静を保てないときには気道呼吸管理を行いながらまず鎮痛を行い，必要最低限の鎮静を検討するが，必要なら全身麻酔を選択することをためらわない。麻酔科医などの協力が得られれば，全身管理はより確実に行える。

　重症化した出血性ショックや鎮痛・鎮静に関連した呼吸抑制により，脳への不可逆的なダメージを及ぼすことは確実に回避しなければならない。産婦人科医と全身管理医が早期から連携して対応することが重要である。

スライド 142

E：体温の維持

加温回路と体表加温

3M™ ベアーハガー™
ブランケット
（スリーエム ヘルスケア ジャパン合同会社）

レベル 1™ コンベクティブウォーマー
（スミスメディカル・ジャパン）

3M™ ベアーハガー™
ペーシェントウォーミング Model675
（スリーエム ヘルスケア ジャパン合同会社）

ウォームエアー®
（IMI）

　低体温（hypothermia）により凝固障害を生じるが，血小板の接着や凝集の低下と[22]，凝固反応時間が遅延することが原因と考えられている[23)～25)]。ショック状態では内因性カテコラミンの影響で発汗を生じ，体表から熱が逃げやすい。さらに，止血処置に伴って皮膚の露出や開腹，室温の低い環境（血管造影室）といった低体温を招きやすい状況にあるため，出血性ショックでは体温管理が重要になる。

　輸液や輸血による低体温を予防するために，急速輸血ですでに述べた加温回路が重要である（スライド133：p200 参照）。加温回路では，低下傾向にある体温を回復させることは難しいため，重症例ほど体表加温が必要になる。温風式の加温装置が多く用いられ，手術室などに常備されていることが多い。深部体温を保つためには，体表加温により温まった末梢に血液が灌流され，さらに温められた血液が中枢に戻ることが必要であり，循環動態を保つことも体温管理にも重要である。

> **column**
>
> ## 産科 DIC と凝固障害〜DIC の歴史とともに
>
> 　本書では，産科危機的出血に関連して生じる止血能の問題を，凝固障害（coagulopathy）と表現している。その意図は，出血性ショックに際しては止血する（血液凝固させる）ことを主眼におくべきであり，その治療対象病態が凝固の障害であることを強調するためである。
>
> 　同病態をわが国では「産科 DIC」と表現されることもある。Fg 減少と線溶亢進が特徴的であり，常位胎盤早期剥離，羊水塞栓症などで発生しやすいことから，「産科 DIC 診断基準」は 2022 年 6 月に「暫定版産科 DIC 診断基準」に改定され（表）[1]，「産科危機的出血への対応指針」と併せて利用することが提案されている。2024 年内に確定される予定であり，日本産婦人科学会，日本新生児血液学会のホームページなどから最新版を確認されたい。
>
> **表　暫定版産科 DIC 診断基準**
>
> 3 項目における各々の点数の合計が，8 点以上で産科 DIC と診断
>
> | Ⅰ．基礎疾患・病態 | 点 | Ⅱ．凝固系検査 | 点 | Ⅲ．線溶系検査 | 点 |
> |---|---|---|---|---|---|
> | a. 常位胎盤早期剥離 | 4 | Fg [mg/dL] | | a. FDP [μg/mL] | |
> | | | 300≦ | 0 | <30 | 0 |
> | b. 羊水塞栓症 | 4 | 200≦ <300 | 1 | 30≦ <60 | 1 |
> | | | 150≦ <200 | 2 | 60≦ | 2 |
> | c. 非凝固性分娩後異常出血 | 4 | 100≦ <150 | 3 | b. D-dimer [μg/mL] | |
> | | | <100 | 4 | <15 | 0 |
> | | | | | 15≦ <25 | 1 |
> | | | | | 25≦ | 2 |
> | どれか 1 つを選択 | | | | a と b のどちらかを選択 | |
>
> 〔文献 1) から作成〕
>
> 　DIC（disseminated intravascular coagulation：播種性血管内凝固症候群）という名称は 1951 年に米国の産婦人科医 Schneider CL によって提唱されたが，常位胎盤早期剥離の症例で病理学的に血管内にフィブリン塞栓を発見したからである[2]。DIC 病態はより古くから知られ，Dupuy M が脳組織を静注する動物実験で 1834 年に初めて報告し[3]，小畑惟清（産婦人科医，第 10 代日本医師会会長）は胎盤抽出物でも血小板血栓と凝固能低下を認めることを 1919 年に報告していた[4]。
>
> 　細菌によって全身微小血管の血栓を生じることは 1913 年に草間滋（病理細菌学者）が証明し[5]，現在では，血液凝固と免疫反応は相互に関連していることが知られている[6]。臨床的にも敗血症では凝固亢進型 DIC を認め，「日本版敗血症診療ガイドライン 2020」では抗凝固療法が推奨されている。
>
> 　一方，産科危機的出血では線溶亢進型の病態であり，「産科危機的出血への対応指針 2017」でふれられていた抗 DIC 療法の記載は 2022 年の改定で消滅した。産科 DIC という

用語であっても凝固亢進ではなく，治療すべきは凝固障害であり凝固因子の補充療法とトラネキサム酸投与による抗線溶療法が重要である。なお，トラネキサム酸を発見したのは岡本彰祐と岡本歌子であり[7]，国際的にも高く評価されている[8]。日本人として誇らしいのではないだろうか。

---

1) 産科DIC診断基準改訂ワーキンググループ：暫定版産科DIC診断基準．日産婦新生児血会誌 32：S12-S14, 2022.
2) Schneider CL：Fibrin embolism (disseminated intravascular coagulation) with defibrination as one of the end results during placenta abruptio. Surg Gynecol Obstet 92：27-34, 1951.
3) Dupuy M：Injections de matière cérébrale dans les veines. Gaz Med Paris 2：524, 1834.
4) Obata I：On the Nature of Eclampsia. J Immunol 4：111-139, 1919.
5) Kusama S：Uber Aufbau und Entstehung der toxischen Thrombose und deren Bedeutung. Beitr z path Ant u z allg Path 55：459-544, 1913.
6) Torres K：The crossroads of the coagulation system and the immune system：Interactions and connections. Int J Mol Sci 24：12563, 2023.
7) Okamoto S, Okamoto U：Amino-methyl-cyclohexane-carboxylic acid：Amcha a new potent inhibitor of the fibrinolysis. Keio J Med 11: 105-115, 1962.
8) Watts G：Utako Okamoto. Lancet 387 (10035)：2286, 2016.

スライド 143

> ### まとめ
>
> - 出血には **出血制御** と **全身管理** の両立が必要
> - 急速大量輸血には，**MTP**による血液製剤の確保，血液製剤の十分な**加温**，**iCa**の補正が重要である
> - 必要なら，**異型適合血**（RBC O型，FFP AB型）を躊躇しない
> - 血液型の確定には，**異なる時点の2検体**が必要
> - 凝固障害
>   - **トラネキサム酸**により線溶亢進を抑制する
>   - **低Fg血症**を早期認知し**フィブリノゲン濃縮製剤/クリオプレシピテート**で補充する
>   - Fg以外の**凝固因子**は**FFP**により補充する
> - 不安定な状態が継続 and/or 止血できない場合，**Damage Control 戦略**を検討する

文献

1) 日本産科婦人科学会，日本産婦人科医会，日本周産期・新生児医学会，他：産科危機的出血への対応指針 2022.
2) 日本麻酔科学会，日本輸血・細胞治療学会：危機的出血への対応ガイドライン，2007. https://anesth.or.jp/files/pdf/kikitekiGL2.pdf（Accessed：2023/9/15）
3) Mendelson CL：The aspiration of stomach contents into the lungs during obstetric anesthesia. Am J Obstet Gynecol 52：191-205, 1946.
4) Warwick D, Ngan Kee：Uteroplacental Blood Flow. Chestnut DH, Wong CA, Tsen LC, et al eds：Chestnut's Obstetric Anesthesia：Principles and Practice. 6th ed, Elsevier, Philadelphia, 2020, B157-B159.
5) 宮田茂樹，板倉敦夫，上田裕一，他：大量出血症例に対する血液製剤の適正な使用のガイドライン．日輸血細胞治療会誌 65：21-92, 2019.
6) Tanaka H, Matsunaga S, Yamashita T, et al：A systematic review of massive transfusion protocol in obstetrics. Taiwan J Obstet Gynecol 56：715-718, 2017.
7) 厚生労働省医薬・生活衛生局血液対策課：輸血療法の実施に関する指針．平成17年9月（令和2年3月一部改正）．
8) Laway BA, Baba MS：Sheehan syndrome. J Pak Med Assoc 71：1282-12568, 2021.
9) Sheehan HL：The recognition of chronic hypopituitarism resulting from postpartum pituitary necrosis. Am J Obstet Gynecol 111：852-854, 1971.
10) Collins PW, Solomon C, Sutor K, et al：Theoretical modelling of fibrinogen supplementation with therapeutic plasma, cryoprecipitate, or fibrinogen concentrate. Br J Anaesth 113：585-595, 2014.
11) 宮田茂樹，板倉敦夫，上田裕一，他：大量出血症例に対する血液製剤の適正な使用のガイドライン．日輸血細胞治療会誌 65：21-92, 2019.
12) Watts G：Utako Okamoto. Lancet 387（10035）：2286, 2016.
13) Okamoto S, Okamoto U：Amino-methyl-cyclohexane-carbolic acid：AMCHA：A new potent inhibitor of fibrinolysis. Keio J Med 11：105-115, 1962.
14) 伊藤隆史，和中敬子，Ian Roberts：CRASH試験を紐解き，トラネキサム酸の有用性に迫る．

日血栓止血会誌 31：325-333, 2020.
15) WOMAN Trial Collaborators：Effect of early tranexamic acid administration on mortality, hysterectomy, and other morbidities in women with post-partum haemorrhage (WOMAN)：An international, randomised, double-blind, placebo-controlled trial. Lancet 389（10084）：2105-2116, 2017.
16) Ducloy-Bouthors AS, Jude B, Duhamel A, et al；EXADELI Study Group：High-dose tranexamic acid reduces blood loss in postpartum haemorrhage. Crit Care 15：R117, 2011.
17) Bouet PE, Ruiz V, Legendre G, et al：Policy of high-dose tranexamic acid for treating post-partum hemorrhage after vaginal delivery. J Matern Fetal Neonatal 29：1617-1622, 2016.
18) Gayet-Ageron A, Prieto-Merino D, Ker K, et al；Antifibrinolytic Trials Collaboration：Effect of treatment delay on the effectiveness and safety of antifibrinolytics in acute severe haemorrhage：A meta-analysis of individual patient-level data from 40 138 bleeding patients. Lancet 391（10116）：125-132, 2018.
19) Wray JP, Bridwell RE, Schauer SG, et al：The diamond of death：Hypocalcemia in trauma and resuscitation. Am J Emerg Med 41：104-109, 2021.
20) Ditzel RM Jr, Anderson JL, Eisenhart WJ, et al：A review of transfusion- and trauma-induced hypocalcemia：Is it time to change the lethal triad to the lethal diamond? J Trauma Acute Care Surg 88：434-439, 2020.
21) 日本赤十字社：日本赤十字社におけるTRALI及びTACOの評価基準変更のお知らせ．令和3年3月．
https://www.jrc.or.jp/mr/news/pdf/info_202103.pdf（Accessed：2023/9/15）
22) Wolberg AS, Meng ZH, Monroe DM 3rd, et al：A systematic evaluation of the effect of temperature on coagulation enzyme activity and platelet function. J Trauma 56：1221-1228, 2004.
23) Nitschke T, Groene P, Acevedo AC, et al：Coagulation under mild hypothermia assessed by thromboelastometry. Transfus Med Hemother 48：203-209, 2021.
24) Shenkman B, Budnik I, Einav Y, et al：Model of trauma-induced coagulopathy including hemodilution, fibrinolysis, acidosis, and hypothermia：Impact on blood coagulation and platelet function. J Trauma Acute Care Surg 82：287-292, 2017.
25) Mitrophanov AY, Szlam F, Sniecinski RM, et al：Controlled multifactorial coagulopathy：Effects of dilution, hypothermia, and acidosis on thrombin generation *in vitro*. Anesth Analg 130：1063-1076, 2020.

Ⅲ 初期診療に必要なスキル

Primary Survey に必要なスキル
5 産科危機的出血
産科出血の経腟的および開腹止血法

スライド 144

> **産科危機的出血における止血のポイント**
> - 産科危機的出血において，経腟的および非観血的な対応で止血を試みる
> - 経腟的および非観血的な対応で止血困難である場合に IVR または開腹止血を考慮する
> - 止血するための治療方針は，出血の原因，出血部位，妊孕性温存の可否，といった要因を考慮して決定する

● 経腟的止血法

スライド 145

双手圧迫

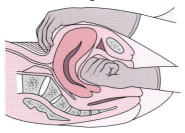

Cunningham 法

腟内に挿入した手拳で子宮頸部前腟円蓋側を，腹壁上の他手で子宮後面を圧迫

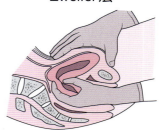

Zweifel 法

腟内で子宮頸部を把握，腹壁上から子宮体部を前屈させて恥骨部分に向けて圧迫

- 大量の子宮出血を認める場合に行うべきスキルである。
- 子宮底部を圧迫する手で物理的刺激（マッサージ）を行い子宮収縮を促進しながら，子宮頸部を圧迫し子宮口からの出血コントロールを図る（子宮収縮薬を併用する）。
- 子宮頸部の圧迫に加えて腟内の手で子宮を挙上すると子宮動脈周囲の組織を牽引・圧迫でき，出血をコントロールしやすくなることがある。

スライド 146

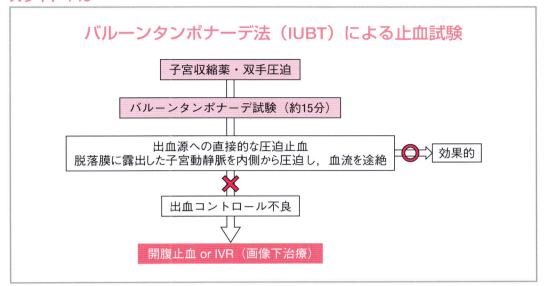

- 子宮底輪状マッサージや双手圧迫といった物理的刺激の止血効果が乏しい場合，バルーンタンポナーデ法（intrauterine balloon tamponade；IUBT）を用いて止血試験を行う。
- IUBT の止血効果の原理は，拡張させたバルーンによって子宮内側から，直接，子宮動静脈を圧迫するタンポナーデ効果である。
- 「母体安全の提言 2013」[1]では，タンポナーデ開始後約 15 分で止血効果が得られない場合は開腹止血や IVR を推奨している。
- 凝固障害を呈している場合や癒着胎盤などの生物学的結紮機構が機能しにくい場合にタンポナーデが効果的ではないことがある[2,3]。

スライド 147

子宮内バルーン

アトム子宮出血バルーン
（アトムメディカル提供）

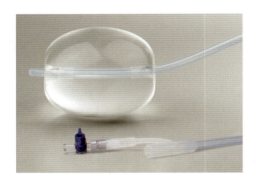

Bakri® 分娩後バルーン
（クックメディカル提供）

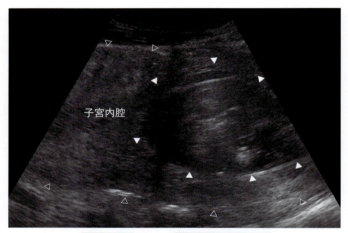

▽ 子宮　　▼ 子宮内バルーン

- 市販されている子宮出血用のバルーンは2種類ある。
- いずれも最大容量 500 mL で子宮のサイズに応じて，帝王切開時には直視下に，経腟分娩後では経腹超音波検査で確認しながら滅菌水または生理食塩水を拡張ポートから注入する。
- シリコン製でラテックスアレルギーがある場合でも使用可能である。
- 両者の違いは，ドレーンポート先端の突出の有無，および，スタイレットが搭載されているか否か，の2点である。
- 施設ごとに採用されているバルーンは異なる可能性があるため，それぞれの特徴を理解しておく。

スライド 148

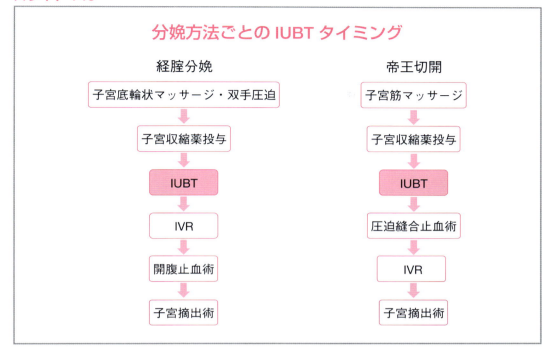

- IUBT は分娩後の子宮出血を軽減または止血することを目的として，緊急 IVR や外科手術を行うまでの間，母体バイタルサインの安定化を図るために行う。
- 一次・二次医療機関から高次医療機関へ搬送する際に適正に IUBT を行うことで出血量を軽減できる可能性がある。

スライド149

バルーン留置方法

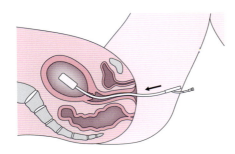

経腟的に子宮頸管を鉗子で把持するか，用手的に子宮頸管内から子宮内にバルーンを留置する

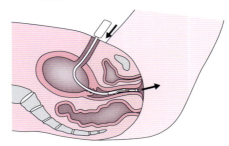

帝王切開時では経腹的に子宮切開創からバルーンシャフトを挿入し，バルーンを子宮体部に留置後，子宮切開部を閉創する（閉創時のバルーン損傷に注意する）

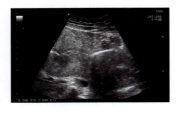

留置後は経腹的に超音波検査ガイド下に位置を確認する

バルーンの滑脱を防ぐために腟内（子宮内ではない）ガーゼでパッキングする

- 経腟的なバルーン留置では，子宮頸管を鉗子で把持するか，用手的に子宮頸管内から子宮腔内に挿入する。
- 経腹的に超音波ガイド下で滅菌水または生理食塩水を100～150 mL注入し，止血効果を確認する。その後，分割注入し，止血が得られる最少量で維持する。
- 過度のバルーン拡張は生物学的結紮を妨げ，また，子宮破裂を助長する可能性がある。
- 経腟分娩後では，子宮頸管が拡張していることが多く，バルーンの滑脱を防ぐために適宜腟内のガーゼパッキングを行う[2)4)]。
- 前置胎盤や早産期の帝王切開時には子宮頸管が閉鎖していると，経腟的に留置が困難であるため経腹的にバルーン留置する。
- 閉鎖している頸管にバルーンシャフトを無理に挿入すると頸管が損傷する可能性があるため，挿入前に拡張ポート先端の活栓やスタイレットを取り外すことも考慮する。

スライド 150

ガーゼタンポンの注意点

- 子宮出血に対するヨードホルムガーゼなどを用いたタンポナーデは子宮内腔ではなく，後腟円蓋にガーゼを留置する
- 子宮頸部が視認できるように後腟円蓋にガーゼを留置することで子宮出血がマスクされず，子宮筋の収縮率が比較的低い子宮体下部を圧迫することができる

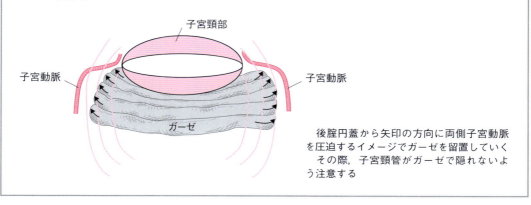

後腟円蓋から矢印の方向に両側子宮動脈を圧迫するイメージでガーゼを留置していく　その際，子宮頸管がガーゼで隠れないよう注意する

- 子宮出血に対するガーゼタンポンは子宮内腔に留置すると，子宮出血をマスクするだけでなく，子宮収縮を障害する可能性があるため，後腟円蓋に留置する。
- 子宮内腔に比較して後腟円蓋のスペースは限定的であるが，妊婦の腟内は拡張しやすいためヨードホルムガーゼでは 1.5〜2 m 程度は留置可能である。
- 子宮口や子宮頸部を直接圧迫するのではなく，両側の子宮動脈の方向にタンポナーデを行う。
- バルーンタンポナーデによる子宮内バルーンの滑脱を本法で防ぐことが可能である。

スライド151

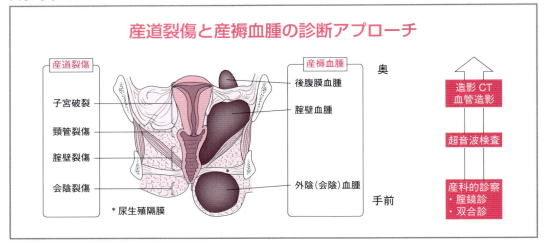

産道裂傷と産褥血腫の診断アプローチ

- 産道裂傷は，会陰側から会陰裂傷，腟壁裂傷，頸管裂傷，子宮破裂に分類され，簡単に縫合できるものから輸血，IVR，開腹手術が必要になる場合まで，その部位や程度はさまざまである。
- リスク因子として，鉗子・吸引分娩などの急速な分娩進行，軟産道強靱，巨大児，回旋異常などがあげられる。
- 産褥血腫には，外陰血腫，腟壁血腫，後腹膜血腫があり，尿生殖間膜より頭側に生じた血腫は腟壁血腫，足側に生じた血腫が外陰血腫と定義される。
- リスク因子として，鉗子・吸引分娩，遷延分娩，軟産道強靱，裂傷縫合の縫合不全などがあげられる。
- それぞれの発生初期対応と適切な処置が重要である。とくに頸管裂傷や血腫が発生初期に気づかれず，バイタルサインの変動や出血・疼痛といった症状が増悪することで初めて気づいた場合は，病変が増大していることがあるため注意する。
- 出血部位は腟壁から奥（頭側）になるほど診断が困難で，かつ，破綻する血管が太いため，血腫のサイズが増大する傾向にある。

スライド 152

頸管裂傷と裂傷縫合

分娩直後から持続的な鮮紅色の出血を認めた場合は頸管裂傷を疑う！

内診で示指と中指で図のように挟むようにして連続性を触知して確認する（Gruber法）用手的または産褥用の大きいジモン腟鏡または産褥用クスコ腟鏡を用いて出血部位を確認し，直視下に縫合する

Gruber（グルーバー）法

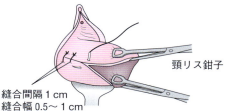

産褥用の大きい腟鏡を用いることにより，展開しにくい裂傷・出血部位を直視下に1cm程度頭側から結紮・縫合する

頸リス鉗子
縫合間隔 1 cm
縫合幅 0.5〜1 cm

- 頸管裂傷が疑われた場合は，胎盤娩出後，産褥用ジモン腟鏡またはクスコ腟鏡といった大きい腟鏡を用いて，直視下に出血部位を確認する。
- 頸管裂傷は子宮頸管の3時および9時方向に好発し，腟円蓋に向かって裂傷を形成することが多い。
- 頸リス鉗子で子宮頸部を把持し，裂傷部位の断端より1cm程度奥（頭側）から順に結紮縫合する。
- 頸管裂傷が深い場合には子宮破裂の可能性を考慮する。

スライド 153

産褥血腫の所見・症状

部位	主な損傷血管	所見	症状
外陰血腫	内陰部動脈の分枝	外陰部腫瘤 外陰部変色 斑状出血	外陰部痛
腟壁血腫	内陰部動脈 腟動脈 子宮動脈下行枝	腟・直腸腫瘤	直腸圧迫感 疼痛
後腹膜血腫	内陰部動脈 子宮動脈 広間膜内の血管 傍腟壁血腫の進展	子宮の偏位 ショック状態	症状なし 腰痛 殿部痛

〔橋口幹夫：腟壁・外陰血腫，後腹膜血腫．周産期医学 44：610, 2014. より引用・改変〕

- 外陰血腫は尿生殖間膜下に形成されるため，骨盤底への拡大は認めず，外陰部の皮下に沿って腫瘤が形成され，急速な進展・拡大に伴う疼痛を訴えることが多い。
- 腟壁血腫は尿生殖間膜上に形成されるため，傍腟壁腔や坐骨直腸窩へ進展し，内診所見で腟内および直腸内腔側へ突出する腫瘤により診断される。重症例では血腫が後腹膜腔に及ぶ場合がある。
- 後腹膜血腫は腟壁血腫が二次的に進展する場合と，帝王切開や子宮破裂によって子宮動脈損傷に伴って形成される場合がある。広間膜内へ進展するため，母体の症状が乏しく，外出血に見合わない頻脈や血圧低下といったバイタルサインの悪化を認め，循環血液量減少性ショックを呈することがある。
- 後腹膜血腫の診断は，身体所見や超音波検査では困難なことが多く，疑われた場合には造影CTをためらわずに行う。

5 産科危機的出血　産科出血の経腟的および開腹止血法

スライド 154

産褥血腫の治療

1. 保存的治療（厳重観察, 圧迫止血）
2. 外科的治療（切開, 血腫除去, 縫合止血, ドレーン留置）
3. IVR（動脈塞栓術）

治療方針決定へのポイント
・血腫の発生部位・程度
・血腫の増大傾向の有無
・自覚症状の増悪の有無
・母体の全身状態

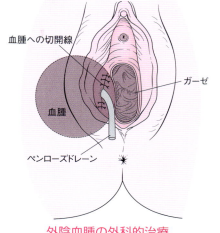

外陰血腫の外科的治療

● 血腫を除去し, 確認可能な出血点を縫合止血
● 同定困難な静脈性出血には無理な縫合を行わず, ドレーン留置下にガーゼによる圧迫止血を試みる

・産褥血腫の治療には, 保存的, 外科的, IVR（動脈塞栓術）がある。
・治療方針決定には, 正確な血腫の発生部位とその程度を評価した後に, 血腫の増大傾向の有無, 自覚症状の増悪の有無, 母体の全身状態がポイントとなる。
・外陰血腫であれば, 外科的治療を考慮し, 腟壁血腫ではIVRを考慮する。
・後腹膜血腫では, IVRか開腹手術が必要になることがある。

スライド 155

子宮内反症：非観血的用手整復術

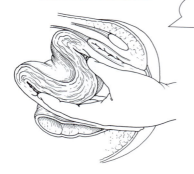

Johnson の整復法

内診指で子宮底部を腹腔側に誘導する

整復困難な場合は，子宮筋弛緩を図るために以下の薬剤を用い，内診手の手掌を内反した子宮底部に，指先を子宮体部と頸部の反転部付近に当て，子宮底部を握るように把持したうえで頭側に押し上げる

子宮弛緩薬	
セボフルラン	吸入麻酔
リトドリン塩酸塩	6〜10 mg を緩徐に静注（原液 10 mg/mL）
硫酸マグネシウム	4〜6 g を 15〜20 分で静注（原液 1 g/10 mL）
ニトログリセリン	50〜500 μg を静注 〔原液 0.5 mg/mL を 10 倍希釈（50 μg/mL）し，効果発現まで 1 mL/min で投与〕

- 子宮内反症は 1/2,000〜20,000 分娩の頻度で生じる。
- 過度な臍帯の牽引，胎盤用手剝離，子宮底部付着の胎盤，癒着胎盤がリスク因子である。
- 子宮筋弛緩薬を併用し，手掌を子宮底部に当てて頭側に押し上げることで修復する。
- 整復の際，セボフルラン（吸入），リトドリン塩酸塩 6〜10 mg（静注），ニトログリセリン 50〜500 μg（静注）が用いられることが多い。とくにニトログリセリンは即効性があり，作用発現まで約 60 秒程度であるが，出血性ショックの際は有害事象として低血圧に注意が必要である。低血圧には十分な輸液を行ったうえでノルアドレナリン 0.1 mg ずつ静注することで昇圧を考慮する。
- 用手整復術が困難で全身状態が安定しない場合は，全身麻酔下の開腹整復術や子宮摘出術を考慮する。
- 子宮筋弛緩作用発揮のために 1 MAC 以上の吸入麻酔薬が必要になるが，ニトログリセリンを併用することが多い。
- ニトログリセリンの効果は数分で消失するため使用しやすいが，整復後は弛緩出血に至らないよう子宮収縮促進が必要になる。

開腹止血

スライド 156

子宮内反症：観血的整復法

Huntington 法
- 開腹し，必要なら子宮弛緩薬を使用する
- 陥凹した内反漏斗部の子宮体表面を鉗子で把持し，優しく繰り返し牽引して整復する。助手は経腟的に内反した子宮底部を押し上げる
- 整復後も子宮収縮が得られなければ子宮摘出が必要になる

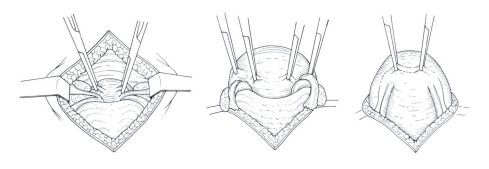

スライド 157

子宮圧迫縫合（compression suture）

- 産科危機的出血において出血コントロールを目的とした compression suture が止血法として選択される
- 子宮摘出を回避するため，子宮全体または子宮の出血点を圧迫するように運針して縫合止血を図る
- compression suture の方法は出血の原因や出血部位に応じて選択する
- 子宮を温存することにより妊孕性も温存されるが，子宮筋層の虚血や欠損，および子宮内腔の癒着といった合併症にも注意して術後の画像検査などのフォローアップが必要になる

スライド 158

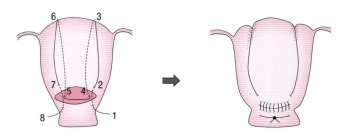

compression suture：B-Lynch suture[6]

特徴と注意点
- 子宮体部からの出血（弛緩出血，裂傷，癒着胎盤など）に有効
- 子宮底部の糸がずれないように注意
- 運針がやや複雑（事前のシミュレーションが必要）

- 開腹止血法である compression suture の代表的な方法で，とくに子宮体部からの出血に有効である。
- 太め（1-0〜1号）の吸収糸で図の番号順に運針し，子宮体部を圧迫縫合する。運針が複雑であるため，事前にシミュレーションしておくとよい。運針の図の3や6の部位は糸がかかっているだけで固定されていないため，ずれないように注意して縫合する。
- 直針で鈍針の吸収糸が開発され，compression suture がより安全かつ簡便に行えるようになった。子宮前壁から後壁まで貫通するのに十分な長さで針先が鈍なので術者の針刺しリスクも軽減されるように縫合糸が進化している。

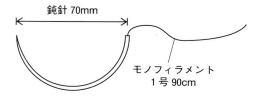

モノクリル®1号 90cm　70mm 鈍針
（Ethicon 社製）

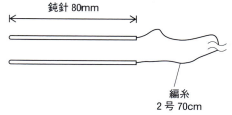

モノディオックス®2号 70cm　80mm 超鈍針
（アルフレッサファーマ社製）

スライド 159

compression suture：Haymann 法[7]

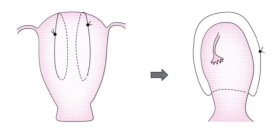

特徴と注意点
- 子宮体部からの出血（弛緩出血，裂傷，癒着胎盤など）に有効
- 子宮底部の糸がずれないよう注意
- 運針は B-Lynch 法より単純

・B-Lynch 法の運針を単純化したものが Haymann 法である。
・B-Lynch 法と同じく子宮体部からの出血に有効である。
・B-Lynch 法は帝王切開で用いられるのに対し，本法は経腟分娩後の開腹止血に施行可能である。B-Lynch 法同様に子宮底部の糸がずれないように注意する。

スライド 160

compression suture：Matsubara-Yano 法（MY 法）[8]

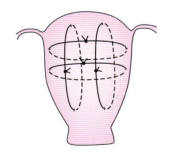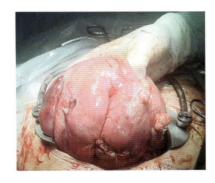

特　徴
- 子宮体部からの出血に有効
- 子宮体部の糸は固定されるため，ずれにくい
  →子宮内反症の再発予防にも有効
- 運針は B-Lynch 法ほど複雑ではない
- 子宮切開創がなくても施行可能

・B-Lynch 法と同様に子宮体部からの出血に有効である。
・この方法は B-Lynch 法に比べて運針が容易，かつ糸がずれにくいメリットがある。
・子宮内反症の再発防止のために施行する場合がある。
・Haymann 法と同様に子宮切開創がなくても施行可能である。

スライド 161

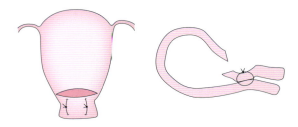

compression suture：parallel vertical suture[9]

特　徴
- 癒着胎盤などによる子宮筋層の欠損部位からの出血や，子宮体下部の胎盤付着で生物学的結紮が機能しにくい部位からの出血に対して有効

・前置・低置胎盤では，胎盤が子宮体下部に付着していて生物学的結紮が機能しにくいため，その部位からの出血に対して有効である。
・子宮体下部の癒着胎盤や裂傷などにも同様の理由で有効である。

スライド 162

compression suture：square suture[10]

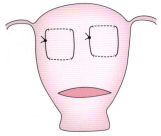 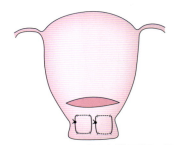

square suture（子宮体部）　　square suture（子宮体下部〜頸部）

特　徴
- 子宮体部および体下部〜頸部を問わず，局所の出血部位を限定的に止血
- 癒着胎盤などによる子宮筋層の欠損部位からの出血や，前置・低置胎盤など生物学的結紮が機能しにくい部位からの出血に対して有効

・子宮のどの部位からの出血であっても施行可能なのが square suture である。
・出血点が限局している場合にとくに有効で，癒着胎盤を除去した後の子宮筋層の欠損部位からの出血などに対して施行する。

スライド163

子宮動脈および子宮卵巣血管吻合部の結紮術

compression suture で止血を試みても止血が得られない場合，子宮への栄養血管である子宮動脈または子宮卵巣血管吻合部を結紮し止血する

②子宮卵巣血管吻合部の結紮
　卵巣動静脈と子宮動脈の吻合部を結紮

①O'Leary stitch[11)]
　子宮切開創の2〜3cm下方
　子宮壁側の2〜3cm内側

適応疾患：深部頸管裂傷，子宮破裂

尿管
子宮動脈上行枝
子宮動脈
子宮動脈下行枝

＊①から②の順に選択する

- O'Leary stitch と呼ばれる帝王切開創部の2〜3cm下方かつ子宮側壁の2〜3cm内側で子宮動脈上行枝を結紮する（uterine artery ligation）。
- O'Leary stitch を行っても止血しない場合，子宮卵巣血管の吻合部を結紮する。この場合，尿管の走行を確認し，尿管を結紮しないように注意する。
- 末梢で出血がコントロールできなければ中枢側の血管を結紮することで止血を得る。
- 子宮温存のために子宮の栄養血管を結紮するが，それに伴う①抗菌薬が局所に届かず，組織内低酸素状態に関連した，②子宮壊死や子宮留膿症といった合併症にも注意する。

スライド 164

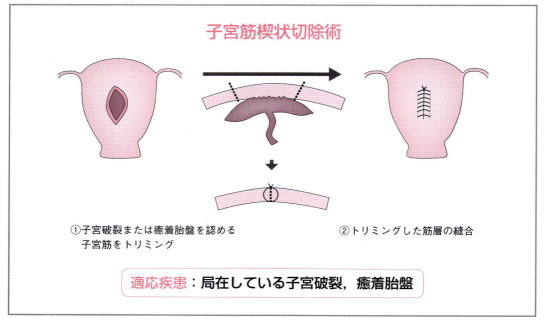

- 子宮破裂や癒着胎盤による子宮筋層の欠損部位が限局していて子宮温存する場合に本法が施行可能な場合がある。
- 子宮筋層欠損部周囲をトリミングした後に子宮を修復する。
- 子宮筋層をトリミングすることにより，次回妊娠時の子宮破裂リスクが高くなる可能性について，患者および医療者で情報を共有することが重要である。

スライド 165

子宮摘出術 (hysterectomy)

- 各種止血法による子宮出血のコントロールが困難である場合には子宮摘出を考慮する
- 子宮体下部からの出血か否かが，術式を選択するためのポイントとなる

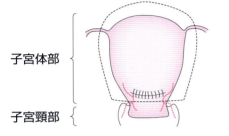
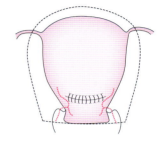

子宮体部
子宮頸部

	腟上部切断術	子宮全摘術
適応疾患	常位胎盤の弛緩出血，癒着胎盤　子宮体部の子宮破裂	前置・低置胎盤の弛緩出血，癒着胎盤　深部頸管裂傷，子宮頸部に及ぶ子宮破裂
メリット	比較的低侵襲	子宮体下部の出血効果高い
デメリット	子宮体下部の止血効果が不十分のことあり	比較的高侵襲で手技困難

・子宮体部からの出血では腟上部切断術を選択することが可能である。腟上部切断術は比較的低侵襲であるが，子宮体下部からの出血に対して止血効果が不十分なことがある。
・前置・低置胎盤，深部頸管裂傷，子宮体下部や頸部に及ぶ子宮破裂などの場合は，子宮体下部〜頸部から出血するため子宮全摘術が必要になる。
・妊娠子宮の摘出は手技が困難で比較的長時間の手術となるため，患者への侵襲度は高くなる。

スライド 166

まとめ

- 産科危機的出血の原因を鑑別しながら診断を確定し，確定診断するまでは一時的な止血法であるガーゼやバルーンタンポナーデ試験を用いて総出血量を減量する
- 出血原因が確定できれば，タンポナーデ試験および補充療法によって母体の安定化を図り，根本治療を行う
- 診断できるまでは母体の安定化処置を行いながら，身体所見や検査所見を参考に確定診断につなげる
- 妊孕性の温存（F；Female）に関する問題については，母体の生命を最優先し，確実な止血のために子宮摘出を含む止血法をためらうことなく遂行することが重要である

文献

1) 妊産婦死亡症例検討評価委員会，日本産婦人科医会：母体安全への提言 2013. http://www.jaog.or.jp/medical/ikai/project03/PDF/botai_2015.pdf（Accessed：2023/11/15）
2) Cho HY, Park YW, Kim YH, et al：Efficacy of intrauterine Bakri balloon tamponade in Cesarean section for placenta previa patients. PLoS One 10：e0134282, 2015.
3) Ogoyama M, Takahashi H, Usui R, et al：Hemostatic effect of intrauterine balloon for postpartum hemorrhage with special reference to concomitant use of "holding the cervix" procedure（Matsubara）. Eur J Obstet Gynecol Reprod Biol 210：281-285, 2017.
4) Georgiou C：Balloon tamponade in the management of postpartum haemorrhage：A review. BJOG 116：748-757, 2009.
5) 橋口幹夫：出血をきたす疾患—治療のコツ；腟壁・外陰血腫，後腹膜血腫．周産期医学 44：609-614, 2014.
6) B-Lynch C, Coker A, Lawal AH, et al：The B-Lynch surgical technique for the control of massive postpartum haemorrhage：An alternative to hysterectomy? Five cases reported. Br J Obstet Gynaecol 104：372-375, 1997.
7) Haymann RG, Arulkumaran S, Steer PJ：Uterine compression sutures：Surgical management of postpartum hemorrhage. Obstet Gynecol 99：502-506, 2002.
8) Matsubara S：Uterine compressions suture may be useful not only for hemostasis in postpartum hemorrhage but also for prophylaxis of acute recurrence of uterine inversion. Arch Gynecol Obstet 281：1081-1082, 2010.
9) Hwu YM, Chen CP, Chen HS, et al：Parallel vertical compression sutures：A technique to control bleeding from placenta praevia or accurete during caesarean section. BJOG 112：1420-1423, 2005.
10) Cho JH, Jun HS, Lee CN：Hemostatic suturing technique for uterine bleeding during cesarean delivery. Obstet Gynecol 96：129-131, 2000.
11) O'Leary JI, O'Leary JA：Uterine artery ligation for control of post cesarean section hemorrhage. Obstet Gynecol 43：849-853, 1974.

Ⅲ 初期診療に必要なスキル

Primary Surveyに必要なスキル
6 産科危機的出血 IVR（画像下治療）

スライド 167

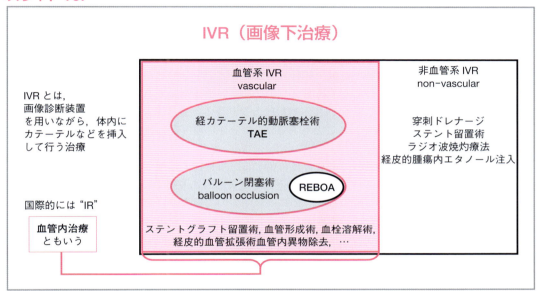

　IVR（interventional radiology）とは，X線透視や超音波，CTなどの画像診断装置を用い，体内にカテーテルや針を挿入して行う治療であり「画像下治療」という（欧米ではIRと略すのが一般的である）。診断目的の血管造影から発達した分野である。IVRは，血管造影手技に基づく血管系IVRと，非血管系IVRに分けられ，産科出血では①経カテーテル的動脈塞栓術（transcatheter arterial embolization；TAE）と②バルーン閉塞術（balloon occlusion）が多用される。TAEは大腿動脈にシースやカテーテルを挿入し，出血源の動脈までカテーテルを進め，塞栓物質を挿入し，止血を図る血管内手術である。バルーン閉塞術は出血源の動脈より中枢側の動脈をバルーンで閉塞することにより一時的に血流を遮断する血管内手術のことである。

　TAE，バルーン閉塞術は予防的[注141]あるいは緊急[注142]に実施される[1]。緊急バルーン閉塞術は緊急避難的な処置であるため，引き続く根本止血戦略が必要である。

　本項では，緊急IVRについて記載する（REBOAについてはp258参照）。

注141） 予防的なTAEやバルーン閉塞術は癒着胎盤や頸管妊娠に対する手術の出血量を軽減する目的で行う。

注142） 緊急TAEは血管造影で出血源を探索し，原因血管にカテーテルを挿入し塞栓する。緊急バルーン閉塞術は循環動態が不安定な場合にTAEや外科的止血術までの橋渡しとして出血量軽減を目的に行う。

産科異常出血における IVR の位置づけはスライド 127（p192）を参照していただきたい。

手術の際に麻酔科医・看護師などが手術室や器械などの準備をするのと同様に，IVR を行う際には放射線科医・放射線技師・看護師が血管造影室・機器と材料の準備を開始しなければならず，早期に治療方針を決断し人手を確保することが重要である。入室し実際に治療を開始できる時間を意識しつつ全身管理を継続していく。

『産科危機的出血に対する IVR 施行医のためのガイドライン 2017』[2]では，IVR 施行可能な医師は，産科危機的出血に対して動脈塞栓術の施行を検討する（推奨グレード C1）としている。開腹して外科的結紮法・止血法を行う前に，IVR を試みることもあり得るが，患者の循環動態は適応を判断する際にとくに注意すべき点である。

手術室には全身麻酔を行う環境が常時整っており，患者の全身状態を把握するモニターや，difficult airway などの気道に対応する器具，麻酔器，大量輸血セットなど ABC を管理するための医療機器・器械・材料・医薬品などが十分にある。大動脈ステントなどを施行する血管造影も行える手術室（ハイブリッド手術室）であれば，ショックが遷延した不安定な患者に対しても IVR が選択肢となり得る。施設によっては damage control IVR[注143]として実施されることもあるが[3]，全身管理医との連携は欠かせず，外傷などで慣れている施設で行う。

一般的な血管造影室の場合，全身管理に要する医療機器・器械・材料・医薬品などが十分でなく不安定な患者に対して IVR が不向きなこともあり得るので，全身管理医と十分に連携しながら適応を判断する。IVR に固執するのではなく，全身状態や原因疾患を考慮して臨機応変かつ柔軟に治療戦略を決断していく。全身管理医の意見を積極的に確認し，全身管理が困難な場合には単純子宮全摘術などの手術への切り替えも躊躇してはならない。

ABC が安定し，引き続き DEF 評価と支持療法を行い安定化できれば，Secondary Survey の最初に造影 CT を施行する。血管造影像のみで出血を特定できる頻度は 21〜52％と報告されており[4)5]，IVR 前の造影 CT の役割は大きい。造影 CT は出血部位の同定に感度が高く，産科出血の鑑別や血管走行の評価ができ，動脈相で血管外漏出像（extravasation）や仮性動脈瘤（pseudoaneurysm）を認めるときは IVR のよい適応である。目的血管を事前に把握できれば，IVR の手技時間を短縮できる。可能なかぎり選択的に出血源である責任血管を塞栓することが望まれる。

[注143] damage control IVR：手技の完成度よりも患者の循環動態の回復を優先させる IVR 戦略。根治的な止血ではなく，腎動脈下の REBOA（p258 参照）などにより循環動態を一時的に回復させ，手術や根治的 TAE を検討する。

スライド 168

TAE のメリットと問題点

メリット
- 止血の有効性は高い
- 手術（観血的止血）と比較し，子宮温存・妊孕性温存の可能性がある
- 侵襲が少ない
- 再出血に繰り返し実施できる

問題点
- 被ばく・造影剤の副作用がある
- 術者が熟練している必要がある
- 骨盤内血管が多岐にわたり，止血が困難なこともある
- 24 時間 365 日体制の施設は限られる

　TAE の臨床的成功率は報告により異なるが，71.5～100％と報告され，止血の有効性は高い[2]。妊孕性については，挙児希望症例に限ると 79％で妊娠が成立している[2]。TAE を施行後にシースを残したまま管理すれば，再出血の際に血管造影室に入ればすぐに血管造影・動脈塞栓術が施行できる特徴がある。

　当然，被ばくの問題や使用する造影剤の影響がある。造影剤に対しては造影剤腎症（contrast induced nephropathy；CIN）を避けるために細胞外液の輸液を行い脱水傾向は避け，十分に尿量（腎血流量）を確保する。TAE は血管造影による出血源血管の特定，血管やカテーテル，塞栓物質の選択とその手技など高度な技術と経験を要する。しかし，手術も同様に熟練が必要なのはいうまでもなく，IVR との比較は難しい。骨盤内の血管は破格（バリエーション）も多く，側副血行路（collateral circulation）に富み，止血の困難性の原因になり得る。

　自施設で，IVR を実施できない時間帯などは事前に確認しておく。各地域で「産科危機的出血に対する動脈塞栓術を施行可能な病院」は日本 IVR 学会のホームページで確認できる[6]。

スライド 169

IVRに関連した血管解剖

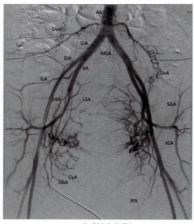

a：大動脈造影

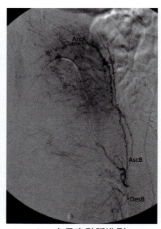

b：左子宮動脈造影

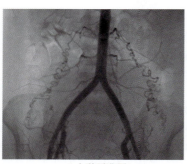

c：大動脈造影

Ao：大動脈（aorta）
MSA：正中仙骨動脈（median sacral artery）
CIA：総腸骨動脈（common iliac artery）
IIA：内腸骨動脈（internal iliac artery）
EIA：外腸骨動脈（external iliac artewry）
OvA：卵巣動脈（ovarian artery）
UtA：子宮動脈（uterine artery）
ObA：閉鎖動脈（obturator artery）
IPA：内陰部動脈（internal pudendal artery）
CyA：膀胱動脈（cystic artery）
ILA：腸腰動脈（iliolumbar artery）
LSA：外側仙骨動脈（lateral sacral artery）
SGA：上殿動脈（superior gluteal artery）
IGA：下殿動脈（inferior gluteal artery）
DesB：子宮動脈下行枝（descending branch of uterine artery）
AscB：子宮動脈上行枝（ascending branch of uterine artery）
ArcA：弓状動脈（arcuate artery）

〔図a，bは日本IVR学会編：産科危機的出血に対するIVR施行医のためのガイドライン2017，2017．より引用〕

　骨盤内の動脈，とくに内腸骨動脈の分岐はバリエーションが多いため，実際の血管造影画像をもとに血管を特定する。腹部大動脈は第4腰椎レベル（L4）で左右の総腸骨動脈に分かれ，L5下縁レベルで外腸骨動脈と内腸骨動脈に分かれる。内腸骨動脈は後方内側へ分岐し，60〜70％で前枝，後枝に分かれ，前枝が骨盤内の主たる供血路となる。

・前枝：閉鎖動脈，内陰部動脈，臍動脈，上膀胱動脈，下直腸動脈，子宮動脈，腟動脈，下殿動脈
・後枝：腸腰動脈，外側仙骨動脈，上殿動脈

　大動脈および外腸骨動脈からも骨盤内臓器への供血がみられる。大動脈（L2レベルが多い）から分岐する左右の卵巣動脈，下腸間膜動脈分枝の上直腸動脈，大動脈下端から

の正中仙骨動脈，外腸骨動脈から分岐する下腹壁動脈の枝の子宮円索動脈，死冠（副閉鎖）動脈などである。卵巣動脈は大動脈からの直接分岐がほとんどであるが，6～12％の頻度で腎動脈から分岐したり，約1％程度であるが共通幹から分岐したりするので注意が必要である[7]。

　また，出血源の責任血管を塞栓後に側副血行路からの出血を認めることは少なくない。塞栓後は血管造影で再出血がないか細かく確認すること，時間をおいて造影することが大切である。

　完全子宮破裂や癒着胎盤などでもIVRは有効ではあるが，根本的に外科的手術が必要である症例はIVRを手術前に行うか，手術後に行うかは全身管理医，産婦人科医，IVR施行医で協議して決めることが重要である。

スライド 170

血管塞栓の基本手順

① 標的血管の走行が確認できる mapping の血管造影を行う
② 塞栓部位，血管走行，血管径，血流速度などを考慮してアプローチ方法や塞栓物質を選択する
③ 予定している塞栓物質がデリバリー可能な内腔径が確保され，かつ標的血管までの到達性と挿入後の安定性を考慮してカテーテルを選択する
④ 塞栓部位までカテーテルを挿入し，塞栓物質の挙動を確認しながら塞栓物質をデリバリーする
⑤ 塞栓後の血流を評価する血管造影を行う

カテーテルの種類

multipurpose（MP）型　コブラ型　シェファードフック型　毛利型　ピッグテール型　バルーンカテーテル
〔Selecon MP Catheter®〕

血管塞栓の基本手順を記述する。まずは鼠径部を消毒し，清潔なドレープで全身を覆う。IVR は基本的に患者の右側に立って行うため，右大腿動脈から穿刺することが多いが，症例によっては左大腿動脈から穿刺することもある。消毒前に大腿動脈の拍動を触知し，場所を同定しておく。穿刺は鼠径靱帯の中点から 3 横指尾側で大腿動脈の拍動がもっとも触れる位置で行う。透視下で確認し，大腿骨頭内側中央〜下 1/3 の位置で穿刺するとよい。Seldinger 法[注144)8)]でガイドワイヤーを挿入し，その後シースを挿入する。血管解離の危険性があるため血流が拍動して逆流するところでガイドワイヤーを挿入する。原則としてガイドワイヤー操作は透視下で行う。ただし，救急初療室などで透視装置がない場合は超音波ガイド下で穿刺することもある。ガイドワイヤー挿入時に抵抗を感じた場合はそれ以上挿入せず，皮下に迷入している可能性があるため一度ガイドワイヤーを抜去し，再度外筒からの血液の逆流を確認する。

スライドに示したカテーテルを用いて内腸骨動脈や子宮動脈を選択する。同定が困難な場合，内腸骨動脈は後方内側から，子宮動脈は前側から分岐することが多いため血管造影する際に X 線管とフラットパネルディテクタ（FPD：受光部）を前斜位[注145)]（anterior oblique）に振ると同定しやすい。深くカテーテルを挿入する場合はマイクロカテー

[注144)] 内筒・外筒針で動脈前後壁を貫通し，内筒針を抜いた後に外筒針を静かに抜いて動脈血が拍動性に流出するところで外筒針を固定し，ガイドワイヤーを挿入する方法。

テル注146)を使用したcoaxial法で行う。このとき，先に挿入してある太いカテーテルは"親カテ"，マイクロカテーテルを"子カテ"と呼ぶ。

　塞栓方法は病態・部位・血流動態に応じて塞栓物質を選択する必要がある。また塞栓物質をデリバリーするカテーテルの選択も重要である。安定して操作性のよいカテーテルを使用することが確実な手技につながる。血管造影用の親カテのみでは不安定な場合にはガイディングカテーテルを使用する。塞栓物質のサイズや種類は標的血管の血管径や血流速度を考慮して選択し，必要があればバルーンカテーテルを用いてフローコントロール下に塞栓を行う。

　出血性ショックの場合は動脈のspasmにより出血が不明になることがあり，見逃しに注意する。弛緩出血など子宮動脈から出血している場合は両側子宮動脈を塞栓する。また子宮動脈を選択する余裕もないほど心停止が切迫している場合は大動脈遮断のためにREBOAを拡張しながら，または内腸骨動脈にバルーン拡張（スライド170：Selecon MP Catheter®など）を行いながら血管を選択するか，両側内腸骨動脈前枝を塞栓する。

　IVRだけで根本止血することに固執せず，外科的手術などの別の止血方法も検討しながら進めていくことも重要である。術者は患者の状態変化に気づくことが困難であり，術者とは別に患者の全身管理医を担当する者を指定したほうが安全である（手術室で麻酔科医が全身管理を行うのと同様の体制が望ましい）。全身管理の見通しと，IVRの進行状況の両者を把握し止血に至る目途を鑑みつつ，予想以上に手技時間を要したり被ばく量が増加したりしている状況では，外科的手術への切り替えを要する。これらを総合的にマネジメントし，責任をもつ者を定めておくことが重要である。

注145) 右側の内腸骨動脈を選択したいとき，左前斜位（LAO；left anterior oblique）すなわち身体の右背側からX線を照射し左前方で受光することで，身体の前後方向の情報が画像でわかることになる。一方，右側の子宮動脈を選択したいとき，右前斜位（RAO；right anterior oblique）が血管走行を同定しやすい。左内腸骨動脈はRAO，左子宮動脈波LAOを用いる。

注146) 4 Frや5 Frのカテーテルの内腔を通す，さらに細径（2.8 Fr以下が多い）のカテーテルのことをマイクロカテーテルという。挿入の際にはマイクロガイドワイヤーが用いられる。

スライド 171

塞栓物質

- ゼラチンスポンジ（セレスキュー®，ジェルパート®，スポンゼル®，ゼルフォーム®）
  生体内の貪食作用により2〜6週間で吸収される
  　カッティング法：メスと剪刀で裁断する
  　ポンピング法：短冊状またはブロック状のゼラチンスポンジとヨード造影剤をシリンジに入れ三方活栓を介して粉砕する（20回往復で500 μm，50回往復で200 μm）
- NBCA：n-butyl-2-cyanoacrylate（ヒストアクリル®）
  油性造影剤であるリピオドール®と混和して使用する
  血管塞栓が血液凝固能の影響を受けない
- 金属コイル
  離脱のコントロールの可否から2つに分けられる
  　プッシャブルコイル
  　デタッチャブルコイル
  産科領域ではゼラチンスポンジやNBCAに加えて追加塞栓する目的でコイルを使用する場合が多い

　塞栓物質の選択はIVR施行医が決定する（放射線科医であることが多い）。選択した塞栓物質の特徴を理解したうえで，塞栓後の治療戦略や集中治療の方針を決定する。
　産科出血で汎用される塞栓物質はゼラチンスポンジである。わが国で承認されたゼラチンスポンジは4種類あり，血管内使用が添付文書で認められているものはセレスキュー®とジェルパート®であるが，セレスキュー®のみが動脈性出血で保険適用である（ジェルパート®は肝細胞癌に対する動脈塞栓術に保険適用）。血小板5万/μL以下，PT-INR 1.5以上，ACT 400秒以上のような凝固障害では再出血が多いとされる。また小径（50〜250 μm）のゼラチンスポンジで塞栓したことにより子宮壊死が生じたと推察される症例もあり[9)〜12)]，小さすぎる塞栓物質は避け，ポンピング法では20回程度にとどめる。ゼラチンスポンジは視認性をもたせるためヨード造影剤に浸して用いる。シリンジ内で造影剤に対して浮遊するため，塞栓する際にはシリンジの先端を上向きにして注入する。
　NBCAは人体組織や血液などイオン性物質と接触すると重合反応が生じて硬化することで血管を閉塞させる。NBCAによる血管塞栓は通常は永続的であり，血液凝固能の影響を受けない。X線透視下で視認できないため，油性造影剤であるリピオドール®と混和して用いる。混合比率が高いほど（NBCAの割合が多いほど）硬化時間が短く，塞栓力も高い。一般的にはNBCA：リピオドール®を1：1〜1：10の比率で用いられているが，1：5よりNBCAの濃度が低い場合には再開通する可能性がある。

ゼラチンスポンジは血流が再開通し，NBCAは永続的な塞栓である特性から，出血血管を末梢まで選択できずより中枢側で塞栓する場合はゼラチンスポンジを用い，末梢血管まで選択できた場合にNBCAを選択しやすくなる。凝固障害がさほどなければゼラチンスポンジでも十分止血可能であるが，凝固障害が高度な場合はNBCAを要する傾向にある。

　金属コイルは短区間で限局して血管を塞栓する場合に用いられる。コイル留置後はコイルの間隙に形成された血栓により塞栓が促進される。ゼラチンスポンジと同様に凝固障害を伴う場合に塞栓効果が得られない可能性がある。産科出血ではゼラチンスポンジで塞栓後に蓋をするように追加留置して止血を行う場合がある[13]。コイル塞栓はゼラチンスポンジと違い，永久塞栓になるため妊孕性などを考慮しながら使用する。

スライド 172

IVR による有害事象

- 手技に関連したもの
  - 穿刺部出血（鼠径部血腫，後腹膜血腫）
  - 動脈解離
- 目的血管の塞栓に関連したもの
  - 塞栓後症候群（発熱，嘔気・嘔吐，食欲不振，全身倦怠，下腹部痛）
  - 子宮内膜炎，子宮腔内癒着（Asherman 症候群）
  - 子宮虚血，子宮壊死，腟壊死
  - 骨盤感染
- 目的外血管の塞栓
  - 膀胱，直腸，筋肉などの組織壊死
  - 神経損傷（腰部神経叢の虚血，坐骨神経痛）
  - 足趾の虚血
  - 骨盤部痛，殿部痛
- 造影剤，局所麻酔薬に関連した合併症
  - 造影剤アレルギー
  - 局所麻酔薬中毒

　塞栓後症候群とは，動脈塞栓後に下腹部痛，軽度の発熱，嘔気・嘔吐，食欲不振，全身倦怠が生じるものであり，その程度と持続期間には個人差がある。出血に対する子宮動脈塞栓術における塞栓後症候群の頻度は 3〜9％程度である[14)〜18)]。また塞栓後症候群を除いた産科出血の緊急止血に対する動脈塞栓術の有害事象発生頻度は 6〜7％と報告されている[19)]。子宮内癒着は NBCA や金属コイルなどの永久塞栓物質，ゼラチンスポンジパウダーなどの微細な塞栓物質で生じやすいとされており，ゼラチンスポンジは適切なサイズ（1〜2 mm 程度）にすべきであるが，ゼラチンスポンジ細片でも報告があるため注意が必要である。

　この他，被ばくは避けられないが，透視時間の短縮，照射野を絞る，パルス透視を活用する，拡大透視や斜位は最小限にするなどにより被ばく低減が図られる。

スライド 173

IVR 中の注意点

- 出血を積極的に把握する
  - 体位と覆布の影響で出血に気づきづらい
  - 子宮内バルーンの出血量が減少した場合，滑脱やドレーン閉塞を除外する
- 積極的な加温を行う（低体温を回避）
- 止血不全・再出血の可能性に留意する
  - 側副血行路からの出血
  - spasm による一時的血流低下
  - 相対的造影剤不足による描出不良
  - 活動性出血があっても血管外漏出を認識できないとき
- 止血に難渋する場合は外科的手術を考慮する

　全身管理に責任をもつ者を必ず配置し，ABC 管理と止血能の改善（抗線溶，加温，カルシウム製剤補充）を図る。産婦人科医と放射線科医に加え，全身管理医とも連携した IVR を心がける（全身管理医を確保できなければ，代わりにその役割をはたす者をあてる）。

　IVR 中は体位と覆布の影響で腟や会陰部からの出血量を把握することが困難になり，病態の変化に気づきづらいので注意する。子宮内バルーンからの出血量が減少した場合，動脈塞栓の影響に限らずドレーン閉塞や位置異常を考慮し，術者とディスカッションのうえで覆布内を確認すべきである。

　また血管造影室は X 線管装置の管理上，室温が低く設定される。加温回路や体表加温装置などを使用して積極的な体温管理を実施する。

　動脈塞栓後，血管造影で出血血管からの血管外漏出像を認めなくても，対側血管や側副血行路により出血が続くことがある。ショック状態による spasm や血管床に対する相対的造影剤不足で出血源が特定できないこともあり[4]，活動性出血があるにもかかわらず血管外漏出像を認めない頻度も高いので[20]，バイタルサインや出血量などの臨床所見を丁寧に把握する必要がある。TAE 後，止血を確認する際には，応急的に挿入されていた子宮内バルーンや腟内ガーゼを抜去してから血管造影を行うことを検討する。タンポナーデ効果がない状態で血管造影を行うことで，一見止血されたように描出されていた出血源を特定し TAE を追加することができる。また TAE 後に卵巣動脈や外腸骨動脈など側副血行路となり得る動脈を確認する。spasm により血管外漏出像を認めないこともあり，時間をおいて造影することも考慮する。相対的造影剤不足により出血源を特定できない場合は，出血し得る動脈 1 本 1 本を選択し，造影して確認する。速やかに TAE を追加できる場合はよいが，止血に難渋する場合は外科的手術を考慮する。IVR により出血がコントロールできない場合は，それに固執せず，外科的手術を含むほかの止血法を選択することを常に考えておくことが重要である。

スライド 174

まとめ

- 産科危機的出血の根本止血として IVR は選択肢である
  - 動脈性出血の止血に有用
  - 妊孕性や患者に対する侵襲が少ない
- IVR 実施中も全身管理は継続する
  - バイタルサインを継続的にモニターする
  - ドレープがかかると全身を観察しづらくなるためこまめに観察する
- 全身管理医，産婦人科医でも IVR 手技や血管解剖を熟知し，IVR 施行医と議論する
- IVR に固執せず，外科的手術や DC 戦略への移行を常に考える
- IVR 後の管理では以下に留意する
  - 再出血の可能性
  - 塞栓物質の特性
  - 塞栓後症候群や IVR 合併症

引用文献

1) ウッドハムス玲子：産科危機的出血における IVR の有用性と限界．日産婦会誌 68：1354-1365，2016．
2) 日本 IVR 学会編：産科危機的出血に対する IVR 施行医のためのガイドライン 2017，2017．https://www.jsir.or.jp/docs/sanka/2017sanka_GL180710.pdf（Accessed：2024/1/20）
3) 中島康雄，他編：一歩先行く産科・婦人科領域の IVR．メジカルビュー社，東京，2016．
4) Lee NK, Kim S, Kim CW, et al：Identification of bleeding sites in patients with postpartum hemorrhage：MDCT compared with angiography. AJR Am J Roentgenol 194：383-390, 2010.
5) Gonsalves M, Belli A：The role of interventional radiology in obstetric hemorrhage. Cardiovasc Intervent Radio 33：887-895, 2010.
6) 日本 IVR 学会：産科危機的出血．https://ivr-search.jsir.or.jp/index.php（Accessed：2023/9/15）
7) 平松京一，甲田英一，毛利誠，他：腹部血管の X 線解剖図譜．東京，医学書院，1984，pp207-224．
8) Seldinger SI：Catheter replacement of the needle in percutaneous arteriography：A new technique. Acta Radiol 39：368-376, 1953.
9) Folie TL, Vidal V, Mehanna M, et al：Balloon-assisted occulusion of the internal iliac arteries in patients with placenta accrete. AJR Am J Roentgenol 189：1158-1163, 2007.
10) Cottier JP, Fignon A, Tranquart F, et al：Uterine necrosis after arterial embolization for postpartum hemorrhage. Obstet Gynecol 100：1074-1077, 2002.
11) Porcu G, Roger V, Jacquier A, et al：Uterus and bladder necrosis after uterine artery embolization for postpartum haemorrhage. Br J Obstet Gynecol 112：122-123, 2005.

12) Eboue C, Barjot P, Huet H, et al：Uterine and ovarian necrosis following embolization of the uterine arteries for postpartum haemorrhagia. J Gynecol Obstet Biol Reprod（Paris）36：298-301, 2007（article in French）.
13) 我那覇文清：産科出血．第37回日本IVR学会総会「技術教育セミナー」, 2008.
14) Hovsepian DM, Siskin GP, Bonn J, et al：Quality improvement guidelines for uterine artery embolization for symptomatic leiomyomata. JVIR 15：535-541, 2004.
15) 勝盛哲也：子宮筋腫塞栓術．IVR会誌 21：123-133, 2006.
16) Alvarez M, Lockwood CJ, Ghidini A, et al：Prophylactic and emergent arterial catheterization for selective embolization in obstetric hemorrhage. Am J Perinatol 9：441-444, 1992.
17) Deux JF, Bazot M, Le Blanche AF, et al：Is selective embolization of uterine arteries a safe alternative to hysterectomy in patients with postpartum hemorrhage? AJR Am J Roentgenol 177：145-149, 2001.
18) Sumigama S, Itakura A, Ota T, et al：Placenta previa increta/percreta in Japan：A retrospective study of ultrasound findings, management and clinical course. J Obstet Gynaecol Res 33：606-611, 2007.
19) Vendantham S, Goodwin SC, McLucas B, et al：Uterine artery embolization：An underused method of controlling pelvic hemorrhage. Am J Obstet Gynecol 176：938-948, 1997.
20) Pelage JP, Le Dref O, Mateo O, et al：Life-threatening primary postpartum hemorrhage：Treatment with emergency selective arterial embolization. Radiology 208：359-362, 1998.

参考文献
1) 荒井保明, 他編：塞栓物質を使いこなす；適応と塞栓術の実際．メジカルビュー社, 東京, 2016.
2) 吉川公彦, 荒井保明監修：IVRのすべて．メジカルビュー社, 東京, 2021.

Ⅲ 初期診療に必要なスキル

Primary Survey に必要なスキル
7 致死的出血における ダメージコントロール戦略

● はじめに

　J-MELS アドバンスコースの Primary Survey を適切に実施することで，多くの産科危機的出血に対応できるが，それでも致死的な状態が継続する症例が存在する。これは，産科危機的出血は依然として妊産婦死亡の大きな原因であることからも明らかである。

　通常の対応では救命が困難な症例—ここでは"致死的出血[注147]"と表現する—に対する治療戦略として，ダメージコントロール戦略（damage control strategy；以後，DC 戦略とする）が存在する。致死的な状況から抜け出し，妊産婦死亡を回避するカギである。

● 致死的出血にどう対処するか

　致死的出血の具体的なイメージをもつため，以下に症例[注148]を示す。

【症例 1】　高次医療機関に転院搬送された時点で，致死的出血の症例
　分娩取扱施設で分娩直後から弛緩出血による産科危機的出血が発生し，治療を開始したが出血が持続するため転院搬送となった。高次医療機関に到着すると，JCS 100，RR 24/min，HR 146/min，BP 68/46 mmHg，瞳孔 右5mm/左5mm，対光反射 両側迅速，SpO_2 100%（O_2 10 L/min リザーバマスク），BT/ 36.8℃であった。POCT では，pH 6.9，$PaCO_2$ 31 mmHg，HCO_3^- 6.1 mmol/L，BE −21 mmol/L，Lac 12.1 mmol/L，iCa 0.8 mmol/L，Hb 5.2 g/dL，フィブリノゲン（Fg）<80 mg/dL，K 4.5 mmol/L であり，産科診察で著しい弛緩出血が持続している。

[注147] 治療困難性がきわめて高いと予想される重篤な状態と認識してほしい。治療困難性は患者の病態と医療資源の2軸でとらえる。例えば，患者の病態として心停止し得る失血量であるときは当然であるが，出血速度が著しく大きいとき，止血が困難な状況，出血性ショックの管理が長時間に及び生理的破綻を生じつつあるとき，輸血量が多く高 K 血症への対応が困難な見込みのとき，などが考えられる。医療資源の観点から，血液製剤の枯渇，人員不足，技量不足，応援人員の到着まで時間を要する，遠方への搬送を要する，などの状況も加味すべきである。

[注148] 妊産婦死亡症例を振り返ると，致死的出血の経過はいくつかの類似点が存在している。具体的症例の特徴は，日本産婦人科医会のホームページで閲覧可能な「母体安全への提言」で確認できる。DC 戦略は，これら致死的出血症例の経過から抜け出し，救命につなげるための戦略である。

解釈

心拍数・血圧，意識障害の程度から心停止の切迫した出血性ショックと考えられ，高度な乳酸アシドーシスと低Fg血症，貧血を呈していることからも致死的出血と考えられる。

【症例2】 術中に致死的出血の状態になる症例

前置胎盤に対して予定帝王切開が開始された。児と胎盤は容易に娩出され，子宮は2層縫合を行ったが，その後子宮頸部は弛緩しており同部位からの出血が持続した。全身麻酔に切り替えられ，トラネキサム酸とオキシトシン，メチルエルゴメトリン，プロスタグランジンF_{2a}の投与と圧迫縫合を行ったが出血は続き計測可能な範囲で4,500 mLに達した。自己血輸血に加えて，RBC，FFPを大量に投与しフィブリノゲン濃縮製剤3gを投与するが出血が持続し，POCTでは，pH 7.2，$PaCO_2$ 34 mmHg，HCO_3^- 12.8 mmol/L，BE −13 mmol/L，Lac 8.6 mmol/L，iCa 0.7 mmol/L，Hb 7.8 g/dL，Fg 152 mg/dL，K 5.4 mmol/Lであった。頻回にネオシネジンの投与を要するため，ノルアドレナリンの持続投与が開始された。

子宮全摘術後も腟断端と周辺の剝離面などからoozingが継続し，再出血が続くため閉腹は困難な状況にある。麻酔科医がポンピングを継続しているがノルアドレナリンの持続投与量は0.3 μg/kg/minに達し，HR 140/min，BP 70/40 mmHgから大きく変化せず膀胱温は34.9℃，pH 7.1，$PaCO_2$ 34 mmHg，HCO_3^- 10.1 mmol/L，BE −16 mmol/L，Lac 10.1 mmol/L，iCa 0.7 mmol/L，Hb 7.1 g/dL，Fg＜80 mg/dL，K 5.5 mmol/Lとなった。

解釈

昇圧薬の持続投与を要し，バイタルサインと乳酸アシドーシスの悪化傾向から補充が追いついていないと考えられ，低Fg血症と低体温を伴う致死的出血と考えられる。

【症例3】 IVR中に致死的出血の状態になる症例

前医でKristeller圧出法を併用した吸引分娩後に出血性ショックの状態で搬送された。弛緩出血と頸管裂傷に対してIVRを開始した。両側子宮動脈と右内陰部動脈の分枝をゼラチンスポンジにより塞栓し止血され，2時間30分の術中に3,200 gの出血を認めた。帰室しようと準備していたが，すぐに500 g程度の経腟出血を認め再度IVRが開始された。子宮動脈からのextravasationを認め塞栓し，輸血を開始しつつさらに上直腸動脈との吻合血管からのextravasationに対して塞栓を追加したが1時間30分を要している。不穏が目立ちRR 20/min，HR 132/min，BP 80/46 mmHg，SpO_2 100%（O_2 10 L/min リザーバマスク），BT 35.1℃となった。POCTでは，pH 7.1，$PaCO_2$ 32 mmHg，HCO_3^- 9.6 mmol/L，BE −16 mmol/L，Lac 9.1 mmol/L，iCa 0.6 mmol/L，Hb 6.7 g/dL，Fg＜80 mg/dL，K 6.2 mmol/Lである。IVR開始直後から輸血を継続していたが，HR 140/min，BP 70/40 mmHgに悪化しショックから離脱できない。FASOを再検すると腹腔内に相当のecho free spaceを認めており，子宮破裂が考えられるため開腹止血術が必要である。

解釈

輸血を行っていたにもかかわらずアシデミアと高乳酸血症が著しく重篤化した出血性ショックである．低iCa血症，低Fg血症，高K血症の進行から致死的出血ととらえられる．

これらの症例は，各医療機関の特性[注149]や状況[注150]，医療スタッフの技量によって判断は異なるが[注151]，致死的状況に陥り得る病態である．J-MELSアドバンスコースでは，各医療機関が日常的に対応する（Primary Surveyに相当する）治療方法を実施しても改善が乏しいかむしろ悪化していく状況は，致死的出血ととらえDC戦略に切り替えることを提案している．

DC戦略を要する症例は，発生頻度がまれであり個別性がきわめて高い．そのため，前向き研究には不向きであり，現在も科学的根拠に乏しく，エキスパートオピニオンによるところが大きい．しかしながら，基本概念や考え方を共有することには意義があると考えられるため，ここで詳述する．

なお，先の症例経過中に，より早いタイミングで確実な止血がなされていればこのような経過にならなかった，別の選択をしていればそもそもこれらの経過は予防できた，という議論は本項では棚上げにしている．項末にこれらの症例への対処例とその経過を示すが，あくまでも参考であり，具体的な治療戦術は医療機関の特性と医療スタッフの技量にあわせて決定すべきことを強調しておく．

[注149] 高次医療機関としての総合または地域周産期母子医療センターであったとしても，頻繁にこのような重篤例に対応しているか，多発外傷の対応を日常的に行う救命救急センターであるのか，中央手術部が心臓血管外科や肝臓手術などの大量出血に日常的に対応しているか，血液疾患を扱っており輸血部が大量の輸血用血液製剤の確保に慣れているか，地域の血液センターとの地理的距離などにより，同じ症例であっても，致死的ととらえるか，よくある重症の産科危機的出血ととらえるかは異なってくる．

[注150] 同一の医療機関であっても，平日日勤帯と夜間休日では人的資源に大きな差があり，働き方改革の影響で状況は変化しやすい．感染症流行時に，医療スタッフの欠員が問題となることは記憶に新しい．

[注151] 注149）150）で述べたように，医療資源が異なれば判断は変わるが，医療資源が少ない状況ではより早期に，あるいは重症度が低いうちにDC戦略を選択すべきである．DC戦略を判断するタイミングは，後述する．

7 致死的出血におけるダメージコントロール戦略

スライド 175

ダメージコントロール Damage Control（DC）の歴史

■語源（軍事用語）：軍艦に対する【応急修復】
- 「応急修復をして，ドックに帰還させ，完全修復し，再び戦いに出る」
- そのために… **浮かせておく** ～ 最初から完全修復を目指さない

■外傷領域：**応急治療**から始まる一連の流れを，DC と呼ぶようになった
- 「応急治療をして，集中治療を経て，完全修復し，社会復帰させる」
- そのために… **生命維持** ～ 初期に完全修復を目指さない
- 手術は最低限の出血・汚染制御のみで中断し，全身管理に移行
- 外傷死の致死的 3 徴（アシドーシス・凝固障害・低体温）を回避する

外傷の DC 戦略

蘇生（全身管理）＋	手術（出血・汚染制御） IVR（出血制御）

　ダメージコントロール（Damage Control；DC）は元来，軍事用語であり，第二次世界大戦の初期にはすでに重要性が認識されていた軍艦への深刻な損傷への対応方法であった[1]。転じて，現在は医療用語としても用いられている。

　外傷領域において，手術自体はうまくいき損傷が完全に修復できたにもかかわらず患者が死亡するという事態が認識され，救命には外傷死の致死的 3 徴（lethal triad）と呼ばれるアシドーシス・凝固障害・低体温の回避が重要であり[2]，初期手術の早期終了が救命に寄与することがわかってきた[3]。肝外傷の術式として用いられていた手法[4,5]を応用し，初回手術で完全修復を目指さず，救命に必要な出血と汚染のコントロールに徹して早期閉腹を目指す治療戦略として DC が提唱され[6]，現在の DC 戦略[注152]となっている。

　DC 戦略が一般化している外傷領域においても，科学的根拠が十分ではないとする意見もあるが[7,8]，重要な治療戦略として強調されている[9,10]。産科領域においても，DC 戦略は致死的な出血に対しては有用な治療戦略と考えられる。

[注152] damage control strategy（本書では DCS とせず，DC 戦略と記載する）。

スライド 176

産科領域のDC戦略（概念）

■**最終目的**
「応急治療を行い，集中治療を経て，完全止血し，社会復帰させる」

（通常の対応では救命困難なときの救命戦略）

■**Damage Control（DC）の目標**
生命維持（致死的出血でも死なせない）

ポイント　**時機を逸しない**

■**DCは，2つの要素からなる**
※ 治療戦術（ガーゼパッキングなど）のみをDC戦略と呼ぶのではない

1. **出血制御**（減血：手術＋IVR）
全身状態を立て直せる程度まで<u>出血速度を減じる</u>
2. **全身管理**（蘇生）
低血圧許容，循環維持，凝固制御，低体温回避

　致死的出血のパラドックスは，「止血しないと凝固障害から脱せない」という主張と，「凝固障害を脱しないと止血できない」という主張が相反する内容であるために生じる。外傷領域の知見から述べれば，「完全な止血は意図せずに出血速度を減じ（以後，減血と表現する），全身管理を並行して進めることで凝固障害から脱する」ことが，パラドックスの解決方法である。つまり，いかなる状況であっても❶出血制御としての手術やIVRは必要不可欠であり，並行する❷全身管理としての蘇生[注153]が重要である。DC戦略の最終目的は，❶❷による応急治療を行い，致死的な全身状態を集中治療により立て直し，計画的再手術により完全止血することで，患者を社会復帰させることである。DC戦略への切り替えは，救命がまだ可能なタイミングで時機を逸することなく決断することが求められる。

[注153] 蘇生（resuscitation）という用語は心停止に対する介入で用いられるが，重篤な状態における治療介入も一般に蘇生と表現されることがあり，本項では致死的出血への治療として「蘇生」を用いる。

スライド177

DC戦略への切り替えタイミングは？

通常の治療で止血できる確信が得られなければ，直ちにDC戦略に切り替えるべき

- エビデンスに基づく絶対的基準は存在しない　**勇気ある早期決断**
- 蘇生不能点（PNR；point of no return）を超えないように決断する

PNRのヒント
- 産婦人科医 ⇒ 全身管理医に意見を求め，協議する
- 全身管理医 ⇒ 産婦人科医に進言し，協議する

- 止血を試みているのに止血できない
- 止血のめどが立たない（手術終結困難など）　｝心停止の切迫
- 安定化の見通しが立たない
- 輸血に反応しない

【客観的基準】例
- pH＜7.2
- BE＜－15 mmol/L
- 輸血＞20 単位
- 出血量＞5 L
- 出血速度＞100 mL/10min
- Fg＜80 mg/dL
- Hb＜6 g/dL
- HR＞140 /min
- BT＜35 ℃
- ノルアドレナリン持続投与が必要

致死的3徴がそろうと救命できない
1) アシドーシス　2) 凝固障害　3) 低体温

【考慮事項】 いずれかに該当すれば，より早期にDCに移行する
- 人的資源：人員・技量の不足，チームの疲労
- 物的資源：血液の不足，乏しい設備
- 患者：長時間の経過（90分以上出血持続）

　DC戦略に切り替えるべきタイミングに関する確実なエビデンスは現在も存在しない。しかしながら，救命が不可能になる時点よりも早いタイミングでDC戦略を決断する必要がある。この救命ができなくなる時点を臨床的に確実に把握することは困難であるが[注154]，「蘇生不能点（point of no return；PNR）」を意識しながら対応することで，遅延なくDC戦略を決断できる。

　例えば，臨床経過は判断の参考になる。適切にPrimary Surveyを実施しているにもかかわらず，（ⅰ）止血できない（長時間止血を試みているにもかかわらず次から次へと出血箇所が出てくる），（ⅱ）止血のめどが立たない（手術が予定どおり進まない，想定と異なる経過になる），（ⅲ）安定化の見通しが立たない（補充してもバイタルサインが安定しない，昇圧薬の持続投与を要する），（ⅳ）輸血に反応しない（輸血をしてもショックが遷延する，検査値の改善がない，凝固障害が立ち上がらない）などといった状況は，PNRが近づきつつあることを知らせるred flagsとして認識すべきである。

　また，客観的指標をDC戦略決断の参考にすることもできる。これらを単一の基準として用いることはできないが，いくつかの生理学的指標から総合的にホメオスタシスが破綻しつつあることを見抜くことが重要である。

　致死的3徴がそろうと救命が不可能になることは外傷領域ではよく知られている[11]。病態を過小評価してPNRを見逃してはならない。さらに，同様の病態であったとしてもPNRが変化し得ることも考慮する。すなわち，医療資源の状況や診療の時間経過を加味し，治療の困難性を見据えて判断する。

[注154] 人の生命は，個体，器官系，臓器，細胞，細胞内小器官などの各階層においてきわめて高度に秩序を保つことで維持され，これはホメオスタシスと表現される。これら各階層の破綻状況を客観的指標により把握することは現実的に不可能であり，どの時点から蘇生が不可能になるのか把握は難しい。明らかな破綻が生じる前に，臨床的かつ総合的に判断するしかない。

早期決断が求められる一方で，患者が救命された後に後方視的にみると，「DC戦略は不要だったのではないか？」といった議論が残る。このような議論は，建設的にほかの戦略で救命できた可能性を探り，医学の発展に向けた検討であれば有意義なものであるが，実際に診療にあたったスタッフを評価・批判するために行うことは不適切である。臨床現場で行われた決断を尊重しつつ，さらに次の症例に備えるために前向きに議論を重ねていくべきである。

スライド 178

DC 戦略の流れ

- **DC 1**
  出血制御は **60〜90 分** で達成する
  ❶ より**早く**，❷ より**確実**に，❸ より**失血量を少なく**できる減血方法を選択する
  （集中治療に移行できる程度の出血制御＝完全止血ではない）
  並行して **蘇生** を実施する（基本は出血性ショックの管理と同様）
- **DC 2**
  集中治療により **耐術能/耐侵襲能** を改善する
- **DC 3**
  全身状態が改善したら **根本治療** に移行する

外傷領域では，DC戦略は3つの段階で提唱された[6]。まず出血制御を行いつつ蘇生を開始し（DC1），次に集中治療により致死的な生理学的状態から脱して侵襲に耐えられる状態にしたうえで（DC2），最終的に根本治療により完全な止血を図る（DC3）。産科領域においても同様の流れで考えると整理しやすい。

DC1では，集中治療に移行できる程度の出血制御を目指す。すでに致死的な状態であるので，一刻の猶予もないと考えて，より早くより確実で，可能なかぎり失血する量を減少できる手技を選択する。手術によりそれを行う場合，完全止血を目指さない簡略化した手術と表現される（abbreviated surgery）。高度な凝固障害の状態で完全止血を目指し，いたずらに時間だけが過ぎることは厳に慎む。初期の出血制御は速やかに行うように心がけ，目安として90分を超えずに集中治療に移行するように努める。

DC1からDC2に連続して蘇生，すなわち全身管理を行い，生理学的な立て直しをする。DC戦略は手術手技や止血手技を意味するものではなく，出血制御と全身管理を両立した概念であり，蘇生（集中治療）によって全身状態を改善させ，根本治療としての止血に耐えられる状況を作り出すことも強調される。

近年は，病院前からDC戦略を意識すべきとしてDC0が新たに加えられ[12]，さらに完全閉腹を図るDC4を加えた計5段階とする意見もある（詳細は成書[9)10]を参照されたい）。産科領域では，DC戦略のために転院搬送を要することも想定される。高次医療機関に搬送される前からDC0として蘇生を開始し[13]，病着直後から出血制御にとりかかれるようにすることも重要であろう。

スライド179

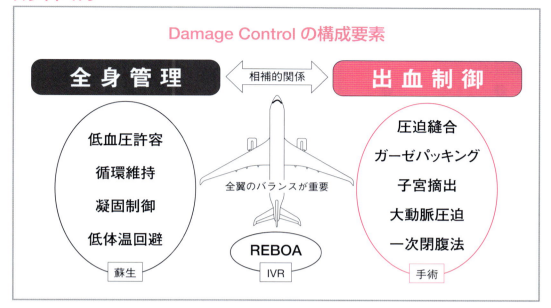

　DC戦略は，全身管理を行う蘇生と，止血制御を担う手術およびIVR（画像下治療）に分けると理解しやすい。DC蘇生（damage control resuscitation；DCR）とDC手術（damage control surgery；DCS）は，これらの概念が確立するまでの歴史的背景が関係して用語の定義が複雑であるので，成書[9)10)]を参照されたい。

　Primary Surveyで行われる全身管理とDC戦略で行われる蘇生の違いは，低血圧許容（permissive hypotension）である。致死的な状況では，臓器灌流が減少するおそれがあっても収縮期血圧80〜90 mmHg（平均血圧50〜60 mmHg）程度を許容する[14)15)]。低血圧は出血速度の低下に影響し出血制御に有利であるが，正常血圧に回復する段階で再出血を認めるおそれがあることに留意する。また輸液量増加は希釈性凝固障害や呼吸器合併症・消化管機能障害に影響し[15)]，死亡率との関連も指摘されているため[16)17)]，過剰輸液は回避する（balanced resuscitation）。

　止血機能維持（hemostatic resuscitation）もDC戦略において重要な要素であるが，産科危機的出血に対する全身管理および補充療法と同様の対応になる（全身管理と補充療法：p191参照）。

　DC戦略における手術は，蘇生的手術（abbreviated surgery）と表現される。出血速度を低下させられればいかなる手技も選択できるが，迅速かつ短時間で実施できる単純な術式が望ましい。出血制御と汚染回避が目的であるため，一次閉腹（temporary abdominal closure）[18)]により速やかに集中治療に移行する。

　IVRの位置づけは大きく，REBOA（蘇生的大動脈バルーン遮断）は全身管理と出血制御の両者の意味合いで用いることができる。

スライド 180

REBOA：蘇生と減血を兼ねた戦術

■目的
 ❶心停止の回避，❷冠動脈・脳の血流維持，❸遮断末梢側の血流制御
■適応
 ・横隔膜下の動脈性出血 ⇒ 産科危機的出血はよい適応
 ・治療抵抗性の出血性ショック・心停止が切迫した致死的出血
■大動脈遮断と循環動態の管理
 ・目標中枢側血圧：sBP 80〜90 mmHg（MAP 50〜60 mmHg）
 ・遮断の3要素：①遮断位置，②遮断強度，③遮断時間

　REBOA（resuscitative endovascular balloon occlusion of the aorta）は，大動脈内をバルーンカテーテルによって遮断することにより，中枢側（近位側）の臓器灌流を維持し，末梢側（遠位側）の動脈血流を制御する蘇生手技である。かつてIABO（intra-aortic balloon occlusion）と呼ばれていたが2011年にREBOAという名称が提唱され[19]，広く用いられている。

　バルーンカテーテルを大動脈内で拡張させることで大動脈を遮断する。遮断に伴って血流が分配される血管床が減少するため，バルーンより中枢側（近位側）の血液灌流が維持され心停止を回避できる。とくに，冠動脈血流や脳血流が維持できる点で優れる。同時にバルーン遮断以遠（末梢側）の血流は制御され出血を制御できるが，臓器虚血を伴うことに注意を要する。

　REBOAは根本止血にはならないため，REBOAによって一時的な出血制御を行っている間に，引き続く根本的な出血制御戦術に速やかに移行し，全身状態を立て直すことがきわめて重要である[注155]。

　REBOAは横隔膜下の動脈性出血に有効であり，産科危機的出血はよい適応になる[20)21)]。DC戦略を選択すべきとき（端的にいえば，治療抵抗性の出血性ショック，心停止が切迫した致死的出血）の有用な戦術である。

　中枢側の収縮期血圧80〜90 mmHg（平均血圧50〜60 mmHg）程度を目標に，血流遮断を行う[注156]。その際，3つの要素を考慮する。

（1）遮断位置：心停止が切迫しているほど中枢側で遮断する（詳細後述）。

（2）遮断強度：バルーンに注入する生理食塩水（時に希釈造影剤）の注入容量により，バルーン拡張径とバルーン形状が変化する。大動脈径までバルーンに注入し血流を完全に遮断することを完全遮断（total REBOA）といい，注入量をそれよりも少なくし一部血流を残して遮断することを部分遮断（partial REBOA）という。心停止が切迫しているほど遮断強度は強くする。

（3）遮断時間：バルーンの拡張（インフレート）から収縮（デフレート）までを遮断

[注155] ゆえにREBOAはbridging therapy（根本的な出血制御までの橋渡し）と表現される。
[注156] DC蘇生のpermissive hypotensionに準じる。

時間と呼ぶ。臓器虚血再灌流障害の影響も考慮して，可能なかぎり短時間にとどめる。遮断位置によって許容される連続した遮断時間は異なる。虚血再灌流障害の低減を意図して，間欠的遮断（intermittent REBOA）とする。

スライド 181

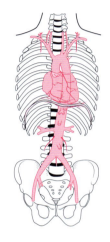

REBOA は大腿動脈からアプローチすることが多い。バルーンカテーテルを留置する場所を決定するために，大動脈は3つの Zone に区分される。

Zone 1：左鎖骨下動脈分岐下から腹腔動脈上縁
Zone 2：腹腔動脈から尾側腎動脈
Zone 3：尾側腎動脈分岐下から総腸骨動脈分岐部

心停止が切迫している場合は Zone 1 で遮断するが，産科危機的出血の出血制御は両側の内腸骨動脈の血流を制御できる Zone 3 で十分なことが多い。卵巣動脈の関与が強い場合は Zone 1 遮断を考慮する。

非透視下で留置する場合，体表のランドマークは Zone 1 は剣状突起，Zone 3 は臍が目安になる。ランドマークよりも頭側にバルーンを留置するが，downstream migration[注157]を考慮して Zone 1 の場合，乳頭レベルまで挿入するのが無難である。インフレート前にポータブル X 線によりバルーン位置を確認することが安全で望ましいが，全身状態との兼ね合いで遮断を優先せざるを得ないこともある。Zone 2 は腹部臓器を栄養する重要血管があるため留置することはない。Zone 1 または Zone 3 に留置してもバルーンの migration により Zone 2 になり得ることに注意する。

10 代〜30 代日本人女性の大動脈径は Zone 1 で 22 mm 程度，Zone 3 で 18 mm 程度と

注157) バルーン拡張に伴って中枢側の血圧に押され，バルーン自体が遠位側に移動すること。皮膚へのシース固定やバルーンカテーテルの固定と，カテーテルへのスタイレット挿入が migration 予防に重要である。

され[22]，概ねバルーン注入容量10 mLで完全遮断となる。完全遮断でなくても中枢側血圧が維持できるのであれば，遮断強度を弱めたpartial REBOAとして末梢臓器の虚血障害リスクを減じることも考慮する。ただし，術野の視野を優先して完全遮断とすべきときもあるため，産婦人科医とのコミュニケーションが重要である。

　臓器虚血や下肢虚血を懸念してZone 1の完全遮断は20〜30分以内にとどめ，5分を目安に遮断を解除する。遮断解除後から再遮断までどの程度時間が必要かのエビデンスはなく，循環が維持できる範囲内にせざるを得ない。遮断解除の際には急激な中枢側の血圧低下を招くことがある。1〜2 mLずつ緩かつ段階的にデフレートさせ，循環動態の変化によっては再インフレートが必要になる。Zone 3で遮断する場合，常温であれば1時間程度許容され得るという報告もあるが[23]，40分を超えると予後が悪くなるとする意見もある[24,25]。バルーンの拡張開始時刻・バルーン注入量の記録と血流遮断時間を意識しながら，根本的な出血制御と全身状態の立て直しを行い，遮断解除を急ぐことも重要である。遮断の際には，根本的な出血制御を遅延させない範囲で速やかに橈骨動脈などを用いて中枢側の観血的動脈血圧による連続モニタリング測定を行う。遮断部位よりも末梢側の動脈血圧やパルスオキシメータによる拍動確認は，末梢側灌流の評価の参考になる。

スライド 182

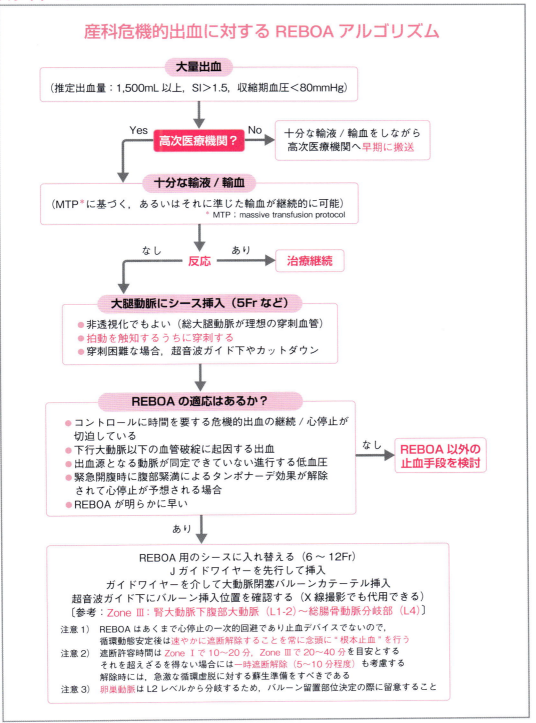

産科危機的出血に対する REBOA アルゴリズムを示す。
　REBOA を要する状態は，シース挿入が困難な状況でもある。ショック状態の早期から，例えば橈骨動脈の触知が微弱などを参考にシースを確保することも検討する。産科的診察では股関節を屈曲する必要があるため，産婦人科と救急科・放射線科・麻酔科などとシース確保のタイミングについて十分に連携すべきだが，致死的状態になり得る場合は早期確保が無難である。
　国内では，Rescue Balloon® および Rescue Balloon®-ER（7 Fr シース，7 Fr カテーテル。東海メディカルプロダクツ）と大動脈閉塞バルーンブロックバルーン™（10 Fr シース，9 Fr カテーテル。MERA 泉工医科工業）が市販されている。シースにガイドワイヤーを挿入した後に over-the-wire でカテーテルを挿入する。バルーンカテーテルの位置を決定したらガイドワイヤーを抜去し，スタイレットに入れ替え，インフレートを開始する（手技の詳細は成書[26]を参照されたい）。

スライド 183

REBOA の合併症と予防

■穿刺関連
・腹腔内・後腹膜臓器損傷
・後腹膜出血
・下肢虚血
・穿刺部出血
・動静脈瘻
・感染

■カテーテル操作関連
・血管損傷（解離，破裂，血腫）
・臓器障害
　（脳虚血，心臓後負荷増大，腸管虚血，腎障害，下肢虚血，出血増大など）
・バルーン破裂
・脳出血
・虚血再灌流障害（高 K 血症，代謝性アシドーシスなど）

■シースの長期留置と抜去関連
・動脈血栓塞栓症
・下肢虚血（コンパートメント症候群）
・仮性動脈瘤

穿刺関連

　動脈アクセスは，鼠径靱帯から約 3 cm 遠位部から総大腿動脈に確保する。鼠径靱帯を頭側に超える高位穿刺は，腹腔内・後腹膜臓器損傷や後腹膜出血の原因になる。低位穿刺は総大腿動脈が分岐した浅大腿動脈または深大腿動脈穿刺となる場合であるが，下肢虚血を発生し得る。妊娠中・分娩後は，下腹部が張っており低位穿刺になりやすいので注意する。
　複数回穿刺や静脈誤穿刺によって，動静脈瘻を形成することもある。また，緊急の手

技であり通常よりも穿刺部の創感染リスクは高いと考えられる。合併症予防にはランドマーク法より超音波ガイド下の穿刺が望ましい（超音波ガイドの修練は必要である）。

カテーテル操作関連

　ガイドワイヤーやバルーンカテーテルの操作により動脈解離，動脈破裂，血腫などの血管損傷が発生し得る。ガイドワイヤー挿入で抵抗を感じた場合には分枝迷入の可能性がある。ガイドワイヤーを十分引き戻し，抵抗がないことを確認しながら挿入する。透視を使用できない場合はポータブルX線撮影や超音波検査で代用し確認する。

　遮断位置が正しくない場合，さまざまな臓器障害を生じ得る。左鎖骨下動脈よりも中枢側の遮断は，脳血流を遮断し脳虚血の原因になる。また，過度な後負荷増大を招き心負荷になる。

　migrationなどによりZone 2遮断となった場合，腹部臓器の重要血管の閉塞や，血栓あるいは解離のリスクにもなるため，腸管虚血や腎障害の原因になりやすい。短時間では問題とならないこともあるが，長時間そのままにならないように位置確認や遮断時間の管理が重要である。

　Zone 3よりも末梢側遮断は下肢虚血を生じ得る。誤って出血血管分岐部よりも末梢側で大動脈遮断が行われると，出血増大の原因になるので注意する。

　動脈硬化が強い場合，バルーンが損傷することもある。バルーン拡張により中枢側の急激な血圧上昇を発生し得るため，意識や瞳孔所見に異常を認めた場合，脳出血の合併も念頭におく。

　REBOAの遮断解除では，程度の差はあるが虚血再灌流障害が生じる。低血圧，高K血症，高度な代謝性アシドーシスなどに注意して管理する。

シース留置と抜去関連

　再出血リスクを懸念して，バルーンカテーテルをしばらく留置することがあるが，動脈血栓塞栓症や下肢虚血が発生し得る。虚血が高度な場合，コンパートメント症候群を生じ減張切開や下肢切断に至ることもある。太いシース径，細い血管径，長期留置によりリスクが増大する。

　そのため，不要となればバルーンカテーテルやシースを可及的速やかに抜去すべきであるが，止血完了と凝固障害の改善後が望ましい。凝固障害や著しい血小板低値の状態で抜去すると，仮性動脈瘤形成を招き，遅発性に大出血をきたす場合もある。必要なら血管縫合を検討する。

スライド 184

開腹手術中のDC戦術：出血制御

「**圧迫，結紮，修復，摘出**」を組み合わせて出血を制御する

子宮圧迫縫合
- 弛緩出血に有用
- 生理的圧迫を補うように実施

結紮止血・Z縫合
- 動脈性出血に有用
- 卵巣・子宮

ガーゼパッキング（GP）
- 静脈性出血やoozingに有用
- 出血点に圧がかかるように敷きつめる
- 24〜48時間をめどに除去する
- 除去は愛護的に行い再出血を防ぐ
- ガーゼ除去までは抗菌薬を使用する

子宮摘出
- 子宮からの出血に対する最終手段
- 救命のために躊躇しない
- 羊水塞栓症では早期に判断する
- 摘出後のoozingはGPを併用する

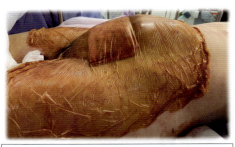

　DC戦略における開腹手術中の戦術は，基本的に①圧迫，②結紮，③修復，④摘出，を組み合わせることになる。DC戦略を選択するときは凝固障害によって完全な止血が困難な状況にあるが，これらの戦術により出血速度を減じて，凝固障害を立て直せる状況にすることが重要である。

圧迫する

　弛緩出血は子宮収縮が不十分なために生物学的結紮が行われないことで出血する病態である。子宮圧迫縫合（compression suture）は子宮収縮の代わりに，縫合糸を用いて子宮壁同士を強く圧迫した状態を作り出す手技である。術式の詳細は他項に譲るが（p229参照），子宮体部・頸部いずれにも実施できる。

　一方，IUBT（intrauterine balloon tamponade）は子宮内腔を直接圧迫するものである。出血点が直接圧迫できる場合は有効であるが，ズレにより止血効果が低下するおそれがある。

　ガーゼパッキングは静脈性の出血にとくに有効である（凝固障害がまったくなければ，動脈性出血も圧迫により止血され得るが，DC戦略を選択する状況では動脈性出血の止血は難しい）。出血部位[注158]にガーゼを乗せ積み上げるようにして圧をかける。用手的に行うならどのように圧迫するのが効果的かを考え，それと同じ方向に圧力[注159]が加わるようにガーゼをパッキングする。X線造影剤の入ったガーゼを用い，計画的再手術の際にガーゼを残さないようにする。広い空間には大きめのガーゼを用いるが，あくまでも出血点に圧がかかるように意識する。凝固障害や低体温など全身状態が立ち上がればガーゼを除去するが，感染リスクが高まるため遅くとも48時間をめどに除去する。除去の際には再出血と癒着に注意し，必要に応じて生理食塩水をかけながら愛護的に剥離し

[注158] 致死的出血では，点ではなく面になっていることが多い。
[注159] 力を加えるときは常にベクトル（vector），すなわち力の大きさと力を加える方向を意識する。

て除去する。

結紮する

動脈性出血は結紮が効果的であるが，静脈性出血にも有効である。子宮圧迫縫合でも止血できない弛緩出血の場合，Stepwise uterine devascularization により，子宮への流入血流を減少させる動脈結紮術が検討できる[27]。原法は子宮動脈と卵巣動静脈の結紮であるが，卵巣機能を温存するために固有卵巣索で結紮することも検討できる。Z 縫合（figure-of-eight suture）は出血点に向けて組織ごとに比較的大きく出血点を収束させるように縫合することで出血制御を図るが，凝固障害では効果が乏しいこともある。

修復する

子宮破裂が軽微な場合は修復の対象になり得るが，妊娠子宮は大きく視野の確保が難しいこと，周辺組織も浮腫状で組織が脆弱，血管の怒張があるなどの特徴もあり，凝固障害も影響して出血制御が困難なことも想定される。時機を逸せずに子宮摘出を判断する。

摘出する

摘出可能な臓器からの出血は，臓器摘出による出血制御が選択肢になる。弛緩出血などにより子宮からコントロール困難な出血があれば，子宮全摘術あるいは腟上部切断術が適応になる。

塞栓する（IVR）

ハイブリッド手術室など，血管造影が速やかに実施できる場合は手術に加えて動脈塞栓術が出血制御の選択肢になる。ただし，卵巣動脈からの血流が問題となるときには卵巣動脈を塞栓することは卵巣機能にも影響するため，手術的に卵巣固有靱帯を切離して血流を遮断（devascularization）するほうが低侵襲である。

スライド 185

開腹手術中の DC 戦術：閉腹法

一次閉腹法
- 閉腹が迅速にできる
- 臓器を保護し，ドレナージが可能
- 再開腹が容易

腹部コンパートメント症候群の予防

3M™ AbThera™ ドレッシングキット使用例

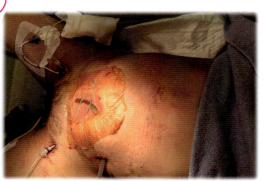

vacuum packing closure

DC 戦略における蘇生的手術（abbreviated surgery）は一期的に行わず，再開腹を前提として集中治療に移行する。そのため，表に示す特徴をもつ一次閉腹法（temporary abdominal closure；TAC）が選択されやすい。わが国で保険収載された TAC の医療材料として 3M™ AbThera™ ドレッシングキット（3M 社：スライド 185 左下[注160]）や RENASYS アブドミナルキット（スミス・アンド・ネフュー社）が存在する。これらの材料により，創部と臓器をフィルムで保護して感染と体温の喪失を防ぎ，ガーゼパッキングの適切な圧を保ちながら，腹水などの液体成分をドレナージすることで腹腔内圧の増加を防ぐことができる。また，腹部創部は陰圧閉鎖により創縁が引き寄せられ筋膜や腹壁の退縮を抑えられる。これらの材料が手に入らない際は，滅菌スポンジやドレーンチューブ，滅菌フィルムドレープを活用した vacuum packing closure で代用できる（スライド 185 右[注161]）。

表　一次閉腹法（TAC）の特徴

迅速に閉腹できる
再開腹が容易
創部と臓器を保護し管理できる
腹腔内圧を適切に保つことができる
最終的に定型的閉腹が可能

　TAC により，集中治療中は腹部手術創を開放したまま管理することができる（open abdomen management；OAM）。出血性ショックが遷延し，腹腔・後腹膜内容の浮腫などが生じると腹腔内圧上昇を生じて腹部コンパートメント症候群[28]（abdominal compartment syndrome；ACS）を発症し得る[注162]。OAM は ACS のリスクを低減できる管理手法である。産褥婦の場合，妊娠子宮により腹壁が進展しているので ACS や腹壁閉鎖困難になるリスクは低いと考えられる。長期間の OAM は腹壁退縮を招き，段階的閉腹を余儀なくされることがある。

[注160]　スライド 185 の左下写真は，ECMO 管理中に集中治療室で実施している開腹手術である。例えばヘパリン化により凝固時間が延長している状態であっても，必要な手術は実施しなければならず，再開腹を前提とした一次閉腹法は有用である。

[注161]　凝固障害を伴う産科危機的出血に対して子宮摘出後に一次閉腹法を行い，IVR・集中治療に移行した事例である。第 2 病日に再開腹を行い止血が確認でき，定型的閉腹に至った。

[注162]　ACS は，臓器機能障害を伴う 20 mmHg を超える持続的な腹腔内圧（intraabdominal pressure；IAP）と定義されている。IAP は腹腔内の定常状態の圧力を指し，腹壁・横隔膜のコンプライアンスと腹腔内容容積によって規定される。基準値は 5〜7 mmHg であり，12 mmHg 以上が持続的にあるいは繰り返し（3〜4 時間おきに 3 回以上）測定されれば腹腔内圧上昇（intra-abdominal hypertension；IAH）に該当する。平均動脈血圧と腹腔内圧の圧較差により臓器が灌流されるので，ACS では腎血流減少による尿量減少・腎障害や，腸管虚血が問題になりやすい。また，横隔膜は下がらなくなり，呼吸障害を生じ得る。

スライド186

DCの減血戦術は，どう選択する？

■見通しをもって選択する（なんとなく選択しない）
・REBOA：全身状態を立てなおしながら根本止血への橋渡し方法
・手術：短時間で効果的な術式，止血困難な場合の一次閉腹法
・IVR：要する時間，側副血行路からの再出血時の計画

■戦術の特性に基づき，実行計画を立てる
・リスク＆ベネフィット
・完了時間の見通し
・確実性
・バックアップ計画

　出血制御には複数の戦術が存在している。それぞれの特性を理解し，手技にかかる時間と確実性のバランスを考慮して具体的な戦術を選択する。もしその計画がうまくいかないとき，計画をどのように切り替えるか，バックアップを検討しておくと余裕が生まれる。

　これらの出血制御と，並行して継続する蘇生（全身管理）も同様にバックアップ計画を明確にしつつ，全身管理医と産婦人科医が見通しと状況を共有し，密にコミュニケーションをとる。DC戦略はチーム連携を前提とした治療戦略である。現場のマネジメントの質を向上させるために，本書Ⅳ章（ノンテクニカルスキルとMRM：p396）を参照されたい。

症例への対応例

冒頭の症例への対応例を示す。

【症例1】 高次医療機関への転院搬送された時点で，致死的出血の症例

準備していたトラネキサム酸と子宮収縮薬持続投与を開始しつつ大腿動脈が触知するうちに右総大腿動脈にシースを確保し，その後双手圧迫を併用したが子宮は弛緩したままである。RBC 6 単位と融解後の FFP 8 単位を急速加温投与し，並行してフィブリノゲン濃縮製剤 3 g を投与している。BP 60/40 mmHg 程度が継続するため，Zone 1 で REBOA を開始し出血速度が低下した。並行して気管挿管・人工呼吸管理を行い BP 84/52 mmHg 程度で推移した。子宮摘出術のために手術室への移動を準備し，iCa を補正しつつ合計 RBC 10 単位，FFP 16 単位が投与され Zone 3 への位置変更のためにバルーンカテーテルをゆっくりデフレートしたところ，子宮収縮を認め出血速度が低下したままになった。集中治療室に入り血算・凝固を再検する方針となった。

■ポイント

REBOA は心停止が切迫した産科危機的出血でよい適応になる。根本治療のための橋渡しであるが，弛緩出血の場合，子宮収縮薬を投与した状態で全身状態が安定化するにつれ子宮収縮が改善することはあり得る。弛緩出血が続く場合は（intermittent あるいは partial）REBOA を併用しながらの子宮摘出術が選択肢である。

【症例2】 術中に致死的出血の状態になる症例

骨盤腔のガーゼパッキングの上で一次閉腹法により閉腹し，open abdomen management の状態で集中治療室に移動した。体表加温を実施しつつ，急速加温輸液装置を用いて RBC 12 単位，FFP 20 単位を投与し速やかにノルアドレナリンを漸減した。徐々に尿量が確認できるようになった。体温は 36.1℃ まで回復し，塩化カルシウムにより iCa を補正し，Lac 4 mmol/L まで低下しアシデミアは改善した。造影 CT を撮像したが extravasation は認めず，12 時間後に再開腹をしてガーゼを愛護的に除去し止血が確認でき定型的閉腹を実施した。

■ポイント

凝固障害の状態で完全な止血は困難であり，DC 戦略に切り替える。ノルアドレナリンなどの昇圧薬は循環血液量の不足をマスクしてしまうので，本来使用は避けるべきである。輸血用血液製剤が到着するまでの短時間などの使用はやむを得ないこともある。

oozing はガーゼパッキングのよい適応である。アシドーシス，凝固障害，低体温がそろうと致死的であることが外傷領域でよく知られているため，ガーゼパッキングと一次閉腹法により速やかに手術（DC1）を終了して，集中治療（DC2）に移行することが重要である。

【症例3】 IVR中に致死的出血の状態になる症例

　気管挿管・人工呼吸管理とし，透視下でZone 3にバルーンカテーテルを留置した。partial REBOAの状態で手術室に入室し体表加温を併用した。16 G静脈路2本から急速加温輸液装置により，RBC 6単位，FFP 8単位を速やかに投与し，フィブリノゲン濃縮製剤3 gも投与した。開腹直後，一時的にBP 66/40 mmHgまで低下しtotal REBOAを要したが，輸血により改善し5分程度でpartial REBOAに戻すことができた。

　子宮頸部から子宮体下部にかけて裂傷があり一部漿膜まで及んでいたため，子宮摘出術となった。途中，バルーンカテーテルをデフレートさせ，再灌流を5分間実施し，その間のみノルアドレナリンを使用した。RBC 10単位，FFP 16単位を投与した時点でバイタルサインは安定化傾向となり，partial REBOAは合計40分に及んだ。oozingは徐々に認めなくなり，定型的閉腹後，集中治療室に入室した。

■ポイント

　手術とIVRのどちらがよいかは術者の技量によるところが大きいが，出血制御が困難な状況ではIVRのほうが手技に時間がかかる傾向にあるといえる。また，出血の責任血管を塞栓したつもりでも，側副血行路から再出血を認めることも少なくない。このとき，側副血行路を選択して造影しなければ出血に気づくこともできない。IVRは低侵襲なイメージが強いが，卵巣動脈からの出血の場合，卵巣機能を温存することもできなくなることも留意すべきである。出血制御の最終手段は手術である。

　透視下では大動脈内の位置を厳密に決められ，閉塞の程度も確認できるため安全なREBOAが可能である。oozingが続いた場合は症例2のように対応することも選択肢である。急速輸血には太い静脈路を複数用いるとよい。

おわりに

　致死的出血に対して選択すべきDC戦略について述べた。DC戦略は，患者の病態と人手を含む医療資源の状態も加味して検討し，蘇生不能点に至る前にDC戦略を選択し，出血制御（手術・IVR）と全身管理（蘇生）を両立させることが重要である。

　REBOAは根本治療までの橋渡しとして活用でき，手術においては圧迫・結紮・修復・摘出を念頭に出血制御を行う。再開腹を前提に速やかに手術を終えるためには，一次閉腹法を活用しopen abdomen managementの状態で集中治療に移行する。

　いざというときに備えて，DC戦略について日常的にイメージしておくことが望まれる。

文 献

1) United States : Naval Damage Control Training Center, Philadelphia. Handbook of Damage Control : NAVPERS 16191, U. S. Government Printing Office, May 1945.
2) Kashuk JL, Moore EE, Millikan JS, et al : Major abdominal vascular trauma : A unified approach. J Trauma 22 : 672-679, 1982.
3) Stone HH, Strom PR, Mullins RJ : Management of the major coagulopathy with onset during laparotomy. Ann Surg 197 : 532-535, 1983.
4) Pringle JH : V. Notes on the arrest of hepatic hemorrhage due to trauma. Ann Surg 48 : 541-549, 1908.
5) Halsted WS : The employment of fine silk in preference to catgut and the advantages of transfixing tissues and vessels in controlling hemorrhage. JAMA 60 : 1119-1126, 1913.
6) Rotondo MF, Schwab CW, McGonigal MD, et al : 'Damage control' : An approach for improved survival in exsanguinating penetrating abdominal injury. J Trauma 35 : 375-382, 1993.
7) Roberts DJ, Bobrovitz N, Zygun DA, et al ; Indications for Trauma Damage Control Surgery International Study Group : Evidence for use of damage control surgery and damage control interventions in civilian trauma patients : A systematic review. World J Emerg Surg 16 : 10, 2021.
8) Roberts DJ, Bobrovitz N, Zygun DA, et al : Indications for use of damage control surgery and damage control interventions in civilian trauma patients : A scoping review. J Trauma Acute Care Surg 78 : 1187-1196, 2015.
9) 日本外傷学会外傷専門診療ガイドライン改訂第3版編集委員会編：外傷専門診療ガイドライン JETEC, 改訂第3版, へるす出版, 東京, 2023.
10) 日本 Acute Care Surgery 学会テキスト作成小委員会編：Acute Care Surgery 認定外科医テキスト, へるす出版, 東京, 2021.
11) Kashuk JL, Moore EE, Millikan JS, et al : Major abdominal vascular trauma : A unified approach. J Trauma 22 : 672-679, 1982.
12) Johnson JW, Gracias VH, Schwab CW, et al : Evolution in damage control for exsanguinating penetrating abdominal injury. J Trauma 51 : 261-269, 2001.
13) 廣嶋俊, 山下智幸, 乃美証, 他：母体救命に特化したラピッドカー；周産期ラピッドカーの導入. 日救急医会関東誌 44：232-234, 2023.
14) Rossaint R, Afshari A, Bouillon B, et al : The European guideline on management of major bleeding and coagulopathy following trauma : Sixth edition. Crit Care 27 : 80, 2023.
15) Morrison CA, Carrick MM, Norman MA, et al : Hypotensive resuscitation strategy reduces transfusion requirements and severe postoperative coagulopathy in trauma patients with hemorrhagic shock : Preliminary results of a randomized controlled trial. J Trauma 70 : 652-663, 2011.
16) Bickell WH, Wall MJ Jr, Pepe PE, et al : Immediate versus delayed fluid resuscitation for hypotensive patients with penetrating torso injuries. N Engl J Med 331 : 1105-1109, 1994.
17) Haut ER, Kalish BT, Cotton BA, et al : Prehospital intravenous fluid administration is associated with higher mortality in trauma patients : A National Trauma Data Bank analysis. Ann Surg 253 : 371-377, 2011.
18) Coccolini F, Roberts D, Ansaloni L, et al : The open abdomen in trauma and non-trauma patients : WSES guidelines. World J Emerg Surg 13 : 7, 2018.
19) Stannard A, Eliason JL, Rasmussen TE : Resuscitative endovascular balloon occlusion of the aorta（REBOA）as an adjunct for hemorrhagic shock. J Trauma 71 : 1869-1872, 2011.
20) Godø BN, Brede JR, Krüger AJ : Needs assessment of resuscitative endovascular balloon

occlusion of the aorta（REBOA）in patients with major haemorrhage：A cross-sectional study. Emerg Med J 39：521-526, 2022.
21）Matsumura Y, Matsumoto J, Idoguchi K, et al；DIRECT-IABO investigators：Non-traumatic hemorrhage is controlled with REBOA in acute phase then mortality increases gradually by non-hemorrhagic causes：DIRECT-IABO registry in Japan. Eur J Trauma Emerg Surg 44：503-509, 2018.
22）松永和歌子：X線CTによる健常日本人の大動脈径の計測．東女医大誌 59：809-820，1989.
23）Morrison JJ, Ross JD, Houston R 4th, et al：Use of resuscitative endovascular balloon occlusion of the aorta in a highly lethal model of noncompressible torso hemorrhage. Shock 4：130-137, 2014.
24）Avaro JP, Mardelle V, Roch A, et al：Forty-minute endovascular aortic occlusion increases survival in an experimental model of uncontrolled hemorrhagic shock caused by abdominal trauma. J Trauma 71：720-725, 2011.
25）Ribeiro Júnior MAF, Brenner M, Nguyen ATM, et al：Resuscitative endovascular balloon occlusion of the aorta（REBOA）：An updated review. Rev Col Bras Cir 45：e1709, 2018.
26）DIRECT研究会REBOAワーキンググループ編：DIRECT REBOAセミナー公式テキスト REBOAハンドブック．へるす出版，東京，2021.
27）AbdRabbo SA：Stepwise uterine devascularization：A novel technique for management of uncontrolled postpartum hemorrhage with preservation of the uterus. Am J Obstet Gynecol 171：694-700, 1994.
28）Kirkpatrick AW, Roberts DJ, De Waele JJ, et al：Pediatric Guidelines Sub-Committee for the World Society of the Abdominal Compartment Syndrome：Intra-abdominal hypertension and the abdominal compartment syndrome：Updated consensus definitions and clinical practice guidelines from the World Society of the Abdominal Compartment Syndrome. Intensive Care Med 39：1190-1206, 2013.

III 初期診療に必要なスキル

Secondary Survey に必要なスキル

1. 心血管疾患
2. 脳卒中
3. 麻酔と麻酔合併症
4. アナフィラキシー
5. 産科救急疾患
6. 妊娠終結と留意点
7. 敗血症
8. 呼吸不全
9. 自殺企図
10. 妊婦外傷

III 初期診療に必要なスキル

Secondary Survey に必要なスキル
1 心血管疾患

はじめに

　先天性心疾患の予後向上や妊婦の高年齢化に伴い，心疾患をもつ女性の妊娠・出産数は増加傾向にある．また，血管の脆弱化や凝固能の亢進など，妊娠に伴う母体の生理的変化を背景に，心疾患の既往がない妊産婦が，心血管イベントを発症する場合もある．わが国を含む先進国において，心血管疾患は妊産婦死亡原因の上位を占めている．本項では，妊産婦における心血管や循環動態の変化について，および妊産婦死亡に直結する肺血栓塞栓症，急性心筋梗塞，致死性不整脈，周産期心筋症，大動脈解離の治療方針と管理上の注意点について解説する．

妊産婦における心血管や循環動態の変化

1. 循環血漿量の増大

　循環血漿量は妊娠初期から中期にかけて大きく増加し，妊娠30週前後には平均して非妊娠時の1.5倍となる．このような容量負荷の増大に対して，狭窄性疾患や肺高血圧症，心機能低下症例では心不全の出現や低心拍出量に注意する．また，分娩時には，陣痛に伴う子宮収縮ごとに循環血液量が300～500 mL 増加し，心拍出量もさらに15～25％増加する．とくに分娩直後は，子宮が速やかに収縮するうえ，増大子宮による下大静脈の圧迫が解除され，急激に静脈還流量が増加する．そのため，重症心疾患合併妊娠において分娩後が，母体死亡リスクのもっとも高くなるタイミングである．このような分娩後の容量負荷は，約4～6週間かけて非妊娠時の状態に回復する．妊娠による循環血漿量の変化を反映し，妊産婦の心不全は，妊娠30週前後と分娩後の二峰性に多く診断される．なかでも，器質的心疾患では妊娠20～30週に，周産期心筋症と虚血性心疾患では分娩～産後1カ月に，心不全の診断が多いと報告されている[1]．

2. 心拍数の増加

　心拍出量の増加は，妊娠初期～中期には主に1回心拍出量の増加により，妊娠中期～後期には心拍数の増加により達成される．妊娠後期の母体心拍数は，妊娠前の約20％増加する．心拍数の増加や血漿量の増加に伴う心拡大（心筋伸展）に伴い妊娠中，期外収縮や頻脈性不整脈は増悪傾向にある．一方，産後は妊娠中の交感神経活性がとれ，徐脈傾向になるため，徐脈性不整脈が増悪傾向となる．イオンチャネル異常を背景に致死性不整脈を合併するQT延長症候群では，妊娠中よりも産後の不整脈イベントが多い[2]．

3. 血管抵抗の低下

　妊娠初期より大動脈圧，全身血管抵抗は低下し，妊娠中期には最低値をとる。このような圧負荷軽減により，中等度以下の逆流性疾患やシャント疾患では問題なく妊娠出産を終えることが多い。しかしながら，妊娠後期に血圧は上昇傾向となる。妊娠高血圧症候群は，妊娠20週以降に血圧上昇や腎障害を認める産科合併症で，重症化により脳出血や腎不全など重篤な合併症を引き起こす。妊娠高血圧症候群は，周産期心筋症の最大危険因子であり，また，大動脈縮窄や大動脈炎症候群合併妊娠などの一部の心血管疾患では，発症率が高いため，血圧の変化に留意する。

4. 凝固能の亢進

　妊娠によるホルモンの作用や凝固能亢進のため，妊産婦では，非妊婦に比較して深部静脈血栓症や肺血栓塞栓症の発症リスクが高まる。人工機械弁置換術後例では血栓形成による弁機能不全や塞栓症が起きやすく，綿密な抗凝固療法が必要である[3]。一方，ワルファリンは，催奇形性と胎盤移行性をもつため，妊娠中の使用による胎児リスクが非常に大きい。母児ともに安全に使用できる妊娠中の抗凝固療法は，まだないのが現状である。

5. 血管壁の脆弱化

　妊娠中は，循環血漿量や心拍数が増加して，血管へのストレスが大きくなるうえ，エストロゲンなどの影響で大動脈壁は中膜の変性をきたし，脆弱性を増す。そのため，Marfan症候群を含む結合織疾患をもつ女性では，周産期に大動脈解離リスクが増加する。大動脈炎症候群，大動脈縮窄症，大動脈二尖弁，Fallot四徴や大血管転位などの一部の先天性心疾患においても，大動脈壁が拡張・解離をきたす。わが国における心血管疾患による妊産婦死亡のなかで，大動脈解離は最多の原因である[4]。大動脈が拡張した妊産婦では，慎重な経過観察が必要である。

● 妊産婦死亡を起こし得る心血管疾患・合併症

1. 肺血栓塞栓症

　深部静脈血栓症による下腿浮腫や，肺血栓塞栓症での息切れなどは，正常妊産婦も感じる症状と似ているため，症状が重症化したり，血行動態が破綻したりしてから初めて異常所見と覚知される場合がある。診察時にすでに意識消失もしくは循環動態が不安定な場合は，肺血栓塞栓症の診断よりも，体外式膜型人工肺（extracorporeal membrane oxygenation；ECMO）の導入を含めた呼吸・循環管理を優先する。図Ⅲ-1-1 に，急性肺血栓塞栓症の診断の手順と治療のアプローチを示す[5]。

　通常，血栓症のスクリーニングに測定される D-dimer は，妊産婦においても除外診断に有用である[6]。心エコーでの右室負荷所見（図Ⅲ-1-2a），造影CTでの肺血管陰影の途絶像（図Ⅲ-1-2b）により，肺血栓塞栓症が診断される。診断後，もしくは急性肺血栓塞栓症が強く疑われる場合は疑診段階でも，未分画ヘパリンによる初期治療を開始する[7]。具体的には，未分画ヘパリン 5,000単位の静脈投与後，APTT がコントロール値の1.5～2.5

III 初期診療に必要なスキル　Secondary Survey に必要なスキル

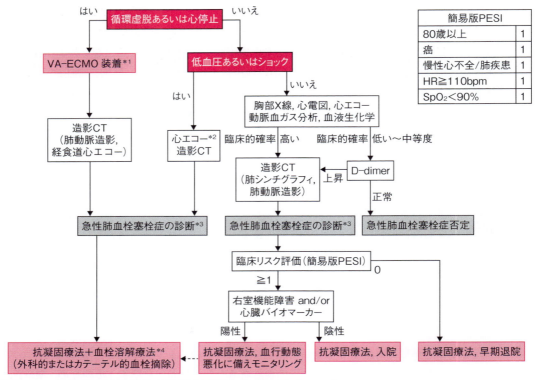

図Ⅲ-1-1　急性肺血栓塞栓症の診断の手順と治療のアプローチ
*1 ECMO 装置が利用できない場合には胸骨圧迫，昇圧薬により循環管理を行う
*2 ショックでは，造影 CT の施行が難しい場合は，心エコーの結果のみで血栓溶解療法を考慮してよい
*3 肺血栓塞栓症を疑った時点でヘパリンを投与する
*4 母児の出血性合併症リスクのため，妊婦または分娩・流早産後 2 週間以内には，治療での有益性が危険性を上回ると判断される場合にのみ投与する

倍になるよう持続静注を行う[7]。

2．急性心筋梗塞

　　妊娠の生理的変化を背景に，妊産婦における心筋梗塞の発症率は，同年代の非妊婦よりも 3〜4 倍高い，と報告されている[8]。母体の高年齢化を反映し，わが国における妊娠時心筋梗塞の症例報告数は年々増加している[9]。妊娠時心筋梗塞の大きな特徴として，喫煙や生活習慣病などの一般的な冠危険因子を有する症例が 3 割と少ない一方，約半数の症例が産科合併症（切迫早産，双胎間輸血症候群や前置胎盤など）や基礎内科疾患（全身性エリテマトーデスや Marfan 症候群など）を有していること，心筋梗塞の原因として冠動脈解離が多いこと，があげられる（表Ⅲ-1-1）[9)-11)]。妊娠に関連した冠動脈解離は，致死性不整脈やショック，冠動脈バイパス術や死亡率などが高いことが報告されているうえ[12]，妊娠中の血管脆弱化を背景に，カテーテル施行時の医原性冠動脈解離のリスクも指摘されている。

　　正常妊娠において，有意な心電図上の ST 上昇や心筋逸脱酵素の上昇は認めないため，

1 心血管疾患

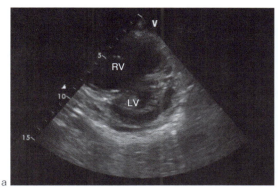
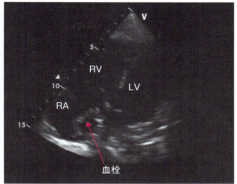
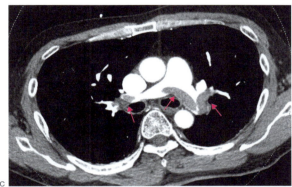

図Ⅲ-1-2　肺血栓塞栓症の画像所見
心エコー：右心負荷所見として右室拡大と圧排された左室（a），右房内に下大静脈から続く血栓像（b）を認める
造影CT：左右肺動脈分岐部から多発血栓塞栓と肺血管陰影の途絶を認める（c）
RV：右心室，LV：左心室，RA：右心房

表Ⅲ-1-1　報告ごとの妊娠時心筋梗塞の原因（％）

	日本[9] n＝62	文献 review[10] n＝129	米国 National Inpatient Sample database （2002〜2014）[11] n＝4,471
冠動脈解離	23	43	14.5
動脈硬化性	13	27	―
血栓性	14	17	―
正常冠動脈	15	9	―
冠攣縮	19	2	―
たこつぼ心筋症	―	2	2.9
不明/記載なし	16	―	―

〔文献9）-11）より引用・改変〕

　妊婦における心筋梗塞の診断は，非妊娠時のものに準じてよい。胸痛などの訴えがあれば，12誘導心電図を施行し，持続的ST上昇を認めればST上昇型心筋梗塞（STEMI）と診断する。ST上昇を認めない場合は，引き続き心筋トロポニンなどのバイオマーカーを測定し，上昇していれば非ST上昇型心筋梗塞（NSTEMI）と診断する。治療も非妊娠時に準ずるが，可能な範囲で胎児への侵襲性も配慮する。急性心筋梗塞に対する血栓溶解療法は，胎児への催奇形性がなく，母児とも予後が良好であるとの報告があるが，母体の出血（と

くに分娩前後）には十分な注意が必要である。妊婦に対しても経皮的冠動脈形成術が施行されるが，妊娠女性における薬剤溶出性ステントの安全性は不明で，かつ抗血小板薬2剤併用療法（DAPT；dual anti-platelet therapy）が長期間必要な点から，とくに妊娠後期では避けるべきとされ[13]，妊娠中であれば，ベアメタルステントの使用が勧められている[14]。妊娠中の冠動脈バイパス術も有効であるが，妊娠後半の人工心肺を使用する心臓手術においては，胎児の死亡率が高くなる[15]。

3. 致死性不整脈

　意識が消失したり突然死の引き金になる不整脈には，心拍数の速い心室頻拍や心室細動が含まれる。心室頻拍は，心室から発生した異常刺激による頻拍で，QRS波が100/min 以上で3拍以上連続するものを指す。持続性心室頻拍は不整脈による突然死の主因で，頻拍レートが200/min を超えると高率に失神をきたす。心機能低下例では，より低い頻拍レートでも重症となる。持続性心室頻拍の基礎疾患は心筋梗塞，心筋症，弁膜症，心臓手術後，特発性など多彩である。torsade de pointes は，心室頻拍のうちQRSの軸が徐々に変化し，ねじれた形態を呈するものであり，心室細動に近い状態である。QT延長症候群などに合併することが多い。心室細動（VF）は，心室からの異常刺激による非常に速く不規則な拍動で，心臓が小刻みに震え，心停止とほぼ同じ状態である。数秒以内に意識不明になり，即座に治療しなければ死に至るもっと重篤な不整脈である（心電図異常と病態：p178参照）。心室細動や無脈性心室頻拍（PEA）を妊婦で認める際，電気的除細動と同様，アドレナリンやリドカインなどの薬物療法はもちろん可能である（妊婦心停止の心肺蘇生：p128参照）。心室頻拍の再発予防として，急性期にはアミオダロン，ニフェカラント，リドカイン（器質的心疾患）やマグネシウム（QT延長症候群）の点滴静注から，内服薬剤の導入・増量が推奨される。妊娠中や母乳授乳中のアミオダロン使用に際しては，胎児や新生児の甲状腺腫・甲状腺機能異常に注意する[16]。

　QT延長症候群は，心電図のQT時間の延長に伴い，torsade de pointes と呼ばれる多形性心室頻拍を引き起こし，失神や突然死の原因となる疾患である。QT延長の明らかな原因を認めず，多くはイオンチャネルに関与する遺伝性を認める先天性QT延長症候群と，薬剤や徐脈，電解質異常など，QT延長の明らかな原因が存在し，これを取り除けばQT時間がほぼ正常化する後天性QT延長症候群に分類される。先天性QT延長症候群の女性では，思春期と周産期に不整脈イベントが多いことが知られており，とくに産後が不整脈好発時期であることが知られている[2]。図Ⅲ-1-3 にQT延長症候群2型の産婦における心電図を提示する。不整脈イベントの予防に，β遮断薬は有効である[1)17)]。カテコラミン誘発性多形性心室頻拍も，交感神経活性が亢進する妊娠中に悪化リスクがあるため，β遮断薬やフレカイニドを使用する。Brugada症候群においては，周産期不整脈イベントの増加は報告されていない。

4. 周産期心筋症

　心疾患の既往のなかった女性が，妊娠・産褥期に心不全を発症し，心エコー上心拡大と心収縮力の低下を認める，拡張型心筋症に類似した特異な心筋症である。わが国における

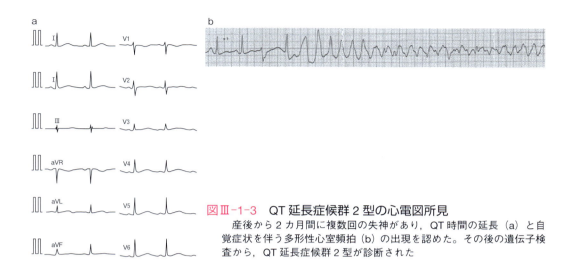

図Ⅲ-1-3　QT延長症候群2型の心電図所見
産後から2カ月間に複数回の失神があり，QT時間の延長（a）と自覚症状を伴う多形性心室頻拍（b）の出現を認めた．その後の遺伝子検査から，QT延長症候群2型が診断された

表Ⅲ-1-2　周産期心筋症の診断基準

1. 妊娠中から分娩後6カ月以内に新たに心収縮機能低下・心不全*を発症
2. ほかに心収縮機能低下・心不全*の原因となる疾患がない
3. 発症まで心筋疾患の既往がない
4. 左室収縮機能の低下（左室駆出率≦45％）

*心不全は必須診断項目ではない

〔文献18）より引用・改変〕

　診断基準を表Ⅲ-1-2に示す[18]．除外診断病名であり，さまざまな疾患背景が含まれている疾患群と考えられる．日常診療の場で遭遇する頻度は必ずしも多くはないが，母体死亡にもつながる重篤な疾患である．息切れ，動悸，咳，浮腫や体重増加といった心不全症状は，健常妊産褥婦も訴える症状であり，診断遅延の一因となっている．実際に，わが国における周産期心筋症と診断された患者の6割が，重篤な症状，すなわち起坐呼吸や心停止の状態で診断に至っている[19]．一方，妊娠時の心機能と長期予後は相関しているため，早期診断・早期治療により，予後改善が大いに見込まれる疾患でもある．高齢，多産，多胎，妊娠高血圧症候群，子宮収縮抑制薬の使用などが，危険因子である．患者の約1割が死亡もしくは心臓移植待機，約3割が慢性期に心機能低下が残存，約6割が心機能正常化する．図Ⅲ-1-4に周産期心筋症の画像所見を提示する．

　周産期心筋症による心不全は，3割が妊娠中，7割が分娩〜産後6カ月に診断されているが，なかでも，分娩〜産後1カ月の診断が最多である．疑えば，心エコーを実施して，左室収縮能の低下を診断する．除外診断病名であるため，心筋梗塞や心筋炎などの心収縮能低下を引き起こす疾患との鑑別診断を行い，他疾患が除外されれば，周産期心筋症と診断する．図Ⅲ-1-5に，心不全様症状を訴える妊産婦への検査と鑑別診断のフローチャートを示す[18]．周産期心筋症では，心電図上のST-T変化が乏しく，心筋バイオマーカーの有意な上昇を認めない．また，左室壁運動の低下は，びまん性である．BNPやNT-proBNPは，簡便な心不全マーカーとして有用である．疾患特異的な診断基準がないため，既存の

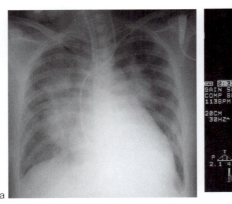
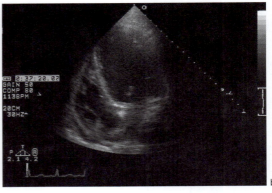

図Ⅲ-1-4 周産期心筋症の画像所見
　33歳，初産婦，生来健康．妊娠30週より湿性咳嗽と浮腫が出現し，近医内科で喘息と診断された．妊娠32週，切迫徴候により子宮収縮抑制薬が開始された．妊娠35週，起坐呼吸が出現した．胸部X線上心拡大と著明な肺うっ血を認め（a），心エコーでは左室拡張/収縮末期径 71/65 mm，左室駆出率20％であった（b）．帝王切開にて分娩後，心不全治療を行い，1年後には左室駆出率50％まで回復した

	胸部X線	心電図	バイオマーカー	心エコー
周産期心筋症	心拡大 （肺うっ血）	軽微な変化 （特異所見なし）	BNP上昇	びまん性の壁運動低下，心囊液
心筋梗塞		ST上昇（低下）	心筋逸脱酵素上昇	局所の壁運動低下
心筋炎	心拡大 （肺うっ血）	ST-T異常	心筋逸脱酵素上昇 BNP上昇	局所もしくはびまん性の壁運動低下 壁肥厚，心囊液
肺血栓塞栓症	肺血管陰影減弱 右心拡大	SIQⅢTⅢ 肺性P	D-dimer上昇	右室負荷所見

図Ⅲ-1-5 心不全様症状を訴える妊産婦への検査と主な鑑別疾患

　拡張型心筋症との鑑別は，現時点では難しい．また，遺伝子研究結果から，周産期心筋症の一部は，拡張型心筋症とオーバーラップしていると考えられる．一般的な心不全治療が行われるが，近年，重症例ではプロラクチン分泌を抑制する抗プロラクチン療法が試みられている[20]．心不全急性期に分娩する場合は，帝王切開が選択される[13]．

5．大動脈解離

　前述のように，大動脈解離はわが国における心血管疾患による母体死亡原因のなかでもっとも多い原因である．妊娠第3期から産後が好発時期である．解離や突然死の家族歴の把握や，身体所見の診察はリスクを知るうえで大切であるが，家族性大動脈解離などでは，必ずしもMarfan症候群にみられるような身体的特徴を呈さないため，強い胸背部痛

を訴える妊産褥婦では，必ず鑑別診断にあげる．必要時には，妊娠中でも造影CTを迅速に行う．わが国においては，妊娠前からMarfan症候群などの診断で前向きに妊娠を経過観察された症例よりも，既往がなく，周産期に突然大動脈解離をきたした症例のほうが，死亡率が高い[4]．

　Marfan症候群合併妊娠：大動脈弁輪径が45 mm以上の症例では，妊娠は禁忌とされる．大動脈弁輪径が40 mm未満であれば，比較的安全に妊娠出産できるとされているが，下行大動脈解離のリスクはある．大動脈弁輪径が40～44 mmの場合は，家族歴や手術のリスクなど，個々の症例に応じて対応する．大動脈拡張例では，妊娠中期以降の頻回な大動脈径測定が推奨される．国立循環器病研究センターにおけるMarfan症候群合併妊娠28例の検討では，うち11例に妊娠関連の大動脈瘤や解離を認めた[21]．妊娠に関連するイベントを認めた症例では，認めなかった症例よりも，妊娠初期の大動脈径が大きく，妊娠中の拡大スピードが速く，中等度以上の大動脈弁閉鎖不全や僧帽弁逸脱の合併率が高かった．また，海外からの報告では，妊娠中にβ遮断薬を内服することにより，大動脈拡張予防の効果が示されている[22]．40 mm未満であれば経腟分娩が可能であるが，血圧・疼痛管理が最重要であり，硬膜外麻酔併用が推奨される．有意な大動脈拡大例では，帝王切開が望ましいとされる[13]．

おわりに

　妊娠年齢の高年齢化により心疾患をもつ妊婦が増加している．また，妊娠による全身の生理学的変化が，妊産褥婦の心血管疾患の発症に影響を与えることがある．急性肺血栓塞栓症，急性心筋梗塞，致死性不整脈，大動脈解離，周産期心筋症は遅滞のない緊急介入や早期診断が予後を改善する．これら疾患に対する評価・治療の基本的アプローチは，非妊産婦と変わらない．この原則をもって，産婦人科医と全身管理医が協働する必要がある．

文献

1) Ruys TP, Roos-Hesselink JW, Hall R, et al：Heart failure in pregnant women with cardiac disease：Data from the ROPAC. Heart 100：231-238, 2014.
2) Seth R, Moss AJ, McNitt S, et al：Long QT syndrome and pregnancy. J Am Coll Cardiol 49：1092-1098, 2007.
3) van Hagen IM, Roos-Hesselink JW, Ruys TP, et al：Pregnancy in women with a mechanical heart valve：Data of the European Society of Cardiology Registry of Pregnancy and Cardiac Disease（ROPAC）. Circulation 132：132-142, 2015.
4) Tanaka H, Kamiya C, Horiuchi C, et al：Aortic dissection during pregnancy and puerperium：A Japanese nationwide survey. J Obstet Gynaecol Res 47：1265-1271, 2021.
5) 日本循環器学会：肺血栓塞栓症および深部静脈血栓症の診断，治療，予防に関するガイドライン（2017年改訂版）．
https://www.j-circ.or.jp/cms/wp-content/uploads/2017/09/JCS2017_ito_h.pdf（Accessed：2023/9/15）
6) Bellesini M, Robert-Ebadi H, Combescure C, et al：D-dimer to rule out venous thromboembolism during pregnancy：A systematic review and meta-analysis. J Thromb Haemost

7) 日本産科婦人科学会，日本産婦人科医会編集・監修：産婦人科診療ガイドライン―産科編 2023，2023．
8) James AH, Jamison MG, Biswas MS, et al：Acute myocardial infarction in pregnancy：A United States population-based study. Circulation 113：1564-1571, 2006.
9) Satoh H, Sano M, Suwa K, et al：Pregnancy-related acute myocardial infarction in Japan：A review of epidemiology, etiology and treatment from case reports. Circ J 77：725-733, 2013.
10) Elkayam U, Jalnapurkar S, Barakkat MN, et al：Pregnancy-associated acute myocardial infarction：A review of contemporary experience in 150 cases between 2006 and 2011. Circulation 129：1695-1702, 2014.
11) Smilowitz NR, Gupta N, Guo Y, et al：Acute myocardial infarction during pregnancy and the puerperium in the United States. Mayo Clin Proc 93：1404-1414, 2018.
12) Havakuk O, Goland S, Mehra A, et al：Pregnancy and the risk of spontaneous coronary artery dissection：An analysis of 120 contemporary cases. Circ Cardiovasc Interv 10：e004941, 2017.
13) 日本循環器学会，日本産科婦人科学会：心疾患患者の妊娠・出産の適応，管理に関するガイドライン（2018年改訂版）．
https://www.j-circ.or.jp/cms/wp-content/uploads/2020/02/JCS2018_akagi_ikeda.pdf（Accessed：2023/9/15）
14) Ismail S, Wong C, RajanP, et al：ST-elevation acute myocardial infarction in pregnancy：2016 update. Clin Cardiol 40：399-406, 2017.
15) Chandrasekhar S, Cook CR, Collard CD：Cardiac surgery in the parturient. Anesth Analg 108：777-785, 2009.
16) 日本循環器学会，日本不整脈心電学会：2020年改訂版 不整脈薬物治療ガイドライン．
https://www.j-circ.or.jp/cms/wp-content/uploads/2020/01/JCS2020_Ono.pdf（Accessed：2023/9/15）
17) Ishibashi K, Aiba T, Kamiya C, et al：Arrhythmia risk and β-blocker therapy in pregnant women with long QT syndrome. Heart 103：1374-1379, 2017.
18) 厚生労働科学研究（難治性疾患政策研究事業）「周産期（産褥性）心筋症の，早期診断検査確立研究の継続と診断ガイドライン作成」班・「特発性心筋症に関する調査研究」班編：周産期心筋症診療の手引き，中外医学社，東京，2019．
19) Kamiya C, Kitakaze M, Ishibashi-Ueda H, et al：Different characteristics of peripartum cardiomyopathy between patients complicated with and without hypertensive disorders：Results from the Japanese Nationwide survey of peripartum cardiomyopathy. Circ J 75：1975-1981, 2011.
20) Hilfiker-Kleiner D, Haghikia A, Berliner D, et al：Bromocriptine for the treatment of peripartum cardiomyopathy：A multicentre randomized study. Eur Heart J 38：2671-2679, 2017.
21) Katsuragi S, Ueda K, Yamanaka K, et al：Pregnancy-associated aortic dilatation or dissection in Japanese women with Marfan syndrome. Circ J 11：2545-2551, 2011.
22) Donnelly RT, Pinto NM, Kocolas I, et al：The immediate and long-term impact of pregnancy on aortic growth rate and mortality in women with Marfan syndrome. J Am Coll Cardiol 60：224-229, 2012.

Ⅲ 初期診療に必要なスキル

Secondary Survey に必要なスキル
2 脳卒中

はじめに

わが国の妊娠関連脳卒中の頻度は10.2/10万出産とされる[1]。脳卒中には頭蓋内出血（脳出血，くも膜下出血）と脳虚血（脳梗塞）があり，欧米の妊娠関連脳卒中と比較して頭蓋内出血の比率が明らかに高い（約70％）[1,2]。脳卒中は妊産婦死亡原因の15％を占める[3]。とくに頭蓋内出血は重篤例が多く，妊産婦脳卒中死亡例の多くは出血によるものである。

頭蓋内出血

1. 原因と発症時期

①既存の脳血管疾患からの出血と，②妊娠高血圧症候群（hypertensive disorders of pregnancy；HDP）やHELLP症候群，血液凝固異常などの産科的合併症に関連した出血に大別される。わが国では既存の脳血管疾患からの出血が半数以上を占め（53～56％），なかでも脳動静脈奇形（brain arteriovenous malformation；bAVM）破裂による脳出血と脳動脈瘤破裂によるくも膜下出血が二大原因である（図Ⅲ-2-1）[1,2]。その多くは未診断で，出血を契機に診断される[2]。もちろん脳血管疾患と産科的合併症の併存例も存在する。

出血は妊娠中，分娩中，産褥期のいずれにも起こるが，概して妊娠後期以降に増加する傾向がある。妊娠32週以前では器質的血管病変からの出血が有意に多く，それ以後は産科的合併症関連出血が急増する（図Ⅲ-2-2）[2]。とくに32週以前では脳血管疾患が高率に潜むと考えて，血管画像評価を行う必要がある。

2. 妊娠は頭蓋内出血リスクを高めるか？

1）脳動脈瘤

くも膜下出血の大半は脳動脈瘤の破裂であるが，破裂率への妊娠の影響はcontroversialである。スウェーデンでの研究では，分娩前後（2日前～1日後）のくも膜下出血発生率は非妊娠時の47倍で，この時期に限定したリスク上昇が示された[4]。一方，米国の研究では妊娠可能年齢層の未破裂脳動脈瘤保有率を1.8％と仮定した場合，破裂率は妊娠中1.4％，分娩時0.05％で非妊娠時と差がないとされた[5]。国内研究では破裂が妊娠後期に好発する傾向があり[2]，何らかの影響が疑われるが，破裂率上昇は証明できていない。

2）bAVM

多くのbAVMは脳実質内に存在し，流入血管，ナイダス（nidus；動静脈シャントを有する血管塊），流出静脈からなる。若年性脳出血の主原因であり，若年成人の脳実質内出血

Ⅲ 初期診療に必要なスキル　Secondary Survey に必要なスキル

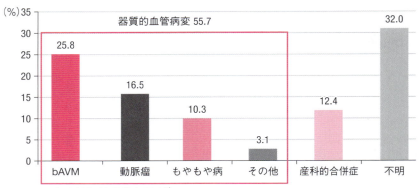

a：日本脳神経外科学会調査[2]

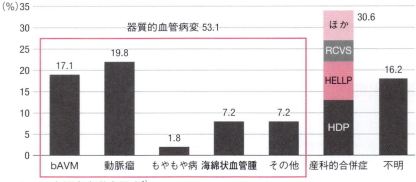

b：日本脳卒中学会調査[1]

図Ⅲ-2-1　妊娠関連頭蓋内出血の原因〔文献[1] [2] より作成〕

をみたときに真っ先に想起する疾患である．bAVM 保有女性を対象とした米国の研究では，妊娠中の出血率は非妊娠時と有意差がない（3.5％/year vs 3.1％/year）[6]．しかし別の研究では，妊娠中の bAVM 破裂は有意に高く（10.8％/year vs 1.1％/year）[7]．最近のメタアナリシスにおいても，妊娠中および産褥期の破裂率は有意に高い（odds ratio：3.19）．このため，妊娠は bAVM 破裂率を高めると考えられている[8]．

3）出血型もやもや病

　もやもや病は，両側内頸動脈終末部の進行性閉塞と異常な側副血行路網の代償性発達を特徴とする疾患である．小児例のほとんどは脳梗塞や一過性脳虚血発作で発症する「虚血型」であるが，成人例の約半数は異常側副血管の変性・破綻により頭蓋内出血を生じる「出血型」である．かつては出産時の過換気が虚血発作を誘発するリスクが危惧された．しかしもやもや病合併妊娠に関する国内研究では，重篤事例の多くが妊娠中の頭蓋内出血であった[9]．妊娠が出血リスクを高めるかどうかは不明である．

4）妊娠高血圧症候群（HDP）と頭蓋内出血

　HDP は頭蓋内出血のリスク因子であり，国内調査では出血例の 26％に合併する[10]．なかでも妊娠高血圧腎症はとくにハイリスクである．HELLP 症候群はしばしば HDP と合併し，さらに高い出血リスクが指摘される[1]．

　HDP による頭蓋内出血は，異常高血圧による血管破綻といった単純機序ではない．背景

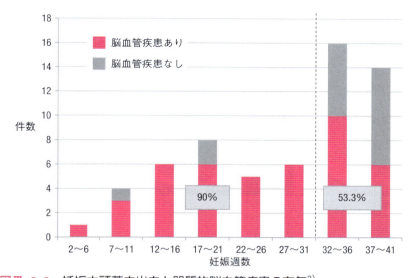

図Ⅲ-2-2　妊娠中頭蓋内出血と器質的脳血管疾患の有無[2]
32週以前は90%が脳血管疾患からの出血であり，以後（53.3%）と比べて有意に多い（$p=0.0017$）．反対に，32週以後は脳血管疾患によらない出血が増加する

に全身の血管内皮障害があり，これに伴う脳毛細血管の血液脳関門の破綻，末梢血管微小塞栓，血液凝固異常が出血を惹起すると推定される[11]．HELLP症候群や胎盤早期剝離が合併すると，さらに高度の血液凝固異常が加わり出血につながる．

3. 頭蓋内出血の症状と急性期治療

　頭蓋内出血の主症状は突然の頭痛，意識障害，巣症状（片麻痺，言語障害，共同偏視）である．とくに意識障害を早期に覚知し，出血を疑えば直ちに頭部CTを行う．出血によるけいれん発作は低頻度だが皆無ではなく，子癇と断定するのは危険である．重症頭蓋内出血による除脳硬直を強直性けいれんと誤認してはならない．また「けいれん発作のない意識障害」をみて子癇を第一に想起するのは，子癇の定義から考えても妥当でない．

　瞳孔径の異常はきわめて重要な所見であり，例外なく真っ先に瞳孔を観察する．意識障害を伴う左右瞳孔径の不同は，①大脳半球内血腫による中脳圧迫（切迫脳ヘルニア），②動眼神経核を巻き込む脳幹出血，③破裂動脈瘤による動眼神経の機械的圧迫，のいずれかを示唆し，重症頭蓋内出血の確率がきわめて高い．頭部CTで出血をみれば脳専門医をコールし，対応困難なら高次医療機関に転院搬送する．CTが施行できない施設では，即刻転院搬送する．

　急性期治療の原則は母体優先であり，検査・治療は原則的に非妊娠例に準じる．状況が許すかぎり，3D-CT angiographyや脳血管造影で血管病変の検索を行う．適切な放射線防護を行えば胎児被ばくは僅少で，検査を躊躇してはならない．MR angiographyも血管を描出可能であるが，検出精度が劣り検査中の患者へのアクセスが制限されることから，超急性期の第一選択にはなりにくい．治療法は診断により異なる．急速遂娩は，妊娠週数と病態，胎児状態に応じて個別に判断する．

Ⅲ　初期診療に必要なスキル　Secondary Survey に必要なスキル

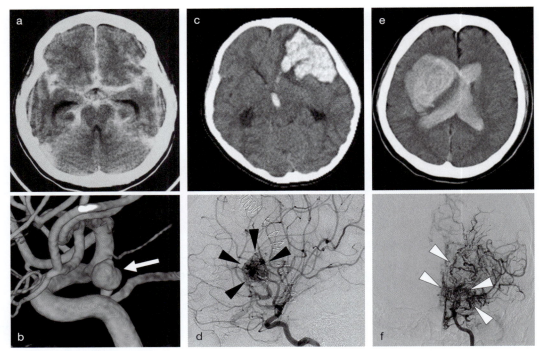

図Ⅲ-2-3　器質的脳血管疾患による頭蓋内出血のCTおよび脳血管造影
a，b：脳動脈瘤（白矢印）破裂によるくも膜下出血
c，d：脳動静脈奇形（黒矢頭）破裂による脳出血
e，f：もやもや病の異常側副血行路血管（白矢頭）の破綻による脳出血・脳室内出血

1）脳動脈瘤破裂（図Ⅲ-2-3a，b）

　破裂と同時に動脈血がくも膜下腔内に噴出するが，頭蓋内圧上昇とともに破裂点がフィブリン血栓で一時的に止血される．血液により髄液循環が障害され，しばしば急性水頭症を伴う．放置すれば高率に再破裂を起こして死亡する．くも膜下出血の超急性期治療の目的は，頭蓋内圧管理による脳循環維持と致死的再破裂の防止の2点にある．

　急性水頭症に対して，緊急脳室ドレナージ術で頭蓋内圧降下を図る．再破裂防止処置の選択肢は，①開頭によるネッククリッピング術，②血管内治療による瘤内コイル塞栓術，③母血管閉塞術であり，いずれも緊急手術となる．ネック（頸部）を有する囊状動脈瘤には，①もしくは②を病変に応じて使い分ける．特殊例として解離性脳動脈瘤破裂があり，ネックが存在しないので③を選択する．日本人は椎骨動脈解離がもっとも多く，対側椎骨動脈が低形成でなければ血管内治療により解離部を母血管ごとコイル塞栓する．次いで多い頭蓋内内頸動脈解離に対しては，開頭により中大脳動脈にバイパスを設置したうえで母血管を遮断する方法が頻用される．

2）bAVM 破裂（図Ⅲ-2-3c，d）

　bAVM の血管構築はきわめて複雑で，超急性期にすべてを把握することは容易でない．血腫が大きくなければ急性期を保存的治療で乗り切り，亜急性期以後に詳細な評価を行ったうえで根本治療を考える．大血腫の場合は緊急手術で血腫のみを摘出して減圧を図り，

亜急性期以後に根本治療を行う。破裂例の根本治療は開頭によるナイダス摘出術が原則であるが，病変が脳の重要機能部位に存在し手術リスクが高い場合は，次善の策として定位放射線治療（ガンマナイフ）を考える。なお，血管内治療によるナイダス塞栓術については単独で根治にもち込めるケースはまれであり，手術や定位放射線治療の前処置としての意義が大きい。ナイダス摘出術の時期に一定の決まりはないが，妊娠中は破裂bAVMの再出血率が非妊娠時よりも高いとされる[12]。適切な時期に分娩を図って妊娠を終結し，その後亜急性期に手術を行う。妊娠終結の要否は母体の重症度に応じて個別に判断する。

3) 出血型もやもや病 (図Ⅲ-2-3e, f)

出血は異常な側副血行路血管の破綻である。急性期は脳内血腫の摘出あるいは脳室ドレナージ術で頭蓋内圧の下降を図る。脳主幹動脈閉塞により脳虚血の要素を併せもつ例が多く，頭蓋内圧管理に失敗すると大梗塞の併発を招く。また過度の降圧処置も禁忌となる。

出血を起こすとその後約7%/yearの再出血率があり[13]，とくに大脳半球後半部出血例では17%/yearと著しく高い[14]。わが国でのrandomized controlled trialにより，慢性期の脳血管バイパス術が顕著な再出血抑制効果をもつことが示され[14]，最新のガイドラインでも手術が推奨されている[15]。通常，この手術は分娩後に検討される。

4) 産科的合併症に関連した頭蓋内出血 (図Ⅲ-2-4)

小出血には保存的治療を行い，大血腫には開頭血腫除去術や脳室ドレナージ術を行う。産科的合併症自体が妊娠の早期終結を要するため，胎児娩出と開頭手術を同時期に行うことも多く，大緊急の場合は同時並行手術となる。なおHDP合併頭蓋内出血は，分娩中あるいは産褥早期に発生することも多い[1]。

妊娠関連頭蓋内出血の死亡率は10～12%，予後不良（modified rankin scale 3～6）の率は36～40%と高いが[1,2]，産科的合併症による出血の予後は脳血管疾患破裂よりも明らかに悪く，HDP，HELLP症候群による頭蓋内出血の予後不良率は各々46%，67%に達する[1]。

脳虚血

妊娠は脳虚血リスクを上昇させると考えられる。米国研究における脳梗塞発症の相対リスクは，妊娠中は非妊娠時と比べて有意な変動がないものの，産褥期には8.7倍であった[16]。スウェーデンの研究では，分娩2日前～産褥1日の脳梗塞リスクは34倍，産褥2日～6週では8倍に上昇した[4]。

1. 原因と発症時期

動脈性機序と静脈性機序がある。わが国の妊娠関連脳梗塞は76%が動脈性梗塞（arterial ischemic stroke；AIS），24%が脳静脈・静脈洞閉塞症（cerebral sinovenous thrombosis；CSVT）による静脈性梗塞であった[1]。一般の中高齢者におけるAISの主原因は心房細動，主幹動脈の動脈硬化性狭窄，脳小血管病であり，各々心原性脳梗塞，アテローム血栓性脳梗塞，ラクナ梗塞の原因となるが，妊産婦AISの多くはこれらの古典的血管リスクと無関係である。国内研究におけるAISの原因は可逆性脳血管攣縮症候群（reversible vasoconstriction syndrome；RCVS）が最多（24%）で，次いで血液凝固系異常（16%），心原性

Ⅲ　初期診療に必要なスキル　Secondary Surveyに必要なスキル

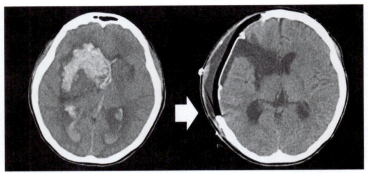

a：右基底核出血
開頭血腫除去術で救命したが，mRS 5の重度後遺症を残した

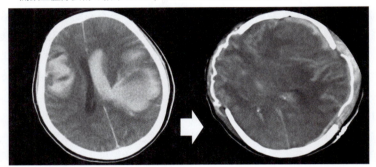

b：両側皮質下出血
両側開頭手術を行ったが，救命し得なかった

図Ⅲ-2-4　妊娠高血圧症候群に合併した妊産婦脳出血

脳塞栓症（5.4％）であった[1]。
　RCVSは「雷鳴頭痛を主徴とし，脳血管に可逆性の分節状攣縮を認める症候群」と定義される。発症誘因として妊娠分娩（とくに産褥期）や抗うつ薬などの薬物があげられ，脳梗塞・一過性脳虚血発作を生じ得る。心原性塞栓症では卵円孔開存による奇異性塞栓症が重要であり，妊産婦に循環血液量増加による前負荷増大と血液凝固能亢進が加わり，静脈内血栓が右心系から左心系に移行して塞栓症を生じる。また妊娠後期以降の左房・左室拡大を伴う心臓のリモデリングも心原性塞栓症リスクを上げるとされ，近年，周産期心筋症（peripartum cardiomyopathy；PPCM）が注目されている。血中異型プロラクチンによる心筋障害により左室駆出率が35％以下になると，産褥期の過凝固と相まって左室内血栓を生じ，心原性脳塞栓症を起こし得る[17]。静脈性虚血であるCSVTも産褥期好発で，過凝固，静脈うっ滞，血管内皮細胞障害によって頭蓋内静脈洞や皮質静脈に血栓性閉塞をきたし，静脈還流障害による脳梗塞，脳浮腫，出血を生じる。

2．脳虚血の症状と急性期治療

1）可逆性脳血管攣縮症候群（RCVS）

　突然の強い頭痛で発症し，その後視野障害，運動麻痺，失語症などの巣症状を呈する。脳動脈瘤破裂によるくも膜下出血との鑑別がもっとも重要であり，頭部CTで出血の有無

を確認する．MRI/MRAの実施が望ましく，CTでわからないくも膜下出血がFLAIR像で同定できることもある．RCVSではMRAでの脳血管の分節状攣縮，FLAIR像での皮質高信号・皮質脳溝内の限局出血などが特徴的であるが，発症直後にはみられないことも多く，経時的なフォローアップが必要である．血管攣縮自体は可逆的であるが，高度攣縮により脳梗塞に至れば拡散強調画像（DWI）で高信号病変が出現する．治療はカルシウム拮抗薬が有用とされ，海外ではnimodipine（国内未承認，2024年1月現在），わが国ではベラパミルが頻用される（添付文書では妊婦は禁忌）．妊婦・授乳婦でベラパミルを要す場合は，薬剤師などと十分に相談する．攣縮の改善には数カ月を要することも多い．

2）心原性塞栓症

片側の顔面・上下肢麻痺，言語障害（失語症，構語障害），共同偏視など，閉塞した脳動脈の支配領域に応じた神経脱落症状を呈する．内頚動脈や中大脳動脈本幹閉塞では意識障害を伴う．これらの症状は脳出血と共通であり，頭部CTで鑑別する．梗塞を疑えば，MRI（DWI，FLAIR）/MRAで梗塞範囲，血管閉塞部位を確認する．妊産婦の年齢で脳主幹動脈の途絶があれば心原性脳塞栓症が疑われる．一般に，AIS発症4.5時間以内には遺伝子組み換え組織型プラスミノゲン・アクティベータ（rt-PA）の静脈内投与が適応となり，妊産婦でも同様である．ただし薬物自体が出血を助長するため，胎盤早期剥離や子宮内出血のリスク評価は必要である．心原性塞栓症による主幹動脈閉塞に対しては，血管内治療での機械的血栓回収療法が広く普及しており，妊産婦でも躊躇せず実施を考慮する[18]．

妊娠に関連した虚血性脳卒中の死亡率は2.7％，予後不良（mRS≧3）率は16.2％であり，頭蓋内出血よりも低い[1]．

3）脳静脈・静脈洞閉塞症（CSVT）

皮質静脈閉塞では部位に応じた巣症状，静脈洞血栓症では巣症状に加えて静脈還流障害と頭蓋内圧亢進による頭痛，意識障害，けいれん，脳出血を生じる．造影CTやMR venographyにより診断する．治療の基本は未分画ヘパリンによる抗凝固療法であり，必要に応じてカテーテルによる血栓回収療法も考慮することがある．なお，妊婦に対するワルファリンは催奇性，神経発達異常リスクのため禁忌である．

おわりに

妊産婦脳卒中で重要なのは，異変の早期覚知，迅速な画像診断，脳専門医との連携である．とくに産科的合併症に関連した頭蓋内出血の重症化率，死亡率は高く，直ちに行動することが求められる．

文 献

1) Yoshida K, Takahashi JC, Takenobu Y, et al：Strokes associated with pregnancy and puerperium：A nationwide study by the Japan Stroke Society. Stroke 48：276-282, 2017.
2) Takahashi JC, Iihara K, Ishii A, et al：Pregnancy-associated intracranial hemorrhage：Results of a survey of neurosurgical institutes across Japan. J Stroke Cerebrovasc Dis 23：e65-71, 2014.
3) 妊産婦死亡症例検討評価委員会，日本産婦人科医会：母体安全への提言2020，Vol.11，令和

3年9月.
4) Salonen Ros H, Lichtenstein P, Bellocco R, et al：Increased risks of circulatory diseases in late pregnancy and puerperium. Epidemiology 12：456-460, 2001.
5) Kim YW, Neal D, Hoh BL：Cerebral aneurysms in pregnancy and delivery：Pregnancy and delivery do not increase the risk of aneurysm rupture. Neurosurgery 72：143-149, 2013.
6) Horton JC, Chambers WA, Lyons SL, et al：Pregnancy and the risk of hemorrhage from cerebral arteriovenous malformations. Neurosurgery 27：867-872, 1990.
7) Gross BA, Du R：Hemorrhage from arteriovenous malformations during pregnancy. Neurosurgery 71：349-355, 2012.
8) Zhu D, Zhao P, Lv N, et al：Rupture risk of cerebral arteriovenous malformations during pregnancy and puerperium：A single-center experience and pooled data analysis. World Neurosurg 111：e308-e315, 2018.
9) Takahashi JC, Ikeda T, Iihara K, et al：Pregnancy and delivery in moyamoya disease：Results of a nationwide survey in Japan. Neurol Med Chir（Tokyo）52：304-310, 2012.
10) Yoshimatsu J, Ikeda T, Katsuragi S, et al：Factors contributing to mortality and morbidity in pregnancy-associated intracerebral hemorrhage in Japan. J Obstet Gynecol Res 40：1267-1273, 2014.
11) Mahendra V, Clark SL, Siresh MS：Neuropathophysiology of preeclampsia and eclampsia：A review of cerebral hemodynamic principles in hypertensive disorders of pregnancy. Pregnancy Hypertens 23：104-111, 2021.
12) Ogilvy CS, Stieg PE, Awad I, et al：Recommendations for the management of intracranial arteriovenous malformations：A statement for healthcare professionals from a special writing group of the Stroke Council, American Stroke Association. Stroke 32：1458-1471, 2001.
13) Kobayashi E, Saeki N, Oishi H, et al：Long-term natural history of hemorrhagic moyamoya disease in 42 patients. J Neurosurg 93：976-980, 2000.
14) Takahashi JC, Funaki T, Houkin K, et al；JAM Trial Investigators：Significance of the hemorrhagic site for recurrent bleeding：Prespecified analysis in the Japan adult Moyamoya trial. Stroke 47：37-43, 2016.
15) 日本脳卒中学会脳卒中ガイドライン委員会編：もやもや病；出血発症例に対する治療．脳卒中治療ガイドライン 2021，協和企画，東京，2021，p217.
16) Kittner SJ, Stern BJ, Feeser BR, et al：Pregnancy and the risk of stroke. N Engl J Med 335：768-774, 1996.
17) Sliwa K, Hilfiker-Kleiner D, Petrie MC, et al；Heart Failure Association of the European Society of Cardiology working group on peripartum cardiomyopathy：Current state of knowledge on aetiology, diagnosis, management, and therapy of peripartum cardiomyopathy：A position statement from the Heart Failure Association of the European Society of Cardiology working group on peripartum cardiomyopathy. Eur J Heart Fail 12：767-778, 2010.
18) 日本脳卒中学会脳卒中ガイドライン委員会編：妊娠・分娩に伴う脳血管障害．脳卒中治療ガイドライン 2021，協和企画，東京，2021，pp223-224.

Ⅲ 初期診療に必要なスキル

Secondary Survey に必要なスキル
3 麻酔と麻酔合併症

はじめに

　妊産婦の麻酔は，脳出血やくも膜下出血などの緊急手術を要するものや，子宮頸管無力症などの産科関連手術，虫垂炎や卵巣腫瘍などの非産科手術がある。
　いずれも手術の必要性がある場合は躊躇なく行われるべき[1]であるが，妊娠中の生理学的変化や麻酔薬による子宮胎盤循環への影響，催奇形性などを考慮しなければならない。
　本項ではこれらに加え，術中・術後管理のポイントを術式ごとに紹介する。

麻酔薬が妊婦に及ぼす影響

　麻酔薬に関し，動物実験で認知機能に影響を与える報告があるが，ヒトの発達脳を対象にした PANDA study[2]や GAS study[3]では，麻酔薬の曝露は悪影響を及ぼさなかった。全身麻酔と低出生体重との関連を示唆する研究結果[4]もあるが，麻酔薬が及ぼす影響は完全には解明されていない。妊娠12週頃までは安全性の確認されていない薬剤を避けるのが望ましい。

1. 静脈内麻酔薬

　チオペンタールとプロポフォールに催奇形性の報告はない。プロポフォールは妊娠初期に非妊娠時と比較して必要量が低下する[5]が，脳波モニター（BIS；bispectral index）を目安に投与量や目標血中濃度を決定する。
　ミダゾラムは妊娠第１三半期に口唇口蓋裂増加の潜在的なリスクになるとされ，妊娠初期の積極的な投与は避ける。ベンゾジアゼピン系鎮静薬による分娩前の長時間鎮静は，新生児の退薬症候群を生じる可能性があるため可能なかぎり避ける。

2. オピオイド鎮痛薬

　フェンタニルやレミフェンタニルに関して催奇形性の報告はないが，母体の呼吸抑制や胎児移行の観点からオピオイドの量を減らす努力をする。腹腔鏡下手術を選択する，局所麻酔薬やアセトアミノフェンなどほかの鎮痛薬を併用することを検討する。
　レミフェンタニルは帝王切開の全身麻酔導入で用いた際に新生児の胸壁の硬直や[6]，新生児呼吸へ悪影響を及ぼすことが報告されている[7]。効果の持続は短いが，短時間の新生児対応を必要とする可能性がある。

3. ケタミン

静脈麻酔薬に分類されるが，鎮痛作用と鎮静作用を併せもつ。ほかの鎮静薬と比較して呼吸管理の必要性が低く，血圧上昇作用があるため循環血液量減少時に使用できるのが特徴である。血圧とともに脳圧も上昇させるため，脳外科手術では注意が必要である。

動物実験で反復投与により胎児脳のアポトーシスが観察されたという報告がある[8]が，ヒトでの関連性は明らかにされていない。

4. 筋弛緩薬

スキサメトニウム（脱分極性）やロクロニウム（非脱分極性）に催奇形性の報告はない。ロクロニウムは，水溶性で陽性荷電であり，高分子のため胎盤通過性は低い。スキサメトニウムと比較すると帝王切開の迅速導入の全身麻酔導入で用いたロクロニウムは少量ではあるが児に移行する[9]。子宮収縮抑制薬として硫酸マグネシウムが投与されている場合は，マグネシウム持続投与によるロクロニウムの筋弛緩作用の延長を引き起こす可能性がある[10]。筋弛緩モニタリングを行いながら必要最小限の投与量とする。

ロクロニウムの拮抗薬であるスガマデクスは，米国産科麻酔学会では妊娠初期には使用を避けるべきと勧告している[11]。代替薬として使用経験の多いコリンエステラーゼ阻害薬（ネオスチグミン）が推奨されている[6]が，胎盤を通過し胎児徐脈を引き起こす懸念があるため硫酸アトロピンと併用する。硫酸アトロピンもまた胎盤を通過し，胎児頻脈や基線細変動の減少を引き起こす可能性があるため緩徐に投与する[12]。

5. 吸入麻酔薬

妊娠中期までに生理的に肺胞換気量が30％近く増加し機能的残気量が低下するため吸入麻酔薬の平衡化が早まり，非妊娠時と比べ吸入麻酔薬は早く導入される。また妊娠時は最小肺胞濃度（MAC）が30〜40％低下する。

臨床濃度のセボフルラン，デスフルランによる生殖毒性を示す報告はない。亜酸化窒素は動物実験において長期曝露で催奇形性が報告されている[13]。

● 術式別の麻酔管理のポイント

妊婦であっても急性腹症，悪性疾患，脳神経外科手術，心臓手術などはしばしば緊急手術の適応になり得る。非産科手術であっても手術が必要と判断されれば非妊娠時と同じタイミングで行われるべきである。ここでは手術の疾患別に麻酔管理のポイントを述べる。

1. すべての術式に共通するポイント

すべての手術において術前，術後に胎児心拍数モニタリングを行う。妊娠18〜20週から胎児心拍数モニターは可能であるが，モニターの変化により胎児の状態を予測できるようになるのは，ベースラインの変動は妊娠24週以降，variabilityは26週以降である[7]。週数が早い場合は腹部超音波を，妊娠18週以降は胎児用超音波ドップラーを使用する。妊娠18〜20週以降では可能なかぎり子宮左方移動を行い，仰臥位低血圧症候群を予防する。

妊娠時の手術は母体へストレスがかかるため切迫早産の危険性がある。切迫早産の徴候を認めた場合は子宮収縮抑制薬を検討する。

妊娠中は血中プロゲステロン濃度の上昇により下部食道括約筋圧が低下しており，全身麻酔を行う際は，誤嚥のリスクを回避するためメトクロプラミドやH_2受容体拮抗薬などの制酸剤を手術開始前に投与する。

2. 脳神経外科手術

妊娠中の頭蓋内出血の多くは脳動脈瘤破裂によるくも膜下出血と脳動静脈奇形であり，しばしば緊急手術を要する。

頭蓋内出血の存在下では再出血予防のため高血圧を避けるべきであるが，子宮胎盤循環維持が必要である。重症妊娠高血圧腎症の場合，140/90 mmHg 程度を目標とする。子癇や関連する可逆性後頭葉白質脳症（posterior reversible encephalopathy syndrome；PRES）では脳血流の自己調節能が破綻している[14]。さらに毛細血管の静水圧上昇と血液脳関門の透過性亢進をきたし，血管性浮腫，微小出血，炎症を引き起こす[15]。妊娠高血圧症候群や子癇では脳動脈瘤の破裂の危険性は高いと考えられる[16]。

そのため，麻酔導入時に観血的動脈圧ラインを確保し，血圧を厳密にコントロールする。子宮胎盤循環を保つために，十分な輸液を行い，血管拡張薬の使用も検討する。

非妊娠時の脳外科手術では頭蓋内圧のために過換気管理を行うことがあるが，妊娠中は生理的に$PaCO_2$は28〜32 mmHgと低く，過度な過換気は子宮胎盤循環を低下させるため，$PaCO_2$は25〜30 mmHgを目標とする。

マンニトールは脳の浮腫改善と術野の露出を目的として投与されるが，臨床使用量では児への影響はないとされている[17〜19]。

3. 急性腹症の手術

妊娠中の急性腹症で代表的な疾患は急性虫垂炎，急性胆嚢炎，腸閉塞である。これらは嘔気・嘔吐・便秘・腹部膨満感などの症状を呈すが，妊娠時に生じる徴候に似ており診断が遅れやすい。腹部の圧痛は子宮収縮と区別できないこともある。腹膜炎を合併すると胎児死亡率は2.6％から10.9％へと上昇するといわれるため，早期診断・治療介入が重要である[20]。

急性腹症手術では，①入院期間の短縮，②術後疼痛の軽減，③血栓塞栓症や創傷の合併症リスクの軽減，④正常な胃腸機能の早期回復，子宮の過敏性の軽減などのために[21]，腹腔鏡下手術が選択されやすい。しかし，開腹手術と腹腔鏡下手術を比較した研究では，母体および胎児の転帰に違いはないと報告されている[22,23]。

腹腔鏡下手術では妊娠週数が進むほど気道内圧が上昇する[24]。また，気腹による胎児のアシドーシスを生じている[25]ため，$ETCO_2$でなく$PaCO_2$を指標に換気の管理を行うとよい。Trendelenburg体位は機能的残気量減少から母体酸素化の低下を生じる可能性がある。

急性腹症の麻酔管理にあたり，観血的動脈圧ラインを確保し，二酸化炭素分圧が高くならないようにすること，気腹や体位変換による循環動態や呼吸状態の変化に注意することが重要である。

4. 心血管系の手術

心疾患をもつ妊婦が近年増加しており，わが国では総妊娠数の0.5〜1%に相当し，不整脈を含めれば2〜3%といわれている．妊娠中に手術が必要になる疾患として，弁膜症に伴う心不全増悪，大動脈解離・大動脈瘤などの大動脈拡張疾患，感染性心内膜炎による疣贅や心不全増悪などがあげられる[26]．

妊娠中に人工心肺を用いる場合は，低心拍状態から胎児を守るため，術中の失血を最小限に抑える，大動脈圧迫を回避するための子宮左方移動の維持，70〜75 mmHgを超える平均動脈圧の維持，正常体温での管理，ポンプ時間の最小化，ポンプ流量>2.4 L/min/m^{2}の維持，適切な血清カリウム濃度（目標<5 mmol/L）を目標とし，胎児徐脈の予防のため妊婦の酸素飽和度を保ち，母体低血糖を回避することが重要である[27]．

5. 子宮内反症に対する子宮整復術

子宮内反症は止血のために整復が必要である．また，循環血液量減少に伴う血圧低下に加え，腹膜牽引による迷走神経反射（徐脈）や強い疼痛が発生しやすい．そのため全身管理に加えて疼痛コントロールが必要である．

セボフルランなどの吸入麻酔薬は子宮収縮抑制作用があるが，高濃度での使用でその作用を発揮するため，全身麻酔で母体の気道が確実に確保されている場合に有用である．ニトログリセリンの静注は即効性があり，半減期も数分と短いため簡便で使いやすい．一般的には100 μgずつ2〜3分ごとに投与する．出血に備え，観血的動脈圧ライン，複数の太い静脈路，輸血を準備する．

麻酔関連合併症

妊娠中の手術では胎児への薬物移行を減らす目的や，妊婦の生理学的変化から誤嚥や挿管困難症例への全身麻酔を回避すること，母体高血圧症例に対して，しばしば区域麻酔が用いられる．困難気道の管理に関しては日本麻酔科学会のガイドラインを参照されたい[28]．妊婦では下大静脈の圧迫により硬膜外静脈叢が拡張[29]し，必要な局所麻酔薬量が非妊娠時と比べて減少していることや，プロゲステロンやその代謝産物により局所麻酔薬に対する感受性が亢進しているため合併症には注意が必要である．迅速な対応が行われないと母児の生命予後に悪影響を与える．麻酔関連合併症として，とくに硬膜外麻酔に関連する合併症について詳述する．

1. 全脊髄くも膜下麻酔（全脊麻）

硬膜外麻酔に用いる大量の局所麻酔薬がくも膜下腔に誤って投与されると，高位から全脊髄くも膜下麻酔となり，呼吸停止，徐脈，重篤な血圧低下をきたし得る．

脊柱管に局所麻酔薬を投与する麻酔では知覚神経遮断だけでなく運動神経，交感神経にも遮断が及ぶ（表Ⅲ-3-1）．運動神経遮断は呼吸運動に関係が深く，胸椎レベルの運動神経遮断では，肋間神経遮断で呼吸困難感を訴える．神経遮断が頸髄レベルに及ぶと手を握ることが難しくなるため頻回に評価する．頸髄レベル（横隔神経はC4）の運動神経遮断で

表Ⅲ-3-1　高位脊髄くも膜下麻酔で生じる機序と症状

	機序	症状
循環器系 （交感神経遮断）	心臓交感神経遮断	徐脈 やがて心停止
呼吸器系 （運動神経遮断）	肋間神経麻痺	呼吸困難
	横隔神経麻痺 延髄の血流低下	呼吸停止 低酸素血症
中枢神経系	局所麻酔薬の直接作用 低酸素や低血圧	意識障害

呼吸停止に至ると酸素投与だけでは対応できないため，バッグ・バルブ・マスクやジャクソンリースなどによる用手換気が必要となるが，気管挿管を急ぐ必要はない。交感神経遮断ではほとんどの場合，血管拡張から血圧低下が生じる。上位胸椎（Th4）に至ると心臓交感神経遮断から徐脈が生じるため必要ならアトロピンを静脈内投与する。低血圧では子宮左方移動，細胞外液の急速投与，エフェドリンの静脈内投与などを行う。徐脈では硬膜外麻酔後にいつもと違う場合には，全脊髄くも膜下麻酔を想定しながら，呼吸停止や意識消失などが発症する前に，早期に気道・呼吸・循環管理を行うことが重要である。

2. 局所麻酔薬中毒

　局所麻酔薬が大量に血管内に誤投与されると局所麻酔薬中毒に至る。直接血管内に投与されていなくても局所麻酔薬中毒は緩徐に生じるため，鎮痛効果が悪い場合や長時間の局所麻酔薬投与で総投与量が多くなった場合に徐々に発症する。そのため，局所麻酔薬の1回の投与量だけでなく，持続投与量や投与継続時間を考慮して，血中濃度上昇を想定する。長時間の麻酔や担当医が途中で交代する場合には，適宜情報を共有して局所麻酔薬中毒を予防することが重要である。

　初期症状は多弁，興奮，耳鳴り，味覚の変容などを訴える。高濃度の局所麻酔薬を誤注入した場合，血圧上昇，不整脈，場合によっては心静止（asystole）が初期症状なしに出現することもある。

　硬膜外麻酔に麻薬を混注した局所麻酔薬を持続投与した際，嘔気症状が現れることがあるが，局所麻酔薬の血管内投与の初期症状である可能性があるため麻薬の副作用と決めつけてはならない。局所麻酔薬は少量分割投与し，血管内投与と判断した場合は，早急に注入を中止することが重要である。

　硬膜外投与量では安全性の高い局所麻酔薬を選択する。ブピバカイン（マーカイン®）は大量投与で致死的な不整脈を生じ，蘇生が困難である。ブピバカインと比較するとロピバカイン（アナペイン®）やレボブピバカイン（ポプスカイン®）は難治性不整脈を生じにくく，心筋収縮力の抑制も軽度であるが，大量投与では不整脈から心停止に至る。

　局所麻酔薬中毒と判断した場合，まずは系統的診療手順に沿った全身管理を行う。意識と呼吸の異常が生じた場合には，直ちに用手的気道確保を行いバッグ・バルブ・マスクなどを用いて酸素化と換気を行う。けいれんに対する対応と，不整脈や心停止に対する蘇生とを並行して行う。心肺蘇生に反応しない場合は体外循環が必要である。局所麻酔薬中毒

Ⅲ 初期診療に必要なスキル　Secondary Survey に必要なスキル

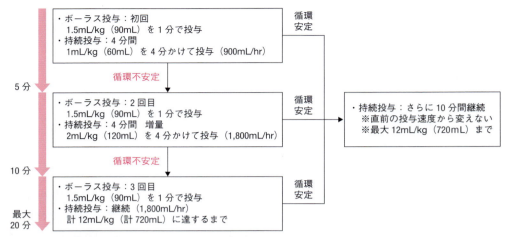

図Ⅲ-3-1　局所麻酔薬中毒に対する 20％脂肪乳剤の投与方法
＊（　）内は体重 60 kg の場合を示す
〔Safety Committee of Japanese Society of Anesthesiologists：Practical guide for the management of systemic toxicity caused by local anesthetics. J Anesth 33：1-8, 2019. より引用・改変〕

との鑑別として，肺塞栓症，羊水塞栓症，アナフィラキシーショックなどの可能性も考慮し，初期対応を行う。治療薬として，脂肪乳剤は局所麻酔薬を吸着するといわれ[30]，脂肪乳剤に含まれるグリセリンが，ブピバカインのミトコンドリアでの ATP 産生抑制作用を中和させるといった可能性が示唆されている。また脂肪乳剤自体が強心作用[31]や臓器保護作用[32]を有するという知見もある。局所麻酔薬中毒を少しでも疑った場合は迷わず，脂肪乳剤を投与することが推奨されている（図Ⅲ-3-1）[33]。脂肪乳剤大量投与の副作用は血清アミラーゼ上昇，肺障害，膵炎，気管支けいれん，高脂血症などで最大投与量は 12 mL/kg である[34]。パニックカードやチェックリストなどを救急カートや麻酔カートに備えておくと緊急時に混乱せず投与できる。

文献

1) ACOG Committee Opinion No. 775 Summary：Nonobstetric surgery during pregnancy. Obstet Gynecol 133：844-845, 2019.
2) Sun LS, Li G, Miller TL, et al：Association between a single general anesthesia exposure before age 36 months and neurocognitive outcomes in later childhood. JAMA 315：2312-2320, 2016.
3) Davidson AJ, Disma N, de Graaff JC, et al：Neurodevelopmental outcome at 2 years of age after general anaesthesia and awake-regional anaesthesia in infancy (GAS)：An international multicentre, randomised controlled trial. Lancet 387：239-250, 2016.
4) Wilder RT, Flick RP, Sprung J, et al：Early exposure to anesthesia and learning disabilities in a population-based birth cohort. Anesthesiology 110：796-804, 2009.
5) Mongardon N, Servin F, Perrin M, et al：Predicted propofol effect-site concentration for induction and emergence of anesthesia during early pregnancy. Anesth Analg 109：90-95, 2009.
6) Haggerty E, Daly J：Anaesthesia and non-obstetric surgery in pregnancy. BJA Educ 21：

42-43, 2021.
7) Braithwaite ND, Milligan JE, Shennan AT：Fetal heart rate monitoring and neonatal mortality in the very preterm infant. Am J Obstet Gynecol 154：250-254, 1986.
8) Hayashi H, Dikkes P, Soriano SG：Repeated administration of ketamine may lead to neuronal degeneration in the developing rat brain. Paediatr Anaesth 12：770-774, 2002.
9) Rubinchik-Stern M, Shmuel M, Bar J, et al：Maternal-fetal transfer of indocyanine green across the perfused human placenta. Reprod Toxicol 62：100-105, 2016.
10) Jones-Muhammad M, Warrington JP：Cerebral blood flow regulation in pregnancy, hypertension, and hypertensive disorders of pregnancy. Brain Sci 9：224, 2019.
11) Ross MG, Leake RD, Ervin MG, et al：Fetal lung fluid response to maternal hyperosmolality. Pediatr Pulmonol 2：40-43, 1986.
12) Hellman LM, Johnson HL, Tolles WE, et al：Some factors affecting the fetal heart rate. Am J Obstet Gynecol 82：1055-1063, 1961.
13) Fujinaga M, Baden JM, Mazze RI：Susceptible period of nitrous oxide teratogenicity in Sprague-dawley rats. Teratology 40：439-444, 1989.
14) Wang LP, Paech MJ：Neuroanesthesia for the pregnant woman. Anesth Analg 107：193-200, 2008.
15) Jones-Muhammad M, Warrington JP：Cerebral blood flow regulation in pregnancy, hypertension, and hypertensive disorders of pregnancy. Brain Sci 9：224, 2019.
16) Bateman BT, Olbrecht VA, BermanMF, et al：Peripartum subarachnoid hemorrhage：Nationwide data and institutional experience. Anesthesiology 116：324-333, 2012.
17) Wang LP, Paech MJ：Neuroanesthesia for the pregnant woman. Anesth Analg 107：193-200, 2008.
18) Tuncali B, Aksun M, Katircioglu K, et al：Intraoperative fetal heart rate monitoring during emergency neurosurgery in a parturient. J Anesth 20：40-43, 2006.
19) Bharti N, Kashyap L, Mohan VK：Anesthetic management of a parturient with cerebello-pontine-angle meningioma. Int J Obstet Anesth 11：219-221, 2002.
20) Jones-Muhammad M, Warrington JP：Cerebral blood flow regulation in pregnancy, hypertension, and hypertensive disorders of pregnancy. Brain Sci 9：224, 2019.
21) Fatum M, Rojansky N：Laparoscopic surgery during pregnancy. Obstet Gynecol Surv 56：50-59, 2001.
22) Buser KB：Laparoscopic surgery in the pregnant patient：Results and recommendations. JSLS 113：32-35, 2009.
23) Corneille MG, Gallup TM, Bening T, et al：The use of laparoscopic surgery in pregnancy：Evaluation of safety and efficacy. Am J Surg 200：363-367, 2010.
24) Steinbrook RA, Brooks DC, Datta S：Laparoscopic cholecystectomy during pregnancy：Review of anesthetic management, surgical considerations. Surg Endosc 10：511-555, 1996.
25) Cruz AM, Southerland LC, Duke T, et al：Intraabdominal carbon dioxide insufflation in the pregnant ewe：Uterine blood flow, intraamniotic pressure, and cardiopulmonary effects. Anesthesiology 85：1395-1402, 1996.
26) 日本循環器学会，日本産科婦人科学会合同ガイドライン：心疾患患者の妊娠・出産の適応，管理に関するガイドライン（2018年改訂版），2019，p100.
https://www.j-circ.or.jp/cms/wp-content/uploads/2020/02/JCS2018_akagi_ikeda.pdf
（Accessed：2023/1/15）
27) John AS, Gurley F, Schaff HV, et al：Cardiopulmonary bypass during pregnancy. Ann Thorac Surg 91：1191-1196, 2011.
28) Japanese Society of Anesthesiologists：JSA airway management guideline 2014：To

improve the safety of induction of anesthesia. J Anesth 28：482-493, 2014.
29) Onuki E, Higuchi H, Takagi S, et al：Gestation-related reduction in lumbar cerebrospinal fluid volume and dural sac surface area. Anesth Analg 110：148-153, 2010.
30) Ahmet A, Lawson ML, Babyn P, et al：Hypothyroidism in neonates post-iodinated contrast media：A systematic review. Acta Paediatr 98：1568-1574, 2009.
31) Walsh CA, Tang T, Walsh SR：Laparoscopic versus open appendicectomy in pregnancy：A systematic review. Int J Surg 6：339-344, 2008.
32) Doberneck RC：Appendectomy during pregnancy. Am Surg 51：265-268, 1985.
33) Safety Committee of Japanese Society of Anesthesiologists：Practical guide for the management of systemic toxicity caused by local anesthetics. J Anesth 33：1-8, 2019.
34) Silvestri MT, Pettker CM, Brousseau EC, et al：Morbidity of appendectomy and cholecystectomy in pregnant and nonpregnant women. Obstet Gynecol 118：1261-1270, 2011.

Ⅲ 初期診療に必要なスキル

Secondary Surveyに必要なスキル
4 アナフィラキシー

はじめに

　アナフィラキシーは予測不可能な全身性の過敏反応であり，妊娠中の発生頻度は3人/10万分娩程度であり[1]，妊産婦死亡率は0.09人/10万程度と推定される[2]。わが国では，2010年より日本産婦人科医会で妊産婦死亡報告事業を開始し，妊産婦死亡事例検討を行っているが，アナフィラキシーによる死亡例は2010〜2023年3月時点で1例も報告がなく，妊産婦のアナフィラキシーに遭遇する頻度は決して多くないと思われる。しかし，妊産婦のアナフィラキシーはいったん発症すると急速に進行するショックや気管支攣縮を呈することがあり，母体の状態悪化により胎児も悪化するため，初期対応が遅れれば母体・胎児ともに非常に重篤な転帰をたどる可能性がある[3)4]。そのため本項ではアナフィラキシーに対しての知識と急変対応について詳述していく。

アナフィラキシーの定義と診断基準

　日本アレルギー学会では，アナフィラキシーとは「アレルゲン等の侵入により，複数臓器に全身性にアレルギー症状が惹起され，生命に危機を与え得る過敏反応」，さらに「アナフィラキシーに血圧低下や意識障害を伴う場合」をアナフィラキシーショックと定義している[5]。また，World Allergy Organization（WAO）ガイドラインでは「急速に発症し死に至ることもある重篤なアレルギー反応」と定義されている[6]。以前はアナフィラクトイド反応やアナフィラキシー様反応と表現していた病態も現在はアナフィラキシーに包含されている。
　診断基準に関して，日本アレルギー学会より2022年版の『アナフィラキシーガイドライン2022』[7]が発行されており，図Ⅲ-4-1の2項目のうちいずれかに該当すればアナフィラキシーの可能性が非常に高い。
　次に表Ⅲ-4-1[8]にアナフィラキシーの初発症状・所見を示す。
　妊娠中のアナフィラキシーは表Ⅲ-4-1の症状に加え，外陰部の瘙痒，子宮収縮，胎児仮死や早期分娩などの症状も出現することがある。また，初発症状の約80％以上は皮膚症状を伴うが，全例ではない。図Ⅲ-4-1の項目2にある「典型的な皮膚症状を伴わなくても，当該患者にとって既知のアレルゲンまたはアレルゲンの可能性がきわめて高いものに曝露された後，血圧低下または気管支攣縮または喉頭症状（吸気性喘鳴，変声，嚥下痛など）が急速に（数分〜数時間で）発症した場合」でもアナフィラキシーの診断となるため，皮膚症状を伴わないアナフィラキシーが存在することは認識しておく。

Ⅲ 初期診療に必要なスキル　Secondary Survey に必要なスキル

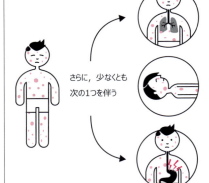

以下の**2つの基準のいずれかを満たす**場合，アナフィラキシーである可能性が非常に高い。

1. 皮膚，粘膜，またはその両方の症状（全身性の蕁麻疹，瘙痒または紅潮，口唇・舌・口蓋垂の腫脹など）が急速に（数分～数時間で）発症した場合。

さらに，少なくとも次の1つを伴う

A. 気道/呼吸：重度の呼吸器症状（呼吸困難，呼気性喘鳴・気管支攣縮，吸気性喘鳴，PEF低下，低酸素血症など）

B. 循環器：血圧低下または臓器不全に伴う症状〔筋緊張低下（虚脱），失神，失禁など〕

C. その他：重度の消化器症状〔重度のけいれん性腹痛，反復性嘔吐など（とくに食物以外のアレルゲンへの暴露後）〕

2. 典型的な皮膚症状を伴わなくても，当該患者にとって既知のアレルゲンまたはアレルゲンの可能性がきわめて高いものに曝露された後，血圧低下＊または気管支攣縮または喉頭症状（吸気性喘鳴，変声，嚥下痛など）が急速に（数分～数時間で）発症した場合

＊血圧低下とは収縮期血圧が90mmHg未満，または本人のベースライン値に比べて30％を超える収縮期血圧の低下

図Ⅲ-4-1　アナフィラキシーの診断基準
〔日本アレルギー学会 Anaphylaxis 対策委員会編：アナフィラキシーガイドライン2022，日本アレルギー学会，東京，2022，p2. より引用・改変〕

表Ⅲ-4-1　アナフィラキシーの初発症状・所見（％）

皮膚所見	
蕁麻疹および血管性浮腫	85～90
紅潮	45～55
発疹はなく瘙痒のみ	2～5
呼吸器症状	
呼吸困難，喘鳴	45～50
上気道浮腫	50～60
鼻炎	15～20
めまい，失血，血圧低下	30～35
腹部症状	
嘔気，嘔吐，下痢，腹痛	25～30
その他	
頭痛	5～8
胸部不快感	4～6
けいれん	1～2

〔文献8）より引用・改変〕

　とくに，アレルゲンへの曝露後の急速な血圧低下や呼吸器症状の出現時には早急な対応が求められ，急激な循環動態の悪化などがあった場合には必ずアナフィラキシーを鑑別診断として考慮する。

表Ⅲ-4-2　妊産婦におけるアナフィラキシーショックの鑑別

循環血液量減少性ショック	産科危機的出血，仰臥位低血圧症候群，ほか
心原性ショック	周産期心筋症，不整脈，急性心筋梗塞，ほか
閉塞性ショック	肺血栓塞栓症，仰臥位低血圧症候群，ほか
血液分布異常性ショック	心肺虚脱型羊水塞栓症，敗血症，高位脊髄くも膜下麻酔，ほか

＊　アナフィラキシーショックは血液分布異常性ショックに分類される

原因

　原因としてペニシリン系やセファロスポリン系などのβラクタム系抗菌薬使用による頻度がもっとも高い[9)10)]。周術期では筋弛緩薬などの麻酔薬やラテックス接触でもアナフィラキシーを起こし得る。ほかに，子宮収縮薬であるオキシトシンや鉄剤投与などでも発症報告がある[11)12)]。

　医薬品の曝露後，数分〜30分以内に発症することがほとんどであるが，経口薬の場合には吸収されてからアレルギー反応が生じるため，症状発現がやや遅れる傾向にある[13)]。

鑑別診断

　妊娠中の全身紅斑や血管性浮腫をきたす疾患としてまれではあるが，全身性肥満細胞症や色素性蕁麻疹などの内因性ヒスタミンの過剰産生に伴う疾患がある。また，非ステロイド系抗炎症薬（NSAIDs）やACE阻害薬，経口ピルの内服などで非アレルギー性血管性浮腫を引き起こす[14)]。

　急速な循環動態の悪化を認める鑑別疾患はアナフィラキシーショックのほかに，心肺虚脱型羊水塞栓症や産科危機的出血，肺血栓塞栓症，敗血症，周産期心筋症などがあげられる。産科危機的出血は子宮破裂や後腹膜血腫などの外出血を認めない可能性を考慮する。硬膜外麻酔開始直後では高位脊髄くも膜下麻酔も鑑別にあがる（表Ⅲ-4-2）。

　血圧低下はないが急速な呼吸困難や頻呼吸などの呼吸器症状を引き起こす原因として，喘息発作や肺血栓塞栓症，羊水塞栓症，不安または恐怖関連症候群（例：パニック症）なども鑑別にあがるが，これらの疾患は通常，瘙痒感や蕁麻疹，血管性浮腫などの症状は生じない。

初期対応

　妊産婦におけるアナフィラキシーの初期対応のポイントは以下である。

（1）アナフィラキシーではアレルゲンの曝露を取り除き（抗菌薬投与中であれば早急に投与を中止し），場合によっては静脈路の抜去も検討する。

（2）第一印象で，気道，呼吸，循環，意識レベルのいずれかに異常所見を認めた場合には急変と判断し，酸素投与とモニター装着，静脈路確保を行いつつ，院内急変対応システムの起動などで人手を集める。妊娠20週以降または子宮底が臍高以上であれば，子宮左方移動を実施する。

(3) アナフィラキシーと判断すれば妊産婦に対してもアドレナリン 0.01 mg/kg（最大 0.5 mg）を大腿部中央の前外側に筋注する。

(4) 血液分布異常と低血圧，低酸素血症などによる妊婦の異常で胎児の状態も悪化するため，胎児心拍数モニタリングなどの評価も行う必要があるが，母体の安定化が胎児の安定化につながるため，母体救命を優先する。

(5) 血圧低下時には子宮左方移動に加え，下肢挙上や細胞外液の投与を早急に開始する。下肢挙上は約 700〜800 mL の細胞外液負荷を行うのと同等の効果があり，相対的な循環血液量を増加させ，一時的な血圧上昇に有用である[15]。また，子宮底が臍高以上では子宮左方移動を行い静脈還流量を回復させ，血圧上昇を図る。

初期輸液は細胞外液を最初の 5 分で 5〜10 mL/kg を投与し，その後は血圧，心拍数，尿量などのモニタリングを行いながら投与量を調整する。

(6) 心停止時には絶え間ない胸骨圧迫を含む通常どおりの蘇生を行い，子宮底が臍高以上であれば帝王切開を含む妊婦蘇生を行う。

ここで妊産婦におけるアナフィラキシーの治療プロトコールを提示する（図Ⅲ-4-2）。

● 治療薬

1. 第一選択薬（アドレナリン）

アナフィラキシーにおける第一選択薬はアドレナリンであり，妊産婦にも絶対的禁忌はなく，一般成人同様に投与する。嗄声，呼吸困難，喘鳴などの気道狭窄所見や血圧低下，意識レベルの低下，またはそれに準ずる全身状態の悪化を認めた場合に適応となる。

投与量は一般成人同様に 0.01 mg/kg（最大 0.5 mg）を大腿中央部の前外側に筋注する。投与後 5〜15 分ごとに評価し，改善が乏しい場合には同量の追加投与を行う。補液負荷を継続しながら，エフェドリンやフェニレフリンなどの昇圧薬の投与も検討する。

血圧上昇が乏しい場合などには生理食塩水 100 mL にアドレナリン 1 mg を混注し，そのうち 1 mL（アドレナリン 0.01 mg）ずつの静注も選択肢となる。ただし，アドレナリンを不適切なタイミングや量を投与した場合，心筋障害や心機能障害を起こし，心室性不整脈，異常高血圧や肺水腫などを生じるため，静注を行う場合には投与量などの確認や投与後の厳重なモニタリングが必要である。

2. 補助治療薬

いずれの補助治療薬もアナフィラキシーに対する救命効果はないため，第一選択薬を含めた初期対応を優先し，あくまで補助治療の位置づけとして使用する。

1) H_1 抗ヒスタミン薬

アナフィラキシーに伴う瘙痒感，紅潮，蕁麻疹などの皮膚症状や鼻閉感の改善に効果があるが，気道閉塞や消化管症状，血圧低下に対しての改善効果はない。

2) β_2 アドレナリン受容体刺激薬

気管支拡張作用があり，喘鳴や咳嗽，息切れなどを軽減するが，上気道閉塞や血圧低下には効果がない。

4 アナフィラキシー

Phase Ⅰ　事前準備・予防
1. アナフィラキシーについて習熟し，事前に治療プロトコールを作成し，定期的なシミュレーション訓練などを行う
2. 薬剤投与前には患者に問診し，投与後 5〜30分程度は患者の新規症状の出現などないか確認する

アナフィラキシーを疑う所見/症状が出現した場合，Phase Ⅱに進む

Phase Ⅱ　初期対応
3. 可能であれば速やかにアレルゲンの除去を行う．静脈内投与であればルート抜去も検討する
4. 患者の第一印象（First impression）を10秒程度で評価する

第一印象評価項目	評価する所見　※下線は**不安定な所見**
A（気道）	<u>発声困難，嗄声，シーソー呼吸</u>
B（呼吸）	<u>明らかな喘鳴，呼吸困難，チアノーゼ</u>
C（循環）	<u>橈骨動脈触知微弱または不能，新規不整脈の出現</u>
D（中枢神経）	<u>意識消失，意識レベル低下，不穏</u>
E（皮膚所見）	紅斑，膨疹の有無
F（子宮底の高さ）	子宮底が臍高以上であるか

第一印象で**不安定な所見**を認める場合はPhase Ⅲへ，認めない場合はPhase Ⅳへ進む

Phase Ⅲ　母体不安定期　※ 5〜9（血圧低下時は10も加えて）を速やかに並行して行う
5. 人手を集める．院内急変対応システムの起動（院内）や救急要請（地域）を行う
6. 患者を仰臥位にする．または，呼吸困難や嘔吐がある場合は楽な体位にする
　アナフィラキシーは呼吸困難や血圧低下によって不穏状態となり得るため，突然立ち上がったりしないようにケアする
7. アドレナリン 0.01mg/kg（最大 0.5mg）を大腿部中央の前外側に**筋注**する
　必要に応じて 5〜15分ごとに再投与する
8. ＯＭＩＵを行う
　O 酸素投与：SpO₂の低下の有無にかかわらず，リザーバーO₂ 10L/minで投与を開始する
　M モニター装着：母体に心電図モニター，SpO₂モニター，血圧計を装着しバイタルを確認する
　I 末梢静脈路の確保：18〜20G以上で上肢に1本以上確保する
　U 子宮底臍高以上では子宮左方移動を実施する
9. Primary Surveyによる系統的診療手順に沿って対応する
10. 血圧低下時（収縮期血圧 90mmHg以下または普段の 30％を超える収縮期血圧の低下）
　　a) 子宮左方移動に加えて下肢挙上を行う
　　b) 輸液療法としては細胞外液を5分で5〜10mL/kgを投与し，その後は血圧，心拍数，尿量などの
　　　 モニタリングを行いながら投与量を調整する
　　c) 細胞外液を負荷しつつ，血圧低下が継続する場合には昇圧薬の使用も検討してよい
　　　 エフェドリン 4〜8mgずつ静注
　　　 フェニレフリン 0.1〜0.2mgずつ静注
　　a)〜c)の対応でも反応が乏しければアドレナリン 1mgを生理食塩水100mLに溶解し，
　　1mL（アドレナリン 0.01mg）の静注を検討してもよい
　　※アドレナリンの静注は投与量の確認や，投与後の厳重なモニタリングができる環境下でのみ施行すること

母体の全身状態が安定化したと判断した場合，Phase Ⅳに進む

Phase Ⅳ　母体安定期
11. 胎児心拍数モニタリングを行い，胎児健常性を検討する
12. 以下の補助治療を行う
　　d) H₁抗ヒスタミン薬：瘙痒感，蕁麻疹や鼻閉感に効果あり
　　e) β₂アドレナリン受容体刺激薬：気管支拡張作用あり．軽い息苦しさや聴診上の喘鳴や咳嗽などに効果あり
　　f) グルココルチコイド：作用発現に数時間かかるが，二相性アナフィラキシーの予防効果があるといわれている
13. 症状改善後も二相性アナフィラキシーを考慮し，8時間程度のモニタリングと24時間の経過観察は行う

Phase Extra　心停止時
14. **いかなるPhase**でも心停止と判断した場合，心肺蘇生法を行う．子宮底臍高以上では妊婦蘇生を行う

図Ⅲ-4-2　妊産婦のアナフィラキシー治療プロトコール

3）グルココルチコイド

　作用発現までには静注後4〜6時間程度を要するため，初期症状に対しての救命効果はない。一方でエビデンスに乏しいが，遅延性または二相性アナフィラキシーの予防効果があると考えられている。

二相性アナフィラキシー

　初期治療で症状改善後，抗原曝露がないにもかかわらず，数時間後に血圧低下や喉頭浮腫，皮膚症状などの症状が再度出現し，時には初回時の症状よりも激しいことがあり，これを二相性アナフィラキシーと称すが，治療は通常のアナフィラキシーと同様である。

　頻度は，報告によりばらつきが大きいが最大20％程度と決して少なくない。また，約半数は初回発症後6〜12時間以内に出現するといわれている[7]。

　アナフィラキシー発症例には二相性アナフィラキシーの発症の可能性を考慮し，8時間程度のモニタリングと24時間の経過観察入院を行うとよい[16]。

予　防

　薬剤（抗菌薬を含む）投与前に本人からアレルギーに関する病歴を聴取することは，アレルゲン曝露を回避するために重要であるが，アナフィラキシーの発生を確実に予防できるものではない。アレルギー歴がある場合，当該薬は禁忌である。抗菌薬の場合，類似抗菌薬もアナフィラキシー発現リスクが高いことを認識しておく必要がある。日本化学療法学会臨床試験委員会皮内反応検討特別部会が作成した『抗菌薬投与に関連するアナフィラキシー対策のガイドライン』（2004年版）では抗菌薬投与時の観察として以下のように述べている[17]。

　（1）即時型アレルギー反応を疑わせるものとして，注射局所の反応では，注射部位から中枢にかけての皮膚発赤，膨疹，疼痛，瘙痒感などがあり，全身反応としてはしびれ感，熱感，頭痛，眩暈，耳鳴り，不安，頻脈，血圧低下，不快感，口内・咽喉部違和感，口渇，咳嗽，喘鳴，腹部蠕動，発汗，悪寒，発疹などがある。

　（2）注射中のみならず，終了後も異常を自覚したら，直ちに申告するよう患者に説明する。

　（3）皮内反応では5分後から反応は増大し最大値に達するのは15分である。点滴，静注ではより早くから反応が起こると考えられる。したがって，投与開始直後から投与終了後まで注意して，観察する。

　（4）患者が何らかの異常を訴えた場合，あるいは他覚的異常を認めた場合には速やかに注射を中止する。

おわりに

　アナフィラキシー発症時には早急な対応が求められるため，日ごろより診断治療につい

て習熟しておく必要がある．また，母児ともに救命するためには個人で治療を行っていくのではなく，チーム医療として対応にあたるのが望ましい．そのためにも院内急変対応システムなどの病院内での体制づくりも必要な要素であると考える．

文 献

1) Hepner DL, Castells M, Mouton-Faivre C, et al：Anaphylaxis in the clinical setting of obstetric anesthesia：A literature review. Anesth Analg 117：1357-1367, 2013.
2) Tacquard C, Chassard D, Malinovsky J-M, et al：Anaphylaxis-related mortality in the obstetrical setting：Analysis of the French National Confidential Enquiry into maternal deaths from 2001 to 2012. Br J Anaesth 123：e151-e156, 2019.
3) Simons FER, Ebisawa M, Sanchez-Borges M, et al：2015 update of the evidence base：World Allergy Organization anaphylaxis guidelines. World Allergy Organ J 8：32, 2015.
4) McCall SJ, Bonnet MP, Äyräs O, et al：Anaphylaxis in pregnancy：A population-based multinational European study. Anaesthesia 75：1469-1475, 2020.
5) 日本アレルギー学会 Anaphylaxis 対策特別委員会編：アナフィラキシーガイドライン．日本アレルギー学会，東京，2014．
6) Simons FER, Ardusso LR, Bilo MB, et al：World Allergy Organization anaphylaxis guidelines：Summary. J Allergy Clin Immunol 127：587-593, 2011.
7) 日本アレルギー学会 Anaphylaxis 対策委員会編：アナフィラキシーガイドライン 2022．日本アレルギー学会，東京，2022．
https://www.jsaweb.jp/uploads/files/Web_AnaGL_2023_0301.pdf（Accessed：2024/1/15）
8) Lieberman P, Nicklas RA, Oppenheimer J, et al：The diagnosis and management of anaphylaxis practice parameter. J Allergy Clin Immunol 126：S477-S480, 2010.
9) Mulla ZD, Ebrahim MS, Gonzalez JL：Anaphylaxis in the obstetric patient：Analysis of a statewide hospital discharge database. Ann Allergy Asthma Immunol 104：55-59, 2010.
10) Hepner DL, Castells M, Mouton-Faivre C, et al：Anaphylaxis in the clinical setting of obstetric anesthesia：A literature review. Anesth Analg 117：1357-1367, 2013.
11) Mishra, A, Dave N, Viradiya K：Fatal anaphylactic reaction to iron sucrose in pregnancy. Indian J Pharmacol 45：93-94, 2013.
12) Simionescu AA, Danciu BM, Stanescu AMA：Severe anaphylaxis in pregnancy：A systematic review of clinical presentation to determine outcomes. J Pers Med 11：1060, 2021.
13) 厚生労働省：重篤副作用疾患別対応マニュアル；アナフィラキシー，令和元年 9 月改定．
https://www.mhlw.go.jp/topics/2006/11/dl/tp1122-1h01_r01.pdf（Accessed：2024/1/15）
14) 谷口正実：非アレルギー性薬剤過敏症の病態と治療（ACE 阻害薬と NSAIDs を中心に）．アレルギー 56：1475-1484, 2007．
15) 光畑裕正：アナフィラキシーショック 最善の予防・診断・治療；すべての医療者・教職員に向けて，克誠堂出版，東京，2016，pp89-90．
16) Oya S, Nakamori T, Kinosita H：Incidence and characteristics of biphasic and protracted anaphylaxis：Evaluation of 114 inpatients. Acute Med Surg 1：228-233, 2014.
17) 日本化学療法学会臨床試験委員会皮内反応検討特別部会：抗菌薬投与に関連するアナフィラキシー対策のガイドライン，2004．
https://www.chemotherapy.or.jp/uploads/files/guideline/hinai_anaphylaxis_guideline.pdf
（Accessed：2024/1/15）

Ⅲ 初期診療に必要なスキル

Secondary Survey に必要なスキル
5 産科救急疾患

はじめに

　わが国の妊産婦死亡事例の死因（直接産科的死亡）は，産科危機的出血，妊娠高血圧症候群などに関連した脳出血，羊水塞栓症などが上位を占める。これらの産科異常は胎盤や子宮の問題に起因しているものが多い。妊娠子宮や胎盤は母体・胎児血流が多く灌流しているため，そのトラブルは母体の多量出血やDICと深く関連するだけでなく，妊娠高血圧症候群や羊水塞栓症といった特殊な病態を惹起する。それらの原因で妊産褥婦が急変となったときには，速やかな対応が必要であるが，妊娠子宮や胎盤の解剖，病態を把握したうえでの適切な対応が求められる。本項では，母体急変に関連深いしばしば遭遇する疾患の病態や，その対処法について論じる。

妊娠高血圧症候群

　妊娠高血圧症候群は，妊娠初期からの胎盤の形成不全で発症すると考えられている。全身の微小血管に微小血栓ができることや，血管透過性の亢進によって血管外への水分貯留（胸水，腹水，浮腫）を呈す。微小血管の障害を受けた臓器の病態によってさまざまな病型となる。腎機能障害による蛋白尿，低蛋白血症，高尿酸血症，肝機能障害による肝逸脱酵素上昇，血小板低下（HELLP症候群）などをはじめとして，重症化すると脳血管の攣縮による子癇（けいれん発作），子宮胎盤の循環障害による胎児発育不全，胎盤早期剥離，胎児機能不全などを引き起こすことがある。重症妊娠高血圧症候群を合併する分娩では凝固障害のため出血量が多くなる可能性や，HELLP症候群では脳出血，肝被膜下出血を合併しやすい点にも注意を要す。

　妊娠という母体の身体に負荷がかかっている状態で妊娠高血圧症候群が発症しているため，根本的な治療は分娩である。妊娠の延長で自然軽快することはなく，さらに増悪する可能性があると考える必要がある。妊娠週数の早い時期の発症の場合は，妊娠期間の延長を図るために，子癇発作予防の硫酸マグネシウムの点滴やカルシウムブロッカーなどの降圧薬を用いるが，これらはあくまで対症療法であると考える。

　また，妊娠高血圧症候群に関連した異常は，無症候のうちに徐々に発症している例も少なくない。妊産婦死亡例のなかでは，重症度が評価されていない，過小評価されているなどで，介入のタイミングを逸している事例が少なくない。重症妊娠高血圧症候群や妊娠高血圧腎症の診断例では，HELLP症候群などの凝固異常がないかを確認すべく，即日，血液検査（血算，生化，凝固検査）の結果を確認する。急変している状態を速やかにピック

表Ⅲ-5-1　妊娠高血圧症候群の診断（血圧 140/90 mmHg 以上）

病型分類
- 妊娠高血圧（gestational hypertension；GH）
- 妊娠高血圧腎症（preeclampsia；PE）
- 加重型妊娠高血圧腎症（superimposed preeclampsia；S-PE）
- 高血圧合併妊娠（chronic hypertension；CH）

　関連疾患
　1）子癇（eclampsia）
　2）HDP に関連する中枢神経障害
　3）HELLP 症候群
　4）肺水腫
　5）周産期心筋症

重症の基準
- 収縮期 160 mmHg 以上，拡張期 110 mmHg 以上
- PE，S-PE において，母体の臓器障害・胎盤機能不全を認める場合

発症時期による病型分類
- 妊娠 34 週未満に発症　早発型（early onset type；EO）
- 妊娠 34 週以降に発症　遅発型（late onset type；LO）

アップするべく，リアルタイムにかつ，経時的に，自他覚症状，血圧を中心としたバイタルサイン，血液検査をフォローアップする目的で，入院管理をしなければならない。

妊娠高血圧症候群の転帰

　妊娠高血圧症候群（hypertensive disorders of pregnancy；HDP）の診断基準を表Ⅲ-5-1 に示す。収縮期血圧が 140 mmHg 以上，あるいは拡張期血圧が 90 mmHg 以上を境界として，妊娠前から高血圧を認める場合，もしくは妊娠 20 週までに高血圧を認める場合を高血圧合併妊娠（chronic hypertension；CH），妊娠 20 週以降に高血圧のみ発症する場合は妊娠高血圧（gestational hypertension；GH），高血圧と蛋白尿を認める場合は妊娠高血圧腎症（preeclampsia；PE）と分類する。

　収縮期血圧が 160 mmHg 以上，あるいは拡張期血圧が 110 mmHg 以上は重症とする。なお，蛋白尿を認めなくても母体の臓器障害や胎盤機能不全を認める場合（肝機能障害，腎機能障害，神経障害，血液凝固障害や胎児発育不全など）があれば重症妊娠高血圧腎症と考える。子癇，妊娠高血圧症候群に関連する中枢神経障害，HELLP 症候群，肺水腫，周産期心筋症も関連疾患として取り扱う。重症例では，子癇予防の硫酸マグネシウムの持続点滴に加え，速やかに降圧を行う（表Ⅲ-5-2）。

　妊娠高血圧症候群に合併する比較的多い異常として胎盤早期剥離があり，腹痛や出血に注意する。脳血管の攣縮による子癇発作や脳出血に関連する症状である頭痛，眼華閃発も注意を要する。また，HELLP 症候群を合併すると，肝の血管の攣縮や血液のうっ滞などの影響として，嘔気，胃部不快感，心窩部痛などが典型的な症状として出現することが知られている。あたかも胃腸炎のようにみえるため注意する。

　妊娠高血圧症候群から脳出血に至るのには，高度な凝固・止血異常を伴う HELLP 症候群の合併が大きく寄与している。HELLP 症候群は hemolysis（溶血），elevated liver

表Ⅲ-5-2　妊娠高血圧症候群の治療薬

	投与量	注意点
硫酸マグネシウム（子癇予防）		
（初回量 4g を 20 分かけて静注，引き続き 1〜2g/hr で静注）		
ニカルジピン（緊急症に 1st）	10 mg/100 mL 生理食塩液を 0.5 μg/kg/min で開始	子宮収縮抑制作用があるため，分娩中や産褥期の投与は注意
ヒドララジン	2〜5 mg を数分かけて静注 血圧が下降しないときは 30〜40 分ごとに 5〜10 mg を反応に応じて投与 コントロールされれば必要に応じて 3 時間ごとに投与 全量 20 mg でコントロール困難な場合はほかの薬剤に変更，または 0.5〜10 mg/hr で点滴静注	頻脈 頭蓋内出血急性期の患者への使用は禁忌

enzymes（肝酵素上昇），low platelets（血小板減少）を 3 主徴とする症候群で，全妊娠の 0.2〜0.9％ に発症し，妊娠高血圧症候群となった妊産婦では 10〜20％ に合併する[1]。わが国の HELLP 症候群に関連して妊産婦死亡に至った例では，脳出血だけでなく肝被膜下出血の例も複数報告されている。また，胎盤早期剝離を合併し，凝固異常の悪化で脳出血に至り死亡した例もある。共通点は，妊娠高血圧症候群に合併した凝固異常である。凝固異常に微細血管の血管透過性の亢進，血管攣縮が病態に深く関連するため，凝固異常例を速やかにみつけ，対処する必要がある[2]。

さらに，肺水腫や周産期心筋症のときの症状として，咳嗽や呼吸困難感を主訴とすることがあることを忘れてはならない。正常妊婦でも，妊娠末期以降になると増大した子宮によって呼吸困難感のような症状を呈することがあるが，正常を逸脱していないか，とくに妊娠高血圧症候群のある妊婦では注意しておく必要がある。

妊娠高血圧症候群は分娩後軽快するのが一般的であるが，病勢が強い場合，HELLP 症候群などは妊娠終結後にも増悪傾向を呈することがある。帝王切開などの外科的侵襲，出血などの影響も増悪に関与すると考える。そのため，妊娠終結後も油断してはならず，血液検査などの厳重なフォローアップを行う。HELLP 症候群の重症化予防のためのデキサメタゾンを用いた Mississippi protocol の併用も考慮する[3]（表Ⅲ-5-3，図Ⅲ-5-1，表Ⅲ-5-4）。

胎盤早期剝離

胎盤早期剝離は，児の娩出前の妊娠中ないし分娩中に胎盤が剝離徴候を示し，剝離面からの多量出血をきたすこと，胎児への酸素供給が悪化することより母児ともに急変する異常であり，妊産婦死亡，周産期死亡の原因として重要である。胎盤早期剝離は，過去の妊娠の胎盤早期剝離既往，妊娠高血圧症候群胎児発育不全，絨毛膜羊膜炎などとの関連性が指摘されているため，母体の妊娠初期からの胎盤の発生学的問題に起因していると考えられている[4]-[8]。しかしながら，リスクに関係なく発症する例も少なくなく，全妊娠の約 1％ に発症するそれらを予測することは困難であると考えなければならない[9]。

一度，胎盤が剝離しはじめると，剝離面からの出血によって子宮内に溜まった血液が，

表Ⅲ-5-3 HELLP症候群の診断基準

ミシシッピ分類			テネシー分類
Class	1	血小板数≦5万/μL AST ないし ALT≧70 IU/L LDH≧600 IU/L 破砕赤血球像 間接ビリルビンの上昇（≧1.2 mg/dL）	血小板数≦10万/μL AST≧70 IU/L LDH≧600 IU/L
	2	血小板数5万/μL＜，≦10万/μL AST ないし ALT≧70 IU/L LDH≧600 IU/L 破砕赤血球像 間接ビリルビンの上昇（≧1.2 mg/dL）	
	3	血小板数10万/μL＜，≦15万/μL AST ないし ALT≧40 IU/L LDH≧600 IU/L	

〔妊産婦死亡症例検討評価委員会，日本産婦人科医会：母体安全への提言 2014, Vol. 5, 平成27年8月，p27. より引用〕

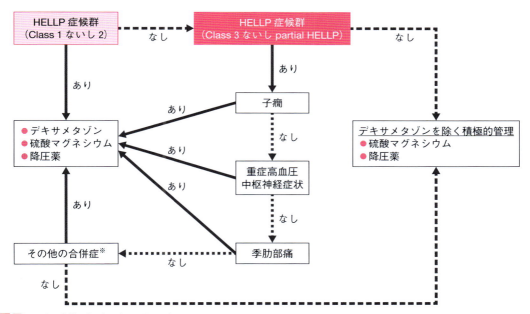

図Ⅲ-5-1 Mississippi protocol
* 腎，肝，肺，中枢神経系の臓器障害，常位胎盤早期剥離，播種性血管内凝固
〔妊産婦死亡症例検討評価委員会，日本産婦人科医会：母体安全への提言 2014, Vol. 5, 平成27年8月，p27. より引用〕

表Ⅲ-5-4 Mississippi protocol におけるデキサメタゾンの投与方法

分娩前	デキサメタゾン 10 mg 静注/12時間ごと
分娩後	デキサメタゾン 10＋10＋5＋5 mg/0, 12, 24, 36時間後

〔妊産婦死亡症例検討評価委員会，日本産婦人科医会：母体安全への提言 2014, Vol. 5, 平成27年8月，p28. より引用〕

Ⅲ 初期診療に必要なスキル　Secondary Survey に必要なスキル

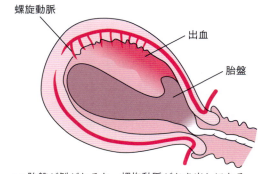

a：胎盤が剥がれると，螺旋動脈がむき出しになる

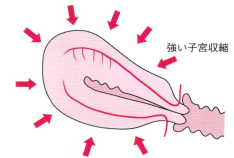

b：生体結紮。子宮筋の収縮で螺旋動脈がつぶされる

図Ⅲ-5-2　生物学的（生体）結紮
〔長谷川潤一，岩端由里子，本間千夏：妊婦の大量出血.
救急医学 44：1555-1563, 2020. より引用〕

　さらなる胎盤剥離を助長する。胎盤剥離後の子宮からの出血は，子宮収縮による止血機転（生物学的結紮）が起こらなければ止血できず（図Ⅲ-5-2）[10]，出血コントロールのつかない胎盤早期剥離（前置胎盤の剥離出血も同様である）では，直ちに妊娠を終了させ，胎盤を娩出し，子宮収縮を促さなければならない。

　また，急な子宮内の多量出血によって子宮内圧が上昇し，子宮筋が過進展，子宮筋層や漿膜へ血液浸潤することがある（Couvelaire 徴候：図Ⅲ-5-3）。また，多量出血によって胎盤や脱落膜の組織因子がDICを惹起し，胎盤娩出後も子宮からの持続出血のコントロールがつかなくなることがある。

1. 腹痛が先行するタイプ（潜在型）は注意

　胎盤早期剥離には，2つのタイプがあり，出血顕在型（revealed abruption）と潜在型（concealed abruption）がある[11]。顕在型は，剥離面からの出血が子宮口より外に流出するタイプで，多量の出血があることから胎盤早期剥離の診断がしやすい。一方潜在型は，胎盤の後面に出血がとどまってしまうタイプで，子宮内圧が上がることで子宮が硬くなり，ひどくなると板状硬になる（図Ⅲ-5-4）[10]。

　潜在型は，子宮内の出血によって子宮内圧が上がり，血液が子宮筋層の間に浸潤するため，胎盤を娩出した後も生理的結紮がきかず，強度の弛緩出血となり，止血に抵抗する。

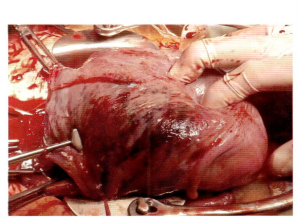
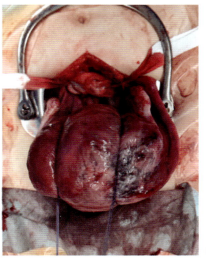

図Ⅲ-5-3　Couvelaire 徴候と子宮圧迫縫合
　急な子宮内の多量出血によって子宮内圧が上昇し，子宮筋が過進展，子宮筋層や漿膜へ血液浸潤した状態。子宮収縮不良となり，胎盤娩出後も弛緩出血による出血が持続する（a）。compression suture によって止血した（b）

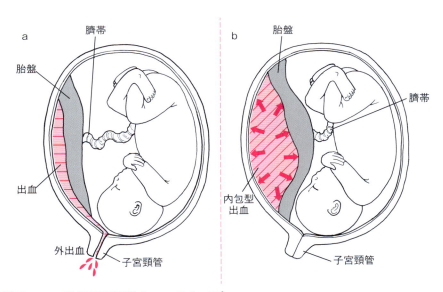

図Ⅲ-5-4　胎盤早期剝離の2つのタイプ
　　a：revealed abruption：顕在型。多量出血で気づきやすい
　　　胎盤剝離面からの出血が子宮口より外出血として明らかになっているもの
　　b：concealed abruption：非顕在型。子宮収縮が主症状
　　　胎盤剝離面からの出血が胎盤の母体面や絨毛膜下に閉じ込められて外出血のないもの。子宮内圧が上がるため，激しい腹痛を伴うことが多い
〔長谷川潤一，岩端由里子，本間千夏：妊婦の大量出血．救急医学 44：1555-1563，2020．より引用〕

また，血腫が筋層浸潤するため，羊水塞栓症を続発することや，血腫が残っていることによる凝固因子の消費が激しい。速やかに大量輸血（FFP やフィブリノゲン濃縮製剤）で補正する必要がある。輸血ができない施設では，複数のルート確保，細胞外液の補液を行い，速やかに高次医療機関に搬送する。その際，輸血の準備が必要なことを申し送り，搬送後の速やかな治療開始ができるようにする。Couvelaire 子宮となったときの止血は，保存的に行うのは難しく場合が多いので，速やかに compression suture や子宮全摘術などを施行する（図Ⅲ-5-3a）。

2. 胎児死亡例は速やかに集学的治療を開始

胎盤早期剝離によって妊産婦死亡に至った事例の特徴は，妊娠30週以降の妊娠高血圧症候群などのリスクがない事例がほとんどである。事前リスクや外出血がないため，診断に時間がかかり，最初の診察時点での子宮内胎児死亡となっている事例が多い。また，前述したように子宮収縮や腹痛が先行して発症した潜在型の胎盤早期剝離であるため，板状硬や外出血が現れたときにはすでに病勢が進行しており，重症であると考えなければならない。このように，胎児死亡を伴った胎盤早期剝離では，病勢が強い可能性や，発症から時間が経っており重症化していることを念頭に，速やかに集学的治療を開始する必要がある。

3. 診　断

胎盤早期剝離の典型的な症状は，腹痛と性器出血である。前述したように出血潜在型の場合，腹痛が顕著であることが多く，出血顕在型では，腹痛よりも多量な性器出血が症状の主体であることが多いが，症例にもよる。しかし，緩徐に胎盤早期剝離が起こる場合は，軽い腹部緊満感，腹痛，腰背部痛，少量の性器出血などの症状にとどまることも少なくなく，切迫早産と鑑別が難しい場合も少なくない。低酸素による胎児機能不全，胎児死亡によって胎動減少を主訴とする場合もしばしばある。

超音波診断で典型的なものは，胎盤内血腫，胎盤後血腫，胎盤辺縁血腫，絨毛膜下血腫（図Ⅲ-5-5）である。発生してから時間の経っていない胎盤早期剝離による出血（血腫）は，胎盤と同等のエコー輝度であるため，胎盤との区別がつきにくいことから肥厚の胎盤様に描出されることもある。超音波診断ができた場合，診断が確実となるが，超音波診断できるような胎盤早期剝離は大きな剝離が起こっている症例である。初期の胎盤早期剝離の診断は難しく[12]，超音波で画像所見がないことで胎盤早期剝離を完全に否定することはできない[13]。

切迫早産徴候のある妊婦や，超音波検査で明らかな胎盤早期剝離所見をみつけられない場合，採血で貧血や DIC の有無を確認することも必要である。また，胎児心拍数陣痛図によって胎盤早期剝離を確信することもある。子宮収縮波形では，過強陣痛や，不規則な細かい頻回な子宮収縮（さざ波様所見）を示すことが多い。胎児心拍数では，細変動消失，遅発一過性徐脈などの胎児機能不全の所見が臨床症状や超音波所見に先行してみられることがしばしばある（図Ⅲ-5-6）。

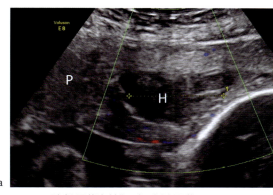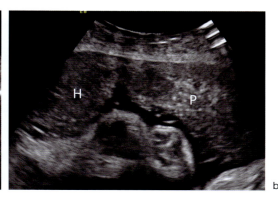

図Ⅲ-5-5 胎盤早期剥離の超音波画像
　胎盤の母体面に凸レンズ様の low echoic area として描出される血腫があり，血腫はカラードプラで信号が検出されないので，胎盤と鑑別できる（a：胎盤辺縁血腫，胎盤後血腫などと呼ばれる）。胎盤のない子宮壁にも脱落膜と絨毛膜の間に貯留した絨毛膜下血腫を認めることがある。胎盤早期剥離の出血は時間の経過とともに凝固するため，胎盤と等エコーないし高エコー像を呈する（b）
　H：血腫，P：胎盤

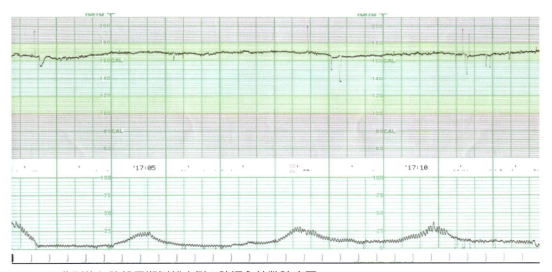

図Ⅲ-5-6 典型的な胎盤早期剥離症例の胎児心拍数陣痛図
　頻脈，基線細変動の減少と遅発一過性徐脈を認め，胎児機能不全（低酸素，アシドーシス）の所見である

4. 治　療

　剥離した胎盤が子宮内に残存する状態は，子宮収縮による生物学的結紮が働かず，止血できない状態である。一部の胎盤が剥離した子宮壁から出血が続くため，さらなる胎盤剥離も助長される。したがって，胎盤早期剥離では，直ちに妊娠を終了させ，胎盤を娩出し，子宮収縮を促すのが根本的治療である。児生存であれば，緊急帝王切開を速やかに決定できるが，子宮内胎児死亡例では，インフォームドコンセントなどで治療開始が遅れがちになる。また，娩出に際し，経腟分娩が選択肢の一つとなる。経腟分娩をする場合では，子宮内の出血が持続すること，血腫でDICが増悪しやすいことから，児・胎盤娩出後も注意

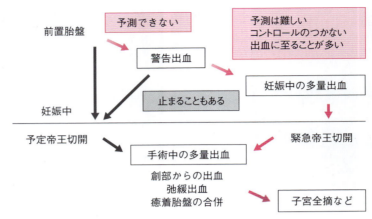

図Ⅲ-5-7　前置胎盤の出血の問題

が必要なことを認識する。

　ほかの産科危機的出血と同様に，初期対応として気道確保，酸素化，ルート確保，バイタルの厳重監視と輸血が基本であるが，産科DICのスコアリングにおいて胎児死亡や胎盤早期剝離（子宮硬直）の点数が高くなっているように，子宮内胎児死亡や潜在型の胎盤早期剝離例は検査結果を待たなくとも，重度なDICが起こっていると考えて集学的治療を開始する。速やかな血中フィブリノゲン値の正常化のため，速やかにFFP投与を開始する。

　搬送例では，十分な医療資源（マンパワー，輸血）を搬送到着前より準備し，積極的な治療を行う。そして，胎児死亡例であったとしても，必要があると判断した場合は，帝王切開や開腹止血をためらわない。

● 前置胎盤

　胎盤は，子宮体部に形成されるのが正常であるが，子宮口を覆うように形成されると前置胎盤となる。妊娠子宮と胎盤には，母児の多量の血液が循環している。前置胎盤は子宮口を胎盤が覆った状態であるので，子宮口の開大傾向があれば，胎盤が剝離して母体血の出血を惹起し，母児ともに生命の危機にさらされることとなる。前置胎盤は全分娩の0.3〜0.5％に合併するが[14]，妊娠中に出血を予知することはできない。出血は，リスクに関係なく，予兆なく起きる。少量の出血で自然止血することもあるが（警告出血），出血コントロールがつかない場合は，帝王切開で児，胎盤を娩出し，子宮収縮（生物学的結紮）によって止血を図るしかない（図Ⅲ-5-2）。

　また，前置胎盤では帝王切開中の出血にも注意しなければならない。前置胎盤周囲の子宮の血流が豊富になっていることから，子宮下部の切開を行えば術野の出血が多くなる。また，子宮下部は子宮収縮力が弱いため，胎盤娩出後の収縮力も得られにくい。子宮下部に広く胎盤が付着しているほど弛緩出血となりやすい。さらに，子宮下部の子宮内膜は薄いため，癒着胎盤となりやすいという特徴が出血多量となることの多い所以である（図Ⅲ-5-7）。わが国の前置胎盤による妊産婦死亡事例検討では，前置胎盤の出血単独で死亡した

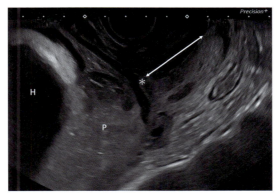

図Ⅲ-5-8　前置胎盤の経腟超音波診断
妊娠 20 週以降の経腟超音波検査で，子宮下節の開大所見がみられたうえで，内子宮口（＊）上に胎盤（P）が付着していれば前置胎盤と診断できる
両矢印：子宮頸管腺領域，H：児頭

症例はなく，前置癒着胎盤が認められていた。

1. 診　断

　前置胎盤は超音波検査（経腟）で診断する。前置胎盤であるだけでは自覚症状がないので，わが国のほとんどの施設では，妊娠中期（妊娠 20 週以降）には前置胎盤の超音波スクリーニングがされていると考えてよい。子宮下節が閉じている時期は後述する migration が起こり得るので前置胎盤の診断ができないが，子宮下節が開大した後は，子宮頸管腺像の最上端である組織学的内子宮口上に胎盤が付着していればほぼ確定診断となる（図Ⅲ-5-8）。したがってこの時期以降の妊婦が出血している場合には，本人に前置胎盤の診断がついているかどうかの確認をすることも必要である。

　妊娠子宮は，妊娠中期以降に子宮下節が開大することや，子宮筋が伸展することによって，超音波診断においては，妊娠週数の増加に伴って胎盤辺縁と内子宮口の距離が離れていく（前置胎盤がそうでなくなる）ことが観察されることがある（胎盤の migration）。そのため，再度超音波検査で前置胎盤の有無の確認をする必要があるが，出血をしている場合は内子宮口付近の血腫像と胎盤の区別がつきにくい場合も少なくない。出血多量の緊急の場面においては，前置胎盤の出血，低置胎盤の胎盤早期剝離の出血，常位胎盤早期剝離を完全に区別できないこともあるが，起きている病態は胎盤が剝離して子宮剝離面から出血が持続していることは共通であるので，それに準じた対応を心がける。

2. 前置胎盤の帝王切開

　前置胎盤の帝王切開では，多量出血に対処するため多くのマンパワーが要求される。また，前置胎盤の帝王切開は，緊急で行われた場合に有意に出血量が多いことが報告されている[15]。前置胎盤の帝王切開で 2,500 mL 以上の多量出血に関連する背景や超音波所見として，前回帝王切開〔odds ratio（OR）：3.9〕，帝王切開創部の胎盤付着（OR：6.4），子宮頸

図Ⅲ-5-9　前置胎盤の剝離後出血に対する子宮圧迫縫合
（Parallel vertical suture）

管の sponge-like findings（OR：3.7），頸管長が 25 mm 未満（OR：6.9），癒着胎盤の合併（OR：18.0）などが知られており[16]，これらを術前の出血予測の参考にする。

　前置胎盤の帝王切開に際しては，出血をコントロールするための緻密な手術法の選択が必要である。まず，胎盤の付着している場所の術前評価によって，子宮切開創を決める。前置胎盤でない帝王切開では，子宮下部横切開が児の娩出や出血，後の妊娠での癒着胎盤のリスク軽減の面で有利であると考えられて第一選択とされるが，前置胎盤ではこのかぎりではない。前置胎盤では，胎盤周辺の子宮筋の血流が豊富になっているので，胎盤の近くの切開は出血量を増やす可能性がある。

　また，児頭が胎盤の存在によって下降できず，子宮下節の切開部が展退していないこともしばしばあり，子宮筋層の厚い場合も少なくない。そのような場合は児の娩出が難しく，結果的に創部からの出血を増やす可能性がある。術中超音波で胎盤位置を詳細に確認するのも一つの方法であるが，厳密に胎盤ぎりぎりの下節ではなく，十分に離れた場所を切開部に選ぶのがよい。また，術前に決めた切開部に怒張した血管があるような場合や，側方への裂傷を避けるために，切開部をクーパーでU字やJ字にするのも方法である。

　手術全般において，術野の確保は重要である。とくに前置胎盤では多量出血のため，術野の確保が困難になることも多い。しかし，落ち着いて1つずつ確実な止血，術野確保の手順をとる。帝王切開で児を娩出後，切開創の出血部位を，コッヘルや粘膜鉗子を全周にわたって挟鉗する。その後，胎盤娩出前に両側の切開創を単結紮縫合する。そして胎盤娩出後は，子宮内の止血を確認し，出血が少なければ速やかに切開創を縫合する。また，子宮下部の弛緩出血の予防のため，児娩出後は積極的に子宮収縮薬の点滴静注を行う。

　一方，前置胎盤で胎盤剝離面からの出血が多い場合は，子宮筋層を閉創する前に，胎盤遺残や癒着胎盤の有無を確認する。剝離面をガーゼやタオルで圧迫止血し，少しずつずらしながら確認を行う。胎盤遺残などがあれば除去し，小さな癒着胎盤の残存や太めの血管から点状に出血があるようであれば，その部分を吸収糸で縫合止血する。それらの対処によっても，剝離面からの出血がある場合は，圧迫縫合法を行う[17)-20)]。圧迫縫合法は，程度の強い弛緩出血などに対して有効な止血方法で，子宮前後壁を合わせて縫合し，圧迫することで止血を図る方法である。簡便に速やかにできる手技であり，子宮全摘の前に試みるべき方法である（図Ⅲ-5-9）。

　それでも止血困難な場合は速やかに子宮全摘などを考慮する。子宮からの止血目的の場合，コントロールがつけば腟上部切断術で手術を終えてもよいが，前置胎盤の弛緩出血で

ある場合は，子宮体部のみの切断では不十分なことがあり，手術の難度は上がるが，全摘したほうがよい場合も少なくない．適宜，腟側からの出血を確認しながら判断する．

癒着胎盤

胎盤は，脱落膜上の絨毛膜の一部（繁生絨毛）が厚く成長することで作られる．このとき，脱落膜は絨毛の子宮筋層内への侵入を防ぐ働きをする．そして児の分娩後は，脱落膜とともに胎盤が容易に剥離，娩出される．何らかの原因で子宮の脱落膜（子宮内膜）が欠損，菲薄化しているとき，絨毛組織は直接子宮筋層内に侵入して癒着胎盤となる．帝王切開，子宮筋腫核出術（子宮鏡下），子宮内掻爬などの子宮内手術，子宮内膜炎，子宮動脈塞栓術などは子宮内膜が損傷を受ける可能性があり，癒着胎盤のリスク因子となる[21]．

子宮手術既往のない症例に癒着胎盤を診断することはきわめてまれで，児娩出後や帝王切開中に胎盤剥離徴候がないことによって初めて本症が疑われる場合も少なくない．実際，分娩前に癒着胎盤が疑われるのは，前置胎盤か子宮手術の既往例がほとんどである[21]．また，前置胎盤は脱落膜の薄い子宮下部に胎盤が付着しているため，初妊婦でも癒着胎盤になることがある（前置癒着胎盤）．とくに既往帝王切開の前置胎盤では，前置癒着胎盤リスクが高く，1回の既往帝王切開では24％に対し，3回以上の既往帝王切開では67％に上昇する[22]．

癒着胎盤は病理学的には，絨毛が筋層の表面のみに癒着し，筋層内に侵入していないもの（単純癒着胎盤），絨毛が子宮筋層深く侵入して剥離が困難になった状態（侵入胎盤），さらに，絨毛が子宮壁を貫通して漿膜面にまで及んでいるもの（穿通胎盤）に分類される[23]．しかし，穿通胎盤のように深い癒着胎盤でないかぎり，術前や術中にこれらを区別することは困難である（図Ⅲ-5-10）．

1. 診　断

上記のリスクの高い妊婦に，妊娠中の詳細な超音波検査で，子宮筋層の菲薄化[24)-26)]，脱落膜領域にみられるlow echoicな線状のclear zoneの欠損像[16)]，胎盤実質の不整な虫食い像（placental lacunae），膀胱の突出像（bulging），bridging vessels，膀胱子宮窩組織の血流増加など[24)-27)]を認めた場合，癒着胎盤を分娩前に疑うことができる．

しかし，経腟分娩で児娩出後に胎盤が自然娩出されない，帝王切開中に胎盤を剥離できないといったことから癒着胎盤が初めて疑われる場合も少なくない．とくに，経腟分娩後に胎盤が自然娩出されない場合は，胎盤遺残（嵌頓）なのか癒着胎盤なのかの鑑別が難しい場合も多い．

2. 経腟分娩で児娩出後に胎盤が娩出されない場合の対応

自然な胎盤娩出が起きないとき，癒着胎盤の可能性を一番に考える．しかし，分娩後は子宮収縮があって筋層が厚くなっているため，よほど子宮破裂でもないかぎり，癒着胎盤なのか胎盤遺残（嵌頓）であるかの鑑別は，超音波検査，MRIでも難しい．したがって，子宮手術や子宮内操作した既往歴をもつハイリスク例では癒着胎盤の可能性が高いと認識

Ⅲ 初期診療に必要なスキル　Secondary Survey に必要なスキル

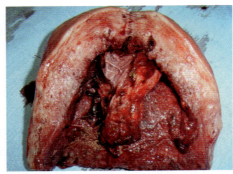

a：摘出子宮

癒着胎盤の組織学的分類
placenta accreta spectrum（PAS）
・placenta creta　　単純癒着胎盤
・placenta increta　侵入胎盤
・placenta percreta 穿通胎盤

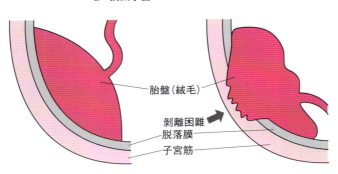

b：癒着胎盤（侵入胎盤）の病態

図Ⅲ-5-10　癒着胎盤

する。子宮内に手を入れて胎盤をつかんで胎盤を用手的に剝離娩出させる手技があるが，本当に癒着胎盤があった場合は，用手剝離後の多量出血，子宮穿孔を起こすことがあるので，安易に行うべきでない。

わが国の癒着胎盤による妊産婦死亡症例の検討では，前置胎盤胎盤の夜間の出血による緊急手術や，十分な医療資源のない場所での対応などが死亡に関連したと考えられる例が報告されている．癒着胎盤の治療に際しては，輸血，IVR，マンパワーなど十分な医療資源を要する．さらに，癒着胎盤はそれほど多い疾患ではないので，経験が少ない場合も手術に難渋することとなる．したがって，一次医療機関や，分娩室での「とりあえず胎盤用手剝離」は行わず，高次医療機関に搬送することや，手術室での万全の準備のもと治療にあたることが推奨される．

一方，胎盤が娩出されずとどまっているだけならよいが，子宮内の胎盤遺残は胎盤の部分的な剝離や，弛緩出血の原因となるため出血が始まることがある．そのような場合には，速やかに胎盤用手剝離ないし子宮全摘によって，完全な止血を図らなければならない．いずれにせよ，手術室など全身管理医による全身管理下，全身麻酔下に処置を開始しなければならず，適切な場所に患者を移送する．

経腟分娩時に胎盤娩出されない場合の対応例を示す．まず，超音波所見がある場合などの癒着胎盤のハイリスク症例と，そうでないローリスク症例に分けて対応を考える（図Ⅲ-5-11）．癒着胎盤のハイリスクである場合で子宮温存の希望がなければ，万全の準備のも

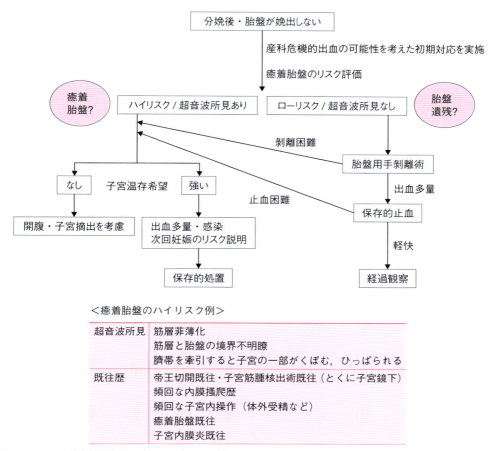

図Ⅲ-5-11　胎盤が娩出されないときの対応

と，胎盤を剥離せず子宮全摘などを施行するほうが安全である．癒着胎盤のハイリスクでありながらも子宮温存する場合は十分なインフォームドコンセントが必要である．ローリスクの場合は，嵌頓であることもあるので，用手剥離術を選択できる．その際，多量出血になることや癒着胎盤である可能性も考慮して，子宮全摘の器械の用意やハイブリッド手術室でのIVRなど，すぐに次の対応ができるように準備を行っておく．また，胎盤用手剥離は，超音波ガイド下に行うことが望ましい．

3. 帝王切開時の癒着胎盤が明らかになった場合の対応

　帝王切開中に胎盤が剥がれず，癒着胎盤を疑うことも少なくない．一次医療機関の帝王切開中に癒着胎盤や出血多量を認め，ある程度の止血処置で高次医療機関へ搬送されてくることがある．帝王切開中であると，直視下であることや，切開創部からの出血があり急いでいるため，とりあえず胎盤を剥がそうと試みてしまいがちであるが，前述した経腟分娩のときと同様に冷静に考える．

　術者は，麻酔科や手術室スタッフに癒着胎盤であるかもしれないことを告げ，産科危機的出血に準じた初期対応を行ってもらう．切開創の出血は鉗子などで丁寧に止血し，癒着

胎盤の状態について子宮と胎盤の観察を行う。

4. 癒着胎盤の治療法

1）子宮摘出

　経腟分娩後に胎盤が娩出されずに用手剥離などがうまくいかず癒着胎盤と診断した場合や，帝王切開中に直視下の子宮や胎盤の所見により明らかに癒着胎盤が診断された場合は子宮摘出を行う。侵入胎盤や穿通胎盤を無理に剥離すれば，剥離によって断裂した胎盤の癒着している場所や，癒着胎盤以外の場所の胎盤剥離後の弛緩出血で多量出血となるおそれがある。癒着胎盤を診断したら，胎盤を剥離せず子宮全摘をするのが多量出血を免れる根治術であると考える。

　子宮摘出の方法として，単純子宮全摘術や子宮腟上部切断術があるが，出血を少なく癒着胎盤を治療することが目的であるので，子宮全摘にこだわる必要はなく，いかに安全に癒着胎盤を処理するかということを念頭におく。一方，前置癒着胎盤であるときは，子宮頸部近くからの出血が多くなることも懸念されるため，子宮頸部までしっかりと摘出する子宮全摘が必要となる場合も少なくない。また，術野に出血が少なくとも，腟側に多量出血となっている場合もあるので，適宜術中に経腟的に診察を行い，子宮頸部あたりの止血ができているかを確認する。

　既往に子宮下部横切開による帝王切開がなされていて，その手術創に胎盤が癒着した場合は，多量出血のみならず膀胱損傷のおそれがある。そのような場合には，膀胱子宮腹膜剥離を強く行わず，子宮の後側から子宮を開けて最後に膀胱側にアプローチする方法などが報告されている[28]。

2）胎盤を残す方法

　子宮温存の希望が強い場合や子宮摘出が困難な場合には，児を娩出後に胎盤を剥離せず子宮を縫合，閉腹する方法がある[29]。胎盤の自然吸収や自然娩出を期待する方法であるが，根治までに時間がかかる。待機中の感染および急激な多量出血の可能性があるというリスクもある。そのため，待機中は母体の安全のため入院管理が必要になることや，敗血症で死亡する事例もあるので，決して簡単な治療法ではないと考える。

3）胎盤を剥離して止血する方法

　癒着していない部分の胎盤を剥離，もしくは摘出し，癒着胎盤の部分や胎盤剥離面の出血を止血する方法である[30]。出血部位を直接縫合止血，子宮圧迫縫合（B-Lynch法，uterine compression suture）[17]-[20]などを行って止血する。癒着している場所の子宮を部分切除して子宮筋腫核出術のように子宮を縫合する方法などもある。

4）その他の止血方法

　子宮内バルーン，カテーテルによる動脈バルーン閉塞術，あるいは動脈塞栓術などの各種止血法がある。医療機関ごとに，どの方法を，どのような手順で行うかをあらかじめ決めておくことも必要である。前置胎盤や癒着胎盤の疑われる手術では，事前に小児科，麻酔科などの関連診療科だけでなく，手術室，輸血部などの関連部署とも患者情報を共有しておく。

表Ⅲ-5-5 羊水塞栓症の分類と概念

心肺虚脱型（古典的）羊水塞栓症
- いわゆる羊水塞栓症
- 初発症状：胸痛，呼吸苦，意識消失，原因不明の胎児機能不全，不穏
- 初発症状から心停止まで急激

DIC先行型（子宮型）羊水塞栓症
- 子宮に限局した羊水塞栓症
- 胎盤娩出後のサラサラした非凝固性出血
- 重症の子宮弛緩（弛緩出血と鑑別が難しい）
- 短時間に進行するDIC（Fg＜100 mg/dL）

羊水塞栓症

　羊水塞栓症（AFE；amniotic fluid embolism）は，胎児皮膚角化物，胎脂などが子宮内の血管から母体血に迷入し，肺動脈に塞栓を起こして心肺虚脱を発症する（心肺虚脱型羊水塞栓症）と考えられてきたが，近年それだけが病態ではないと考えられている。典型例は破水後に，急激にショック症状や意識障害，DICとなるが，これは必ずしも胎児成分が肺に塞栓を起こさなくとも，胎児成分（胎便，扁平上皮細胞，毳毛，胎脂，ムチンなどの細胞成分だけでなく，胎便中のプロテアーゼ，組織トロンボプラスチンなど液性成分も）が母体血に触れることで発症するアナフィラクトイド反応で起こると考えられている。分娩前の破水，分娩中，帝王切開中いずれの場合でも突然発症するため，予測は困難である。

　子宮に限局した羊水塞栓症（子宮型羊水塞栓症）もあるが，心肺虚脱型の場合は発症から心停止までは30分以内であることがほとんどであるので，心肺蘇生と輸血，凝固因子の補充，止血を中心とした，母体ショックに対する全身の対症療法として集学的治療を行う（表Ⅲ-5-5）。

　死亡率は高く，生存例であっても後遺症を残すことが少なくない。典型例の生存例では，心肺虚脱や循環不全，多量出血やDICのため，半日以上心肺蘇生や輸血をポンピングで続けるなどの尋常でない治療の末，凝固異常の改善傾向を認めたという報告が多い。初期のショックやDICを乗り越えたとしても，高サイトカイン血症によるSIRS，ARDSによる呼吸障害を合併することも多く，予断を許さない。

　羊水成分に対するアナフィラクトイド反応のため，子宮が浮腫様になること，DICになることより弛緩出血による子宮出血も多く，止血目的や抗原になる胎児・羊水成分の除去目的として子宮全摘を要することが多い。ただただ病勢の後手に回らぬよう，合併症に対する全身管理を続けるのみである（図Ⅲ-5-12）。

診　断

　臨床的に羊水塞栓症とほかの重症疾患の鑑別は難しい場合が少なくない。わが国の臨床的羊水塞栓症の診断基準[31]を示すが（表Ⅲ-5-6），除外診断であることに留意し速やかに全身管理を実施する。とくに重症の弛緩出血，アナフィラキシー，敗血症，肺塞栓症，心筋梗塞，心筋症，吐物による化学性肺炎，局所麻酔薬中毒や全脊髄くも膜下麻酔などは類

Ⅲ 初期診療に必要なスキル　Secondary Survey に必要なスキル

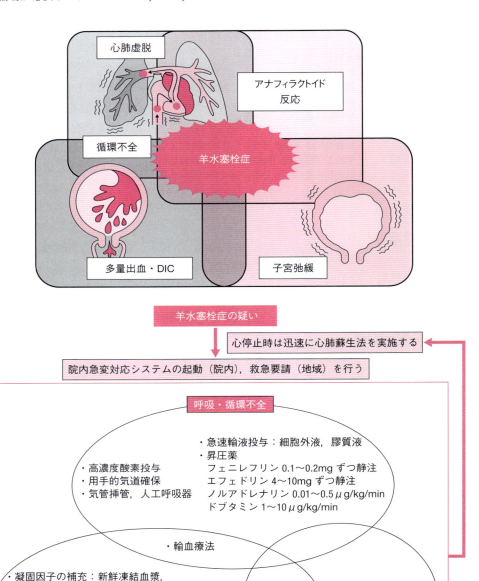

図Ⅲ-5-12　羊水塞栓症の病態と対応

表Ⅲ-5-6　わが国における臨床的羊水塞栓症診断基準

以下のすべてを満たす場合に診断する

1	妊娠中または分娩後 12 時間以内に発症した
2	以下のいずれかに集中治療が行われた A）心停止 B）分娩後 2 時間以内の原因不明の大量出血（1,500 mL 以上） C）DIC D）呼吸不全
3	所見や症状がほかの疾患で説明できない

〔小田智昭，他：羊水塞栓症．日本産婦人科医会医療安全部会・妊産婦死亡症例検討評価委員会監修，日本の妊産婦を救うために，東京医学社，東京，2020，pp226-232．より引用・改変〕

表Ⅲ-5-7　AFE 診断基準（米国産婦人科学会）

突然の呼吸・循環停止，または血圧低下（＜90 mmHg）と呼吸不全（呼吸困難，チアノーゼ，SpO_2＜90％）の両方を伴う
出血前の overt DIC（希釈性・消費性凝固障害とは異なっているもの）
分娩中または胎盤娩出後 30 分以内に発症している
38℃以上の発熱がない

〔文献 32）より引用・改変〕

表Ⅲ-5-8　overt DIC in pregnancy 診断基準（世界血栓止血学会）

3 点以上で診断する

	0	1	2
血小板（/μL）	＞10 万	＜10 万	＜5 万
PT-INR	＜1.25	1.25～1.5	＞1.5
Fbg（mg/dL）	＞200	＜200	

〔文献 32）より引用・改変〕

似した経過を示し得る．心肺虚脱に伴うけいれんが初期症状のこともあるので注意を要する．死亡例や子宮摘出例では，剖検や病理組織学的所見で羊水成分を同定（アルシャンブルー染色，サイトケラチン，STN 抗原，ZnCP1 の免疫）することで診断できる．また，血清補助診断として亜鉛コプロプロフィリンや STN などの羊水流入マーカー，アナフィラクトイド反応の結果として補体活性（C3，C4）高サイトカイン血症の結果として IL-8 などが参考になるが，リアルタイムに結果を得ることはできず，治療中の母体に確定診断することはできない．これらの血清補助診断は，日本産婦人科医会の事業として浜松医科大学で検査を依頼することができる（http://www2.hama-med.ac.jp/w1b/obgy/afe3/new1.html）．国際的に用いられる AFE（amniotic fluid embolism）診断基準[32]（表Ⅲ-5-7, 8）は，世界血栓止血学会の overt DIC 診断と組み合わせて定められており，わが国の心肺虚脱型羊水塞栓症に相当する．

おわりに

　Secondary Surveyに必要な頻度の高い産科救急疾患について解説した．本項で述べたことは，産婦人科医にはおおよそイメージできていることかもしれないが，今一度整理して緊急時に備えること，母体の急変対応にご対応いただく産婦人科医以外の全身管理の先生方にもご理解いただくことで，現場での治療戦略の決定に役立つものと考える．産科救急の場面では，妊産婦特有の病態である，急速に進行するDICが背景にあること，および，単なる血管の破綻ではない生理的な子宮の生物学的結紮の破綻が治療を困難にすることを認識する必要がある．

文　献

1) Weinstein L：Syndrome of hemolysis, elevated liver enzymes, and low platelet count：A severe consequence of hypertension in pregnancy. Am J Obstet Gynecol 142：159-167, 1982.
2) 妊産婦死亡症例検討評価委員会，日本産婦人科医会：母体安全への提言2020, Vol. 11, 令和3年9月．
3) 妊産婦死亡症例検討評価委員会，日本産婦人科医会：母体安全への提言2014, Vol. 5, 平成27年8月．
4) Rasmussen S, Irgens LM, Dalaker K：Outcome of pregnancies subsequent to placental abruption：A risk assessment. Acta Obstet Gynecol Scand 79：496-501, 2000.
5) Ananth CV, Getahun D, Peltier MR, et al：Placental abruption in term and preterm gestations：Evidence for heterogeneity in clinical pathways. Obstet Gynecol 107：785-792, 2006.
6) Ananth CV, Savitz DA, Bowes WA Jr, et al：Influence of hypertensive disorders and cigarette smoking on placental abruption and uterine bleeding during pregnancy. Br J Obstet Gynaecol 104：572-578, 1997.
7) Kramer MS, Usher RH, Pollack R, et al：Etiologic determinants of abruptio placentae. Obstet Gynecol 89：221-226, 1997.
8) Rasmussen S, Irgens LM, Dalaker K：A history of placental dysfunction and risk of placental abruption. Paediatr Perinat Epidemiol 13：9-21, 1999.
9) Ananth CV, Berkowitz GS, Savitz DA, et al：Placental abruption and adverse perinatal outcomes. JAMA 282：1646-1651, 1999.
10) 長谷川潤一，岩端由里子，本間千夏：妊婦の大量出血．救急医学 44：1555-1563, 2020.
11) Oyelese Y, Ananth CV：Placental abruption. Obstet Gynecol 108：1005-1016, 2006.
12) Nyberg DA, Cyr DR, Mack LA, et al：Sonographic spectrum of placental abruption. AJR Am J Roentgenol 148：161-164, 1987.
13) Glantz C, Purnell L：Clinical utility of sonography in the diagnosis and treatment of placental abruption. J Ultrasound Med 21：837-840, 2002.
14) Iyasu S, Saftlas AK, Rowley DL, et al：The epidemiology of placenta previa in the United States, 1979 through 1987. Am J Obstet Gynecol 168：1424-1429, 1993.
15) Briery CM, Rose CH, Hudson WT, et al：Planned vs emergent cesarean hysterectomy. Am J Obstet Gynecol 197：154, e151-155, 2007.
16) Hasegawa J, Matsuoka R, Ichizuka K, et al：Predisposing factors for massive hemorrhage during Cesarean section in patients with placenta previa. Ultrasound Obstet Gynecol 34：80-84, 2009.
17) Allam MS, Lynch BL：The B-Lynch and other uterine compression suture techniques. Int

J Gynaecol Obstet 89：236-241, 2005.
18) B-Lynch C, Coker A, Lawal AH, et al：The B-Lynch surgical technique for the control of massive postpartum haemorrhage：An alternative to hysterectomy? Five cases reported. Br J Obstet Gynaecol 104：372-375, 1997.
19) Makino S, Tanaka T, Yorifuji T, et al：Double vertical compression sutures：A novel conservative approach to managing post-partum haemorrhage due to placenta praevia and atonic bleeding. Aust N Z J Obstet Gynaecol 52：290-292, 2012.
20) Hwu YM, Chen CP, Chen HS, et al：Parallel vertical compression sutures：A technique to control bleeding from placenta praevia or accreta during caesarean section. BJOG 112：1420-1423, 2005.
21) Wu S, Kocherginsky M, Hibbard JU：Abnormal placentation：Twenty-year analysis. Am J Obstet Gynecol 192：1458-1461, 2005.
22) Clark SL, Koonings PP, Phelan JP：Placenta previa/accreta and prior cesarean section. Obstet Gynecol 66：89-92, 1985.
23) 日本産科婦人科学会編：産科婦人科用語集・用語解説集，改訂第4版，金原出版，東京，2018.
24) Oyelese Y, Smulian JC：Placenta previa, placenta accreta, and vasa previa. Obstet Gynecol 107：927-941, 2006.
25) Comstock CH：Antenatal diagnosis of placenta accreta：A review. Ultrasound Obstet Gynecol 26：89-96, 2005.
26) Comstock CH, Love JJ Jr, Bronsteen RA, et al：Sonographic detection of placenta accreta in the second and third trimesters of pregnancy. Am J Obstet Gynecol 190：1135-1140, 2004.
27) Jauniaux E, Bhide A：Prenatal ultrasound diagnosis and outcome of placenta previa accreta after cesarean delivery：A systematic review and meta-analysis. Am J Obstet Gynecol 217：27-36, 2017.
28) Matsubara S, Takahashi H, Takei Y, et al：Re：Caesarean hysterectomy for placenta praevia/accreta using an approach via the pouch of Douglas. BJOG 123：1404-1405, 2016.
29) Sentilhes L, Ambroselli C, Kayem G, et al：Maternal outcome after conservative treatment of placenta accreta. Obstet Gynecol 115：526-534, 2010.
30) Sentilhes L, Kayem G, Chandraharan E, et al：FIGO consensus guidelines on placenta accreta spectrum disorders：Conservative management. Int J Gynaecol Obstet 140：291-298, 2018.
31) 小田智昭，他：羊水塞栓症．日本産科婦人科医会医療安全部会・妊産婦死亡症例検討評価委員会監，日本の妊産婦を救うために，東京医学社，東京，2020, pp226-232.
32) Clark SL, Romero R, Dildy GA, et al：Proposed diagnostic criteria for the case definition of amniotic fluid embolism in research studies. Am J Obstet Gynecol 215：408-412, 2016.

Ⅲ 初期診療に必要なスキル

Secondary Survey に必要なスキル
6 妊娠終結と留意点

はじめに

　妊婦が急変した場合，妊娠していることがその病態に対して負の影響があると判断されれば妊娠終結（termination of pregnancy）を考慮する必要がある。妊娠による生理的な変化により母体にある程度の負荷がかかり，その影響で恒常性が維持できなくなることによって周産期合併症が発症すると考えられる。在胎期間は，児にとって胎外での生命維持機能を獲得するために重要であることは周知の事実である。そのため，流早産期に分娩となることは生命維持だけでなく後の高次機能獲得にも影響する可能性があり，可能なかぎり回避すべきだが，周産期合併症により母体生命が脅かされると判断した場合には，母体の生命を優先する必要がある。このことは母体の救命を胎児よりも優先する考え方で，妊娠の時期を問わない。

　母体優先（mom comes first）の原則は論をまたない。一方，その原則は児に対して無慈悲に思われるが，児の生命は貴いため，生存可能な週数で娩出された児の救命には集学的に臨む姿勢が重要である。さらに重要なのは，児の救命に集中しすぎて母体の安定化を遅らせない妊産婦死亡の回避である。

　本項では，妊娠関連の合併症がある妊婦に対して，母体の生命/高次機能障害を回避すべく，妊娠終結のタイミングについて解説する。

妊産婦死亡—直接産科的死亡

1. 産科危機的出血

　常位胎盤早期剝離，子宮破裂および前置胎盤では妊娠終結の判断が遅れると妊産婦死亡につながるため，その管理は重要である。産科危機的出血に対して，補充療法と止血操作に増して血液喪失が速い場合には全身管理医や放射線科医と協働し，REBOA（resuscitative endovascular balloon occlusion of the aorta）などにより一時的に血流を遮断して止血操作を行う場合がある。

　1）常位胎盤早期剝離

　正常位置（子宮体部）に付着している胎盤が妊娠中または分娩経過中の胎児娩出以前に子宮壁より剝離するもの，と定義されている。胎盤が子宮壁より剝離すると剝離面の破綻した血管から母体血が出血し，血腫を形成することがある（胎盤後血腫）。血腫形成による凝固因子の消費から凝固・線溶系が亢進して凝固障害・播種性血管内凝固（DIC）をきたし最終的に多臓器不全に陥るため，発症早期の診断と適切な分娩時期を判断することが重

要である．

初発症状が子宮収縮と子宮出血を認めるため，切迫早産と鑑別する必要がある．胎盤早期剝離の胎児心拍数陣痛図（CTG；cardiotocogram）所見では周期的な（さざ波様の）子宮収縮波形を認めることが多く，遅発一過性徐脈を呈することもある．これらの所見は，胎盤後血腫の超音波診断時期に先行することが多い．胎盤早期剝離を切迫早産と誤診すると，禁忌である子宮収縮抑制薬を投与する可能性が高くなり要注意である．

2）子宮破裂

主に分娩中，妊娠中に発症する子宮の裂傷のことである．妊娠終結を考慮する場合として，帝王切開，子宮筋腫核出術後，卵管間質部妊娠の既往といった子宮手術歴を背景に，妊娠経過に伴い既往切開創部が子宮筋伸展できずに同部位の裂傷から出血を疑う場合があげられる．裂傷から出血し，腹腔内に及ぶと腹膜刺激症状による激痛を訴え，生理的子宮筋および靱帯の伸展では説明できない激しい症状を呈する．母体の頻脈，血圧低下，画像検査による子宮外の液体貯留を認めれば，その可能性が高まる．

子宮破裂が疑われた場合は，妊娠を速やかに終了して裂傷部位の止血および筋層の修復をしなければ母体死亡に至る．子宮破裂により母児の生命危機に瀕していると判断したら速やかに開腹術を行うべきである．裂傷の部位や程度によって，子宮温存が止血の妨げになる場合には子宮全摘による止血を図る．

3）前置胎盤

絨毛膜の一部である繁生絨毛が厚く成長する胎盤の多くは子宮体部に形成されるが，まれに子宮口側に形成されると前置胎盤になる．妊娠子宮と胎盤には胎児の酸素や栄養を送るために多量の血液が循環している．前置胎盤は子宮口を覆っているため，子宮口の開大によって胎盤が子宮内膜面から剝離して母体血が出血することで母児の生命危機となる．出血コントロールが不良であれば母体救命のために妊娠終結する必要があるが，児の良好な予後が期待できる時期の選択的帝王切開が望ましい．

前置胎盤において，警告出血，子宮頸管長短縮といった徴候を認めた場合，緊急帝王切開率が高まる[1)-3)]．また，癒着胎盤リスクが低い前置胎盤において，これらの徴候がなければ妊娠37～38週の選択的帝王切開が許容されるが，癒着胎盤の可能性を強く疑う場合は妊娠34～35週に選択的帝王切開すべきである[4)5)]．妊娠終結までに出血が増量する場合には，出血量に見合う補充療法を行いながら止血処置を行うこともある．

2. 妊娠高血圧症候群（HDP：hypertensive disorder of pregnancy）

HDPのうち，血管内皮障害を背景に臓器障害を起こしている妊娠高血圧腎症（PE：preeclampsia）はとくに重篤な転帰となることが多く，診断後は厳重に管理する．PEでは血管内皮障害に伴う血管内脱水によって末梢血管が攣縮（spasm）することが高血圧の本態とされる．妊娠中におけるHDPの血圧管理では，血圧が160/110 mmHg未満に保つことが望ましく，必要に応じて血管拡張薬，$α_1$拮抗薬，Ca拮抗薬が投与される．ただし，妊娠高血圧は胎児-胎盤循環維持のために反応性に母体血圧が上昇するため，降圧が胎児-胎盤循環へ悪影響する可能性を考慮して管理する．降圧薬による過剰な母体血圧低下や，降圧による胎児循環不全を示唆する胎児機能不全と診断されれば妊娠終結を考慮すべきで

ある。
　血管内皮障害を背景に血圧変動が高度になると脳血管が破綻し，頭蓋内出血に至る。妊婦の頭蓋内出血・梗塞に対し妊娠終結すべきかの判断は，病変の部位・範囲と発症する妊娠週数が寄与することが多い。また，頭蓋内出血・梗塞の原因には，HDP や HELLP 症候群といった直接的な妊娠の影響によるもの，脳動脈瘤，脳動静脈奇形，もやもや病が背景にあり，PE による血管内皮障害が加わると頭蓋内出血のリスクが高まるため，事前の診断が管理に重要である（1．頭蓋内出血・梗塞：p330 参照）。頭蓋内出血による血腫増大が急激である場合は，血腫周辺の著明な脳浮腫が脳圧を上昇させ，脳実質へのダメージおよび脳ヘルニアに伴う呼吸停止が高次機能回復および生命予後にかかわるため，開頭血腫除去術や減圧開頭術が必要になる。術中の呼吸・循環が保たれていることが前提であるが，全身麻酔による児の長期予後への影響は少ないと考えられており[6]，開頭術＝妊娠終結ということではないが，病変の部位によって手術体位保持が妊娠子宮により妨げられる場合は開頭術前の妊娠終結が必要になる。

3. HDP 関連疾患

HELLP 症候群

　HELLP 症候群は HDP 関連疾患で血管内皮障害に伴う，溶血（Hemolysis），肝酵素上昇（Elevated Liver Enzymes），血小板減少（Low Platelets）を 3 徴とする合併症で，障害された血管内皮は血管内脱水とともに通過する血球が破壊されることで溶血し，肝血管の血管内脱水および攣縮による肝細胞障害から肝酵素が上昇し，障害された血管内皮修復のため一次血栓を形成することで血小板が減少する。Sibai らが提唱した診断基準（Tennessee Classification）により診断し，Mississippi Classification によって重症度を評価（表Ⅲ-5-3：p309 参照）したのちに重症化予防を目的に Mississippi protocol による加療を行う（図Ⅲ-5-1：p309 参照）。

　HELLP 症候群では妊娠継続によって重症化する可能性があるが，妊娠終結を急ぐことがよいわけではない。発症 48 時間以内に妊娠終結した群は，ベタメタゾンを投与しながら母児の状態を観察して妊娠期間を可及的に延長した群と比較して，出生児の合併症の相対危険度が高いため（呼吸窮迫症候群 3.1，敗血症 2.5，壊死性腸炎 4.8，頭蓋内出血 5.4，輸血 6.1）[7]，母体が安定していれば妊娠継続も考慮される。

4. 急性妊娠性脂肪肝

　急性妊娠性脂肪肝では低血糖，PT（prothrombin time）の延長が HELLP 症候群の鑑別に有用で[8]，治療が遅れると母体の腎不全，肝性脳症，DIC を合併し，母児のリスクとなるため[9]，診断したら可及的速やかに妊娠を終了し母児の管理が望まれる。

5. 血栓性血小板減少性紫斑病（TTP；thrombotic thrombocytopenic purpura）

　血小板減少，溶血性貧血，腎機能障害，発熱，精神症状が古典的 5 徴とされ，妊娠中にも発症する。ADAMTS13 の活性低下による von Willebrand factor の惹起が血小板凝集することで血栓形成と消費性の血小板が減少する。HELLP 症候群との鑑別に ADAMTS13

活性が有用で，10％未満では TTP を考慮する。診断したならば，血漿交換，免疫抑制を目的としたステロイドパルス，リツキシマブ製剤（抗 CD20 モノクローナル抗体）により治療し，母児の状態次第で適切な妊娠終結時期を決定する。

6. 羊水塞栓症

羊水塞栓症は，胎児および胎児付属物の成分が母体血管（静脈）内に流入し，それらの成分に対する母体のアナフィラキシー反応が疾患の本態であり，流産手術や分娩に伴う破水を契機に発生するため，妊娠終結の判断を問われることはない。

7. 周産期心筋症

心疾患既往のない妊婦が妊娠後半から産褥期に拡張型心筋症類似の病態を呈し，うっ血性心不全を発症する原因不明の心筋症を周産期心筋症（産褥心筋症）と称する（心血管疾患：p274 参照）。約 1 割が最重症化（母体死亡もしくは心臓移植待機）する一方，約 6 割は心機能が正常化する[10]。妊娠中に診断された周産期心筋症において，管理は周産期に準ずるが，前負荷（高血圧）と後負荷（循環血液量増加）を改善すると子宮内の循環不全が生じやすい。そのため，妊娠継続しながら周産期心筋症を管理するのは困難であることが多い。分娩後も左室駆出率≦50％が継続すると，再妊娠による心機能悪化が死亡に至らしめるため，次回妊娠は勧められない[11]。

8. 周産期の精神疾患

妊産婦は希死念慮を抱くことが多いという報告があり[12]，希死念慮の訴えは自殺につながる精神的苦悩の表現で，かかわる産婦人科医や助産師はそのような妊産婦の気持ちに寄り添い傾聴し，受容することが重要である。希死念慮や自殺について話し合うことは自殺を後押しするわけではなく，安心して話す相手がいると孤立を防ぎ，自殺に対して予防的に作用する。

望まない妊娠の場合，妊娠継続する心身の負荷と中絶する罪悪感や背徳感の狭間で妊婦は悩むことになる。残念ながら，そのような悩みを抱えた妊婦が相談する窓口が広く開かれているわけではなく，医療機関へ受診するハードルは高いと推察される。また，中絶を希望した場合，妊娠22週未満という時限によって中絶の希望が通らないことで妊婦にかかる心身の負荷はさらに大きくなる。安易な中絶の選択は厳に慎むべきと考えるが，母体の精神状態が悪化している場合には，妊婦の生命・精神保護の観点から中絶の選択は許容される。また，母児の重篤な合併症（コントロール不良な糖尿病，前置癒着胎盤，重症多発合併奇形のなど）がある場合にも望んでいた妊娠とイメージが大きく異なったことで心身の負荷がかかってくる可能性がある。このような妊婦の健康診査を行う際は，本人とコミュニケーションとりながら，必要に応じて精神科受診のアドバイスが重要である。

Ⅲ 初期診療に必要なスキル　Secondary Survey に必要なスキル

妊産婦死亡―間接産科的死亡

1. 頭蓋内出血・梗塞

脳動静脈奇形や脳動脈瘤といった脳血管障害によるものに分類される。妊産婦の頭蓋内出血・梗塞が疑われる場合，HDP に関連するものと同様に脳専門医と協働できる施設で管理する。

脳神経科医であっても，瞳孔所見や麻痺の部位，けいれんといった身体所見や症状による脳卒中の鑑別は困難で，急性期には CT や MRI，MRA といった画像検査が必須である。診断および病変部位・責任血管の同定が方針決定に重要で，バイタルサインの安定化後に診断目的の画像検査を速やかに行う。

頭蓋内出血・梗塞に対する治療方針は脳神経科が主となって行うが，治療のなかで妊娠継続の可否判断が必要になるため，議論のなかで産科的視点からの提言が必要になる。妊娠に伴う循環動態の変化が頭蓋内出血・梗塞の病態に悪影響している場合は，妊娠終結後の治療が考慮される。

2. 心・大血管疾患

母体心疾患では，妊娠経過に伴う母体の循環血液量増加に心機能がどれだけ順応できるかが妊娠継続の可否に影響する。心疾患合併妊娠では日本循環器学会/日本産科婦人科学会合同ガイドラインを参考に妊娠経過中の変化を循環器内科と併診しながら評価していく[13]。心血管疾患の妊娠リスクを分類した modified WHO 分類がある（表Ⅲ-6-1）[14]。とくに classⅢ以上は死亡率が増加するので，妊娠継続の可否を検討しなければならない[15]。

1）非チアノーゼ性心疾患（非手術例）

心房中隔欠損症（ASD：atrial septal defect），心室中隔欠損症（VSD：ventricular septal defect），房室中隔欠損症（AVSD：atrioventricular septal defect），動脈管開存症（PDA：patent ductus arteriosus），先天性大動脈弁狭窄症，肺動脈弁狭窄症，Ebstein 病，修正大血管転位がこれにあたる。分娩時の感染性心内膜炎（IE：infectious endocarditis）のリスクに対して腸球菌や黄色ブドウ球菌に感受性の高い抗菌薬投与が推奨されている[16,17]。

2）非チアノーゼ性心疾患（修復術後）

ASD 術後，VSD 術後，AVSD 術後，PDA 閉鎖術後，肺動脈弁狭窄症術後，先天性大動脈弁狭窄症術後，Ebstein 病術後，修正大血管転位術後は良好な転帰となる。遺残短絡がある場合，修復術後 6 カ月未満で人工材料を用いた場合，および修復術後に弁逆流（房室弁，大動脈弁，肺動脈弁）といった遺残症・続発症がある場合には IE に注意を要するため，分娩や産科的手術・手技を行う際には予防的に抗菌薬を投与する（レベル B）[16,17]。また，修復術後に中等度以上の遺残病変・続発症があり妊娠中の悪化が予測されれば，妊娠前の再手術や血管内治療による修復が望ましい。

3）チアノーゼ性心疾患（修復術後）

Fallot 四徴症，完全大血管転位症，両大血管右室起始症，単心室血行動態症候群などの複合型先天性心疾患患者の妊娠・出産が年々増加している。チアノーゼ性心疾患は，修復

表Ⅲ-6-1　modified WHO分類を用いた主な先天性心疾患合併母体の心血管リスク評価

リスク分類	妊娠リスク	母体心血管合併症率	該当疾患
Ⅰ	母体死亡率の増加なし 母体合併症率の増加なし，もしくは軽度増加	2.5〜5%	・軽度の肺動脈狭窄/動脈管開存/僧帽弁逸脱 ・単純病変修復術後（心房中隔欠損，心室中隔欠損，動脈管開存など）
Ⅱ	母体死亡率の軽度増加と母体合併症率の中等度増加	5.7〜10.5%	・軽度良好で合併症のない： 　未修復心房中隔欠損/心室中隔欠損 　Fallot四徴修復術後
Ⅱ〜Ⅲ	母体死亡率と母体合併症率の中等度増加	10〜19%	・軽度左室機能低下 ・大動脈二尖弁（大動脈拡張＜45 mm） ・大動脈縮窄修復術後
Ⅲ	母体死亡率の有意な増加と母体合併症率の重度増加。専門家の妊娠前カウンセリングが必要。妊娠の際には専門チームの診療が必要	19〜27%	・機械弁置換後 ・体心室右室 ・Fontan術後 ・未修復チアノーゼ疾患 ・ほかの複雑心奇形 ・大動脈二尖弁（大動脈拡張45〜50 mm）
Ⅳ	母体死亡率の極度の増加と母体合併症率の重度増加。妊娠は禁忌。妊娠の際は中絶を考慮。妊娠継続の際は，Ⅲに準ずる	40〜100%	・肺高血圧症 ・重症心機能低下（左室駆出率＜30%，NYHA Ⅲ-Ⅳ度） ・大動脈二尖弁（大動脈拡張＞50 mm） ・重症未治療大動脈縮窄

〔神谷千津子：ハイリスク心血管疾患合併妊娠．日周産期・新生児会誌 57：1-7，2021．より引用〕

術後も含めてIEのリスクが高く，分娩時や産科的手術・手技の際の抗菌薬予防は必須でないが[18]，罹患時の深刻さを勘案すれば，予防的抗菌薬投与は不要とはいえない。

4）チアノーゼ残存例

チアノーゼ性先天性心疾患は，「肺高血圧症のないチアノーゼ性心疾患」と「Eisenmenger症候群」に分類され，両者とも母児の妊娠リスクは非常に高い。肺高血圧がなければ経腟分娩では無痛分娩が望まれ[19]（レベルC），帝王切開は産科的適応で決定する。SpO_2＜85%では避妊あるいは人工流産が勧められる[19,20]（レベルB）。妊娠後半期の凝固能亢進に伴う深部静脈血栓症は肺血栓塞栓症や脳梗塞のリスクであるため，妊娠28週〜産後1カ月はヘパリンを使用することがある[21]（レベルC）。チアノーゼ性心疾患はIEのハイリスクで，分娩時や産科的手技・処置の際は抗菌薬の予防投与が推奨される[16,17]（レベルB）。

Eisenmenger症候群の妊産婦死亡率は高率で避妊が望ましく，妊娠した場合でも人工妊娠中絶を推奨する[22]。肺高血圧症を伴う場合，妊娠中はプロスタサイクリン，NO-cGMP系薬剤を投与する。エンドセリン受容体拮抗薬は胎児催奇形性から使用禁忌である[13]。

5）肺高血圧症

肺高血圧症患者の妊産婦死亡率は高率であったが，近年では治療することで低下傾向である[23-25]。

Eisenmenger症候群患者は40〜50%の高死亡率[26]で，Eisenmenger化が改善したとしても約25%と高い死亡率で[24]，経口の肺高血圧症治療薬の登場後も死亡率は23%にとどまる[25]。そのため，肺高血圧症患者には避妊を徹底し，妊娠を回避すべきである。妊娠発覚

後の中絶は母体リスクを回避する重要な選択肢である。

6) Fontan 術後

二心室修復が困難な機能的単心室血行動態を有するチアノーゼ性先天性心疾患患者（単心室，純型肺動脈弁閉鎖，三尖弁閉鎖など）の低酸素血症解消と心室容量負荷軽減を目的とした姑息的最終修復術が Fontan 手術で，肺循環への駆出心室が欠如した術式である[13]。

母体年齢 24～30 歳，NYHA 心機能分類Ⅰ度が 98％，平均 2 回の妊娠例の女性のうち 36％が流産，8％で妊娠中絶しており，出生生存率は 45％（255 妊娠で 115 出生・生存）と低い[27)-33)]（レベル C）。Fontan 術後患者では心不全に加え，その特殊な静脈系のうっ滞による凝固能亢進から血栓症を合併しやすく，妊婦ではさらなる凝固能亢進のため，Fontan 術後患者の妊娠・出産時の凝固系の管理には抗凝固療法が推奨されている[33]。経腟分娩が推奨されているが，Fontan 術後患者の約半数で帝王切開分娩していた[13]。

7) 弁膜症

先天性心疾患の予後が改善し，多くが妊娠・出産可能な年齢に達するようになったため，修復の有無にかかわらず弁逆流や弁狭窄が残存した成人患者の妊娠・出産管理が重要になってきた。

妊娠初期から循環血漿量が 40～50％増加するのが生理的変化であり，心拍出量，心拍数も 10～20 回/min 増加する。妊娠中にはエストロゲンやエラスターゼの影響で血管壁の構造に変化が生じ，脆弱化する。一方，分娩中の子宮収縮は血圧の上昇など循環器系の影響は，弁の逆流症か狭窄症か，また，どの弁に病変があるのかに寄与する。

呼吸困難などの症状が出現した場合や，血栓塞栓症や人工弁機能不全が疑われた場合には繰り返す心エコーで評価する。機械弁による弁置換術後は生涯にわたる抗凝固療法が必要で，妊娠中も例外ではない。また，妊娠時には凝固能亢進により，十分な抗凝固療法中でも約 3～4％の血栓塞栓症と 1～2％の母体死亡が発生するが[34)35)]，それは機械弁患者以外の深部静脈血栓症および心房細動での抗凝固療法中の場合も問題となる。

8) Marfan 症候群と Marfan 類縁疾患（表Ⅲ-6-2）

妊娠により，大動脈壁中膜には細網線維の断裂，酸性ムコ多糖体の減少，弾性線維配列の変化，平滑筋細胞の増殖と過形成がみられるようになる。妊娠・出産による容量負荷や圧負荷（疼痛刺激や怒責）が心臓大血管に加わり，妊娠中期以降や分娩前後に大動脈解離や大動脈瘤破裂を合併しやすい[36)-38)]。妊娠中の Marfan 症候群による大動脈解離のリスクは，①大動脈径≧40 mm，②妊娠中に大動脈拡張傾向，③家族歴，④40 歳以下の大動脈手術既往，である[36)-40)]。大動脈弁輪径≧45 mm は原則避妊する。急速な上行大動脈径拡大は，リスク回避のために妊娠中絶することがある。

9) 高安動脈炎

腹部大動脈縮窄（未治療）を有する場合，腎性高血圧から心不全，腎不全，脳出血に至る。妊娠・出産は可能だが，血圧のコントロールが重要である。胎児発育不全，低出生体重児，流産・死産のリスクもある。外科適応のある心疾患や大動脈疾患は，妊娠前の手術治療が望ましい。敗血症や妊娠高血圧腎症を合併した場合の予後は不良である。ステロイド（プレドニゾロン）治療は出産後も継続し，維持量程度では母乳栄養に問題はない。

表Ⅲ-6-2　Marfan症候群とMarfan類縁疾患における妊娠・出産の注意点

疾患	妊娠・出産の注意点
Marfan症候群	●遺伝する可能性が50% ●外科治療の適応がある場合は妊娠前に ●上行大動脈径≧44 mm or 大動脈解離→避妊を指導，＜44 mm は妊娠可能だが解離による急変の可能性 ●上行大動脈径＜40 mm は通常分娩可能 ●僧帽弁逆流症は『循環器病の診断と治療に関するガイドライン』に準じた治療 ●必要に応じて母児への影響に注意してβ遮断薬を投与 ●血圧・疼痛管理は厳重に
高安動脈炎	●未治療の腹部異型大動脈縮窄は予後不良（腎性高血圧→心不全，腎不全，敗血症や妊娠高血圧腎症合併） ●異型大動脈縮窄は『成人先天性心疾患診療ガイドライン』に準じる ●大動脈弁逆流症は『循環器病の診断と治療に関するガイドライン』に準じる ●大動脈瘤（大動脈弁輪拡張症を含む）はMarfan症候群に準じる ●虚血性心疾患（冠動脈入口部狭窄）は外科治療後の適応を検討 ●高血圧へβ遮断薬を投与し，ACE阻害薬・ABRは用いない ●ステロイド治療は継続しても投与量増量することはまれ ●自己免疫性疾患，結合織病（膠原病）としての病態に注意
大動脈縮窄症 修復術前	●妊娠前に手術または血管内治療による修復が望ましい ●縮窄より遠位の過度な低血圧では流・死産のリスクが上がるため高血圧治療には要留意 ●妊娠中の修復は可能だが，内科的治療が困難な心不全や大動脈解離を除き非推奨 ●妊娠中は大動脈壁が脆弱化し大動脈解離が増加するため妊娠中のバルーン血管形成は非推奨だが，ステント併用で比較的安全の可能性あり
修復後	●母児ともリスク低いが，高血圧や大動脈径拡張を伴う場合はβ遮断薬による内科管理が必要

10）大動脈縮窄症

　未修復例は妊娠中に高血圧，左心不全，さらに大動脈瘤形成，大動脈解離のリスクが高い。一方，修復術後は母児とも経過良好であることが多い[41)42)]ため，妊娠前の修復術が望ましい。パッチ修復術後やバルーン形成術後の修復部大動脈瘤形成に注意する。妊娠中の内科治療は安静と高血圧治療が中心となるが，上行大動脈径≧50 mm では予防的外科手術を検討する[36)-38)41)]。

11）心筋症

　(1) 肥大型心筋症

　肥大型心筋症の約2～4割にうっ血性心不全や不整脈合併症を認める[43)-47)]。妊娠中の循環血漿量増加により左室腔が拡大し，流出路狭窄が軽減する可能性がある。心拍出量増加に伴い左室流出路の圧較差が拡大し，妊娠中の左房拡大は心房細動のリスクを上げる。循環血漿量増大に妊娠による心拍数の増加（心室拡張期の短縮）が加わることで，左室拡張末期圧はさらに上昇し，うっ血性心不全のリスクとなる。流出路狭窄や心房細動の心拍数調整，心室性不整脈にβ遮断薬が有効である[11)48)]。妊娠前から内服している場合には妊娠中も継続し，妊娠中の症状出現時には新規で開始する。一般に経腟分娩可能だが，分娩時の静脈還流を低下させる体位や怒責は避ける。重度の閉塞性病変では，硬膜外麻酔による末梢血管拡張により，静脈還流減少と血圧低下が生じるため，その適応の可否を検討する。

大量出血時や分娩時の脱水には，血圧低下予防に適宜補液や輸血による体液量調整を行う。一方，拡張障害のため，静脈還流の増加は肺うっ血を惹起し，とくに胎盤娩出直後は増大子宮に貯留されていた血液約 500 mL の急激な還流に注意する。

(2) 拡張型心筋症

妊娠前，無症状で無投薬の軽度心機能低下を認める拡張型心筋症では妊娠経過が良好であるが，予後不良な周産期心筋症とのオーバーラップがあり，慎重な経過観察が必要である。妊娠・出産中に起きる急激な心機能低下について十分に説明しておく[11]。

妊娠による循環血漿量，心拍数の増加，凝固能亢進は，心機能低下，心不全，心室性不整脈，血栓塞栓症のリスクを高める。母体心血管合併症の発生率は 13〜39% であり，左室駆出率<45%，NYHA 心機能分類Ⅲ〜Ⅳ度，妊娠前の心血管イベント既往はリスク因子になる[49)50)]。拡張型心筋症合併妊娠の心不全好発時期は妊娠後半〜産後 2 カ月である[51]。左室駆出率<40%，NYHA 心機能分類Ⅲ〜Ⅳ度の症例は妊娠禁忌である。また，妊娠経過中の左室駆出率<20% は高い死亡リスクから妊娠終結すべきである[11]。ACE 阻害薬や ARB は妊娠中の内服により胎児腎障害から羊水過少になるため妊娠中は禁忌である。妊娠希望がある場合は，妊娠前に中止または Ca 拮抗薬などに変更のうえ，妊娠経過で心不全徴候の出現がないか評価する。慢性心不全に対する利尿薬は過度の利尿による子宮循環低下，羊水過少や胎児利尿による脱水や電解質異常に注意する。アルドステロン拮抗薬は通常投与量での安全性が報告されている。β遮断薬は胎児発育不全や新生児低血糖になるため，慎重な経過観察が必要で有益投与である。また，妊娠中の心不全急性増悪には利尿薬，ヒト心房性ナトリウムペプチド製剤（human atrial natriuretic peptide：hANP），カテコラミンの使用は可能である。コントロール不良の心不全では帝王切開分娩を考慮し，低心機能例では心負荷軽減のため，硬膜外麻酔併用下の経腟分娩が望ましい。

3. 感染症

1) A 群溶血性連鎖球菌（Group A *Streptococcus*：GAS）

多くはペニシリン系の抗菌薬が効果的な菌種だが，妊産婦への感染で劇症化し，発症後の致死率がきわめて高い感染症である。咳嗽を伴わない咽頭痛，発熱，悪寒，扁桃腫大，膿苔，前頸部リンパ節の有痛性腫脹などを初発症状として，菌の増殖により，毒素およびサイトカイン産生されると好中球の機能障害により殺菌が抑制され，高い病原性と劇症型感染の病態を示す。GAS 感染症は溶連菌迅速抗原検査や咽頭培養を用いて診断する。

劇症型 GAS 感染症は，病態悪化の経過が早いため，診断時に胎児死亡を伴う場合が多い。児の救命には帝王切開が必要になることがあるが，母体優先の観点から治療方針を決定する。多くの場合は，急激な子宮収縮増強により自然娩出される。胎盤の微小血管に血栓が形成され，消費性の凝固障害による DIC を伴う場合が多く，容易に多臓器不全に陥るため，本症を疑った時点で抗菌薬投与と集学的治療が可能な施設における管理が救命に必須である。

2) 敗血症

妊娠中は母体子宮内に，半分は父親の遺伝情報を有した胎児，言い換えると他者が存在しており，免疫寛容状態であるため，非妊娠時には問題にならないような弱毒性の病原菌

が敗血症の起因菌になることがある。リトドリン塩酸塩の副作用である白血球減少や無顆粒球症は易感染性を助長するため，とくに長期・大量投与を行う場合には敗血症の徴候に注意して管理する。

絨毛膜羊膜炎が悪化すると敗血症に至るため，必要に応じた抗菌薬投与を行いながら妊娠終結を考慮する。経腟分娩困難と判断される場合は帝王切開分娩を考慮するが，手術操作に伴う感染徴候悪化に注意する。敗血症に伴うDICでは産後の出血が問題になることがあり，IVRによる止血法を選択する場合があるが，背景にある凝固機能を考慮した塞栓物質を選択する。また，塞栓術後は抗菌薬が塞栓部位から末梢まで届かないため感染コントロールが困難になる可能性を考慮しておく。

4. 肺疾患

肺血栓塞栓症（p275 参照）

肺塞栓症は静脈系で形成された塞栓子（血栓，脂肪，腫瘍，空気，羊水中の胎児成分）が血流に乗って肺動脈を閉塞し，急性および慢性の肺循環障害を招く病態である。多くは深部静脈血栓症からの血栓遊離によるため肺血栓塞栓症と呼ばれる。妊娠中，とくに後半期は増大子宮による下大静脈圧迫が圧迫部位より末梢の静脈うっ滞，および過凝固状態を背景に血栓が形成されやすい。また，分娩によって末梢静脈のうっ滞が解除されると，器質化していない血栓が遊離し肺塞栓症を起こすため，循環器内科医や放射線科医と協議して一時的下大静脈フィルターの適応について検討する。

妊娠子宮が循環改善を妨げるようであれば，帝王切開分娩後の治療が必要になるが，抗凝固・血栓溶解療法による出血傾向が母児の生命にかかわる可能性が高まることに注意する。

胎児適応の妊娠終結

1. 胎児機能不全

胎盤・臍帯の形成異常により胎児循環が障害されることが知られている。胎児循環障害によって胎児発育は制限され胎児発育不全（胎児超音波の推定体重＜－1.5 SD）となる。器官形成期は主に細胞分裂によって臓器形成や胎児発育が認められるが，胎児循環障害を背景として臓器・器官を形成する細胞がある程度まで増大したところで制限されると妊娠中期以降の胎児発育不全で認められるようになる。brain spare effectによって脳や心臓の循環は保たれることになるが，胎児発育不全児の背景にある胎児循環障害がさらに悪化し改善がみられなければ，低酸素状態となり胎児の一過性徐脈→徐脈→心停止→胎児死亡という経過をたどると推察される。

胎児超音波によるカラードプラ法やパルスドプラ法を組み合わせて胎児循環を評価し，娩出児の胎外生活が可能で予後が見込める場合には妊娠終結し，新生児治療へ移行することを考慮する。生育または成育限界を超えない胎児では，児の生命予後が見込めないだけでなく，帝王切開分娩による母体の侵襲が大きくなることで次回以降の妊娠に与える影響を考慮した管理に注意する。

2. 羊水過少

　妊娠中期以降の羊水のほとんどは胎児尿で，胎児尿が減少すると羊水過少となる。腎血流が減少するような胎児循環不全が背景にある場合，および男児の胎児後部尿道弁による尿閉が原因になる場合がある。比較的慢性的な循環不全では胎児発育不全を伴うことが多く，臍帯・胎盤異常を伴うことがある。胎児発育不全を伴わない場合は，比較的急性の循環不全または尿閉が原因のことが多い。羊水過少があると，超音波ビームが羊水腔中の通過が困難で，屈折することによりミラー効果などのアーチファクトが形成されることで実際にはないものが画像化されるため，胎児機能の評価に注意する必要がある。羊水ポケットまたは最大羊水深度<2.0 cm，羊水インデックス<5が診断基準だが，計測しなくても子宮腔内を超音波検査で確認し，無エコーの羊水腔が認められない場合は羊水過少と診断できる。

　前述した診断基準を満たすのが一過性で，循環障害が一過性で羊水過少が改善する場合があるが，多くの場合，胎盤-臍帯-胎児循環が障害されるのは進行性で，児の予後が見込める妊娠時期では児の救命を目的として妊娠終結が考慮される。未破水かつ，陣痛発来前の羊水過少では緊急帝王切開が，陣痛発来後の羊水過少では吸引・鉗子分娩が羊水過少のない場合に比較して有意に頻度が高いため[52]，羊水過少の分娩管理中の胎児機能不全に注意する。

おわりに

　妊婦急変では，妊娠した状態で加療を進めることが可能か，妊娠が治療を妨げていないか，妊娠継続可否の判断が重要である。妊娠中の生理的，病的変化が合併する疾患それぞれについて述べた。産科的管理に加えて，各専門科とそれらの特徴について議論したうえで管理方針を決定するなかで，本項が妊産婦の救命につなげられる一助となるよう願う。

文　献

1) Ghi T, Contro E, Martina T, et al：Cervical length and risk of antepartum bleeding in women with complete placenta previa. Ultrasound Obstet Gynecol 33：209-212, 2009.
2) Stafford IA, Dashe JS, Shivvers SA, et al：Ultrasonographic cervical length and risk of hemorrhage in pregnancies with placenta previa. Obstet Gynecol 116：595-600, 2010.
3) Fukushima K, Fujiwara A, Anami A, et al：Cervical length predicts placental adherence and massive hemorrhage in placenta previa. J Obstet Gynaecol Res 38：192-197, 2012.
4) Vintzileos AM, Ananth CV, Smulian JC：Using ultrasound in the clinical management of placental implantation abnormalities. Am J Obstet Gynecol 213：S70-77, 2015.
5) Robinson BK, Grobman WA：Effectiveness of timing strategies for delivery of individuals with placenta previa and accreta. Obstet Gynecol 116：835-842, 2010.
6) Van der Veeken L, Emam D, Bleeser T, et al：Fetal surgery has no additional effect to general anesthesia on brain development in neonatal rabbits. Am J Obstet Gynecol MFM 4：100513, 2022.
7) Cavaignac-Vitalis M, Vidal F, Simon-Toulza C, et al：Conservative versus active management in HELLP syndrome：Results from a cohort study. J Matern Fetal Neonatal Med 32：

1769-1775, 2019.
8) Ibdah JA, Bennett MJ, Rinaldo P, et al：A fetal fatty-acid oxidation disorder as a cause of liver disease in pregnant women. N Engl J Med 340：1723-1731, 1999.
9) Sibai BM：Imitators of severe pre-eclampsia/eclampsia. Clin Perinatol 31：835-852, 2004.
10) Kamiya CA, Kitakaze M, Ishibashi-Ueda H, et al：Different characteristics of peripartum cardiomyopathy between patients complicated with and without hypertensive disorders：Results from the Japanese Nationwide survey of peripartum cardiomyopathy. Circ J 75：1975-1981, 2011.
11) Krul SP, van der Smagt JJ, van den Berg MP, et al：Systematic review of pregnancy in women with inherited cardiomyopathies. Eur J Heart Fail 13：584-594, 2011.
12) Gelaye B, Kajeepeta S, Williams MA：Suicidal ideation in pregnancy：An epidemiologic review. Arch Womens Ment Health 19：741-751, 2016.
13) 日本循環器学会，日本産科婦人科学会合同ガイドライン：心疾患患者の妊娠・出産の適応，管理に関するガイドライン（2018年改訂版），2018.
https://www.j-circ.or.jp/cms/wp-content/uploads/2020/02/JCS2018_akagi_ikeda.pdf
（Accessed：2023/9/15）
14) Regitz-Zagrosek V, Roos-Hesselink JW, Bauersachs J, et al：2018 ESC Guidelines for the management of cardiovascular diseases during pregnancy. Eur Heart J 39：3165-3241, 2018.
15) 神谷千津子：ハイリスク心血管疾患合併妊娠．日周産期・新生児誌 57：1-7，2021.
16) 日本循環器学会：成人先天性心疾患診療ガイドライン（2017年改訂版）．
http://www.j-circ.or.jp/guideline/pdf/JCS2017_ichida_h.pdf（Accessed：2023/9/15）
17) 日本循環器学会：感染性心内膜炎の予防と治療に関するガイドライン（2017年改訂版）．
http://www.j-circ.or.jp/guideline/pdf/JCS2017_nakatani_h.pdf（Accessed：2023/9/15）
18) Warnes CA, Williams RG, Bashore TM, et al：ACC/AHA 2008 Guidelines for the Management of Adults with Congenital Heart Disease：A report of the American College of Cardiology/American Heart Association Task Force on Practice Guidelines（writing committee to develop guidelines on the management of adults with congenital heart disease）. Circulation 118：e714-e833, 2008.
19) Engelfriet P, Boersma E, Oechslin E, et al：The spectrum of adult congenital heart disease in Europe：Morbidity and mortality in a 5 year follow-up period：The Euro Heart Survey on adult congenital heart disease. Eur Heart J 26：2325-2333, 2005.
20) Presbitero P, Somerville J, Stone S, et al：Pregnancy in cyanotic congenital heart disease：Outcome of mother and fetus. Circulation 89：2673-2676, 1994.
21) Connolly HM, et al：Pregnancy and contraception. In：Gatzoulis MA, Webb GD, Daubeney PEF, eds. Diagnosis and Management of Adult Congenital Heart Disease. Churchill Livingstone, 2003, pp135-144.
22) Wang H, Zhang W, Liu T：Experience of managing pregnant women with Eisenmenger's syndrome：Maternal and fetal outcome in 13 cases. J Obstet Gynaecol Res 37：64-70, 2011.
23) Weiss BM, Zemp L, Seifert B, et al：Outcome of pulmonary vascular disease in pregnancy：A systematic overview from 1978 through 1996. J Am Coll Cardiol 31：1650-1657, 1998.
24) Bédard E, Dimopoulos K, Gatzoulis MA：Has there been any progress made on pregnancy outcomes among women with pulmonary arterial hypertension? Eur Heart J 30：256-265, 2009.
25) Pieper PG, Lameijer H, Hoendermis ES：Pregnancy and pulmonary hypertension. Best Pract Res Clin Obstet Gynaecol 28：579-591, 2014.
26) Drenthen W, Boersma E, Balci A, et al：ZAHARA Investigators：Predictors of pregnancy

complications in women with congenital heart disease. Eur Heart J 31：2124-2132, 2010.
27) Drenthen W, Pieper PG, Roos-Hesselink JW, et al；ZAHARA Investigators：Pregnancy and delivery in women after Fontan palliation. Heart 92：1290-1294, 2006.
28) Pundi KN, Pundi K, Johnson JN, et al：Contraception practices and pregnancy outcome in patients after Fontan operation. Congenit Heart Dis 11：63-70, 2016.
29) Gouton M, Nizard J, Patel M, et al：Maternal and fetal outcomes of pregnancy with Fontan circulation：A multicentric observational study. Int J Cardiol 187：84-89, 2015.
30) Canobbio MM, Mair DD, van der Velde M, et al：Pregnancy outcomes after the Fontan repair. J Am Coll Cardiol 28：763-767, 1996.
31) Cauldwell M, Von Klemperer K, Uebing A, et al：A cohort study of women with a Fontan circulation undergoing preconception counselling. Heart 102：534-540, 2016.
32) Zentner D, Kotevski A, King I, et al：Fertility and pregnancy in the Fontan population. Int J Cardiol 208：97-101, 2016.
33) Iyengar AJ, Winlaw DS, Galati JC, et al；Australia and New Zealand Fontan Registry：No difference between aspirin and warfarin after extracardiac Fontan in a propensity score analysis of 475 patients. Eur J Cardiothorac Surg 50：980-987, 2016.
34) Chan WS, Anand S, Ginsberg JS, et al：Anticoagulation of pregnant women with mechanical heart valves：A systematic review of the literature. Arch Intern Med 160：191-196, 2000.
35) D'Souza R, Ostro J, Shah PS, et al：Anticoagulation for pregnant women with mechanical heart valves：A systematic review and meta-analysis. Eur Heart J 38：1509-1516, 2017.
36) Elkayam U, Goland S, Pieper PG, et al：High-risk cardiac disease in pregnancy：Part Ⅱ. J Am Coll Cardiol 68：502-516, 2016.
37) Stewart FM：Marfan's syndrome and other aortopathies in pregnancy. Obstet Med 6：112-119, 2013.
38) Wanga S, Silversides C, Dore A, et al：Pregnancy and thoracic aortic disease：Managing the risks. Can J Cardiol 32：78-85, 2016.
39) Roman MJ, Rosen SE, Kramer-Fox R, et al：Prognostic significance of the pattern of aortic root dilation in the Marfan syndrome. J Am Coll Cardiol 22：1470-1476, 1993.
40) Goland S, Elkayam U：Cardiovascular problems in pregnant women with Marfan syndrome. Circulation 119：619-623, 2009.
41) Kammerer H：Aortic coarctation and interrupted aortic arch. In：Gatzoulis MA, Webb GD, Daubeney PEF, eds. Diagnosis and Management of Adult Congenital Heart Disease. Churchill Livingstone, 2003, pp253-264.
42) Beauchesne LM, Connolly HM, Ammash NM, et al：Coarctation of the aorta：Outcome of pregnancy. J Am Coll Cardiol 38：1728-1733, 2001.
43) Schinkel AF：Pregnancy in women with hypertrophic cardiomyopathy. Cardiol Rev 22：217-222, 2014.
44) Autore C, Conte MR, Piccininno M, et al：Risk associated with pregnancy in hypertrophic cardiomyopathy. J Am Coll Cardiol 40：1864-1869, 2002.
45) Goland S, van Hagen IM, Elbaz-Greener G, et al：Pregnancy in women with hypertrophic cardiomyopathy：Data from the European Society of Cardiology initiated Registry of Pregnancy and Cardiac disease（ROPAC）. Eur Heart J 38：2683-2690, 2017.
46) Thaman R, Varnava A, Hamid MS, et al：Pregnancy related complications in women with hypertrophic cardiomyopathy. Heart 89：752-756, 2003.
47) Probst V, Langlard JM, Desnos M, et al：Familial hypertrophic cardiomyopathy：French study of the duration and outcome of pregnancy. Arch Mal Coeur Vaiss 95：81-86, 2002.
48) Gersh BJ, Maron BJ, Bonow RO, et al：2011 ACCF/AHA guideline for the diagnosis and

treatment of hypertrophic cardiomyopathy：A report of the American College of Cardiology Foundation/American Heart Association Task Force on Practice Guidelines. J Thorac Cardiovasc Surg 142：e153-e203, 2011.
49) Grewal J, Siu SC, Ross HJ, et al：Pregnancy outcomes in women with dilated cardiomyopathy. J Am Coll Cardiol 55：45-52, 2009.
50) Bernstein PS, Magriples U：Cardiomyopathy in pregnancy：A retrospective study. Am J Perinatol 18：163-168, 2001.
51) Ruys TP, Roos-Hesselink JW, Hall R, et al：Heart failure in pregnant women with cardiac disease：Data from the ROPAC. Heart 100：231-238, 2014.
52) 仲村将光, 長谷川潤一, 松岡隆, 他：羊水過少症例における分娩時胎児心拍数パターンに関する検討. 日周産期・新生児会誌 44：1202-1206, 2008.

Ⅲ 初期診療に必要なスキル

Secondary Survey に必要なスキル
7 敗血症

はじめに

　Semmelweis Ignác（1818～1865年）の時代を含め，以前から産科では感染症との闘いが繰り広げられてきた。その後，感染症学のめざましい発展とともに産科でも感染症で亡くなる妊産婦は激減した。しかし，感染症は完全に克服されていない。本項では，重症化する可能性のある産科関連の感染症について記載し，臓器不全を伴う感染症である敗血症の一般的な対処法に関し，「日本版敗血症診療ガイドライン2020」[1)2)]を参照し述べ，一部に"Surviving Sepsis Campaign：International Guidelines for Management of Sepsis and Septic Shock 2021"[3)]の内容を加えた。

敗血症と敗血症性ショックの定義・診断

　敗血症とは，"感染症によって重篤な臓器障害がひき起こされた状態"であり，さらに敗血症性ショックとは"急性循環不全により細胞障害および代謝異常が重度となり，ショックを伴わない敗血症と比べて死亡の危険性が高まる状態"と定義される。つまり，敗血症性ショックでは，敗血症に循環不全と細胞代謝障害を伴っている状態であるため，より重症で，死亡率も高くなる。

　敗血症の診断フローチャートを図示する（図Ⅲ-7-1）[1)]。まずは発熱，全身倦怠感などの感染症の一般的な症状や，咽頭痛，咳などの気道感染症に特異的な症状などから感染症を疑う。感染症を疑った場合には，qSOFA（quick sequential sepsis-related organ failure assessment）スコアを評価する[1)]。qSOFAは，①意識変容，②呼吸≧22回/min，③収縮期血圧≦100 mmHgの3項目，各1点で構成され，2項目以上で敗血症を疑う。しかし，qSOFAに関しては基本的に一般成人の敗血症スクリーニングであり，母体にそのまま当てはめるとすると，妊産婦は比較的血圧が低めであるため，分娩時の痛みなどによる頻呼吸と血圧ですぐに2点以上になってしまうという欠点がある。そのため，J-MELSでは修正版qSOFAとして，①意識変容，②呼吸数≧22/min，③収縮期血圧≦90 mmHgを提案している（表Ⅲ-7-1）。産科領域では呼吸数を評価していないことが多いため，普段からバイタルサインを測定する際は呼吸数を測ることをルーチン化することが大切である。意識変容は少しでも普段と違う意識状態であった際には1点とする。qSOFAは敗血症を疑う際の非常に簡便なスクリーニングとなるが，これをもって敗血症の診断はできない。qSOFAが2点以上，またはqSOFAを満たしていなくても敗血症を疑ったら，次の臓器障害の評価であるSOFAスコアの評価を行う。

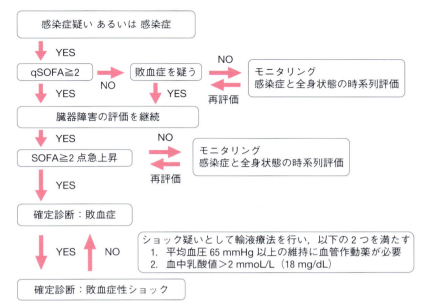

図Ⅲ-7-1 感染症，敗血症，敗血症性ショック
〔日本版敗血症診療ガイドライン2020特別委員会：日本版敗血症診療ガイドライン2020．日救急医会誌 32（Suppl）：S25，2021，Fig 1-2．より引用〕

表Ⅲ-7-1 qSOFA 基準（J-CIMELS 修正版）

意識変容（清明ではない）
呼吸数≧22/min
収縮期血圧≦90 mmHg

〔https://www.j-cimels.jp/news/28〕

　SOFA スコアは意識，呼吸，循環，肝，腎，凝固の 6 項目の臓器の不全を 0～4 までの重症で示したものであり，数字が大きいほど臓器不全の程度が大きい（表Ⅲ-7-2）[1]。SOFA スコアが 2 点以上（もともと臓器不全を慢性的にもっているのであれば急激な 2 点以上の上昇）がみられた場合，その感染症は敗血症と診断される〔敗血症の診断のために血液からの菌の証明（菌血症）は必要ない〕。妊婦の敗血症診断においては，子宮胎盤も重要臓器の一種と考え，胎児機能不全は 1 点，子宮内胎児死亡は 2 点加える考え方もある。また，妊産婦は Cre 値が生理的に低下しており，Cre 1.0～1.3 mg/dL で 1 点，Cre 1.4～3.4 mg/dL で 2 点とすることも検討する。

　敗血症性ショックは，十分に輸液を行っても平均血圧 65 mmHg≧を保つために血管収縮薬を必要とし，かつ血中乳酸値が 2 mmol/L（18 mg/dL）を超える場合とする。測定器具がない場合は capillary refilling time（CRT：爪を 10 秒間強く押して赤みが戻るまでに 2 秒以上かかると陽性）をショックの指標として用いてもよい[3]。

　敗血症の疑いがあった時点でSOFA スコアの評価を行うが，それが不可能な一次医療機関では，この時点で高次医療機関への紹介を考慮する。SOFA スコアで敗血症の診断がついた際は，すぐに全身管理医にコンサルトのうえで集中治療室で管理することが望ましい。

表Ⅲ-7-2　SOFAスコア

スコア	0	1	2	3	4
意識 　Glasgow coma scale	15	13〜14	10〜12	6〜9	＜6
呼吸 　PaO_2/F_iO_2（mmHg）	≧400	＜400	＜300	＜200 および呼吸補助	＜100 および呼吸補助
循環	平均血圧≧70 mmHg	平均血圧＜70 mmHg	ドパミン＜5 μg/kg/min あるいはドブタミンの併用	ドパミン5〜15 μg/kg/min あるいはノルアドレナリン≦0.1 μg/kg/min あるいはアドレナリン≦0.1 μg/kg/min	ドパミン＞15 μg/kg/min あるいはノルアドレナリン＞0.1 μg/kg/min あるいはアドレナリン＞0.1 μg/kg/min
肝 　血清ビリルビン値（mg/dL）	＜1.2	1.2〜1.9	2.0〜5.9	6.0〜11.9	≧12.0
腎 　血清クレアチニン値（mg/dL） 　尿量（mL/day）	＜1.2	1.2〜1.9	2.0〜3.4	3.5〜4.9 ＜500	≧5.0 ＜200
凝固 　血小板数（$\times 10^3/\mu L$）	≧150	＜150	＜100	＜50	＜20

〔日本版敗血症診療ガイドライン2020 特別委員会：日本版敗血症診療ガイドライン2020．日救急医会誌 32（Suppl）：S23，2021，Tab 1-2-1. より引用・改変〕

敗血症における感染臓器および原因微生物同定の意義

　敗血症の診療において，原因となる病原微生物の同定はきわめて重要であり，適切な抗菌薬治療にもつながる．敗血症を疑った時点で，抗菌薬投与前に血液培養を2セット以上採取する．コンタミネーション（原因菌とは別の菌が検体に混入してしまうこと）の可能性を減らすため，採取前に適切な皮膚消毒（1％グルコン酸クロルヘキシジン，ポビドンヨード，70％アルコール）を行い，一般的には1セットあたり20 mLの血液を採取する．血液培養以外にも，臨床像から感染源の可能性が疑わしい，または否定できない部位からの検体を抗菌薬開始前に採取しておくことは，感染臓器および原因微生物の同定にきわめて重要である．妊産婦では尿および腟分泌物培養を状況にあわせて行う．感染源不明例では，同定のための全身造影CTなどの画像診断を考慮する．また，敗血症を疑った際のバイオマーカー検査として，CRP（C反応性蛋白），PCT（プロカルシトニン），P-SEP（プレセプシン），IL-6（インターロイキン6）などがあるが，感度/特異度はいずれも高いとはいえない．これらバイオマーカーは一部の症例に対し，診断に有用である場合もあるが，バイオマーカー単独による敗血症診断は困難であるためバイオマーカーは診断の補助的な位置づけとする．

column

敗血症の早期認知〜qSOFAの位置づけ

敗血症に関心がある読者は『最近 qSOFA の位置づけが変わった』，『信頼性はどうなのか？』という話題を聞いたことがあるかもしれない。結論から示すと，J-MELS アドバンスコースとしての qSOFA の位置づけは，『有効なツール』として活用できる，である。

qSOFA は，Surviving Sepsis Campaign guidelines 2016（SSCG 2016）[1]の Sepsis-3 において敗血症の定義と診断を定めるなかで規定された。わが国の『日本版敗血症診療ガイドライン 2020』[2)3)]もこれを踏襲する形で敗血症の定義と診断を規定している。上記ガイドラインでは，集中治療室では SOFA スコアを用いるが，外来や病棟などの集中治療室以外の環境において qSOFA（表）[1)]が 2 項目以上を満たす場合に敗血症を疑うツールとして使用することが提唱されている。

一方，2021 年に公表された SSCG 2021[4)]では「qSOFA を単独で使用しないことを強く推奨する（エビデンス：中等度の質）」とされた。この変更は複数の臨床研究で qSOFA の感度が十分高くなく，ほかのスコアとの優劣が議論されたことが背景である。わが国の大規模な観察研究やレジストリ解析（『日本版敗血症ガイドライン 2020』CQ1-2，CQ21-1 解説参照）[2)3)]でも同様に診断感度の問題が指摘されている。

しかし，2 つのガイドラインを総括すれば，qSOFA 単独では敗血症診断に適さないもののスクリーニングとして qSOFA のそのものの有効性は否定されておらず，病院前救護，救急外来，一般病棟における活用や早期の治療開始や全身管理へのきっかけとなり得る，と解釈できる。

このため J-MELS アドバンスコースでは，qSOFA を敗血症の除外に用いないことを前提に「敗血症を考慮するきっかけ」として位置づける。qSOFA の 2 項目を満たさなくても，ほかの所見やスコアと併用することや繰り返し評価を行うことで早期に敗血症の早期治療開始につながることを期待したい。

表　qSOFA の項目

SSCG2016，日本版敗血症ガイドライン	J-CIMELS 修正版
意識変容	意識変容（清明ではない）
呼吸数≧22/min	呼吸数≧22/min
収縮期血圧≦100 mmHg	収縮期血圧≦90 mmHg

〔参考文献 1)-3) 5)〕

1) Seymour CW, Liu VX, Iwashyna TJ, et al：Assessment of clinical criteria for sepsis：For the third international consensus definitions for sepsis and septic shock（Sepsis-3）. JAMA 315：762-774, 2016.
2) 日本版敗血症診療ガイドライン 2020 特別委員会：日本版敗血症診療ガイドライン 2020. 日救急医会誌 32（Suppl）：S1-S411，2021.
3) 日本版敗血症診療ガイドライン 2020 特別委員会：日本版敗血症診療ガイドライン 2020. 日集中医誌 28（Suppl）：S1-S411，2021.
4) Evans L, Rhodes A, Alhazzani W, et al：Surviving sepsis campaign：International guidelines for management of sepsis and septic shock 2021. Crit Care Med 49：e1063-1143, 2021.
5) qSOFA 基準（J-CIMELS 修正版）．https://www.j-cimels.jp/news/28

column

周産期におけるSOFAスコア

複数の臓器障害をスコア化することが，周産期の敗血症診療にも有用であることには疑いはない。しかし，非妊婦である成人と正常値が異なる妊婦の敗血症診療において，同じ基準でSOFAスコアを運用することに異議や議論が存在することも容易に想像できる。もちろん，SOFAスコアが高い妊婦の重症度や死亡率が高いことは事実である[1]。しかし，Sepsis-3や『日本版敗血症診療ガイドライン2020』で一般成人に対して議論されている以上に，妊婦に対するSOFAスコアの運用についてはコンセンサスが確立されていないのが現状である。その解決策として，妊婦の血清クレアチニン値の生理的低下，平均血圧の生理的低下，Glasgow coma scaleが産科病棟では実用的に使用されていないなどの特性を考慮して，周産期用に修正したSOFAスコアの運用を考慮する必要がある。

その1例として，SOMANZ (Society of Obstetric Medicine Australia and New Zealand) では，表のようなobstetrically modified (om) SOFAスコアを提唱している[2]。

このように，今後周産期敗血症に対するomSOFAをはじめとする新しい敗血症を定義するツールが議論される可能性がある。

臨床医にとって重要なことは，現行のSOFAスコアでは，クレアチニン値の差異などからアンダートリアージとなり，敗血症の認知が遅れるおそれがあることを忘れないことである。そのため，臨床的所見の変化を短期間で繰り返し観察する，複数のスコアや手法を用いて評価を繰り返すなど敗血症診療の認知・実施を行うことを意識する必要がある。

表　obstetrically modified SOFA score

system parameter	score		
	0	1	2
respiration PaO$_2$/FIO$_2$	≧400	300 to ＜400	＜300
coagulation platelets, ×10^6/L	≧150	100〜150	＜100
liver bilirubin（μmol/L）	≦20	20〜32	＞32
cardiovascular mean arterial pressure（mmHg）	MAP ≧ 70	MAP ＜ 70	vasopressors required
central nervous system	alert	rousable by voice	rousable by pain
renal creatinine（μmol/L）	≦90	90〜120	＞120

〔文献2) より引用〕

1) Albright CM, Ali TN, Lopes V, et al：The sepsis in obstetrics score：A model to identify risk of morbidity from sepsis in pregnancy. Am J Obstet Gynecol 211：e1-8, 2014.
2) Bowyer L, Robinson HL, Barrett H, et al：SOMANZ guildelines for the investigation and management sepsis in pregnancy. Aust N Z J Obstet Gynaecol 57：540, 2017.

妊産婦で注意すべき感染症

1. A群溶血性連鎖球菌と劇症型A群溶血性連鎖球菌感染症，連鎖球菌性毒素性ショック症候群[4]

わが国では，感染症による妊産婦死亡の原因として劇症型溶血性連鎖球菌感染症が多い。A群溶血性連鎖球菌（Group A *Streptococcus*：GAS）は β 溶血を示す連鎖球菌である。時として急激に進行して死に至る劇症型GAS感染症は，連鎖球菌性毒素性ショック症候群（Streptococcal toxic shock syndrome；STSS）とも呼ばれ，GASの産生する外毒素やサイトカインにより急激な全身状態悪化をきたす。STSSの診断基準を表Ⅲ-7-3に示す[4]。STSSは発熱と咽頭痛で来院することもある。早期から本症を疑い，直ちに抗菌薬投与することが母児ともに救命するために重要である。

どのような咽頭痛に溶連菌性咽頭炎を疑うかはCentor criteriaが有用であるが，妊産婦用に修正したCentor criteriaを用いることが提案されている（表Ⅲ-7-4）[5]。2〜3点であれば溶連菌迅速抗原検査で判断し，4点以上であれば，溶連菌性咽頭炎と考え治療を開始する。また，発熱，咽頭痛症状以外にも，「発熱，腹痛，嘔吐」や，「発熱，頭痛」といった症状で来院することもある。さらに小児はGASの保菌率が高く，妊産婦が子ども（胎児にとっての兄，姉）と同居している場合は高リスクと考える[6]。

重症な徴候がなく外来でフォロー可能な全身状態であれば，アモキシシリン25 mg/kg（最大500 mg）の経口内服薬を1日2回で10日間投与する。qSOFAなどで敗血症を疑い，重症化のおそれがある場合は，採血などの検査を行いつつSOFAスコアやSTSSの診断の評価を行い，入院治療を基本とする。できるかぎり早期に血液培養を2セット，咽頭，喀痰，尿，腟分泌物培養などの各種培養を採取後に静脈注射での抗菌薬治療を行う。GAS感染症と判明していれば，ペニシリン系抗菌薬にクリンダマイシンの併用投与をする。ア

表Ⅲ-7-3 劇症型A群連菌感染症（Streptococcal toxic shock syndrome：STSS）の診断基準

[A] および [B] を満たすときに診断される			
[A] 検査	以下の部位からGASが検出される		
	確定	無菌部位（血液，髄液，関節液，胸水，心嚢液など）から検出	
	疑い	非無菌部位（咽頭，腟，喀痰など）から検出，かつ他疾患が同定されない	
[B] 臨床所見	[1] および [2] を満たす場合に診断される		
	[1]	循環障害	収縮期血圧≦90 mmHg
	[2]	下記2つ以上を認める	
		腎障害	Cre≧2 mg/dL またはベースラインの2倍以上
		肝障害	AST，ALT または T-Bil の基準値上限2倍以上
		凝固障害	Plt≦10万/μL または DIC
		呼吸障害	ARDS
		皮膚	播種性の紅斑，落屑
		軟部組織	軟部組織壊死，筋膜炎，筋炎，壊疽

〔Centers for Disease Control and Prevention：Group A Streptococcal（GAS）Disease. 2010. より引用・改変〕

表Ⅲ-7-4 妊婦用に修正した Centor criteria（J-CIMELS 修正版）

C	Cough absent	咳がないこと
E	Exudate	滲出性扁桃炎（白苔）
N	Nodes	圧痛を伴う前頸部リンパ節腫脹
T	Temperature	38℃以上の発熱
OR		妊娠している
OR		同居の子どもが咽頭炎と診断 or 症状あり

上記の項目をそれぞれ 1 点としてカウントする

0〜1点：溶連菌感染症の可能性は低い（10％未満）→ 抗菌薬は処方しない
2〜3点：溶連菌迅速抗原検査を行って判断する（2点：15％, 3点：32％）
4〜6点：40％以上の可能性があるので，速やかな抗菌薬の投与を考慮する

〔日本母体救命システム普及協議会/京都産婦人科救急診療研究会編著：産婦人科必修 母体急変時の初期対応, J-CIMELS 公認講習会ベーシックコーステキスト, 第3版, メディカ出版, 2020. より引用〕

ンピシリンであれば 2 g を 4 時間ごとに加え，クリンダマイシン 600〜900 mg を 8 時間ごとに投与する。クリンダマイシンを併用することで，GAS の菌体外毒素産生が抑制され[7]，予後を改善する[8]。さらに STSS に対しては免疫グロブリン療法が有効とする報告があり[9)10]，投与を考慮してもよい。

また，劇症型溶血性連鎖球菌感染症は感染症法第 5 類感染症であり，7 日以内に保健所に届け出る必要がある。

2. リステリア症

グラム陽性桿菌である *Listeria monocytogenes* が原因菌となり，無殺菌の乳製品や生野菜，生ハムなどの食肉加工品などから検出されることがある。通常は弱毒菌であるが，妊婦は免疫機能が低下しているために，感染リスクは一般成人より高い。さらにステロイドや免疫抑制剤の使用，リトドリン塩酸塩の持続投与による血球減少，糖尿病合併例などでは敗血症や髄膜炎による重症化リスクがある。妊婦のリステリア症は細胞性免疫がもっとも低下する妊娠 26〜30 週に菌血症を発症しやすく，発熱を伴う筋肉痛，関節痛，頭痛，背部痛といったインフルエンザ様の症状を伴う。診断は基本的に血液培養や，髄膜炎であれば髄液からの検出で診断となる。

抗菌薬治療はペニシリン系が効果的であり，アンピシリン 2 g を 4 時間ごとに投与する。一方でセフェム系抗菌薬には無効であるために注意が必要である。

3. オウム病

わが国における妊産婦死亡の感染症の原因菌としてオウム病の報告例がある[11]。オウム病の原因菌は主に *Chlamydiophila psittaci* であり，細胞内寄生菌である。オウムやインコ，ハトなどの鳥からの感染であり，病歴聴取で鳥の飼育歴や接触歴の有無が診断に重要となる。症状は 1〜2 週間の潜伏期間後に発熱，筋肉痛，関節痛などのリステリア症と似た症状や，重症化すると重症肺炎や，多臓器不全をきたすこともある。抗菌薬治療の注意点としては，細胞内寄生菌であるため，ペニシリン系やセフェム系，カルバペネム系などの抗菌

薬は無効である。治療の第一選択薬はマクロライド系抗菌薬である（テトラサイクリン系抗菌薬は妊婦には使用が制限される）。具体的には，アジスロマイシン 500 mg/day の 3 日間点滴投与などを検討する。

4. 結　核

わが国は先進国に比べ結核の罹患率はいまだ高く，妊産婦の結核感染による死亡例の報告もある。初期症状は，発熱，咳嗽，体重減少や易疲労感などである。とくに慢性咳嗽や微熱を認める場合には結核感染の可能性も考え，喀痰検査や画像検査などの精査を考慮する。結核性敗血症は非常にまれではあるが，発症すると予後不良といわれている。妊産婦の結核の治療はイソニアジド，リファンピシン，エタンブトールの 3 剤投与が推奨される[12]。いずれの薬剤も妊娠中，授乳中でも投与可能である。

5. その他の妊産褥婦で注意する感染症

妊娠により母体は胎児に対する免疫寛容状態にあり，細胞性免疫が抑制されるため，上記で述べた原因菌だけではなく，ほかにも細菌ではレジオネラ，真菌ではニューモシスチス，クリプトコッカス，アスペルギルス，ウイルスではヘルペスウイルス，RS ウイルス，原虫ではトキソプラズマ，イソスポーラなどにも注意する[6]。いずれの感染症が原因菌であっても臨床経過や，病歴聴取，身体診察，そして培養検体，画像検査などが診断に寄与するため，感染症科などの専門医と相談しつつ，早期に適切な治療薬を投与することが救命につながる。

6. SARS-CoV-2 による新型コロナウイルス感染症

2020 年より世界的にパンデミックをきたした SARS-CoV-2 による新型コロナウイルス感染症は世界で多くの命を奪ってきた。2023 年 5 月より 5 類感染症に移行しているが，2023 年 7 月時点でも，重症化するケースは散見されている。国内外の臨床的統計からは妊婦が新型コロナウイルス感染症に感染しやすいことはなく，母子感染も胎盤関門により成立しないとされている。妊娠初期や中期の感染では，同年齢の女性と比較して重症化率や死亡率に差は認められないが，妊娠後期の感染では早産率が高まる。重症化リスク因子としては，妊娠 21 週以降，BMI 30 以上，31 歳以上とされている[13]。

ワクチンに関しては，妊娠中のワクチン接種による母体と胎児・新生児に対する奇形や流早産などの重篤な有害事象の増加はなく，日本産科婦人科学会・日本産婦人科感染症学会では，すべての妊婦に週数を問わず，積極的なワクチン接種を推奨している[14]。

妊娠中に新型コロナウイルス感染症に罹患し自宅療養する場合には，図Ⅲ-7-2 のような基準で対応を行うこと，また受診時は妊産婦重症化リスクスコア（表Ⅲ-7-5）により 6 点以上は入院を考慮することが提案されている[15]。

● 敗血症の治療

敗血症に対する初期対応としてもっとも重要なポイントは，①感染源のコントロール

Ⅲ 初期診療に必要なスキル Secondary Survey に必要なスキル

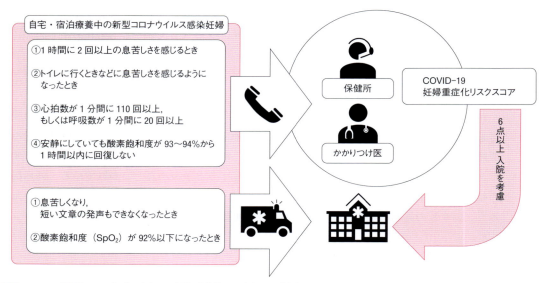

図Ⅲ-7-2 新型コロナウイルス感染症妊婦に対する対応
〔妊産婦死亡症例検討評価委員会，日本産婦人科医会：母体安全への提言 2020, Vol. 11, 令和3年9月, p95. より引用〕

表Ⅲ-7-5 COVID-19妊婦重症化リスクスコア

A. 基本情報		点数
1. 妊娠週数	28週以上	3
	37週以上	6
2. 肥満	BMI＞30	2
3. 基礎疾患	糖尿病	2
	慢性呼吸器疾患	2
	高血圧	2
	その他の合併症	2
4. ステロイド，免疫抑制剤の使用		3
B. 現在の状態		**点数**
5. 3日以上38℃以上の発熱		2
6. 安静時のSpO₂	＜96%	2
	＜95%	6
7. 重症感		2
8. 無症状		−1
9. ワクチン2回接種後14日経過		−1
C. 現在の状態		**点数**
10. CT/X線の肺炎像	軽度	3
	高度	6
11. 採血結果	異常※	3
合計（6点以上で入院管理を考慮）		

※①白血球の上昇，②Dダイマーの上昇，③CRPの上昇，④LDHの上昇，⑤フェリチンの上昇，⑥リンパ球の低下，⑦クレアチニンの上昇，⑧トロポニンの上昇
〔妊産婦死亡症例検討評価委員会，日本産婦人科医会：母体安全への提言 2020, Vol. 11, 令和3年9月, p96. より引用〕

と，②初期蘇生と循環管理である．感染源のコントロールがつかない状態では，いかに適切な初期蘇生と循環管理を行っても救命は困難であり，逆もまた然りである．ほかにも，呼吸管理，血糖管理やステロイド投与，最後に DIC の概念なども集中治療を行ううえで必要不可欠であり，詳述する．

1. 感染源のコントロール

　感染源のコントロールとしては，主に"適切な抗菌薬の投与"と"外科的/侵襲的ドレナージ"が方法としてあげられるが，本項では抗菌薬投与について述べる．

　抗菌薬の投与は，各種培養検査や評価を行ったうえで，可能なかぎり早期に行う．抗菌薬は疑わしい感染巣ごとに，疫学や迅速微生物診断法に基づいて原因微生物を推定して，臓器移行性や耐性菌の可能性を考慮して選択する．これらを経験的抗菌薬治療（empiric therapy）と呼ぶ．

　敗血症診療では経験的抗菌薬治療により広域抗菌薬が使用されることが多い．しかし，漫然と使用する広域抗菌薬使用は抗菌薬耐性（antimicrobial resistance；AMR）を助長するため培養などで菌種が判明した場合は，その菌に対応した狭域抗菌薬に変更する（de-escalation）．そのためにも，初期診療で抗菌薬投与前に培養を採取することが重要である．

　なお，母体への抗菌薬投与は常用量でよい．母体に安全とされる抗菌薬としてはペニシリン系，セフェム系，マクロライド系，クリンダマイシンなどがあるが，米国食品医薬品局（FDA）より妊娠時における抗菌薬の危険区分が出ているので参考にして投与するとよい（表Ⅲ-7-6）[16]．母体敗血症における初期抗菌薬投与の選択に関しては，各施設での使用可能な採用抗菌薬の種類が異なるなど，地域におけるアンチバイオグラムによっても適切な抗菌薬は変わるため，症例ごとに専門家と相談するのがよい．

2. 初期蘇生と循環管理

　母体の血圧低下や血中乳酸値上昇を認める，組織低灌流状態の敗血症に対しての初期輸液としては，各種リンゲル液を 30 mL/kg 以上で 3 時間以内を目安に投与するとよい．そして心エコーを含めた，各種循環モニターで血行動態の評価を行い，過剰輸液にならないように心がける．初期蘇生を行う際には 5％糖液や低張性晶質液（1〜4 号液）はもちろんのこと，アルブミン製剤や人工膠質液（ヒドロキシエチルスターチなど）を標準治療として選択はしない．さらに重症の敗血症の患者に対して，人工膠質液である HES 製剤（ヒドロキシエチルデンプン）の投与が，腎障害と死亡リスクの増加を引き起こすとされ[17]，国内の添加文書上も禁忌となっている．しかし，初期蘇生で多量の晶質液を必要とする場合や，低アルブミン血症の場合にはアルブミン製剤の使用を検討してもよい．

　母体の心機能は通常良好であることが多いが，敗血症性心筋症のように敗血症が原因で心機能が低下する場合もあり，簡便に測定が可能である心エコーでの心機能評価は必ず施行する．血中乳酸値は臓器灌流が適切に維持できているかの指標となるため，循環管理を行っている最中は経時的に評価を行う．乳酸値が低下しない，または上昇がみられる際には循環管理が不十分なことを示しており，治療の成否の指標となる．

　循環維持が困難な症例に対しては，初期蘇生輸液と同時または早期（3 時間以内）に血

表Ⅲ-7-6　妊娠時における抗菌薬の危険区分

薬　剤	FDAの危険区分
アミノグリコシド系	
アミカシン（AMK）	D
ゲンタマイシン（GM）	D
イセパマイシン（ISP）	D
ストレプトマイシン（SM）	D
トブラマイシン（TOB）	D
βラクタム系	
ペニシリン系	B
ペニシリン類＋βラクタマーゼ阻害薬	B
セファロスポリン系	B
アズトレオナム（AZT）	B
イミペネム/シラスタチン（IPM/CS）	C
メロペネム（MEPM）	B
ドリペネム（DRPM）	B
キノロン系	
シプロフロキサシン（CPFX）	C
オフロキサシン（OFLX）	C
レボフロキサシン（LVFX）	C
ガチフロキサシン（GFLX）	C
モキシフロキサシン（MFLX）	C
クリンダマイシン（CLDM）	B
コリスチン（CL）	C
ホスホマイシン（FOM）	B
リネゾリド（LZD）	C
マクロライド系	
エリスロマイシン（EM）	B
アジスロマイシン（AZM）	B
クラリスロマイシン（CAM）	C
メトロニダゾール（MNZ）	B
スルファメトキサゾール・トリメトプリム（ST）	C
テリスロマイシン（TEL）	C
テトラサイクリン系	D
チニダゾール（TDZ）	C
バンコマイシン（VCM）	C

FDAの妊婦区分
　A：妊婦における研究により危険性なし
　B：動物実験では危険性はないがヒトでの安全性は不十分，もしくは動物では毒性があるがヒトでの試験では危険性なし
　C：動物実験で毒性があり，ヒト試験での安全性は不十分だが，有用性が危険性を上回る可能性あり
　D：ヒトの危険性が実証されているが，有用性のほうが勝っている可能性あり
　X：ヒトで胎児の異常があり，危険性＞有効性

〔日本感染症学会：感染症専門医テキスト，改訂第2版，南江堂，東京，2017，p370．より引用・改変〕

管収縮薬を投与する。血管収縮薬の第一選択は非妊産婦と同様にノルアドレナリンである。第二選択薬は，バソプレシンであるが，子宮収縮を誘発する可能性があり，妊婦への使用の際には陣痛の徴候に注意し，持続投与中はCTG（胎児心拍数陣痛図）などによる評価を検討する。心機能低下をきたしている場合は強心薬として，ドブタミンやアドレナリンを検討する。初期輸液などの標準治療でコントロールができない頻脈の管理として，短時間作用型のβ_1アドレナリン受容体遮断薬を慎重なモニター下に投与してもよい。

3. 呼吸管理

敗血症においては，胎児への酸素供給も考慮した母体酸素化の改善（PaO_2＞70 mmHg，SpO_2≧95％）を目標とする。人工呼吸管理が必要な場合は，人工呼吸器関連肺傷害（VALI；ventilator-associated lung injury）をきたさない管理を行うが，初期の呼吸不全に対しては，非侵襲的陽圧換気（noninvasive positive pressure ventilation；NPPV）もしくは経鼻高流量療法（nasal high flow therapy；NHFT）が快適性の観点で優れており導入を検討してもよい。

敗血症による臓器不全として急性呼吸促迫症候群（acute respiratory distress syndrome；ARDS）がある。ARDSは肺血管透過性亢進を基礎とした，急性びまん性肺障害を起こした病態である。ARDSの診断には心不全の除外が必要である。挿管による人工呼吸管理中は鎮痛薬と鎮静薬を用い，鎮痛優先のプロトコルに基づき管理する。1日1回の鎮静薬中止やプロトコルを用いた鎮静薬の調整によって浅い鎮静を行うことが望ましい。ARDSがさらに重症化し人工呼吸器での維持が困難になった際はveno-venous（V-V）ECMO導入を考慮してもよい[3]が，妊娠継続の判断などについては多職種で議論を行う必要がある。

4. 急性腎障害・血液浄化法

敗血症による急性腎障害（acute kidney injury；AKI）は，組織低灌流による腎血流低下や炎症による腎尿細管への障害などによって引き起こされる。通常，体液過剰の補正目的を除いては，AKIの予防および治療目的のためにループ利尿薬の使用は行わない。代謝性アシドーシスや体液過剰，尿毒症症状の出現，難治性の高K血症がある場合などには腎代替療法（renal replacement therapy；RRT）の導入を検討するが，循環不安定な場合には持続腎代替療法（continuous renal replacement therapy；CRRT）を考慮する。妊産婦の敗血症に合併したAKIに対し，RRTの導入タイミングに明確な基準は存在しないが，高尿素窒素血症では早産のリスクが上がるなどの報告もあり[18]，ある程度閾値を下げた早期導入も検討してよいと思われる。RRT中は血行動態の変動を可能なかぎり抑え，CTGなどで子宮胎盤循環の評価を行うとよい。

5. ステロイド投与

初期輸液と循環作動薬に反応がみられない敗血症性ショック患者に対しては低用量ステロイド（ヒドロコルチゾン200 mg/day）の投与を考慮してもよい。相対的副腎不全の改善，抗炎症作用，血管収縮作用，昇圧薬への反応性改善などの作用により，ショックから

の離脱を補助することが期待される。しかし，妊婦の敗血症性ショックに対するステロイド投与の有効性は不明であり，投与するかは総合的に判断する。

6. 輸　血

赤血球輸血はヘモグロビン値 7 g/dL 未満となったら開始する。心筋虚血や敗血症性心筋症などの心機能低下時には，酸素運搬能の向上を目的にヘモグロビン値 10 g/dL 以上を目標としてもよい。

出血傾向を認める，あるいは外科的・侵襲的処置を要するときには，PT・APTT の延長（PT は INR 2.0 以上または活性値 30％以下，APTT は各医療機関における基準の上限の 2 倍以上または活性値 25％以下）やフィブリノゲン値 150 mg/dL 未満の場合に，新鮮凍結血漿を投与する。DIC（播種性血管内凝固症候群）を伴う敗血症では消費性に血小板減少をきたすが安易に輸血しない。血小板輸血は血小板数 10,000/μL 未満，または活動性出血を認める場合や外科的・侵襲的処置を要する場合に血小板数 50,000/μL 以上を維持するように血小板輸血を行ってもよい。

7. 栄養療法

栄養管理は，腸管に問題がなく循環動態不安定でなければ，24〜48 時間以内に経腸栄養を開始する。経腸栄養投与量は，消費カロリーに見合ったカロリー量を初期から投与してしまうと，代謝負荷や高血糖による悪影響を及ぼすため（overfeeding），初期には under-feeding を許容し，7 日間程度かけて徐々に目標カロリー数に到達するのがよい。なお，管理目標の血糖値は 180 mg/dL 以下とするが，低血糖には十分に注意する。

● DIC（播種性血管内凝固症候群）

正常な体内では，凝固と線溶のバランスが保たれ，局所的な出血などであれば血管損傷部に凝固反応が起こり止血が得られ，通常ほかの場所では凝固反応は起きない。しかし，敗血症，外傷，熱傷などでは侵襲により，凝固と線溶のバランスが破綻することで全身に凝固反応が起こり，血小板・凝固因子が消費され，結果的に出血傾向をきたす病態を DIC（disseminated intravascular coagulation）という。

DIC には，敗血症のような血栓傾向により多臓器障害をきたす"凝固亢進型"と，常位胎盤早期剝離や羊水塞栓症のように早期より出血傾向をきたす"線溶亢進型"に分類されるが，両方の病型を同時に認めることもある。

敗血症における DIC の診断基準は，急性期 DIC 診断基準が用いられ（表Ⅲ-7-7）[19)20)]，4 点以上で DIC と診断される。DIC の治療はあくまで現疾患に対する根本治療がもっとも重要であるが，凝固亢進に伴う多臓器障害に対してはアンチトロンビン製剤，トロンボモジュリン製剤の投与を，出血傾向に対しては凝固因子補充などを検討してもよい。

血小板低下時は DIC のほかに，血栓性血小板減少性紫斑病（thrombotic thrombocytopenic purpura；TTP）や溶血性尿毒症症候群（hemolytic uremic syndrome；HUS），ヘパリン起因性血小板減少症（heparin-induced thrombocytopenia；HIT）の鑑別を要する。

表Ⅲ-7-7

DIC 診断基準

	SIRS	血小板（mm^3）	PT 比	FDP（μg/mL）
0	0〜2	≧12 万	<1.2	<10
1	≧3	≧8 万，<12 万 あるいは 24 時間以内に 30％以上の減少	≧1.2	≧10，<25
2	—	—	—	—
3	—	<8 万 あるいは 24 時間以内に 50％以上の減少	—	≧25

DIC 4 点以上

注意
1) 血小板数減少はスコア算定の前後いずれの 24 時間以内でも可能
2) PT 比（検体 PT 秒/正常対照値）ISI＝1.0 の場合は INR に等しい．各施設において PT 比 1.2 に相当する秒数の延長または活性値の低下を使用してもよい
3) FDP の代替として D ダイマーを使用してよい．各施設の測定キットにより以下の換算表を使用する

D ダイマー/FDP 換算表

測定キット名	FDP 10 μg/mL D ダイマー（μg/mL）	FDP 25 μg/mL D ダイマー（μg/mL）
シスメックス	5.4	13.2
日水	10.4	27.0
バイオビュー	6.5	8.82
ヤトロン	6.63	16.31
ロッシュ	4.1	10.1
第一化学	6.18	13.26

おわりに

感染症による妊産婦死亡を防ぐためには，一次医療機関ではまずは感染症の重症度を評価し敗血症に至っているか判断し，高次医療機関に直ちに転院搬送することが大切である．死亡をきたす感染症は時として非常に経過が早いため，経過観察できるかの判断が重要である．高次医療機関はオーバートリアージを容認し，何もなかった場合には「よかった」と認識する姿勢が大切である．早期対応により敗血症で死亡する妊産婦が一人でも少なくなることを願う．

文　献

1) 日本版敗血症診療ガイドライン 2020 特別委員会：日本版敗血症診療ガイドライン 2020．日救急医会誌 32（Suppl）：S1-S411，2021．
2) 日本版敗血症診療ガイドライン 2020 特別委員会：日本版敗血症診療ガイドライン 2020．日集中医誌 28（Suppl）：S1-S411，2021．
3) Evans L, Rhodes A, Alhazzani W, et al：Surviving sepsis campaign：International guidelines for management of sepsis and septic shock 2021. Crit Care Med 49：e1063-1143, 2021.
4) Centers for Disease Control and Prevention：Group A Streptococcal（GAS）Disease 2010．https://www.cdc.gov/groupastrep/diseases-hcp/Streptococcal-Toxic-Shock-Syndrome.html．

（Accessed：2023/9/15）
5) 日本母体救命システム普及協議会/京都産婦人科救急診療研究会編著：産婦人科必修 母体急変時の初期対応，J-CIMELS 公認講習会ベーシックコーステキスト，第3版，メディカ出版，大阪，2020．
6) 山下智幸：産科関連敗血症．救急・集中治療 31：1266-1270，2019．
7) Johnson AF, LaRock CN：Antibiotic treatment, mechanisms for failure, and adjunctive therapies for infections by group A *Streptococcus*. Front Microbiol 12：760255, 2021.
8) Babiker A, Li X, Lai YL, et al：Effectiveness of adjunctive clindamycin in β-lactam antibiotic-treated patients with invasive β-haemolytic Streptococcal infections in US hospitals：A retrospective multicentre cohort study. Lancet Infect Dis 21：697-710, 2021.
9) Parks T, Wilson C, Curtis N, et al：Polyspecific intravenous immunoglobulin in clindamycin-treated patients with Streptococcal toxic shock syndrome：A systematic review and meta-analysis. Clin Infect Dis 67：1434-1436, 2018.
10) Linnér A, Darenberg J, Sjölin J, et al：Clinical efficacy of polyspecific intravenous immunoglobulin therapy in patients with streptococcal toxic shock syndrome：A comparative observational study. Clin Infect Dis 59：851-857, 2014.
11) 厚生労働省健康局結核感染症課：「死亡した妊婦の検体からオウム病病原体を同定した事例について（情報提供）」．事務連絡 29.3.17.
12) Nahid P, Dorman SE, Alipanah N, et al：Official American Thoracic Society/Centers for Disease Control and Prevention/Infectious Diseases Society of America Clinical Practice Guidelines：Treatment of drug-susceptible tuberculosis. Clin Infect Dis 63：e147-e195, 2016.
13) 出口雅士：日本における COVID-19 妊婦の現状；妊婦レジストリの解析結果．日周産期・新生児会誌 58：74-79，2023．
14) 厚生労働省：新型コロナウイルス感染症（COVID-19）診療の手引き，第6.2版，2022．
15) 妊産婦死亡症例検討評価委員会，日本産婦人科医会：母体安全への提言2020，Vol.11，令和3年9月．
16) 日本感染症学会：感染症専門医テキスト，改訂第2版，南江堂，東京，2017．
17) Myburgh JA, Finfer S, Bellomo R, et al：Hydroxyethyl starch or saline for fluid resuscitation in intensive care. N Engl J Med 367：1901-1911, 2012.
18) Holley JL, Reddy SS：Pregnancy in dialysis patients：A review of outcomes, complications, and management. Semin Dial 16：384-388, 2003.
19) 丸藤哲，射場敏明，江口豊，他：急性期 DIC 診断基準多施設共同前向き試験結果報告．日救急医会誌 16：188-202，2005．
20) 丸藤哲，和田英夫，長谷川友紀，他：救急領域の DIC 診断基準（案）中間報告．日救急医会誌 14：280-287，2003．

III 初期診療に必要なスキル

Secondary Survey に必要なスキル
8 呼吸不全

妊産婦の呼吸不全

　妊娠による生理的・解剖学的変化が呼吸機能へ影響を与えるため，妊娠28週以降の妊婦にとって『息切れ』は一般的な訴えである。そのため，息切れが妊娠における正常な状態であるのか，疾患による症状であるのかを見極める必要がある。疾患を原因として発生する呼吸困難で重要なものは，喘息などの気管・気管支病態，心疾患，不整脈，肺血栓塞栓症[1]である。妊婦は生理的な免疫抑制や陣痛・分娩時の誤嚥による気道感染症のリスクが上昇し，肺炎は出産時の合併症を上昇させる[2]。妊娠中の市中肺炎の起炎菌は，非妊娠患者と大きくは変わらず *Streptococcus pneumoniae*，*Haemophilus influenzae* といった一般的な細菌に加えて，Legionella 属や *Mycoplasma pneumoniae*，*Chlamydophila pneumoniae* などの非定型菌が主である。また，インフルエンザ感染後などの二次性感染として *Staphylococcus aureus* も考慮する必要がある。明確な妊産婦の集中治療室入室基準は存在しない。成人市中肺炎の集中治療室入室基準（表III-8-1）[3,4]を参考にしてもよいが，妊産婦が呼吸不全に至った場合，呼吸機能の予備力低下を考慮すると，成人のICU基準より閾値を下げた対応が求められる[3]。

　肺炎の治療は，例えばフルオロキノロン，テトラサイクリン系などの妊娠に対する安全性を考慮すべき抗菌薬などの薬剤選択を除けば，セフトリアキソンやアジスロマイシンを選択するなど非妊婦との差はない。その他，呼吸器系感染症として考慮すべき事項[1]として，インフルエンザ感染は妊娠における合併症と死亡率を上昇すること[5,6]や，初回の水痘感染による肺炎が妊娠中に起こると重症化するため，アシクロビル投与が必須である[7,8]などである。

ARDS（急性呼吸促拍症候群）

1. 概　要

　ARDS（acute respiratory distress syndrome）は肺血管透過性亢進を基礎とする，急性でびまん性に肺障害を起こす病態である。その臨床的特徴は低酸素，両側性の肺浸潤影（opacities）である。病理学的病態は，限局性肺胞出血，肺胞隔壁炎症を伴わないびまん性の肺胞障害といわれている。2022年時点で，ARDSの診断基準や重症度はベルリン基準で決定される（表III-8-2）[9,10]。また，心不全による徴候はARDSとよく似ており，ARDSと診断するためには，酸素化能の指標であるP/F比が低いだけではなく心不全の除外を積極的に行う必要がある。

表Ⅲ-8-1 市中肺炎に対するICU入室基準（注：非妊産婦を対象とした基準案）

IDSA/ATSコンセンサスガイドライン	日本呼吸器学会の診療ガイドライン
大項目 ・侵襲的陽圧換気の使用 ・血管作動薬を使用する敗血症性ショック 小項目 ・呼吸数≧30/min ・PaO_2/FiO_2≦250 ・複数肺葉浸潤影 ・意識障害 ・尿毒症（BUN≧20 mg/dL） ・白血球低下（leukopenia）<4,000/mm^3 ・血小板<10万/mm^3 ・低体温（深部体温<36℃） ・十分な蘇生輸液でも維持できない血圧 大項目を1つ以上満たす，もしくは小項目を3つないしそれ以上満たす場合は，ICUへの入室を必要とする	A-DROP A：Age：男性≧70，女性≧75（+1） D：Dehydration：BUN≧21 mg/dL，または脱水（+1） R：Respiration：SpO_2≦90%（PaO_2≦60 torr）（+1） O：Orientation：意識変容あり（+1） P：Blood Pressure：収縮期血圧≦90 mmHg（+1） 0点：軽症（外来治療），1〜2点：中等症（外来or入院治療），3点：重症（入院治療），4〜5点：超重症（ICU入院），ただし，ショックがあれば超重症とする
〔Mandell LA, Wunderink RG, Anzueto A, et al：Infectious Diseases Society of America/American Thoracic Society consensus guidelines on the management of community-acquired pneumonia in adults. Clin Infect Dis 44（Suppl 2）：S27-72, 2007.[3]より抜粋〕	〔日本呼吸器学会：成人肺炎診療ガイドライン2007.〕

注：上記は成人の肺炎の重症度やICU入室基準を示したものである。妊産婦の場合は上記基準より入院や集中治療室入室条件を緩和すべきである

表Ⅲ-8-2 ARDSの診断基準と重症度分類

重症度分類	Mild 軽症	Moderate 中等症	Severe 重症
PaO_2/F_iO_2 （酸素化能，mmHg）	200＜PaO_2/F_iO_2≦300 （PEEP，CPAP≧5 cmH_2O）	100＜PaO_2/F_iO_2≦200 （PEEP≧5 cmH_2O）	PaO_2/F_iO_2＜100 （PEEP≧5 cmH_2O）
発症時期	侵襲や呼吸器症状（急性/増悪）から1週間以内		
胸部画像	胸水，肺虚脱（肺葉/肺全体）。結節ではすべてを説明できない両側性陰影		
肺水腫の原因 （心不全，溢水の除外）	心不全，輸液過剰ではすべて説明できない呼吸不全： 危険因子がない場合，静水圧性肺水腫除外のため心エコーなどによる客観的評価が必要		

〔ARDS Definition task force, Acute respiratory distress syndrome. JAMA 307：2526, 2012.[9]および日本集中治療医学会，日本呼吸器学会，日本呼吸療法医学会；ARDS診療ガイドライン作成委員会：ARDS診療ガイドライン2016.[10]より作成〕

　一般の人口におけるARDSの発生率は1.5/100,000人程度で，その死亡率は35〜50%と累計されている[11]。産科領域に発生するARDSを正確に推計した報告はないが，疫学的にはおおよそ一般人口と同様と推計される[1]。しかし，重症度が高いと考えられるICUに入室した母体の最大の死亡原因はARDSとされる（米国および英国の研究）[11]。妊婦とARDSの関連を調査した研究では，妊娠28週以降，ないし産褥期においてARDSを伴った患者の高い死亡率が認められている[12)13]。また，ARDSとなった母体では，高い胎児死亡率，

早産，胎児心拍異常が報告されている[1]。例えば，妊娠 22 週以降の ARDS を罹患している母体から出産した胎児の周産期死亡率は 23% に達する。別の報告では，高い確率で胎児心拍異常が原因での妊娠終結が必要となり，高い確率で死亡や胎児仮死が発生することが報告されている[12]。

2. 原　因

ARDS の原因を表Ⅲ-8-3[14]に示す。とくに，重症病態の妊産婦はさまざまな原因によってARDS が引き起こされる。

3. 症状と必要とされる検査

臨床的に ARDS 患者は急性の低酸素症となり，呼吸困難感，起坐呼吸，頻呼吸，頻脈の症状が現れる。肺内シャントが存在する病態のため，高濃度の酸素投与を行っても酸素化

表Ⅲ-8-3　ARDS の主たる原因

1. 肺炎（細菌，ウイルス，真菌など）
2. 胃内容物の誤嚥（Mendelson 症候群）
3. 敗血症
4. 重症外傷，熱傷
5. 大量輸血
6. 急性膵炎
7. 薬物中毒

その他，妊婦に特徴的な病態
1. 子宮収縮抑制薬（とくにリトドリン塩酸塩）による肺水腫
2. 妊娠高血圧腎症
3. 妊娠性急性脂肪肝
4. 羊水塞栓症
5. 常位胎盤早期剥離
6. 産科危機的出血
7. 絨毛膜羊膜炎
8. 子宮内膜炎
9. 急性腎盂腎炎
10. 敗血症性流産
11. 胎盤遺残

〔文献 14) を参考に作成〕

表Ⅲ-8-4　産科患者 ARDS の鑑別診断に必要な検査項目例

心原性肺水腫の除外：心エコー，血中 BNP/NT-pro BNP
肺炎の検索：細菌・ウイルス抗原検査，PCR 検査，喀痰グラム染色/培養，胸部単純 X 線，胸部 CT
敗血症の検索：尿/腟分泌物/喀痰/血液培養，血清プロカルシトシン，SOFA スコア
急性膵炎の検索：血清アミラーゼ/リパーゼ，腹部超音波，腹部造影 CT
妊娠高血圧腎症の検索：血小板，AST，ALT，尿酸，血清クレアチニン，尿検査
羊水塞栓症の検索：FDP，フィブリノゲン，DIC スコア，血清亜鉛コプロポルフィリン（ZnCP1），血清シアリル Tn（STN）

〔文献 1) を参考に作成〕

（PaO_2, SpO_2）は改善されない．聴診では胸部に crackles や wheezes が聴取される場合がある．血液ガスは典型的には PaO_2 と $PaCO_2$ 両者とも低下するが，病変の進行とともに換気の低下により $PaCO_2$ は上昇する．びまん性肺胞障害の病態を反映し，典型的には胸部単純 X 線像は両側性のびまん性肺浸潤影を示す．

ARDS の診断のためには，低酸素の証明，胸部単純 X 線像，心原性肺水腫の除外が少なくとも必要である．ARDS を罹患している妊産婦に必要な検査例を示す（表Ⅲ-8-4）[1]．

非妊婦と異なる点は，胎児異常の検出も必要とされ，胎児心拍数モニタリングも並列して行う必要があることである．

4. ARDS の管理

本症に対するアプローチの戦略は，胎児への酸素供給も考慮し，母体酸素化の改善（PaO_2＞70 mmHg, SpO_2 であれば 95％以上）を第一かつ緊急の目標とする．非侵襲的陽圧換気（noninvasive positive pressure ventilation；NPPV）は選択肢であるが，酸素化だけではなく，呼吸努力の様態や $PaCO_2$ をはじめとする指標を含めて換気の改善が必要であれば早期に侵襲的陽圧換気である気管挿管に切り替える．このように ARDS は胎児の管理も含めて産婦人科医，助産師，看護師，全身管理医を含めた多職種による管理が必要な病態である．このチームが母体と胎児の状態を見極めて，適切な児娩出の時期を決定する必要がある．

しかし，妊娠終結が予後を改善するかについては明らかになってはいない．ただし，ARDS の原因が絨毛羊膜炎，胎盤早期剝離，羊水塞栓症，妊娠高血圧腎症などの妊娠終結が迅速に必要となる病態の場合は，母体優先の観点から早期の妊娠終結が必要である．ARDS に罹患している妊婦の分娩方法についての研究は不十分である．経腟分娩は酸素消費量上昇の観点から ARDS を罹患した妊婦は耐用性がないと推定されるが，帝王切開は経腟分娩よりも水分の血管からのシフトと失血を伴い，母体への生理学的ストレスが大きい[15]といわれる．このように経腟分娩と帝王切開の優劣についての明確なエビデンスが確立はされていない．

ARDS の呼吸サポートについて，NPPV が選択肢として考えられるが ARDS を合併した母体への研究はなされていない．理論的には，食道胃括約筋緊張低下による誤嚥のリスクが上昇する可能性，妊娠に関連した気道粘膜浮腫による気道抵抗の上昇など，非同調が起きる可能性がある．一方で，NPPV で安全に管理できたという報告もある[16]が，長期間の NPPV 管理は推奨されず改善が認められなければ侵襲的陽圧換気に切り替えるべきである．

侵襲的陽圧換気への切り替え，つまり気管挿管の実施のタイミングについては，非妊婦と同様に進行性や改善のない低酸素，呼吸性アシドーシス，母体の疲労・意識障害などで決定する[17]．侵襲的陽圧換気下の管理については非妊婦と変わりはない．しかし，母体血行動態や胎児の酸素化を考慮する必要がある．子宮の下大静脈圧迫による静脈還流低下による相対的な低血圧は，陽圧換気の実施によってさらに助長されるため，左側臥位や左側への傾斜を考慮してもよい．母体の PaO_2 の目標値は 70 mmHg 以上が推奨される[18]．一方，非妊婦で許容される $PaCO_2$ 値は議論があるが，胎児の高二酸化炭素血症は胎児アシドーシスや酸素解離曲線をシフトさせ低酸素症を招く．そのため，母体の $PaCO_2$ は 28～32

8 呼吸不全

図Ⅲ-8-1 本邦の『ARDS 診療ガイドライン 2021』[20]

mmHg 程度を目標とする[1)19]。

　ARDS に対する肺保護を意図した侵襲的陽圧換気の特徴[20]として，相対的に高い PEEP，人工呼吸器の駆動圧制限がある。高い駆動圧や 1 回換気量は肺の線維化を進行させ肺障害をさらに進行させる結果となる。その状態が長期間継続すると想定される場合は，veno-venous（VV）-ECMO 導入を検討する。体外式膜型人工肺（extracorporeal membrane oxygenation；ECMO）は母体の生存率の上昇，胎児・新生児の生存率も上昇することが推定されている[21]が，母体の ECMO 導入において明確な基準は存在しない。非妊産婦の場合，ARDS を含む呼吸不全に対して現在エキスパートに一般的に受け入れられている ECMO 導入基準を総括すると『高い侵襲的陽圧換気条件が継続し，一定期間内に改善がなくその期間が比較的短期であること』，『制御できない高 CO_2 血症・呼吸性アシドーシス』，『ARDS を含む原因による大量気胸』である[22]。妊産褥婦に対してこれら基準を満たさないことが ECMO を導入しないことを意味するわけではないので，全身管理医との綿密な議論が必要である。

　わが国の『ARDS 診療ガイドライン 2021』[20]において，妊産婦への言及はない。本ガイドラインにおける推奨は，図Ⅲ-8-1 に要約されている。ARDS を診断する努力を行うこ

と，1回換気量の制限，人工呼吸器関連肺炎の予防の努力など，妊産婦でも同様の診療がなされるべきである．妊婦の場合は，胎児が存在するためPaO_2，SpO_2目標や子宮増大に伴う換気制限による$PaCO_2$のコントロール目標を変更する必要があるので，結果的に本ガイドラインの目標を達成できない場合がある．このため，より高い（厳しい）人工呼吸器条件が必要となる．一方で，厳しい呼吸器条件そのものがARDSの予後を悪化させる．そのため，不可逆的肺障害のリスクが妊婦の場合は相対的に高い．成人のARDS患者に対しては腹臥位療法を治療の選択肢として考慮すべきであるが，妊婦においては増大した子宮が問題となる．妊娠後期の子宮が大きい妊婦を腹臥位にすることは不可能ではないが，腹臥位の経験に長けた施設でなければ子宮・胎児への不必要かつ長時間の圧迫による合併症の可能性がある．このように非妊婦と比較して妊産婦はARDSに対する標準治療が限られる．また，妊婦に対するECMO管理はより安全性が求められるため，ECMOが必要と判断される場合は施行可能な施設での管理を考慮する．

ARDS治療では低用量（例：メチルプレドニゾロン1～2 mg/kg/day）の副腎皮質ステロイド投与が推奨される．この根拠として，長期死亡，感染症の減少，非人工呼吸器期間の延長，ICU滞在日数の短縮が報告されている[10]．

おわりに

産科を専門としない全身管理医にとって母体の管理は時として特別視されることがあるが，その肺炎や呼吸不全管理の原則は一般成人と大きくは変わらない．しかし，妊産婦が市中肺炎や急性呼吸不全を発症した場合，一般成人よりも緩和した基準をもって集中治療室入室などのより高度な医療の対象とすることを考慮する必要がある．妊産婦は妊娠に関連した疾患に加えてさまざまな原因で急性呼吸不全になり得る．そして，周産期のARDSをはじめとする呼吸不全への対応は，侵襲的陽圧換気を含めたさまざまな全身管理の技術と妊娠・分娩への対応の統合が必要である．それを完遂するためには，産婦人科医と全身管理医間の協働が不可欠である．

文　献

1) Mehta N, Chen K, Hardy E, et al：Respiratory disease in pregnancy. Best Pract Res Clin Obstet Gynaecol 29：598-611, 2015.
2) Brito V, Niederman MS：Pneumonia complicating pregnancy. Clin Chest Med 32：121-132, 2011.
3) Mandell LA, Wunderink RG, Anzueto A, et al：Infectious Diseases Society of America/American Thoracic Society consensus guidelines on the management of community-acquired pneumonia in adults. Clin Infect Dis 44（Suppl 2）：S27-S72, 2007.
4) 日本呼吸器学会成人肺炎診療ガイドライン2017作成委員会編：成人肺炎診療ガイドライン2017，日本呼吸器学会，2017.
5) Louie JK, Acosta M, Jamieson DJ, et al：Severe 2009 H1N1 influenza in pregnant and postpartum women in California. N Engl J Med 362：27-35, 2010.
6) Callaghan WM, Chu SY, Jamieson DJ：Deaths from seasonal influenza among pregnant women in the United States, 1998-2005. Obstet Gynecol 115：919-923, 2010.

7) Broussard RC, Payne DK, George RB：Treatment with acyclovir of varicella pneumonia in pregnancy. Chest 99：1045-1047, 1991.
8) Harris RE, Rhoades ER：Varicella pneumonia complicating pregnancy：Report of a case and review of literature. Obstet Gynecol 25：734-740, 1965.
9) Ranieri VM, Rubenfeld GD, Thompson BT, et al：Acute respiratory distress syndrome：the Berlin Definition. JAMA 307：2526-2533, 2012.
10) 日本集中治療医学会，日本呼吸器学会，日本呼吸療法医学会；ARDS 診療ガイドライン作成委員会：ARDS 診療ガイドライン 2016.
11) Munnur U, Bandi V, Guntupalli KK：Management principles of the critically ill obstetric patient. Clin Chest Med 32：53-60, 2011.
12) Mabie WC, Barton JR, Sibai BM：Adult respiratory distress syndrome in pregnancy. Am J Obstet Gynecol 167：950-957, 1992.
13) Catanzarite V, Willms D, Wong D, et al：Acute respiratory distress syndrome in pregnancy and the puerperium：Causes, courses, and outcomes. Obstet Gynecol 97：760-764, 2001.
14) Bandi VD, Munnur U, Matthay MA：Acute lung injury and acute respiratory distress syndrome in pregnancy. Crit Care Clin 20：577-607, 2004.
15) Jenkins TM, Troiano NH, Graves CR, et al：Mechanical ventilation in an obstetric population：Characteristics and delivery rates. Am J Obstet Gynecol 188：549-552, 2003.
16) Allred CC, Matías Esquinas A, Caronia J, et al：Successful use of noninvasive ventilation in pregnancy. Eur Respir Rev 23：142-144, 2014.
17) Maselli DJ, Adams SG, Peters JI, et al：Management of asthma during pregnancy. Ther Adv Respir Dis 7：87-100, 2013.
18) Powrie R, ed：de Swiet's Medical Disorders in Obstetric Practice, 5th eds, Bladkwell Publishing, Oxford, 2010.
19) Chan AL, Juarez MM, Gidwani N, et al：Management of critical asthma syndrome during pregnancy. Clin Rev Allergy Immunol 48：45-53, 2015.
20) 日本集中治療医学会，日本呼吸器学会，日本呼吸療法医学会；ARDS 診療ガイドライン作成委員会：ARDS 診療ガイドライン 2021．日集中医誌 29：295-332，2022.
21) Nair P, Davies AR, Beca J, et al：Extracorporeal membrane oxygenation for severe ARDS in pregnant and postpartum women during the 2009 H1N1 pandemic. Intensive Care Med 37：648-654, 2011.
22) Fan E, Brodie D, Slutsky AS：Acute respiratory distress syndrome：Advances in diagnosis and treatment. JAMA 319：698-710, 2018.

Ⅲ 初期診療に必要なスキル

Secondary Survey に必要なスキル
9 自殺企図

● 基本的な心構え

　わが国は世界有数の「自殺大国」であり，多くの人々が自殺を図って救急医療機関に搬送される。男女ともに自殺がもっとも多かった2003年以降，自殺数は順調に減少してきているものの，国際的にはいまだ高い水準にある。近年のコロナ禍では女性の自殺率の増加が認められており，現在も自殺は重大な社会問題の一つである。

　2007年（平成19年）から自殺総合対策大綱が策定されており，そこでは自殺対策の基本的な考え方として，「社会的要因も踏まえ総合的に取り組む」「国民一人ひとりが自殺予防の主役となるよう取り組む」といったことが述べられている。

　このことは妊産婦の自殺についても同じである。近年になって産後出血や合併症による死亡よりもはるかに多い頻度で自死が起こっている現状が明らかになり，対応が急務とされている。妊娠や出産によって自殺率が高まるわけではないが，一般人口に比べて妊産婦では希死念慮のある割合が高いという報告もある[1]。多くの人がさまざまな心理社会的困難のなかで自殺に至っているのと同様に，妊産婦もまた妊娠出産をめぐるさまざまな困難のなかで苦悩しているのであり，同じ社会に生きる者としてそれらの問題に傍観者でいることはできないだろう。

　精神疾患は自殺の重要な要因の一つであるが，自殺予防は精神科医だけが行うものではなく，周産期医療や救急医療の現場にいる医療従事者が一人ひとりの患者との関わりのなかで実践していくべきものである。これは妊産婦の救急にかかわる医療従事者にとって大前提となる心構えである。

● 自殺に至るプロセス

　張[2]は自殺を図Ⅲ-9-1で示されるような一連のプロセスであると説明している。自殺しようとする人はあるときに突然に死の考えにとらわれて実行に移すわけではない。自殺にもプロセスがあり，いくつもの要因が積み重なってリスクが軽度から重度へと進み，大多数の人が精神疾患を発症した状態のなかで自殺に至ると理解することができる。したがって，自殺予防介入にはプロセスの初期段階で行うべきものと，切迫した段階で行うべきものとを区別して考えなければならない。前者は母数が多く，それぞれが抱える問題は多岐にわたるため対象者全体に向けてのポピュレーションアプローチが適しており，後者はより切迫した状況にあるため，特定の個人に対するハイリスクアプローチが適している。また，それらの中間にあたる層には2つのアプローチの考え方を取り入れた折衷的なアプ

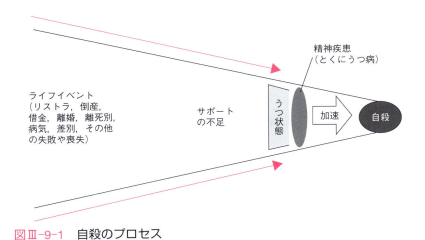

図Ⅲ-9-1　自殺のプロセス
〔張賢徳：精神医療と自殺対策．精神誌 114：553-558，2012．より引用〕

ローチを行うことになる．

救急医療でのハイリスクアプローチ

　ハイリスクアプローチでは精神医学的介入が重視されるが，その根拠とされるのは自殺者の約9割に精神医学的診断がつくという国際的にもよく知られた事実である[3]．したがって，自殺企図で救急搬送された患者は何らかの精神疾患を有しているものとして，全例を何らかの形で精神科に引き継がなければならない．

　そこで現実的に問題となるのはその方法とタイミングである．自殺や自傷の既往は次の自殺の予測因子であり，自殺企図で救急受診した患者には必ず次の自殺企図があるものと考える．それが数時間後に起こってもおかしくないと考えるならば，救急外来から帰宅させずに精神科医療に引き継がなければならない．そこまでの緊急性はないと判断する場合でも，帰宅した後に患者が精神科を受診しなければ，結局は数週間か数ヵ月後に同じことを繰り返すことになってしまうため，確実に受診につなげる手立てが必要となる．

精神医学的な緊急性の判断

1. 軽度の意識障害とせん妄の除外

　自殺企図の緊急性を判断するにあたって，まずその前に意識障害を除外しておく必要がある．意識障害は薬物過量服用による自殺企図ではとくに注意が必要で，睡眠薬とアルコールを同時に服用していた場合などでは意識が清明になるまでに長時間を要することがある．また，搬送されたタイミングによっては，診察時に意識が清明でもその後にレベルが低下していくこともある．

　意識障害があるなかでの言動は普段の本人の言動とは異なっていることがあり，希死念慮の評価を含め正確な精神医学的判断を下すことができない．また，意識障害時のやりと

表Ⅲ-9-1 緊急性が高い状態の具体例

所見	例
幻聴	「死んでしまえという声が聞こえてくる」
被害妄想	「隣の家の人が嫌がらせをしてきて，子どもに危害が及ぶ」
過剰な自責感	「子どもが病気になったのはすべて私の責任です」
心理的な視野狭窄	ほかの解決方法があることに目が向かず，気づかない 「借金を抱えて，もうどうすることもできません」
焦燥	そわそわと歩きまわり，しきりに顔や体を触るなど落ち着かない 「苦しくてじっとしていられません」
衝動性	突発的に立ち上がって出ていこうとする ささいなことで急に怒ったり，泣き出したりする
錯乱	考えが入り乱れてまとまらず，話がかみあわない
非現実的な認知	幻聴や妄想など，常識的にあり得ないようなことを知覚する 物事を合理的に解釈し，判断することができない
現実検討能力の低下	自分の言動の非合理性や非現実性に気がつかない 病識が欠如し，治療の必要性が理解できない

りや会話の内容を覚醒後にまったく覚えていないということも多く，それでは本人に対して心理的介入を行っても意味がなくなってしまう。

　話しているうちに眠り込んでしまうようなJCS 2桁程度の意識障害はもちろんのこと，時間や場所の見当識が保たれていても"ぼんやりとして返答に時間がかかる"，"話がまとまらず要領を得ない"，"大事な話にも素っ気なく内容が深まらない"などの状態ではJCS 1桁程度の意識障害の可能性がある。致死量以下の服薬で全身状態が悪くなかったとしても，この状態での心理的介入は時期尚早である。

2．現実検討能力，衝動性と焦燥の評価

　次に，意識が清明であれば，自殺を図った状況などを丁寧に聞き取りながら希死念慮の程度や再企図の切迫度などを検討していく。このとき現実検討能力がどれくらい保たれているかは緊急性を判断するときのポイントになる（表Ⅲ-9-1）。

　統合失調症では「死んでしまえという声が聞こえてくる」「恐怖から逃れるためにベランダから飛び降りた」など，幻聴や被害妄想に基づく自殺を図ることがある。また，うつ病や双極性障害の抑うつ状態では「自分は母親失格だ」「自分さえ死ねばみんなが幸せになる」といった非現実的な認知や過剰な自責感にとらわれ，心理的な視野狭窄状態のなかで自死を選ぶことがある。

　このような精神病性の病態では，通常ならば共有されるはずの常識，論理や合理性，共感性といったものが通じにくい。現実検討能力が低下すると病識も失われ，治療が必要だという医療者の説明も受け入れられなくなる。このような状態ではたとえ「自殺する気はない」と述べたとしても，それを鵜呑みにするわけにはいかない。

　行動面では"目をあわせず上の空である"，"おざなりな生返事ばかりである"，"頑なに黙り込んだまま関わりを拒否する"といった形で現れたりする。"そわそわと落ち着かない"，"突然立ち上がってどこかに行こうとする"など焦燥や衝動性が認められる場合は，

次の行動の予測がつかない危険な状態でもある。明確な自殺の意図がなくても，漠然とした希死念慮を背景に混乱した思考や情緒によって危険な行為に及ぶという可能性を考慮しなければならない。

これらの病態は統合失調症，双極性障害，うつ病などの初発時や服薬中止後の急性増悪時などで想定されるほか，それ以外の精神障害でも強い心理的ストレスの反応として一過性に生じることがある。このような状態を認める場合は緊急性の高い精神科救急事例として精神科入院を視野にいれて対応しなければならない。

3. 産後精神病（産褥精神病）の除外[4]

出産から1ヵ月以内の自殺企図では産後精神病（postpartum psychosis）の可能性を常に考えておく。産後精神病は出産後に起こる精神障害の総称ではなく，産褥精神病（puerperal psychosis）とも呼ばれる一つの疾患である。双極性障害との近縁性が認められ，操作的診断基準では気分障害に分類されるが，出産後の数日〜2週間程度の時期に特徴的な臨床像を示し，自殺や嬰児殺の原因になり得ることから，あえて気分障害とは区別して理解しておきたい。

産後精神病は急性に発症し，せん妄を思わせるような失見当識，幻覚や妄想，混乱した発言やまとまりのない奇妙な行動などを認め，気分が変動しやすく，躁や抑うつ，不安，イライラ，興奮や激越などを伴うこともある。症状が多彩で短時間で移り変わるため，一時的に落ち着いたとしてもその後にすぐ悪化する可能性を否定できない。

一般人口における発症頻度は1,000分娩に2例程度であるが，産後精神病，統合失調症，双極性障害の既往，双極性障害，産後精神病の家族歴などが危険因子であり，これらが重なると発症頻度は50%以上にまで上昇する。ベースラインの頻度は少ないもののリスク因子が明確で発症時期も限定されていることから，必ず鑑別にあげて見落としがないようにしたい。出産以降の様子を家族などから聞き出し，産後精神病に合致するエピソードの有無を確認する。

4. 緊急性が高いと判断されるときの対応

まずキーパーソンへの連絡と精神科医へのコンサルトは必須である。患者は自分で自分の安全を守ることができない状態であり，精神科への入院を想定して関係機関などに連絡し，調整を進める。自施設の精神科医やかかりつけの主治医に連絡がつけば，患者の所見や緊急性が高いと判断する根拠などを伝えたうえで，その後の方針について協議し，指示や意見を仰ぐことになるであろう。夜間休日などで連絡がつかない場合は自治体で設置されている精神科救急情報センターなどに問い合わせる。すぐに入院病床を確保できないということも現実にはあり得るが，その場合はキーパーソンに事情をよく説明しながら次善の策を模索しなければならない。

警察に連絡して保護や都道府県への通報を求めることも検討すべき重要な選択肢である。警察官による保護の要件については警察官職務執行法，都道府県への通報については精神保健及び精神障害者福祉に関する法律に定められている（表Ⅲ-9-2）。

精神障害に起因する自傷他害のおそれがある場合には，都道府県の権限で行われる措置

表Ⅲ-9-2 警察官による保護，通報に関する法律

警察官職務執行法　第三条
　警察官は，異常な挙動その他周囲の事情から合理的に判断して次の各号のいずれかに該当することが明らかであり，かつ，応急の救護を要すると信ずるに足りる相当な理由のある者を発見したときは，取りあえず警察署，病院，救護施設等の適当な場所において，これを保護しなければならない。
　一　精神錯乱又は泥酔のため，自己又は他人の生命，身体又は財産に危害を及ぼすおそれのある者
　二　迷い子，病人，負傷者等で適当な保護者を伴わず，応急の救護を要すると認められる者（本人がこれを拒んだ場合を除く。）

精神保健及び精神障害者福祉に関する法律　第二十三条
　警察官は，職務を執行するに当たり，異常な挙動その他周囲の事情から判断して，精神障害のために自身を傷つけ又は他人に害を及ぼすおそれがあると認められる者を発見したときは，直ちに，その旨を，最寄りの保健所長を経て都道府県知事に通報しなければならない。

入院の適応となる。警察官の通報を受けた都道府県や政令指定都市が調査を行い，必要性が認められれば精神保健指定医による措置診察が実施され，入院の要否が判断される。

児を巻き込んだ無理心中，拡大自殺は自傷だけでなく他害の要件にも該当するため，それらの危険性や緊急性についても留意して警察への連絡を考慮しなければならない。

●"準緊急状況"での対応

1. 自殺企図の経緯と希死念慮についての問診

　前項で述べたほどの緊急性は否定されたとしても，自殺企図で搬送されている時点ですでに緊急性は相応に高いものと考えるべきである。ここでは便宜上，"準緊急状況"と表現する。意識障害がなく，おおむね落ち着いて現実に即した内容の会話ができる状態である。ここで自殺企図に至った経緯や希死念慮の程度などについて質問し，さらにリスクのアセスメントを進める。

　まず落ち着いて話ができる場所と時間を確保する。個室が利用できない場合はカーテンやパーテーションなどを用い，途中で中断されないよう時間や業務の調整を前もって行っておく。問診を開始するときは面接の意図や目的を前もって説明する。希死念慮はきわめてプライベートでデリケートな話題であり，いきなり深い話に踏み込むのではなく，「医療者として見過ごすわけにはいかないため，今後の安全のために無理のない範囲でできるだけ聞かせてほしい」といったことを最初に丁寧に伝える。

　救急医療での問診の要点は短時間で要領よく必要十分な情報を聞き出すことであろうが，このような問診では本人の話すペースにあわせ，会話の流れを無理にコントロールしようとしないことも必要である。相手の述べることをそのまま理解することに集中し，不十分なところは一通りの話が終わってから補足する。そのように受容的な態度で聞くことには情報収集だけでなく心理療法的な意味もある。

2. 救急医療でのポピュレーションアプローチ

　自殺が切迫した状況での精神医学的介入がハイリスクアプローチであるとするならば，

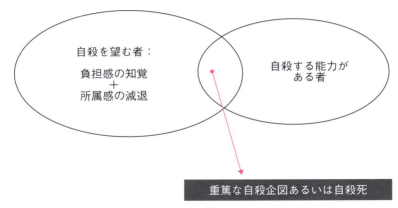

図Ⅲ-9-2　自殺の3要素

〔文献5）より引用・改変〕

そこまで切迫はしていない状況で精神科医以外の立場で可能な介入を行うことは広義のポピュレーションアプローチ，あるいは両者の折衷的なアプローチといえる。その際にJoinerらによる「自殺の対人関係理論」[5]が参考になる。

　自殺者の多くに精神疾患があるとしても，精神疾患のある者がすべて自殺を図るわけではない。Joinerは「負担感の知覚」「所属感の減退」の2つがあると自殺願望が生じ，そこに「自殺潜在能力」が重なったときに自殺が発生すると説明している（図Ⅲ-9-2）[5]。このうち負担感の知覚と所属感の減退は精神医学的介入とは別にさまざまな立場・局面においても介入が可能な因子である。

　負担感の知覚には悪阻や合併症妊娠による苦痛や疲弊（身体的負担），パートナーや家族との不和や妊娠に対するアンビバレントな感情（心理的負担），経済的困窮や支援不足（社会的負担）などが考えられる。問診のなかでこれらの問題が見い出されたならば，それらの解決に有用なリソースについて情報提供を行う。このような支援によって自殺の要因である負担感の知覚を軽減させ，減退した所属感が改善することを期待する。自殺を図って搬送されたという本人にとって不本意な状況にあっては，医療者が自分の話に耳を傾け，親身になって対応してくれたという事実自体も所属感を強化させる経験となるはずである。

　現在，有効性が示されている自殺企図者への介入としてACTION-J研究があり，介入の構成要素として「個別性に配慮した社会資源活用のコーディネート」があげられている[6]。周産期の自殺予防としても個別性にあわせた支援が有効であることが示されている[7]。これらのように構造化された介入でなくとも個々の事情にあわせて負担感を軽減させるための支援は積極的に行われるべきであろう。

3. 準緊急状況でのリスク評価

　限られた時間のなかでリスクを正確に評価することは難しいことであるが，以下のような情報を参考にしてリスクを見積もり，その後の対応を検討する。

　致死的な手段や周到に用意された手段による自殺企図，遺書や自殺をほのめかす発言，身辺整理などの行動，短期間に繰り返されている自傷行為や自殺企図，家族が自殺企図を

深刻に受け止めていなかったり批判的な態度であったりするなどのサポート不足，心身の慢性的な不調などがあればリスクが高いと考えられる。

　一方「家族らに申し訳ないことをした」「馬鹿なことをしたと反省している」「こんなに苦しいことになるとは思わなかった」などと具体的な理由を述べて再企図の意思を否定し，早期にかかりつけ医を受診するなどさしあたりの対処行動の見通しがあるならば，それだけリスクは低いものといえる。

帰宅の判断

　リスクの判断がどのような結果であったとしても，自殺企図で来院した患者を帰宅させる判断はできるかぎり精神科医に任せるか，精神科医との協議のうえで行うべきであろう。それができない状況であればキーパーソンにその事情を十分に説明し，理解を得る必要がある。帰宅後には危険物を身の回りに置かない，本人を一人きりにしない，できるだけ早くかかりつけの精神科や産婦人科に相談することなどの注意事項も説明すべきである。当面の心理的苦痛をやわらげ，衝動性をコントロールする目的で抗精神病薬の処方を検討してもよい。

　本人に対しては，問診で聞き取った本人の苦境やつらさについて理解を示したうえで，医療者として自殺してほしくないという願いを伝える。かかりつけの産婦人科や精神科を含めた支援者とのつながりを維持し，抱えている問題の解決に向けて取り組みを続けられるよう見守りやねぎらい，はげましの声かけも心がけたい。

おわりに

　自殺は自ら遂行するものであるが，本人が心から死を望んでいるわけではない。生きる意味を見失ってしまうほどの心理社会的困難，あるいは重篤な精神機能の失調の結果として自殺は発生する。自殺企図のある人に適切な支援と医療が届かなければ，その人は自死を「選ばされる」のであって，自己責任論は自殺の臨床において通用しないと認識する。

　自殺によって失われる命の重大さはもちろんのこと，残された家族や関係者に生じる衝撃や混乱も甚大である。幼い子どものいる妊産婦の自殺であればなおさらである。自殺防止は関連する領域のあらゆる職種が協働して取り組んでいくべき重要な課題である。

文　献

1) Gelaye B, Kajeepeta S, Williams MA：Suicidal ideation in pregnancy：An epidemiologic review. Arch Womens Ment Health 19：741-751, 2016.
2) 張賢徳：精神医療と自殺対策．精神誌 114：553-558, 2012.
3) Bertolote JM, Fleischmann A：Suicide and psychiatric diagnosis：A worldwide perspective. World Psychiatry 1：181-185, 2002.
4) Bergink V, Rasgon N, Wisner KL：Postpartum psychosis：Madness, mania, and melancholia in motherhood. Am J Psychiatry 173：1179-1188, 2016.
5) Joiner TE Jr, et al, 北村俊則監訳：自殺の対人関係理論；予防・治療の実践マニュアル，日本

評論社, 東京, 2011.
6) 稲垣正俊, 河西千秋, 山田光彦, 他：自殺の再企図予防のための介入；これまでの知見, これからの課題. 精神科治療 36：1009-1014, 2021.
7) Tachibana Y, Koizumi N, Mikami M, et al：An integrated community mental healthcare program to reduce suicide ideation and improve maternal mental health during the postnatal period：The findings from the Nagano trial. BMC Psychiatry 20：389, 2020.

Ⅲ 初期診療に必要なスキル

Secondary Survey に必要なスキル
10 妊婦外傷

はじめに

　妊婦の外傷における初期診療の流れは，基本的には非妊娠患者と同様に考える。ただし，妊婦の生理学的変化や解剖学的変化を加味し，妊婦関連の外傷や新生児蘇生の適応などについて考慮する必要がある。さらにわが国では，外傷診療における防ぎ得る外傷死（preventable trauma death）の回避，質の保証された外傷診療の普及を目指して，『外傷初期診療ガイドライン JATEC™』（Japan Advanced Trauma Evaluation and Care）が刊行されている[1]が，J-MELS アドバンスコースの初期対応で用いる系統的診療手順（Approach）は，外傷症例でも同様に対応が可能である。

　本項では産婦人科医，全身管理医に向けて，妊婦の外傷診療を行ううえでの重要事項，外傷に関連した産科疾患，外傷の種類と受傷機転にそれぞれ項目を分けて解説を行う。

妊婦外傷のアプローチ

　妊婦の外傷診療のポイントを図Ⅲ-10-1 に示す。妊婦の外傷初期診療においても，系統的診療手順に沿い，Primary Survey（以下，PS）では病態診断とそれに基づく支持療法を行い，Secondary Survey（以下，SS）では病因診断を行い，根本治療につなげていく。そして産科危機的出血と同様に致死的3徴（アシドーシス，凝固障害，低体温）の回避が母体救命に必要不可欠である。

1. 受け入れの前準備と心構え

　病院前情報の段階で，患者が妊婦であることがわかる場合もあれば，妊婦という情報がない可能性も十分考えられる。女性の外傷診療では，常に妊娠の可能性を念頭におく必要がある。病歴聴取で把握できる場合もあれば，意識障害などを理由に情報がとれない可能性もある。子宮底が臍高を越える場合，妊娠子宮が腹部大血管を圧迫し循環に影響を与え，さらには新生児蘇生の対象となる妊娠22週以降の可能性があり，全身管理医は産婦人科医や新生児科医，助産師への協力を依頼する必要がある。また，受傷機転が軽微であっても，常位胎盤早期剝離などの妊娠関連外傷を伴っていることもあり，早期搬送と早期介入が重要となり得る。妊婦の外傷に対しては必要最小限の妊娠関連情報の聴取のみで受け入れ準備を行う。

	産婦人科医	全身管理医
受け入れ前準備＆心構え	多職種間で連携し，母体救命に全力を注ぐ "致死的3徴（アシドーシス，凝固障害，低体温）"の回避が母体救命に重要である 妊婦の外傷症例では，必要最小限の妊娠関連情報で受け入れ準備を行う 外傷症例も系統的診療手順で対応する	妊娠の可能性を常に考慮する 妊娠22週以降は新生児蘇生が必要となる
Primary Survey A B	胎児循環を考慮した管理を行う　目標SpO₂ 95％以上	妊婦は気道確保困難のリスクが上がる 胸腔ドレーンは第5肋間より1〜2肋間頭側に留置する
C	妊娠20週以降では子宮左方移動を検討する 胎盤循環も考慮した循環管理について全身管理医に提言する 妊娠中は，常位胎盤早期剥離，子宮破裂，羊水塞栓症，骨盤骨折に伴う子宮損傷を想起し，FASOや胎児モニタリングを実施する	出血性ショックでは，permissive hypotensionの管理と胎盤循環も考慮した総合的な循環管理を産婦人科医と協働し，管理する 出血性ショックをきたし得る血胸，腹腔内出血，骨盤骨折などの有無を胸部/骨盤単純X線やFASOで評価する 創外固定が必要な骨盤骨折や，TAEやREBOAが考慮される病態で急速遂娩の優先度を多職種間で協議する
D E F	切迫するDや急速遂娩をすべき状況であった場合，CTや分娩の優先度を多職種間で協議する 分娩手段を検討し，全身管理医と協議する 胎児損傷の可能性を見逃さない	妊産婦は子癇発作や妊娠高血圧症候群に関連した脳卒中によりDの異常をきたす可能性に留意する
Secondary Survey	必要な画像検査は躊躇しない（放射線被ばくは許容する） 全身観察，CTなどでより詳細な外傷の評価を行う 外傷の原因に，身体的虐待，性的暴行，希死念慮といった背景がないかを確認し，社会調整や精神的な介入も検討する	

※色文字は産婦人科医，全身管理医ともに知っておくとよい事項

図Ⅲ-10-1　産婦人科医，全身管理医に向けた妊婦の外傷診療のポイント

2. Primary Survey

A：妊産婦の気道管理は非妊娠時と比較し困難になる。また，顔面外傷や口腔内出血を伴う場合はさらに挿管困難の可能性が高くなり，外科的気道確保（輪状甲状靱帯穿刺/切開など）を要する場合もある。

B：母体の低酸素血症に伴い胎児は低酸素状態になり得る。胎児への十分な酸素供給を維持するために，酸素飽和度は95％以上を目標とする。

呼吸に異常をきたす血気胸などは，胸腔ドレナージを要するが，妊娠後期には横隔膜が頭側に挙上するため，胸腔ドレーンを挿入する際には，第5肋間よりも1〜2肋間頭側に留置する[2]。

まれであるが，鈍的外傷後に羊水塞栓症をきたした症例もあり[3]，ほかに説明がつかない呼吸不全やショックをきたした症例では，羊水塞栓症も鑑別にあげる。ただし，特有の治療があるわけではないため，呼吸や循環の補助，凝固障害に対する補充療法などの治療が主となる。

C：女性の外傷では，常に妊娠の可能性を考慮して，FASO を行う。膀胱周囲から Douglas 窩の評価の際に少し頭側にプローブを上げていくと，胎児の有無を確認することができるため，病歴聴取ができない状態の患者にも有用である。子宮が臍高になる妊娠 20 週以降では，子宮左方移動を検討する。

妊娠中期以降は循環血液量が増加しているため，出血に対する代償としての頻脈が現れにくく，出血性ショックが過小評価されやすい。Damage Control 戦略を検討する致死的な出血性ショックでは収縮期血圧 80 mmHg 程度を目標とした "permissive hypotension" を要することがあるが，低血圧を許容すると子宮胎盤循環血流も低下するおそれがあり，胎児徐脈や胎児死亡のリスクがあることを念頭に管理する。

妊娠の有無にかかわらず，FASO や胸部/骨盤単純 X 線は有用な検査である。血胸，腹腔内出血，および骨盤骨折を評価する。これらの検査では評価困難な出血として，高位の後腹膜血腫があり，とくに膵，腎，腹部大血管損傷および腰椎破裂骨折に伴うことが多い[1]。妊娠関連の外傷は，常位胎盤早期剥離，子宮破裂，骨盤骨折に伴う子宮損傷を想起しておく必要がある。

妊婦の骨盤骨折には注意を要する。妊娠後期には児頭は骨盤内に嵌入していることがあり，骨盤骨折は児の頭蓋内出血や頭蓋骨骨折を引き起こすおそれがある[4]。血流が豊富な妊娠子宮に損傷が加われば腹腔内出血のおそれもある。一方で，骨盤骨折由来の出血に対する止血には骨盤輪の安定化と損傷血管の止血操作が必要となる。骨盤輪の安定化のための簡易固定法として，シーツラッピングや，SAM Sling™ Ⅱ などがあるが，妊娠子宮により装着は困難なことが予想される。また，創外固定による骨盤輪の整復固定もあるが，創外固定器具は体幹部周囲で相当の面積を占めるため，創外固定後の帝王切開は非常に困難である。妊娠週数によっては，帝王切開を先行させることも考慮されるが，一方で大量出血による凝固障害が生じている場合，帝王切開後の止血に難渋する可能性も考慮する。

産科危機的出血と同様に経カテーテル動脈塞栓術（transcatheter arterial embolization；TAE）や，REBOA（resuscitative endovascular balloon occlusion of the aorta）なども治療選択として検討するが，急速遂娩との優先度は多職種間で協議する必要がある。妊娠中の REBOA は胎児死亡を招くおそれがある。いずれの選択をするかは，そのときのバイタルサイン，妊娠週数などを総合的に加味して検討する必要があるため，Medical Resource Management（MRM）が非常に重要な場面である。

D：生命を脅かす重症頭部外傷を疑う所見として，痛み刺激でかろうじて開眼する場合や，意識レベルが急速に悪化した場合，瞳孔不同，片麻痺や Cushing 現象から脳ヘルニアが疑われる意識障害の場合には，"切迫する D" と表現し，SS の最初に頭部 CT を考慮する[1]。頭部外傷に対しては全身管理医，脳神経外科医と治療方針を協議しつつ，二次性脳損傷を防ぐために気道や呼吸，循環の安定化を心がける。また，妊婦は子癇発作や，妊娠高血圧症候群に関連した脳卒中により D の異常をきたす可能性と，これらの疾患により受傷した可能性にも留意する必要がある。

E：全身の脱衣を行い活動性の外出血や開放創の有無をみる。低体温はさらなる凝固障

害を招くため，体温管理を意識する。

F：産婦人科医は母体のみならず，胎児の生命を脅かす病態がないかを評価する。胎盤後血腫を示唆する所見や，胎児徐脈の有無，腹部外傷後の前期破水による臍帯脱出の有無などをFASO，CTG，内診などで評価する。また，妊婦では，収縮期血圧が160 mmHg以上，または拡張期血圧110 mmHg以上のいずれかで妊娠高血圧症候群の重症域に該当するため，状態によっては妊娠終結を考慮しなければならない。

母体適応で妊娠を終了すべきとき，あるいは胎児適応で急速遂娩をすべき場合には，SSに入る前に児の娩出のタイミングを協議する。例えば，"切迫するD"が同時に存在する場合には，頭部CTを先行するのか，それとも児の娩出を先行するのかは，非常に悩ましい。瞳孔不同も生じているような症例では，脳ヘルニアの可能性が高く，緊急手術の適応となる場合も多い。頭部CTは比較的短時間で実施できることが多く，まずは頭蓋内占拠性病変の診断を優先させることを検討する。手術適応の頭蓋内出血を認めた場合には，妊娠継続なのか，急速遂娩を先行するのか，脳神経外科医や麻酔科医，救急科医，産婦人科医が協力し合い協議して治療順序を決めていくことが重要である。これらの場面ではMRMをうまく活用し，その時点での最適な治療を選択していくことが母体救命につながる。

3. Secondary Survey

PSで呼吸・循環動態が現在行っている治療介入によって悪化傾向にないことを確認できればSSに移り，全身CTなどでより詳細な外傷の評価を行う。外傷診療においては，妊婦であっても必要な画像検査は躊躇すべきではない。また，受傷機転を聴取する際には，身体的虐待や性的暴行，希死念慮といった背景に注意し，社会調整や精神的な介入も検討する必要がある。

● 外傷に関連した産科疾患

1. 常位胎盤早期剝離

常位胎盤早期剝離は胎児死亡を引き起こし得る重篤な疾患であり，腹部の重症な鈍的外傷の40％，子宮に圧力がかかるような軽い打撲でも3％に起こり，ほとんどの症例が外傷後2〜6時間以内に発症し，ほぼすべての症例において24時間以内に発症するとされている[5]。

受傷後10分に1回以上の子宮収縮があった妊婦では20％に早期剝離が発症したとの報告もある。常位胎盤早期剝離は外出血を伴わず，ショックをきたさない場合もあるために，外傷では必ず評価を行う必要がある[6]。American College of Obstetricians and Gynecologists（ACOG）では，腹部打撲後に胎児心拍数モニタリングを少なくとも2〜4時間継続し，子宮収縮やNRFS所見，性器出血，子宮の圧痛，破水などがある場合にはモニター継続を勧めている[7]。

2. 子宮破裂

まれな頻度ではあるが，ほとんどの症例が直接腹部に高エネルギーが加わった際に生じるとされ，骨盤骨折に引き続き生じる場合もある[8]。子宮手術の既往があったり，妊娠後期に直接損傷を受けた場合には頻度が増えるとされている[9]。骨盤単純X線で骨盤内から脱出した胎児を見た場合には子宮破裂の可能性が高く，妊娠22週以降では開腹止血術と同時に新生児蘇生も考慮する。

3. 母児間輸血症候群

母児間輸血症候群（fetomaternal transfusion syndrome；FMT）は妊娠中に胎児血が母体循環に流入することでさまざまな病態を呈する。胎児の血液が母体の血液中に流入する現象は少量のものも含めると妊娠のほぼ全例で発生しているとされている[10]。外傷に関連しては10～30％程度に発症するとされている。胎児貧血，胎児低酸素血症，胎児死亡といったさまざまな状態を呈する。胎児貧血を示唆する所見を認め，帝王切開が施行される症例もある[4]。FMTの診断は，①胎児貧血を生じるほかの原因疾患が存在せず，②母体血中に胎児血液成分が認められることにより診断され，胎児血液成分の証明には母体血HbF，AFPを測定する[11]。

4. 対　応

早期剥離や子宮破裂を診断したら，速やかに妊娠終結（分娩）し，損傷の程度によって子宮の修復または摘出を考慮する。早期剥離で胎児死亡の場合は母体の凝固能に注意して補充療法を行いながら，経腟分娩することで母体のリスクを下げることができる場合がある。

FMTにおいては胎児機能不全を認めるため，速やかに妊娠終結（分娩）の方針とすることが多い。破水を認めた場合の分娩方針は産科的適応で決定する。

● 外傷の種類と受傷機転

自傷であった場合には，精神科介入の調整や社会背景の評価を行う必要がある。また，児への虐待の可能性も考慮する。自傷でない場合も，身体的虐待や性的暴行の可能性も考慮する必要がある。

日本産婦人科医会の調査[12]では，①命の危険を感じる，②医師の治療を要する程度，および③医師の治療を必要としない，といった程度の差はあるが，夫から身体的暴力を受けた妊婦がいるといわれており，とくに10代ではほかの年代よりもその頻度は高いといわれている。また，妊娠に関連した体調の変化に応じて必要な医療行為を受けさせない，胎児を含めて意図的に危険に曝す，といった身体的暴力の頻度は比較的低いが，性行為の強制，体型の変化について嫌味を言う，悪阻やお腹の張りがあって依頼されても手伝わない，といった性的虐待や情緒的虐待は比較的高頻度であるとの調査結果がある。

1. 身体的虐待

　夫（パートナー）との関係性にかかわるため，妊婦の外傷から身体的虐待が疑われた場合でも，外傷を負った経緯について情報収集する方法に配慮する必要がある．夫（パートナー）とともに来院した場合は，妊婦を夫（パートナー）から離して，別室で診察や問診を行い，妊婦の顔の表情や手足の隠れた部分の皮膚の状態にも注意する．

2. 性的暴行

　可能であれば女性医師による診察を手配する．性暴力の診療は，緊急避妊と性感染症対策を念頭におくが，同時に患者の尊厳・権利を守るための証拠保全を両立することが望ましい．時機を逸しないよう，ワンストップ支援センターへの紹介や警察への被害届提出に関する情報についても丁寧に説明する必要がある．

　性犯罪・性暴力被害者に対し設置されるワンストップ支援センター（全国共通番号#8891）は[13]，被害直後からの総合的な支援（医療，心理支援，捜査関連支援，法的支援）を提供し，被害者の心身負担の軽減と健康回復に加え，被害の潜在化防止を図る組織である[14][15]．また，性犯罪被害は公費負担制度（緊急避妊薬，性感染症検査，人工妊娠中絶などを含む）があることや，性犯罪被害相談電話（#8103により都道府県警察の窓口につながる）について情報提供を検討する．

　同意が得られれば証拠保全も前提とした診療に備え，産婦人科にコンサルトする．同意が得られない場合，正確な診療録記録を行う．性交後72時間以内であれば，緊急避妊（emergency contraception）が可能であり，レボノルゲストレル1.5 mgの服用が検討されるが[16]，（公費負担制度を用いなければ）自費診療であることに留意する．避妊阻止率は80%程度であり，予定月経が7日以上遅れるか，通常とは異なる出血や腹痛がある場合には妊娠の可能性を確認するために受診するように説明する．性交後120時間以内であれば銅付加子宮内避妊具が選択肢になるため産婦人科にコンサルトする．

　性感染症は，淋菌，クラミジア，梅毒，トリコモナス，細菌性腟炎，HBV，HCV，HIV，HSV，HPVが考え得る．産婦人科医にコンサルトし腟分泌物や血液検査に加えて，外来フォローの計画が必要である．患者が希望する場合には予防内服が検討される[17]．

3. 自傷行為

　外傷に対しては一般的な対応をするが，妊娠・出産・育児に関するサポートを要することが考えられる．ソーシャルワーカーや助産師・産婦人科医と連携し，患者に子どもへの虐待のおそれがあれば，子ども虐待対応院内組織や小児科などとも連携する．希死念慮を伴う場合には精神科医療につなぐ〔詳細は（P）精神ケア：p114，自殺企図：p362参照〕．

4. 交通外傷

　2010〜2022年に交通事故による母体死亡は6件報告されている[18]．妊娠中は交通事故に遭遇しやすいという報告もあり，2013年のわが国のアンケート調査では妊婦の2.9%が交通事故に遭遇していた[19]．妊婦特有の高エネルギー外傷時の出血原因として，子宮破裂と常位胎盤早期剝離に注意する．妊婦のシートベルト着用は交通事故時の母児死亡率低下

が期待できる[20]。

5. 転　倒

交通外傷の次に多い外傷である。妊娠中は関節周囲の筋肉が弛緩し，体重が増加するため転倒が起きやすくなる[21]。とくに妊娠後期では動的姿勢の安定性が低下するため，転倒も増加する。転倒の大多数は屋内で生じ，階段からの転倒が多かったという報告がある[21]。

6. 熱　傷

まれな外傷ではある。胎盤循環も念頭においた迅速かつ積極的な輸液蘇生，早期の酸素投与，気道熱傷に対する人工呼吸管理を躊躇しないことが提案されている[22]。

7. 鈍的外傷と穿通性外傷

鈍的外傷よりも穿通性外傷のほうが，母体と胎児の死亡率は上昇するとされている[23]。鈍的外傷と穿通性外傷の予後には，妊娠週数が影響する。妊娠子宮は増大するに従い，他臓器を頭側や背側に押しのけていく。そのため，前方からの腹部外傷の場合には子宮や胎児の損傷が大きくなる。胸部外傷では，妊娠子宮によって頭側に偏位した膵や肝が損傷を受けるといった予期せぬ損傷が起きる。骨盤骨折も大量出血だけでなく，子宮と胎児の損傷が起こる[24]。

おわりに

妊婦の外傷に対するアプローチは非妊婦に対するものと大きく変わるものではない。一方で，妊娠の生理的変化，増大子宮による各臓器の解剖学的変位，および娩出が必要になった場合の児への対応といった妊婦特有の問題があることに注意が必要である。

妊婦の外傷に対しては，これらの特徴を理解し，状況に応じて対応する必要があることを認識しておく。

文　献

1) 日本外傷学会外傷初期診療ガイドライン改訂第6版編集委員会編：外傷初期診療ガイドラインJATEC™，改訂第6版，へるす出版，東京，2021.
2) Jain V, Chari R, Maslovitz S, et al：Guidelines for the management of a pregnant trauma patient. J Obstet Gynaecol Can 37：553-574, 2015.
3) Judich A, Kuriansky J, Engelberg I, et al：Amniotic fluid embolism following blunt abdominal trauma in pregnancy. Injury 29：475-477, 1998.
4) D'Argent L, Verelst S, Sabbe M：Management of the pregnant trauma patient：A literature study. Open Journal of Trauma 4：38-46, 2020.
5) Shah KH, Simons RK, Holbrook T, et al：Trauma in pregnancy：Maternal and fetal outcomes. J Trauma 45：83-86, 1998.
6) Pearlman MD, Tintinallli JE, Lorenz RP：A prospective controlled study of outcome after trauma during pregnancy. Am J Obstet Gynecol 162：1502-1510, 1990.
7) ACOG：Chapter 9 Medical and obstetric complications. In：Guidelines for Perinatal Care,

8th ed, 2017, pp325-327.
8) Jain V, Chari R, Maslovitz S, et al：Guidelines for the management of a pregnant trauma patient. J Obstet Gynaecol Can 37：553-574, 2015.
9) Williams KJ, McClain L, Rosemurgy AS, et al：Evaluation of blunt abdominal trauma in the third trimester of pregnancy：Maternal and fetal considerations. Obstet Gynecol 75：33-37, 1990.
10) Ariga H, Ohto H, Busch MP, et al：Kinetics of fetal cellular and cell-free DNA in the maternal circulation during and after pregnancy：Implications for nonivasive prenatal diagnosis. Transfution 41：1524-1530, 2001.
11) 梅木崇寛，佐々木晃，田中教文，他：母児間輸血症候群により重症胎児貧血となった２例．現代産婦人科 67：335-339, 2018.
12) 片瀬高（日本産婦人科医会医療対策委員会委員）：妊産婦への家庭内暴力の実態；全国産科医療施設の多施設間アンケート調査より．
https://www.jaog.or.jp/sep2012/JAPANESE/MEMBERS/TANPA/H15/030303.htm（Accessed：2023/10/26）
13) 男女共同参画局：性犯罪・性暴力被害者のためのワンストップ支援センター．
https://www.gender.go.jp/policy/no_violence/seibouryoku/consult.html（Accessed：2023/10/26）
14) 警察庁：性犯罪・性暴力被害者のためのワンストップ支援センター．
https://www.npa.go.jp/higaisya/renkei/onestop.html（Accessed：2023/10/26）
15) 内閣府犯罪被害者等施策推進室：性犯罪・性暴力被害者のためのワンストップ支援センター開設・運営の手引，平成 24 年 3 月．
16) 日本産科婦人科学会，日本産婦人科医会編集・監修：CQ404 緊急避妊法の実施法とその留意点は？ 産婦人科診療ガイドライン―婦人科外来編 2023, 2023, pp188-189.
17) World Health Organization：Guidelines for medico-legal care of victims of sexual violence, 2003.
18) 妊産婦死亡症例検討評価委員会，日本産婦人科医会：母体安全への提言 2022, Vol. 13, 令和5 年 9 月．
19) Morikawa M, Yamada T, Kato-Hirayam E, et al：Seatbelt use and seat preference among pregnant women in Sapporo, Japan, in 2013. J Obstet Gynaecol Res 42：810-815, 2016.
20) Irving T, Menon R, Ciantar E：Trauma during pregnancy. BJA Educ 21：10-19, 2021.
21) Mendez-Figueroa H, Dahlke J, Vrees R, et al：Trauma in pregnancy：An updated systematic review. Am J Obstet Gynecol 209：1-10, 2013.
22) Guo SS, Greenspoon JS, Kahn AM：Management of burn injuries during pregnancy. Burns 27：394-397, 2001.
23) Petrone P, Talving P, Browder T, et al：Abdominal injuries in pregnancy：A 155-month study at two level 1 trauma centres. Injury 42：47-49, 2011.
24) Kady DE, Gilbert WM, Xing G, et al：Association of maternal fractures with adverse perinatal outcomes. Am J Obstet Gynecol 195：711-716, 2006.

初期診療に必要なスキル

その他に必要なスキル

1. 特殊な集中治療
2. 転院搬送と救急隊との連携

Ⅲ 初期診療に必要なスキル

その他に必要なスキル
1 特殊な集中治療

　妊産褥婦が重症化病態となったとき，産婦人科医と救命救急・集中治療・麻酔などの全身管理医と協働・連携して診療を行う必要がある。その診療は，産婦人科医側からは日常的に経験しない集中治療が実施され，一方で全身管理医側からは経験数が乏しい妊産褥婦の管理が行われる。この状況は，双方にとって「完全な自信がもてない」患者管理が行われることを意味する。双方のギャップを理解し埋めるために，産科領域に対して行われる可能性のある病態や集中治療医療について提示する。

スライド 187

自己心拍再開後の体温管理

- 概念：心停止から自己心拍再開が得られたとき，その後一定期間，目標体温を設定し維持すること
- 目的：心停止後の二次性脳損傷の予防，転帰の改善
- 適応：心肺蘇生後に従命に意味のある反応がない場合
- 管理のポイント
  - 確立したエビデンスはなく，全身管理医と協働する
  - 胎児心拍数を持続的にモニターし，母胎管理・監視を行う

　自己心拍再開後の体温管理は心停止による二次性脳損傷予防，つまり蘇生後脳症をそれ以上進行させないことやそれに伴う転帰の改善を目的とする。自己心拍再開後に意識障害が遷延（従命に意味のある反応がない）患者に，目標体温を設定し一定期間維持する方法である。アメリカ心臓協会（American Heart Association；AHA）ガイドライン2020では「心停止からの蘇生後に昏睡状態である妊婦に対して，推奨される」としている[1]。心拍再開後意識障害が存在する妊産褥婦に対し，J-MELS アドバンスコースは母体予後を期待する観点から，体温管理を実施することを積極的に検討すべきと考える。

　管理方法に関して，深部体温を『低体温』とすべきか，『正常体温』とすべきか，『発熱予防』を行うべきか，などの目標体温設定や維持期間，復温方法などについては，現在においてさまざまな議論がなされている。推奨の1例として，International Liaison Committee On Resuscitation（ILCOR：国際蘇生連絡委員会）では「少なくとも72時間は深部体温を37.5℃以上になることを積極的に予防する」と，高体温の回避を推奨としている[2]。

いずれにせよ,「できるかぎり早期に目標体温に到達すること」,「設定した目標体温を遵守し,予期せぬ高体温を防ぐこと」は脳神経予後に影響するというコンセプトは,エキスパートの総意が得られると考えられる。深部体温設定や管理時間については最新の議論を適宜確認する必要があるが,プロトコルの1例として,ここで最近提唱された high quality targeted temperature management と称されるプロトコルを提示する（表）。

表　体温管理プロトコルの1例
（high quality targeted temperature management）

自己心拍再開後,できるだけ早期の開始および目標時間への到達
深部体温の測定を早期に開始すること
33℃ないし36℃を目標,体温設定はある程度裁量があるが,設定された管理には厳格に従う
24時間以上の冷却時間
その後,0.15～0.25℃/hrの緩徐な復温,その後48時間は体温管理に注意する

〔文献3）より引用・改変〕

冷却方法には体表冷却,血管内冷却,そして体外式膜型人工肺（extracorporeal membrane oxygenation；ECMO）による体外循環補助装置を用いた方法などがある。血管内冷却法や体外循環補助装置を用いた方法は,厳密な体温管理が可能であるが,侵襲性が高く,出血やカテーテル留置による感染症のリスクを考慮する必要がある。温度調整が可能な水を灌流するジェルパッドを使用した装置は安定した体温管理が可能である（図）。冷却マットを用いた体表冷却は厳密な体温管理は困難とされているため,推奨しない。しかし,ジェルパッド,血管内冷却装置などが迅速に使用できないとき,当座の冷却方法としては有効である。

低体温による合併症として,心収縮力低下や徐脈,不整脈や凝固障害,免疫力低下による感染症などの合併症を起こし得る[4]ため,より厳密な全身管理が求められる。

以上より,体温管理は産婦人科医と全身管理医間での議論と施設の特性に基づいて,管理方法を決定すべきである。

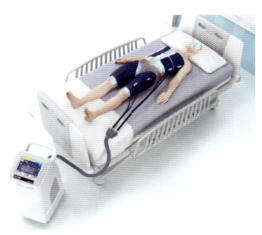

図　体温冷却装置の1例〔ジェルパッドを使用した Arctic Sun™ 5000（IMI/メディコン）〕

スライド188

周産期の肝障害

● 周産期の肝障害・肝不全の原因はさまざまである

表　主たる肝障害の原因

妊娠関連	非妊娠関連	
	急性	慢性
妊娠悪阻	薬剤性肝障害	ウイルス性
妊娠関連黄疸	急性ウイルス肝炎	自己免疫性
妊娠性肝内胆汁うっ滞	胆石	非アルコール性脂肪性肝疾患（NASH）
妊娠高血圧症候群	アルコール性肝障害	慢性アルコール性肝硬変
HELLP症候群	中毒	Wilson病
急性妊娠脂肪肝	外傷	
	うっ血・脱水など循環動態異常	

〔文献5）より引用・改変〕

● 治療：症状に対する対症療法と，原因に対する根本治療に分類される

急性肝不全患者の多臓器合併症に対する治療法一覧

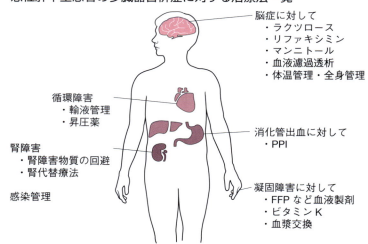

〔玄田拓哉：急性肝不全の内科的集中治療．日消誌 117：763, 2020. を参考に作成〕

● 管理のポイント
  ○ 肝障害に伴う合併症として，肝性脳症，脳浮腫，低血糖，循環不全，肝腎症候群による腎障害，凝固障害，DICなどがある
  ○ 肝疾患の原因精査（ウイルス性，自己免疫性）とともに，肝障害合併症を意識したフィジカルアセスメントや検査を行う
  ○ 根本治療には妊娠終結も含まれており，症例ごとに検討が必要である

周産期の肝障害・肝不全の原因はさまざまであるが，根本治療は原疾患ごとに異なることも多く，原因検索は重要となる。原因検索の一つとして肝生検も考慮され得るが，肝障害に凝固障害を伴うことや，侵襲性を考慮し，実施に関しては慎重に検討する必要がある[6]。

　治療は対症療法と根本治療に分けて行う。対症療法は，肝性脳症に対する栄養や薬物療法，低血糖の補正，凝固因子の補充などであるが，状況に応じて血漿交換療法や血液浄化・腎代替療法などを検討する。根本治療としては妊娠終結[7]や全身ステロイド投与[8]などであるが，妊娠継続の可否なども含めて多職種で協議が必要である。

　急性肝不全のなかには肝移植以外に救命の可能性がない場合があり，対象患者の年齢や社会的必要性を考慮すれば，状況によって（生体）肝移植が考慮される。肝性脳症がⅡ度以上やPT％，ビリルビン値，血小板値，肝萎縮の状態から算出される，『劇症肝炎の肝移植適応ガイドライン』のスコアリングシステム[9]などを参考にするとよい。肝移植が考慮される状況であれば，早期に肝移植が可能な施設に相談し，転院搬送を含む対応が求められる。

スライド 189

妊娠関連急性腎障害
(pregnancy related acute kidney injury ; PR-AKI)

● PR-AKI は妊娠時期により原因疾患が異なる

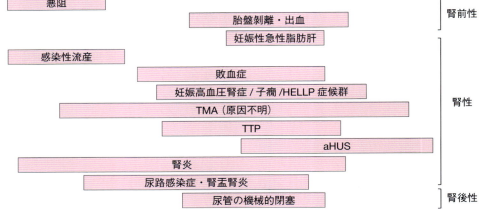

HELLP：Hemolysis, Elevated Liver enzymes, Low Platelets
TMA：血栓性微小血管症（thrombotic microangiopathy）
aHUS：非典型溶血性尿毒症症候群（atypical hemolytic uremic syndrome）

〔文献 10)-12) を参考に作成〕

● 治療

表　AKI の原因と治療例

AKI の原因	治療の例
悪阻・血管内脱水	補液
感染性流産・尿路感染症	抗菌薬
妊娠高血圧腎症・HELLP 症候群・妊娠性急性脂肪肝	妊娠終結
血栓性血小板減少性紫斑病	血漿交換, リツキシマブなど
aHUS	エクリズマブ
閉塞性病変（尿路感染症, 結石）	尿管ステント, 腎瘻など
胎盤剥離・出血	出血対応・出産
糸球体腎炎	ステロイド・免疫抑制薬

● 腎代替療法（renal replacement therapy ; RRT）の適応
  ○ 保存的介入で対応できない高 K 血症などの電解質異常，代謝性アシドーシス，溢水，尿毒症症状などに対して導入を検討する
  ○ 周産期領域では明確な導入基準は存在しないが，母体と胎児の安全を考慮し，早期の腎代替療法の導入は検討される

表　腎代替療法の導入基準例

コントロール不能な高カリウム血症
コントロール不能な代謝性アシドーシス
コントロール不能な溢水，乏尿・無尿
尿毒症症状（心膜炎，出血，脳症など）

〔文献 11) 13) を参考に作成〕

　PR-AKIの明確な診断基準は存在しない。しかし，妊婦は生理的にクレアチニン値が0.5 mg/dL程度まで低下することがあり，例えば0.8 mg/dLであってもクレアチニン値の異常ととらえる必要がある[10]。PR-AKIは妊娠年齢の高年齢化により増加することが予想され，入院期間の延長，慢性腎臓病への移行，胎児・新生児への影響などの有害事象のリスクとなる。現時点での非妊婦に対する急性腎障害の重症度は，『急性腎障害のためのKDIGO診療ガイドライン』に基づき病期1〜3に分類される[14]。この分類の特徴は，血清クレアチニン値のみならず尿量の減少も腎障害の徴候として診断に加えられている。複数のランダム化比較試験が早期の腎代替療法の導入は予後の改善に寄与しないと報告している[13]。症状がコントロールできていれば，AKI病期3に達したというだけでは腎代替療法を導入しない，という考え方が一般的である[15]。しかし，妊婦を対象外としている研究も存在しているため，妊婦に対するエビデンスが確立されているわけではない[16]。そのため，腎代替療法導入のタイミングにおいて，産婦人科医と全身管理医の間での密接な議論がなされるべきである[11]。

スライド 190

まとめ

- 母体は時として重症化し，集中治療が必要となる
- 妊産褥婦に対する集中治療の基本的なコンセプトは一般成人と同様である
- 母体への集中治療が有効かつ円滑に実施されるためには，母体特有の特殊性と集中治療の特殊性を産婦人科医と全身管理医の双方が理解し，協働する必要がある

文 献

1) Merchant RM, Topjian AA, Panchal AR, et al：Part 1：Executive summary：2020 American Heart Association Guidelines for cardiopulmonary resuscitation and emergency cardiovascular care. Circulation 142（Suppl 2）：S337-S357，2020.
2) Soar J, Nolan JP, Andersen LW, et al：Temperature management in adult cardiac arrest：Advanced Life Support Systematic Review：Consensus on Science with Treatment Recommendations, International Liaison Committee on Resuscitation Advanced Life Support Task Force.
https://costr.ilcor.org/document/systematic-review-temperature-management-in-adult-cardiac-arrest-als（Access：2023/11/25）
3) Taccone FS, Picetti E, Vincent JL：High quality targeted temperature management（TTM）after cardiac arrest. Crit Care 24：6, 2020.
4) Hernandez SF, Barlow B, Pertsovskaya V, et al：Temperature control after cardiac arrest：A narrative review. Adv Ther 40：2097-2115，2023.
5) Naoum EE, Leffert LR, Chitilian HV, et al：Acute fatty liver of pregnancy：Pathophysiology, anesthetic implications, and obstetrical management. Anesthesiology 130：446-461, 2019.
6) Bacak SJ, Thornburg LL：Liver failure in pregnancy. Crit Care Clin 32：61-72, 2016.
7) Hay JE：Liver disease in pregnancy. Hepatology 47：1067-1076, 2008.
8) 玄田拓哉：急性肝不全の内科的集中治療．日消誌 117：763-771，2020.
9) 日本肝臓学会：流れが分かる肝移植，肝移植の適応，基準．
https://www.jsh.or.jp/medical/transplant/indications/criteria.html（Access：2023/9/15）
10) Shah S, Verma P：Pregnancy-related acute kidney injury：Do we know what to do? Nephron 147：35-38, 2023.
11) Fakhouri F, Vercel C, Frémeaux-Bacchi V：Obstetric nephrology：AKI and thrombotic microangiopathies in pregnancy. Clin J Am Soc Nephrol 7：2100-2106, 2012.
12) 池ノ上学，田中守：妊娠関連 TMA（HELLP 症候群含む）．日血栓止血会誌 31：55-60, 2020.
13) Bouchard J, Mehta RL：Timing of kidney support therapy in acute kidney injury：What are we waiting for? Am J Kidney Dis 79：417-426, 2022.
14) 急性腎障害のための KDIGO 診療ガイドライン（推奨条文サマリーの公式和訳）．
https://kdigo.org/wp-content/uploads/2016/10/2013KDIGO_AKI_ES_Japanese.pdf
（Access：2023/9/15）
15) Gaudry S, Palevsky PM, Dreyfuss D：Extracorporeal kidney-replacement therapy for acute kidney injury. N Engl J Med 386：964-975, 2022.
16) Acharya A：Management of acute kidney injury in pregnancy for the obstetrician. Obstet Gynecol Clin North Am 43：747-765, 2016.

Ⅲ 初期診療に必要なスキル

その他に必要なスキル
2 転院搬送と救急隊との連携

スライド 191

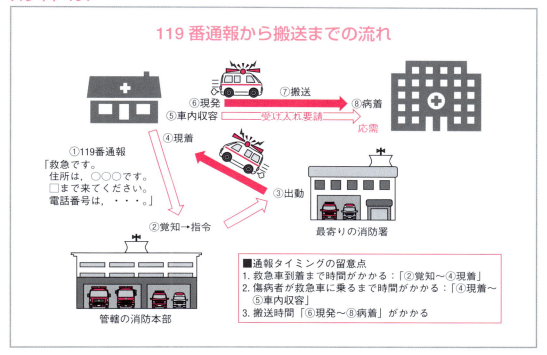

　産科病院や有床診療所，助産所で管理されている妊産婦に急変が生じれば，高次医療機関への搬送が不可欠である。周産期母子医療センターで管理されている妊産婦であっても，病態の種別によっては母体に対する集中治療や高度治療のために救命救急センターなどの高次医療機関への搬送があり得る。これらの搬送に際して，重要な役割を果たすのが救急隊である。

　救急搬送は，かつては日本赤十字社や警察が担っていたが，戦後から消防組織が担うようになり（消防組織法 昭和22年法律226号），災害現場，交通事故，公衆の場，急病人へと社会ニーズから実務的に拡張され，消防法（昭和23年法律186号）の改正（昭和38年4月15日法律第88号）に基づき，救急業務の法制化がなされた歴史がある。限りある搬送資源である救急隊は，緊急性の高い事案に優先して投入されるべきであり，救急車の適正利用の範疇に限って「転院搬送」に活用できる。

　母体救命を要する事案で病院救急車などを活用できない状況であれば，一般に緊急性や専門医療などの必要性，非代替性の観点から，「転院搬送」に自治体消防の運用する救急隊を活用でき，その要請は119番により行うことになる。

Ⅲ 初期診療に必要なスキル その他に必要なスキル

スライド 192

119番通報のやりとり

- 119：消防庁，火事ですか，救急ですか？
- 救急です！
- 119：そこは，何市，何町，何丁目ですか？
- 東京市上京町1丁目4番，J-MELS病院です。
- 119：どうしましたか？
- 重症妊婦の転院搬送依頼です。転院先はまだ決まっていません。
- 119：わかりました。あなたの名前と電話番号を教えてください。
- ○○です。電話番号は03-○○○○-○○○○です。
- 119：わかりました。確認のために，もう一度住所を教えてください。
- 東京市上京町1丁目4番，J-MELS病院，2階X病棟です。
- 119：わかりました，救急車向かいます。

　救急搬送のための救急隊の要請は，119番通報によって可能である（転院搬送の要請は地域ごとのルールに従う）。

　119番通報は，管轄の消防本部や指令センターにつながる仕組みであり，固定電話を用いたほうが位置特定で不具合が生じにくい。携帯電話で通報すると，時に基地局の所在地で隣の消防本部につながることもある（通報者が適切に住所を伝えられれば，消防機関同士の連携により大きな問題とはならない）。

　通報時に「救急」であることを伝え，「救急車が向かうべき場所」を正確に伝える。住所のみならず，目印や，建物内のどこに行けばよいのか，建物のどの入口から入るのがよいかなど，アクセスを伝えることはその後の救急隊活動を円滑にするポイントである。何らかの理由で電話が切れてしまっても，場所さえ伝わっていれば，必ず救急車は来るだろう。

　救急隊1隊に重症患者1人が原則であり，重症母体と重症新生児を同時に搬送しなければならない場合は通報時点でその旨を伝え，2隊の救急隊を確保する必要が生じる。

　傷病者の体重が著しく重い，狭い階段を用いないと外に出られない，エレベータに不具合があり使用できないなどといった搬出困難な背景があれば，通報時点で伝えておく。ポンプ隊（Pumper）が救急隊（Ambulance）に加えて駆けつける仕組み（PA連携という）を設けた消防本部もある。

　地域によってはあらかじめ搬送先医療機関を選定しておく必要がある。消防本部によっては，119番通報の際に，①救急車が向かう搬送元住所に加えて，②搬送先医療機関と窓口の診療科と医師名，③傷病者氏名・生年月日，④診断名，⑤概要（転院搬送の理由）などを伝える必要がある。

スライド 193

病院選定

- **選定方法**（地域により異なる）
  - 搬送元が高次医療機関に連絡する
  - 消防が病院選定を行う
- **適切な高次医療機関の選定**
  - 周産期疾患のみか？
  - 救急疾患が重なっているか？
  - 母体の集中治療が可能か？
  - 想定される疾患の専門治療が可能か？

（参考）救命救急センター
- 複数の診療科領域にわたる重篤患者
- 集中治療室を有する
- 24 時間体制

病院選定は，地域の医療体制にあわせて実施する。母体搬送の場合，一次医療機関から周産期高次医療機関に連絡するのが一般的であるが，重症母体の場合に救急隊や消防本部が病院選定する仕組みを設けている地域もある。各都道府県の医療計画（医療法第30条の4に基づき都道府県が作成する）を事前に確認しておくとよい（インターネット上で検索すれば容易にみつけられる）。

疾患によっては，周産期母子医療センターが搬送先として必ずしも適切とは限らない。間接妊産婦死亡になり得る疾患（脳卒中，大動脈解離，心筋梗塞，肺血栓塞栓症，敗血症，外傷，中毒など）の場合，とくに周産期医療と救急医療のはざまになり，搬送先の選定が複雑になり得る。搬送元医療機関は，周辺地域の医療資源（高次医療機関の特性とその分布）を十分に把握しておき，救命救急センターなどへの搬送が妥当と考えられる場合は，その旨を速やかに救急隊と共有し，病院選定を依頼することも選択肢である。救急隊は日常的に重症疾患の病院選定を行っており，地域の医療機関の特性を把握しているため，選定に迷う場合は連携すべきである。

妊娠22〜36週までの症例は児の対応に関する課題も重なり，搬送先選定が難渋することが考えられる。高次医療機関は母体優先の原則に留意し，母体の管理を行い，必要に応じて新生児搬送を別途行うことも検討する。

高次医療機関（周産期母子医療センターに限らず救命救急センターを含む）の担う地域における役割は大きく，重症母体に対して自施設のもつ機能を十分に発揮できる体制を整え，オーバートリアージを容認して速やかに患者を受け入れられるようにしておく必要がある。

Ⅲ 初期診療に必要なスキル その他に必要なスキル

スライド 194

救急隊員

- 消防職員
- 救急隊員の受けている教育
  ①救急業務に関する講習（総務省消防庁所管＊）「救急科」を修了した隊員
  ②救急業務に関する基礎的な講習（　〃　＊）を修了した隊員
  ③救急救命士（厚生労働省所管）の資格をもつ隊員

  　　　　　　　　　　　　　　　　＊　消防法施行規則（昭和36年自治省令第6号）
- 救急救命士常時運用隊の比率：93.2％（令和4年4月時点）
  ・救急救命士＋資器材を積載した救急車＋医師の指示を受けられる体制
  ・24時間365日

　救急隊員は一般に消防職員（消防吏員：地方公務員，いわゆる消防官）である（常備消防を設置していない一部地域の自治体が，救急搬送業務を民間に業務委託していることがある）。消防組織によっては隊員が救急車に限らず，ポンプ車などに乗り替え消防隊として活動していることもある。

　消防官が救急隊員として活動するには，次頁表に示す応急処置[注163]を可能にすべく，消防庁の定める「救急科（250時間の講習）」を修了することになる（過疎地域および離島においては，92時間の基礎的な講習を受けた准救急隊員もいる）。ただし，医師の管理下で医師の指示があれば，次頁表に限らず医師の指示に従い応急処置が可能とされている。

　上級資格として「救急救命士」の資格をもつ救急隊員もいる。救急救命士は，厚生労働大臣の与える免許（医師や助産師等と同様）であり，医師の指示のもとに「救急救命処置」を行うことができる。「救急救命処置」とは，保健師助産師看護師法で定められた「診療の補助」のうち，重症傷病者に対して行う症状が著しく悪化するおそれがあるか生命が危険な状態にある傷病者[注164]（重度傷病者）に対し，悪化の防止や生命の危険を回避するために緊急に必要な処置である（救急救命士法　平成3年法律第36号）。

[注163] 消防法（昭和23年法律第186号）第2条第9項が，救急業務として「傷病者が医師の管理下に置かれるまでの間において，緊急やむを得ないものとして，応急の手当を行うことを含む」ことに改正され，救急隊員の行う応急処置が法的根拠を得るようになった〔消防法及び消防組織法の一部を改正する法律（昭和61年法律第20号）〕。

[注164] 傷病者と患者：消防機関は搬送対象者を「傷病者」と表現し，消防法や救急救命士法で定める救急業務や処置等の対象者を意味する。一方，医療機関が用いる「患者」という表現は，医療機関との間で診療計画が成立した医療を受ける者を指すことが一般的である。したがって，転院搬送の対象者は傷病者かつ患者である。

表　応急処置と救急救命処置

		救急救命士	救急隊員	准救急隊員
観察	顔貌，意識・瞳孔・対光反射	○	○	○
	出血，四肢の変形・運動	○	○	○
	脈拍，血圧，呼吸，皮膚の状態	○	○	○
	四肢の変形・運動	○	○	○
	酸素飽和度の測定	○	○	○
	心音・呼吸音など	○	○	—
	心電図	○	○	—
気道確保	口腔内の清拭・吸引，咽頭異物除去	○	○	○
	頭部後屈/下顎挙上	○	○	○
	喉頭鏡・鉗子による異物除去	○	○	—
	エアウエイ挿入	○	○	○
人工呼吸	呼気吹込み法，バッグマスク法	○	○	○
	自動式	○	○	—
胸骨圧迫	用手法	○	○	○
	自動式	○	○	—
除細動	自動体外式	○	○	○
酸素吸入	酸素吸入器	○	○	○
止血	直接圧迫止血，間接圧迫止血	○	○	○
創傷・骨折	被覆・シーネ固定	○	○	○
血圧保持	ショックパンツ	○	○	—
体位・保温	必要な体位管理と保温	○	○	○
医師の包括的指示	血糖測定	○	—	—
	自己注射可能アドレナリン投与	○	—	—
	気管内チューブを通じた気管吸引	○	—	—
	小児科領域の処置	○	—	—
	産婦人科領域の処置*	○	—	—
	精神科領域の処置	○	—	—
医師の具体的指示特定行為	乳酸リンゲル液による静脈路確保	○	—	—
	声門上器具による気道確保	○	—	—
	気管挿管	○	—	—
	アドレナリン投与	○	—	—
	心肺機能停止前の輸液	○	—	—
	低血糖発作へのブドウ糖投与	○	—	—

＊墜落産時の処置として臍帯処置（臍帯結紮・切断），胎盤処理，新生児の蘇生（口腔内吸引，酸素投与，保温），弛緩出血時の処置として子宮輪状マッサージが該当する

スライド195

救急隊

- 消防法に定められた,「救急業務」に従事する消防の部隊
- 救急隊:救急隊員3人
  - ①隊長:指揮をとる(消防司令補または消防士長)
  - ②機関員:救急車の運転(消防内部規程に基づき運転ができる)
  - ③隊員:隊長の指揮下で活動
- 救急自動車(通称,救急車)
  乗車定員7人
  - ・救急隊員3人
  - ・傷病者1人
  - ・ほか,同乗者は最大3人まで!

【消防の階級】
消防総監
消防司監
消防正監
消防司令長
消防司令
消防司令補
消防士長
消防副士長
消防士

　救急隊は1隊3人で構成されるのが一般的である。3人の内訳は,救急隊長,救急機関員,救急隊員である。転院搬送に際して連携する場合,まずは隊長を特定し具体的な連携方法について相談するのがよい。その際,隊長が常に救急救命士であるとは限らず,隊員が救急救命士であることもあれば,救急隊に救急救命士がいない場合もあることに留意する。機関員は,救急車(道路交通法では救急用自動車,消防法施行令では救急自動車という)の運転を担っている。運転に際して留意すべきことがあれば,出発前に一声かけておくとよい。

　多くの救急車の乗車定員は7人であり,救急隊員(3人)と傷病者(1人)を除くと,同乗できるのは最大3人である。例えば夫に加えて医師と助産師が同乗すれば定員上限である。ちなみに,車内分娩により新生児が1人出生すれば乗員数が増加することになる〔道路運送車両の保安基準に基づけば定員1人に12歳未満は1.5人乗車可能であるため,救急隊員3人,傷病者(母)1人,夫1人,12歳未満3人,計8人は許容される〕。

　搬送元医療機関は救急隊に対し申し送りとして,①傷病者氏名・生年月日,②診断名,③バイタルサイン,④傷病の概要(転院搬送の理由,簡易な経過,診療情報提供書があることが望ましいが緊急性が高い場合には作成を省略し搬送を優先する),⑤搬送先医療機関(決定している場合),⑥同乗する医療スタッフの職種・氏名,⑦その他同乗する者・傷病者との関係(例えば,夫など)について伝達する。あらかじめ,メモなどにより渡せるようにすると伝達ミスなどを減じることができる。

スライド 196

消防：市町村が管理する

都道府県レベルで消防本部をもつのは東京都のみ（特別区は都知事が管理する）

- 総務省消防庁（FDMA；Fire and Disaster Management Agency）
  - 総務省の外局
  - 日本の消防活動を統括：助言，指導，調整などを行う
- 消防機関（各地域特性による）：実働部隊をもつ
  - 消防本部：全国に 723（令和 4 年 4 月現在）
  - 消防署：全国に 1,714（令和 4 年 4 月現在）
- 消防の業務
  - 火災の予防や消火，救急，救助
  - 災害による被害の軽減

　消防に関する責任は市町村が負っており，市町村ごとに各消防本部，消防署などが管理されているため，救急隊の運用は市町村ごとに異なっている可能性がある。警察は都道府県に警察本部をもち，消防とは組織体制が異なっているので混同しないようにする。

　消防の行う救急業務は，都道府県メディカルコントロール協議会や地域メディカルコントロール協議会により，地域ごとの実情にあわせて緊急度判定基準や医療機関選定基準，活動プロトコルなどが定められ，医学的な質が担保されている。また，救急救命士が医師の具体的指示が必要な救急救命処置（特定行為という）を実施する際に備え，メディカルコントロール体制で定められた手順により無線などを活用して医師から指示を受ける仕組みが設けられている。つまり，救急隊は救急に携わる医師と連絡がとれる体制が敷かれている。特定行為の指示のみならず，救急隊が助言を得る際にも活用されている。母体救急の場面でも，必要に応じてメディカルコントロール医師と連携をすることも選択肢になる。これらの病院前救護体制は，消防と医療の連携で成立している。消防は地方自治体により管理され総務省消防庁が助言指導し，医療は都道府県により管理され厚生労働省が助言指導していることになるが，地域ごとに病院選定に難渋するようなケースを想定し（例えば，妊産婦が救急疾患と精神疾患を抱えているような状況）備えておくことが望まれる。

　遠方搬送が想定される場合には，地域によってはドクターヘリなどが活用される場合もある。ドクターヘリの要請は原則，消防機関が実施する必要があるため，転院搬送などにドクターヘリを利用可能か把握しておくとよい。なるべく早く全身管理医による介入が始まるように，高次医療機関の全身管理医が医師派遣用自動車（いわゆるラピッドカー）などにより一次医療機関に駆けつけ，母体の安定化を図る試みも始まっている[4]。母体救急の充実化に向けた地域ごとの工夫が期待される。

III 初期診療に必要なスキル　その他に必要なスキル

スライド 197

まとめ

- 119 番通報では，住所・建物内の場所・進入経路などを伝える
- 緊急性が高く，専門医療が必要で，代替手段がないときに，自治体消防の救急車による転院搬送が許容される
- 母体の重症病態では，救命救急センターへの搬送を検討する
- 救急隊（3 人 1 隊）のうち 1 人が救急救命士の資格をもつことが多い
- 救急隊は，気道確保，BVM 換気，心肺蘇生などの訓練を受けている
- 救急救命士は，医師の指示を受けて特定行為を行うことができる
- 救急隊への申し送りは簡潔に行う

文　献

1) 消防庁次長，厚生労働省医政局長：転院搬送における救急車の適正利用の推進について．消防救第 34 号，医政発 0331 第 48 号平成 28 年 3 月 31 日．
2) 救急隊員及び准救急隊員の行う応急処置等の基準（昭和 53 年 7 月 1 日消防庁告示第 2 号）．
3) 救急医療におけるメディカルコントロール編集委員会編集：救急医療におけるメディカルコントロール．へるす出版，東京，2017．
4) 廣嶋俊，山下智幸，乃美証，他：母体救命に特化したラピッドカー；周産期ラピッドカーの導入．日救急医会関東誌 44：232-234，2023．

初期診療のマネジメント

1. ノンテクニカルスキルと MRM
2. 地域連携と院内の体制整備

IV 初期診療のマネジメント

1 ノンテクニカルスキルとMRM

● はじめに

　母体（胎児）救命には，さまざまな診療科・部署・職種との有機的な連携が必要である。積極的な連携を実現する手法がマネジメント（management）である。マネジメントは"暗黙知"として受け継がれてきたが，J-MELSアドバンスコースではマネジメントを"形式知"として教育することを目指し，評価・指導を可能にするためにMRM（medical resource management）を導入している。具体的な行動指標を設けることでoff-the-job trainingを可能にしている。

　MRMは，航空分野で教育・訓練に用いられているCRM（crew resource management）を参考に[1]，長らくマネジメント教育手法を研究していたJAXA（宇宙航空研究開発機構：Japan Aerospace Exploration Agency）航空技術部門[2]の助言を得て開発し，宇宙飛行士や国際宇宙ステーションの運用管制員の訓練を行う有人宇宙システム株式会社JAMSSとJAXA有人宇宙技術部門の協力によりブラッシュアップした，医療分野用のマネジメント教育ツールである[3,4]。

● チーム医療とノンテクニカルスキル

　母児救命のために連携を求められる部門や診療科は多岐にわたる。"顔のみえる関係"であれば円滑性の点ではよりよいが，24時間365日体制を考えると常に実現するのは難しい。緊急事態に遭遇した即席のチームであっても戦略的に連携していくことが重要である。

　患者の病態によってチームを構成する医療スタッフは異なるが，いかなる状況でも医療・ケアチームのパフォーマンスを最大限に高めるためには，テクニカルスキル（technical skills）[注165]に加えてノンテクニカルスキル（non-technical skills；NTS）[注166]を医療スタッフが身につけている必要がある[5,6]。

● ハイステークス環境とヒューマンファクター

　母児救命の臨床現場は，緊急事態（突然の変化，準備を行う時間が短時間），危機的状況

[注165] 知識（knowledge）や技能（skill）のこと。一般に，評価しやすく，指導も行いやすい。
[注166] NTSとは，テクニカルスキルを補完し，安全で効率的なタスクパフォーマンスに寄与する認知的，社会的な個人のもつ技能のこと。

(生命・機能予後に影響する，医療資源の不足），時間制限（即時対応を要する，冷静でいられない），複雑性（さまざまに関連し合った多発した問題），状況の詳細が把握しにくい（不完全な情報，情報不足，情報過多，変化する状態）などの特徴があり，ハイステークス環境（high-stakes environment）である[7]。このような環境は，インシデント・アクシデントのリスクも高い。

NTSを身につけることで，ヒューマンファクター（human factor）[注167)8)9)]を有害な方向ではなく有益な効果につなげることができ，効率的かつ安全な母体救急医療につなげられる。

メディカル・リソース・マネジメント（MRM）

MRMは，"安全で効率的な医療を達成するために，すべての利用可能な資源（人，物，時間，空間，情報）を効果的に活用する"ための医療用NTS教育ツールである。

MRMスキルは，状況認識，意思決定，ワークロードの管理という3つの"認知スキル"と，チームワーク，コミュニケーションという2つの"対人スキル"，自身を管理するセルフ・マネジメントで構成される（図Ⅰ-2-3：p13参照）。

MRMによりパーソナリティの問題と処理されがちであった個人のパフォーマンスの問題を，"行動パターンの改善（パーソナリティの改善ではない）"で解決できる。また，MRMを活用しチームの無限の可能性を引き出すことが重要である（各スキルの行動指標一覧は表Ⅰ-2-3：p15参照）。

1. 自己管理（self-management）

自らの認知行動を客観的に把握することをメタ認知（metacognition）という[10)11)]。人間特性についての知識，自分自身を分析し把握した長所短所，他者と自身の得意不得意に関する知識は日常的に得ておき[注168)]，メタ認知の際に活用する。メタ認知を実践するには，自分の認知行動を監視する"モニタリング"[注169)]と，自分の認知活動を制御する"コントロール"[注170)]が重要である。「焦っている」ことを認識し「ゆっくり行動する」ことは，モニタリングに基づいて自らをコントロールするよい例である。重症母体を前に「頭が真っ白になっている」「混沌としている」ことに気づけば，「まずはABCDEFで評価しよう」

[注167)] ヒューマンファクターとは，人間の行動や作業，システムに影響する人的要因や人間の行動特性のことをいう。インシデント・アクシデントの原因になることもあれば，ヒューマンエラーを防ぐのに寄与することもある。

[注168)] メタ認知的知識という。人間にかかわる知識以外に，課題や方略に関する知識もメタ認知的知識に含まれるがここでは詳述しない。このメタ認知的知識とメタ認知的活動（後述するモニタリングとコントロール）によりメタ認知が可能になる。

[注169)] メタ認知的モニタリング（metacognitive monitoring）：認知が適切に行えているか，感情に流されていないか，科学的な観点で検討できているか，現実的な見通しができているか，納得できるように他者に説明可能かなど，客観的に自らを把握し評価する。

[注170)] メタ認知的コントロール（metacognitive control）：モニタリングで得られた情報に，メタ認知的知識を活用して客観的に行動や戦略を制御する。

「支持療法で安定化しよう」などといった行動につなげられる。その場に飲み込まれず，客観的視点で自らを監視し制御するように自己管理を訓練する。

　緊急事態で情報が欠如あるいは複雑で錯綜し，母体は致死的で時間が切迫し，あらゆる問題が多発している状況では，誰でも混乱あるいは混沌とした状況に陥り得る。そこから脱出する手順を STAR（stop, think, act, review）でまとめている。一度立ち止まり（stop），客観的に自らの認知行動を把握し（think），冷静に行動し（act），状況を再評価する（review）ことにより，困難な状況でも戦略的な対応に努める。

2．状況認識（situation awareness）

　状況認識は①事象を認識し（情報収集），②分析し（理解），③これからどのように変化するかを予測する（予測）ための NTS である。状況を把握し先読みするにあたり，いずれの段階でも"母児の予後を改善させる"という目標を明確にもつとよい。状況認識を誤ると，後に述べる意思決定プロセスが適切でも誤った方向に進むので，適切な状況認識は重要である。

1）警戒（vigilance）

（1）変化に気づく

　変化に気づくつもりで積極的に観察する。なんとなく監視モニターを眺めるのではなく，「何かあるはずだ」と思って看視する。しかし，このような緊張状態を継続しつづけることは人間特性上不可能であり，定期的に緊張を弛緩させる時間を設ける。過剰なタスクや疲労は変化を見落とす原因になるため，タスクの分担や交代を検討する。気になる部分や重要な部分は，自ら情報を取りにいくことも重要である。

（2）一点集中にならず，全体を把握する

　目の前の問題が大きいほど，ほかの問題がみえなくなる。これをトンネルビジョン（tunnel vision）という。弛緩出血に集中して意識障害に気づかない，などである。患者情報に限らず院内や地域全体の医療資源（例えば血液センターの血液在庫や血管造影室の使用状況など）を把握すべきときもある。一点集中しすぎると忍び寄る危機を見逃すことにつながるので，全体像（big picture）を意識し，あらゆる方向から母体救命現場の状況を把握するように努める。

（3）何かおかしいときは，認識をリセットする

　何かしらの違和感があるときは，時間経過とともに実際に重大な問題として顕在化してくることがある。違和感があれば先入観を排除し，客観的に評価し直す。スタッフやチーム全体に関しても「何かおかしい」と感じるときは情報を積極的に確認する。

2）分析（analysis）

（1）情報の質と量を検討する

　データ（data）を整理し体系化・構造化して"インフォメーション（information）"となる。インフォメーションをさらに分析・評価・洞察することで意思決定に使用できる"インテリジェンス（intelligence）"になる。ここでは，インフォメーションとインテリジェンスを区別せず「情報」と記載する。

　情報の質は，データの正確度[注171]と精度[注172]にも左右されるため，複数のデータを総合

的に判断する．伝聞を繰り返すと情報の質が低下しがちである．情報の質に不安があればさらに確認する．情報の量が著しく少ない場合は判断を誤らないよう，さらに情報収集する．情報が多すぎる場合は重要情報を見落とさないよう，情報に優先順位をつけて取捨選択する．

(2) 自己と他者の認識を把握し，客観的に状況を評価する

他者の状況認識も積極的に確認し，自己の認識と比較しつつ客観的な把握に努める．個々の状況認識が誤っていれば当然ながらチームの状況認識にもズレが生じる．主観に流されず，客観性を維持する．

(3) 解決すべき問題点を抽出する

状況把握だけでは不十分であり，何を解決すべきか問題点を明確にする．具体的にした問題点に対して意思決定を行う．

3) 予測（anticipation）

(1) 今後の変化（改善/悪化）を予測する

現在に加えて近い将来どう変化するかを予測する．患者の病態に限らず，医療資源（例えば輸血の在庫）の変化や院内体制（例えば手術室や血管造影室）の変化，地域情勢（COVID-19のときのように，救急需要がひっ迫し救急車到着が著しく遅延するなど）の変化についても予測する．

(2) もしもを想定し，潜在的な危険性に備える

発生する頻度がまれでも，重大な事態は十分に想定する．また，気づきやすい表面的なリスクに限らず，潜在的なリスクを勘案する．十分な情報がなければ，楽観的な予測は避けて最悪の事態を想定してチームで共有し，あらかじめ備える．

例えば，頻回な遅発一過性徐脈で吸引分娩となった2,750g女児の出生後，出血量に比して母体の心拍数が上昇していけば「後腹膜血腫も合併したら」「子宮破裂だったら」など，"もしも"を想定し潜在する危険性に備える．

(3) 介入後の変化を想定する

医療介入の際には相応の反応が出るはずであり，その変化を想定してチームで共有しておく．想定された反応と実際の反応が異なる場合，状況認識が誤っていた可能性がある．

正常分娩で3,030g男児が出生し，弛緩出血に対しオキシトシン持続投与と子宮内バルーンタンポナーデ，トラネキサム酸投与で止血できたため「HR 130/minはRBC 4単位輸血後に100/minに改善するだろう」と想定しておけば，130/minのままであったとき出血源検索や凝固障害の鑑別，ショックの重症度評価に乳酸値を測定するなど，次の行動を考えることができる．

(4) 予測をチームで共有する

チームメンバーのなかで状況認識にズレが生じると，治療方針やタスクの実行の意図も微妙にズレてしまう．とくに複数診療科で対応する場合，産科学的な見通しを連携する他診療科にわかりやすく共有する．同時に，産科以外の診療科の予測も聞き出すことが重要

注171) accuracy：真実にどれほど近いか．
注172) precision：複数回の評価におけるばらつき具合，再現性の高さ．

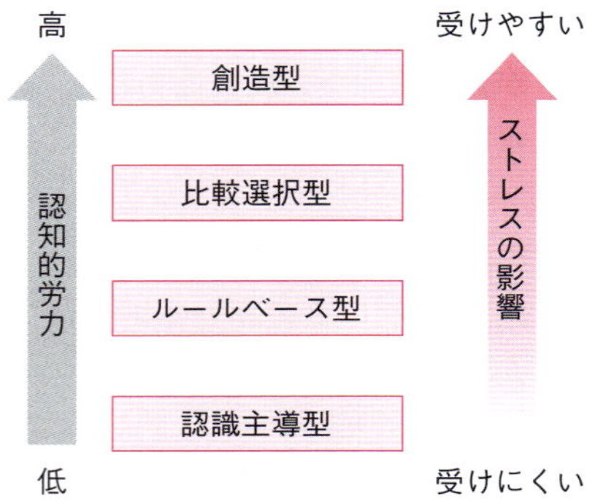

図Ⅳ-1-1　意思決定の方法と認知的労力およびストレスとの関係

である。今後どのように推移するか，予測をチーム全員で共有しておくことが円滑な診療につながる。

3. 意思決定（decision making）

状況認識に基づいて意思決定をする。状況認識で特定した問題点に対する解決策をいくつか検討し，①解決策を選択する。選択に基づき②実行し，得られた結果を③振り返る。この継続するサイクルは動的意思決定（dynamic decision making）と呼ばれ，患者の病態が時々刻々と変化し，置かれた状況や環境も目まぐるしく変化する臨床現場では重要な意思決定手法である。

1）解決策の選択（selection）

（1）譲れない水準を決める

多発する問題に対処するために，妥協せざるを得ない部分もある。しかし，生命や機能予後に大きな影響を与える問題には，譲れない水準を設定する。母体救命の場面では，妊孕性温存よりも「生命予後が最優先」という水準がある。さまざまな場面で，専門家としては絶対に譲れない水準をもっておくと，多科・多部門連携の際にも迷わず意見を主張できる。

（2）選択肢を検討し，代替案も考える

1つの問題に対する解決策は複数準備する。1st choiceの選択肢に加えて代替案を2つ，計3つ程度は選択肢を準備しておく。第一案が失敗したときに手詰まりにならないように事前に備えておけば，あせらず次の一手に移れる。選択肢を選ぶとき，とれる手段がなるべく多くなるように行動し，選択肢を失うような行動は避ける。

（3）リスクと効果を考慮する

それぞれの選択肢についてリスクと期待される効果を客観的に検討する。意思決定には認知的労力を要するが，ストレスの影響を受ける（図Ⅳ-1-1）。不測の事態に対応するための応用行動を考える（what if）際に有用な手法は，比較選択型意思決定（choice through comparisons of options）である。

認識主導型意思決定（recognition-primed decision making；RPD）は素早い意思決定だ

が直観（intuition）でありほかの選択肢は考慮されない。例えば弛緩出血に双手圧迫をするときである。ルールベース型（rule based）意思決定は，所定の手順に基づく意思決定であり，頻度の高い事象やリスクの高い状況における標準的手順を学ぶときに用いられる（if〜then…）。心停止に対するBLSアルゴリズムが典型的である。創造的（creative）意思決定は，高いタイムプレッシャーがあると用いにくい。不確かな状況で，今までにない行動を考えだすときの意思決定方法である。

　（4）自分の意見をいい，他者の意見を聴く

　解決策を選択する際には思い込みや先入観を排除し，チーム全体で検討を行い客観的によりよい選択肢を選ぶように努める。自分の意見をきちんと伝え，意見をいうか否か悩んでいるメンバーの意見を聴きだし，いいアイデアは取り入れる姿勢が重要である。

　（5）考える時間を区切って選択する

　限られた時間と限られた情報のなかで迅速かつ的確に解決策を選択する。情報が十分得られない状況は少なくない[注173]。選択せずいたずらに情報を待ちつづけることは，結果的に何もしない選択をしたことになるので避ける。限られたなかで明らかに不適切な選択肢を避けつつ，最善策を検討しスピーディーに選択する。

2）決定の実行（action）

　（1）決定を宣言（受理）し，根拠を伝える（確認する）

　選択肢を決定したら，実行に移すために必ず必要な手順である。リーダーは，決定を宣言しその根拠を伝える。フォロワーは，決定を受理し根拠を確認する。決定の宣言だけでも実行に移すことはできるが，根拠や意図も伝え「何のためにやっているか」を理解することで，全体の方針に沿ってタスクが実行されるようになる。

　（2）宣言を理解したことを確認する（伝える）

　リーダーは決定の宣言に加えて，それが理解されたことを確認する。フォロワーは決定を理解したことをリーダーに伝える。理解がなければ，決定が実行されない，あるいは異なった理解で決定が誤って実行されてしまうおそれがある。

　（3）各自が役割を理解し実行する

　自らの役割を理解すれば確実な実行につながる。診療の全体像における自分の役割や行為の目的・意図・意義を理解しておくことで，実行する直前にその適否も判断でき臨機応変な軌道修正も可能になる。

3）振り返り（critique）

　（1）決定が正しいか見直す

　選択肢を決定した後でも，行動に移す前に決定した前提が間違っていないか，その決定が最良であるか，抜けはないかを見直す。アナフィラキシーにアドレナリンを投与するとき「0.5 mg筋注」と見直せば，心停止に対する「1 mg静注」と混同することを避けられる。

[注173] 部分情報問題（problem with partial information）といわれる。不完全で不正確な情報しかない場合や，予期せぬ事態，未知の事態などで十分に情報が得られないときであっても，問題を解決する必要がある。追加情報が得られた場合には，その都度軌道修正を図ることが重要である。

（2）行動しながら最良か振り返る

決定を行動に移すが，計画どおりか，効果が出ているかを振り返りつづける（look back）。限られた時間と情報で意思決定した際は，"確からしい"選択で行動しているので，最良の選択だったかを振り返り，軌道修正につなげる。

（3）結果を（希望的ではなく）素直に受け入れる

意思決定による結果は，素直な気持ちで評価すべきである。バルーンタンポナーデ法後の再評価で，ついもう少し様子をみれば止血できるかもしれないとどうしても希望的にとらえがちだが，結果に対して責任をもつためには事実を受け止める覚悟が必要である。

（4）誤りがあれば切り替える

間違った選択だったことに気づいた場合，勇気をもって修正・撤退する。自らの誤りを認めるのは容易ではないが，自己防衛的にならず回復可能なタイミングで切り替える。事前に撤退条件を決めておくことも得策である。

チーム全体で軌道修正するとき，チームメンバーは過去の意思決定を責めず，まずは修正を最優先にして柔軟に対応する。その後チーム全体でどうして誤ったのかを建設的に検証する（責任追及を目的としない）。

4．ワークロード（workload）

ワークロードは作業負荷[注174]と作業負担[注175]に分けられる。作業負荷を軽減するためにタスク[注176]をコントロールし，個々人の負担を軽減する。タスクが確実に実行される環境を生み出すことが重要である。

1）計画（planning）

（1）業務負荷が高くなるときを想定した計画にする

その瞬間に対応している業務負荷に限らず，将来的に生じる業務負荷を見据えて計画する。患者が転院搬送されてくる前に，救急科や麻酔科に応援要請の可能性を伝え，あらかじめ輸血部と輸血の準備量を相談し，薬剤部にフィブリノゲン濃縮製剤の準備を依頼し溶解液は加温しておくなど，オーバーロードにならないような計画が必要である。

（2）状況が変われば計画を見直す（継続/中止/変更）

状況が頻繁に変化するとき，適宜計画を見直す。作業負荷が急激に増加したとき，重要な計画は継続しつつ不要な計画は中止する。例えば，IVR中に再びショックが進行すれば手術への変更を計画し，急速輸血に切り替える。

（3）タスクに十分な時間をとり，効率的な計画にする

医師が矢継ぎ早に指示を出しても，それらを実行する助産師が1人しかいなければ実施は困難である。一度に指示を出しすぎれば，抜けや混乱が生じ，時に士気の低下を誘発する。指示を出すことだけに満足せず，タスクに十分な時間を想定し，実際に指示を実行できることを追求する。「○○はまだか？」と思うときは，タスクに十分な時間をとったか再

[注174] 作業負荷（work stress）：人間の生理的心理的状態を乱すように作用する外的条件や要求の総量。
[注175] 作業負担（work strain）：作業負荷が個人の特性や能力と関連して与える影響。
[注176] タスク（task）：実行する必要のある作業。タスクを減らせば作業負荷を減少できる。

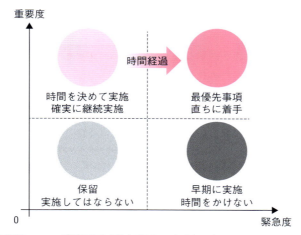

図Ⅳ-1-2　緊急度と重症度のマトリックス

検討する。
2）優先順位づけ（prioritizing）
　（1）緊急度（時間制限）を考慮する
　　緊急度は重要度の時間変化率（時間微分）であり，時間の切迫性を含んだ概念である。"緊急度が高い"とは，時間経過でタスクの重要度が急激に上がるもの，タイムリミットがあり直ちに行動しないと（あるいは行動を中止しないと）事態が悪化して重大な結果を招くものである。一般的に，重要度よりも緊急度のほうがより優先順位が高い（時間をとり返すことはできない）。
　（2）重要度を考慮する
　　重要度はある行動の必要性や効果性の指標である。"重要度が高い"ものは確実に実施すべきである。一方，極限的に忙しいタイミングでは重要度の高くないものは実施してはならない。緊急度は低いが重要度が高いものは，時間経過とともに緊急度・重要度がともに高くなる（図Ⅳ-1-2）。なるべく先読みして事前に実施しておくと，活動全体に余裕が生まれる。医学的に，重要度は重症度に置き換えられる。また，一般に母体は胎児よりも重要と考え，生命，機能，整容の順に重要と認識する。
　（3）実行容易性（タスク量）を考慮する
　　短時間あるいは容易に実行できるものは，早期に解決しておく。実行困難なことに時間を浪費しないように調整する。
3）タスク配分（distribution）
　（1）各人が確実に実施できるようにタスクを配分する
　　リーダーはタスクを与えるチームメンバーの慣れや経験年数を考慮し，実施可能なタスクを配分する。無理難題を押しつけても問題解決には至らない。
　　また，リーダーが多数のタスクを行うことは避ける。マルチタスクはワーキングメモリ（working memory）[注177]を消費し[12]，マネジメントを行うための頭脳労働が困難になるので[13]，可能なかぎりタスクをチームメンバーに配分する。

(2) パフォーマンスを監視し，援助する

タスクを配分したら，リーダーはチームメンバーのパフォーマンスやタスクの進行状況に注意を払う。タスク実施が困難な兆しがあれば，再配分や支援を調整する。資格ごとに許された医療行為は異なるため代替できない部分もあるが，互いに補助できる範囲なら垣根を越えた活動（boundary spanning）も有効である。フォロワー同士が互いにパフォーマンスを監視し，必要時に援助し合うことを相互支援（mutual support）という。マルチタスクの際には，チームメンバーがお互いのパフォーマンスを監視し補い合うことが重要である。

(3) 不要な業務負荷は排除する

危機的状況では業務過多に陥りやすい。優先順位に基づき不要な業務を思い切って排除する。「やらない」判断をするには勇気がいるが，タスク量が限界に達しつつあるときは優先順位の低いものから積極的にタスクを排除する。

(4) 実施困難な見込みなら早期に助けを求める

限界に達したときではなく，実施困難な見通しならその時点で助けを求める。手遅れにならないためにも，早期に応援要請する。助けを求めることを恥じるのではなく，助けを求めないことが恥ずべきことと心得る。

5．チームワーク（teamwork）

複数のメンバーで効率的かつ効果的にミッションを遂行するために，チームワークを重視する。互いの異なる点を認識しつつ共有した目的・目標のために結束し，ベクトルを同一方向に向けることで機能的チームになり，一人では達成困難な目的・目標を達成できるようになる。

1）リーダー/フォロワーシップ（leader/follower ship）

チームメンバーは，リーダーの機能をもつ者と，フォロワーとして機能する者に分けることができる。

リーダー（leader）は，チームメンバーにチームの目的を意識させ，チーム目標を達成するべくメンバーに影響力を与えチーム・パフォーマンスを向上させる。この影響を与える過程をリーダーシップ（leadership）という。目標達成あるいはミッション成功のために，チームを統制・統率すること，士気の維持・向上，各メンバーの能力を発揮させ相乗効果を得られるようにすることなどが必要である。一方，リーダー以外のメンバーはフォロワー（follower）となる。フォロワーは，積極的にリーダーを支え，必要なら助言をする。リーダー以外から生じるリーダーシップへの影響をフォロワーシップ（followership）といい，リーダーシップと同様にきわめて重要である。

有能なリーダーは多くの場合，有能なフォロワーになれる。リーダーとフォロワーの関係は表裏一体であり，時と場合により入れ替わる。得意分野に応じてリーダー/フォロワーがスムースに流動的に入れ替われる関係のチームは，臨機応変に対応できチーム・パフォーマンスが高くなる。一般的にはタスクに関連してもっとも専門能力が高い人がリー

注177) 作業記憶のこと。短い時間に情報を保持して同時に処理する能力をいう。

表Ⅳ-1-1　チーム形成の段階（B. W. Tuckman 1977）

形成期	forming	互いを知らず相手を知る時期
混乱期	storming	価値観がぶつかり，課題解決方法を模索する時期
統一期	norming	お互いを受容し，目標設定され役割分担ができる時期
機能期	performing	チームとして機能し，目標達成に向かう時期

ダーとなる。

　チームメンバーのそれぞれがチームの活動に対してビジョンと使命感をもち，現場全体でやる気が鼓舞され満足度が高くなることにより，パフォーマンスは向上する。チームメンバー全員が主体的に行動できる環境を整え，チーム・パフォーマンスを最大化するように努める。

（1）チームを形成する

　チーム形成（team building）は段階を経るが（表Ⅳ-1-1），チーム形成後はチームを維持（maintenance）する努力を継続する。

　緊急時はその場のメンバーで即応的にチームを形成するため，各段階を同時に経験することになるが，柔軟に対応し順応する必要がある。

（2）チームとしての目標を共有する

　チームが取り組む課題や目標を共有することは，チーム活動に不可欠である。目標達成により自分たちが得られる利益（医療現場では患者の改善など）を具体的にイメージさせると士気を高められる。課題や目標に限らずチームメンバーの特性や各メンバーの役割，課題の解決手順などについて，メンバー同士が共通してもつ知識を共有メンタルモデル（shared mental model；SMM）といい，SMM がそろっているほど高い成果を出すことが知られている[14]。

（3）意向と行動の意図を伝える（理解する）

　リーダーが任務を与えるとき，行動だけでなくその意図も伝える。フォロワーは任務を受けるとき意図も理解する。意向や意図の理解により互いの考えや行動を予測し合える状態になり，相互補完やバックアップ，暗黙の協調（implicit coordination）も期待でき，チーム・パフォーマンスが向上する。

（4）権威勾配を適度に保つ

　立場や地位による"権力"と職務分掌による"権限"によってポジションパワー（position power）が生じる。チームメンバー同士のポジションパワーの差による社会的な力関係を権威勾配（authority gradient）という。

　権威勾配が急すぎると絶対服従状態となり，ポジションパワーの低い人（主にフォロワー）は意見を述べなくなりミスも指摘しなくなる。強権的な態度や強い口調は権威勾配を急にする原因となる。一方，権威勾配が緩すぎると，馴れ合いになり指示は通らず，緊急事態の対処ができなくなる。どちらもチーム・パフォーマンスは低下する。

　権威を適切に使いこなすことが必要で，リーダーが必要に応じてフォロワーに権限を委譲し，責任と権限を与えることも時に必要である。また，一刻を争う事態では権威勾配を急にして，指揮命令を行うほうが適切がある。

ポジションパワーに対してパーソナルパワー（personal power）は，立場や地位にかかわらず個人のもつ特性（専門力や情報力，人間性など）により生じる力関係である。

(5) 指揮命令を上手に用いる

緊張がきわめて強く時間的余裕のない場合や不測の緊急事態では，指揮命令が有効なことも多い。緊急時のチーム活動には，コマンドを適度に用いる。

コマンド（command）は，責任をとれるメンバーがもつ権限により行う指揮・命令・指示のことであり，リーダーシップとは意味合いが異なる。このとき，権限をもつ人をコマンダー（commander）という。急変の場などでは，その場でもっとも責任を担う立場の者がコマンダーになり得る。リーダーシップの範疇を超えた強力な指揮命令権を発動したときにコマンドとなる。メンバー同士に事前に信頼関係が構築されていることが理想である。コマンドに対して過剰な時間をかけて意見を述べたりディスカッションしたりするのは不適切である。

コマンドを出す際に，コマンダーは指揮命令権と責任の範囲を明確に把握する必要がある。コマンダーに無条件の権限があるのではなく，コマンドに対して説明責任（accountability）を果たす必要がある。明らかに誤った命令はチームメンバーにより是正されるべきである。

(6) 意見を求め，助言を受け入れる

危機に対して集合知（collective intelligence）[15]で臨む。リーダーは指示を出し指導をするが，同時に意見を求め助言を取り入れる度量が必要である。フォロワーも意見を求められたときには応えるべきである。チームの潜在能力を引き出すためにも，チームメンバーの意見を集約し，多角的な状況認識に基づき意思決定に役立てる。

2）雰囲気づくり（climate）

(1) 自分の行動がチームに与える影響を意識して行動する

自分の行動がチームに影響力をもつことを自覚し，とくに危機的状況や切迫感によるストレスやプレッシャーで，無意識のうちに（口調が荒くなったり怒っているように感じとられたりするので）チームに悪影響を与えないように行動する。建設的で前向きな姿勢を心がける。

(2)「ありがとう」を忘れずユーモアを保つ

リーダーはフォロワーが一定のパフォーマンスをした際にポジティブフィードバック（positive feedback）をするとよい。たとえ間違った意見を述べたときでも，「指摘してくれてありがとう。でも現状では○○なので…」というだけで，次の機会にもよい意見を進言してくれるようになる。よいパフォーマンスをしたとき「よくやった！」といえば士気も維持され，さらなるパフォーマンスの向上が期待できる。

緊迫した雰囲気のとき，ユーモア（humor）はその場の雰囲気を好転させる力がある。過緊張が和らぎ心にゆとりが生まれ，本来のパフォーマンスを発揮できるようになる。平時に発揮されるユーモアは自由な発想によるクリエイティブな活動を促進する。

(3) チーム・パフォーマンスが最大になる環境を維持する

各人の価値観，信条，行動規範，文化を認め合うことが必要である。各科あるいは職種ごとに価値観が異なっていても，互いに敬意を払う。職歴や職位に差があっても互いに礼

儀正しく接し，相互にフィードバックし合える関係を維持する。心理的安全性（psychological safety）[16]が高い状態は，チーム内で自分の考えや気持ちを誰にでも気兼ねなく安心して発言できる状態をいい，否定されたり罰せられたり排除されないと確信できている状態である[注178)16]。心理的安全性はチームのパフォーマンス，レジリエンス，学習などを高めることが知られている。

3）意見の相違の解決（conflict resolution）

（1）感情の対立にしない

チームは複数のメンバーで構成されるため，意見の相違は発生する。このとき，感情的な議論は有害無益である。主観論や感情的な主張は避け，客観的かつ論理的な視点を保つ。

（2）「何が正しいか」を念頭にする（「誰が正しいか」ではない）

意見の相違は人と人の意見の対立になり，誰が正しいのかという議論になりがちである。人の対立ではなく，論点を明確にして何が正しいかを念頭に議論する。

（3）自分の主張を変えるときは，客観的な分析を心がける

誤った主張であったことがわかれば，直ちに是正すべきだが，客観的な分析を行ったうえで判断する。コロコロと意見を変えてチーム全体を迷走させない。

6. コミュニケーション（communication）

コミュニケーションはほかのマネジメントスキルとも大きく関わり，多職種連携や安全かつ効率的な初期診療に欠かせない。コミュニケーションは言語コミュニケーション（verbal communication），非言語コミュニケーション（non-verbal communication）に分けられる。言語コミュニケーションは言葉によるコミュニケーションである。そのうち，声の高さ・大きさ・速さ・抑揚・声質・話し方などによる影響を準言語コミュニケーション（para-verbal communication）という。沈黙も準言語に含むことがある。非言語コミュニケーションは，表情，視線，仕草，ジェスチャーなどに加え，対人距離や触れ合いも含んだコミュニケーションをいう。感情面のコミュニケーションのうち90%は非言語・準言語でやりとりされるともいわれている[17]。

医療分野でもコミュニケーションの問題は多く指摘されるが，具体的な解決方法に悩むことも少なくない。以下に示す行動指標は，コミュニケーションを改善させる一助になる。

1）情報の伝達と確認（2 way communication）

情報は"伝達"し，正確に伝達されたかを"確認"する2方向のやりとりが重要である。母児救命を含むハイステークス環境では，確実な情報伝達のために基本的に言語コミュニケーションを用いる。しかし無意識のうちに準言語・非言語コミュニケーションによる影響が生じる。不要なストレスを与え緊張を高めないように，口調や態度を意識する。感情をコントロールしたうえで焦りや不安などのネガティブな感情を伝えることも適切なとき

注178) 自らが無知（ignorant）・無能（incompetent）・邪魔（intrusive）・マイナス（negative）だと思われる不安がある状態は，心理的安全性が低い状態である。心理的安全性を高めるために，①自らの貢献がチームに必要であると考えていて恐れずに発言できること，②不確実性に対応するためにチームワークが重要であると認識していること，③ヒューマンエラーは誰にでも発生し得てチームで対応するためにエラーを責めず学びの対象とすることが重要である。

がある．

　(1) 情報を伝えるタイミングを検討する

　カウントやダブルチェック中に話しかけることはエラーを誘発するので避ける．また高い集中力を要する作業中にもパフォーマンス低下を招くので，話しかけるべきではない．

　安全にかかわる情報伝達は直ちに行う．よくない情報は不確かであっても速やかに伝達することで，対処行動を開始しつつ情報の真偽を確認できる．早期介入できれば被害拡大を回避できる．

　(2) 伝達手段を検討する（口頭，電話，書面など）

　伝達手段の特徴を考慮して選択する．口頭では即時的に伝達できるが，聞き間違いも発生するので復唱確認を行う．書面は繰り返し同じ情報を伝えることができ，記録に残るため情報の正確性は保たれやすい．いずれの伝達手段でも，なるべく一文一義にして正確に情報が伝わるように工夫する．

　(3) わかりやすい言葉で省略せずに伝える

　母児救命の現場では連携すべきメンバーも多方面にわたる．医師以外の医療従事者にも配慮し，医師であっても診療科が異なれば慣れない用語もあるので，略称を用いずわかりやすい表現を用いる．不明確な言語，不明瞭な発音，早口などは避ける．共通言語を定めたり用語統一を図ることで，共通概念をもちやすくなる．

　慣れたメンバーであれば「以心伝心」「暗黙の了解」ということもあり得るが，救急現場でそれらを期待するのは不適切である．「わかるだろう」「わかるはずだ」という先入観を排除し，主語や目的語などを省略せずに話す．危機的状況ほど明確なコミュニケーションを心がける．

　(4) 結論から話し，説明を加える

　まず，短い言葉で簡潔かつ明快に結論から話す．その後，なぜそのような結論になったか説明を加える．こうすることでポイントが明確になり，電話などが途中で切れても結論は伝えられることになる．

　会話のはじめに伝える内容の個数を知らせて，どんな情報なのか心構えをさせるためのメンタルセット（mental set）を行うとよい．例えば「検討事項が2つあります．脳出血の可能性があること，早期CTが必要なことです．なぜなら…」である．限られた時間内に最小限の言葉で的確に伝えるように努める．

　(5) 情報が理解されたことを確認する

　迅速かつ正確に伝え，さらに理解されたことを確認する．相槌を打っていても聞いているという意味であり，理解しているとは限らない．伝わったことを確認するために"復唱"が適している．相互確認を確実に実行するマリン・コンセプト（marine concept）は軍艦で指示を出すときの手法であるが，蘇生の場に応用できる（図Ⅳ-1-3）．

2) ブリーフィング/デブリーフィング（briefing/debriefing）

　ブリーフィング（briefing）は簡潔に行う情報共有の場であり，ミッション直前や業務にとりかかる前に行われる．医療現場でも患者来院前，手術前，現場出動前などに実施できる．デブリーフィング（debriefing）はミッション直後に行う振り返りである．

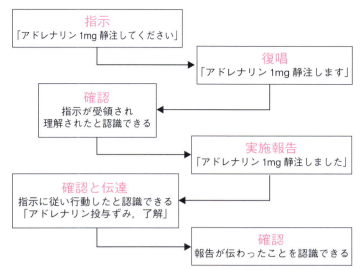

図Ⅳ-1-3　マリン・コンセプトの臨床応用

（1）情報を共有する時間と場を作る

　チーム全体が共通の目標に向かっていくために，積極的に情報共有する時間と場を設ける。ミッション前にはブリーフィング，ミッション後にはデブリーフィングを行うとよい。ミッション中に行う情報共有は，身を寄せ合うことからハドル（huddle）と呼ばれる。

（2）情報提供と質問が重要であることを強調する

　「知っているだろう」と思っても情報提供する。わからない，あるいは曖昧なことは必ず質問する。リーダーは質問の重要性を伝え，質問しやすい雰囲気を作る。

（3）積極的に参加する

　自分のもつ意見・考え・情報・疑問などは積極的に伝える。リーダーに限らず，フォロワーも同様に積極的に発言する。

3）安全への主張（assertion）

（1）疑問は躊躇せず口に出す

　疑問点は徹底的にチーム内で解決する。小さな疑問を放置すると，時間とともに重大な事態に発展することもある。質問したら恥をかくのではないかと思いがちであるが，勇気をもって躊躇せず問いかける。コミュニケーションでは聞き間違い・見間違いに加え思い込みなども発生するため，わずかな認識のズレを感じたら直ちに再確認すべきである。

（2）自分の意見を素直に伝える

　他者の意見と異なっていても，自分の意見は率直に伝える。チーム全体で意見を交えれば，チーム・パフォーマンスを向上できる。怒りや不満は，状況改善のためにしかるべき相手に（時と場合に応じてトーンや言葉の表現で）丁寧に建設的に伝える。ネガティブな感情も，真剣さとして表現することでチーム・パフォーマンスの向上に寄与する。

（3）危険であると感じたら強く主張する

　安全に関することは，強く主張すべきである。一度では伝わらなくても，繰り返し主張

する（2 challenge rule）。相手を尊重する姿勢は重要であり，建設的な姿勢で臨む。正しい主張でも攻撃的あるいは批判的な姿勢は，結果的にチーム・パフォーマンスを低下させてしまう。

(4) 意見表明を受けたら積極的に応える

意見表明には必ず真摯に向き合って対応する。誤解なく理解しようと適宜質問して聞く手法は，積極的傾聴（active listening）と呼ばれる。時間が切迫しているときには，十分な議論は困難であるが，チームメンバーからの意見を抽出する。意見を述べるのには少なからず勇気が必要であり，意見表明をしてくれたことに対しては感謝と敬意を具体的に示し，デブリーフィングで詳細なフィードバックをするとよい。

おわりに

母児救命の現場で使用可能な医療資源を最大限発揮させるためのマネジメントについて記載した。MRM が on-the-job および off-the-job training で有効活用され，日本全国の多職種チームが効果的なマネジメントスキルを身につけることを願う。身につけたマネジメントにより，知識や技能などのテクニカルスキルが存分に威力を発揮できる環境を作り，母児救命というミッションを達成できることを期待したい。

文　献

1) Tsuda H, Iijima T, Noda F：Development of methods for CRM skills measurement. JAXA Research and Development Report 2009.
2) 飯島朋子，津田宏果：航空機運航乗務員のヒューマンエラー防止の取り組み．日本航空宇宙学会誌 64：117-123，2016.
3) 山下智幸，奈良和春，小山武志，他：メディカルリソースマネジメント MRM 開発と母体救命教育への導入．宇宙航空環境医学 53：134，2016.
4) Hashii K, Hasegawa J, Yamashita T, et al：Activities of the Japan Council for Implementation of the Maternal Emergency Life Support System reduced direct causes of maternal deaths in Japan. J Obstet Gynaecol Res 49：2252-2266, 2023.
5) Fletcher GC, McGeorge P, Flin RH, et al：The role of non-technical skills in anaesthesia：A review of current literature. Br J Anaesth 88：418-429, 2002.
6) ローナ・フィリン，ポール・オコンナー，マーガレット・クリチトゥン著，小松原明哲，十亀洋，中西美和訳：現場安全の技術；ノンテクニカルスキル・ガイドブック，海文堂出版，東京，2012.
7) M. セントピエール，G. ホーフィンガー，C. ビュアシャーパー著，澤智博監訳：急性期医療の危機管理：チーム医療とヒューマンファクター，シュプリンガー・ジャパン，東京，2009.
8) F・H・ホーキンズ：ヒューマン・ファクター，成山堂書店，東京，1992.
9) Advanced Life Support Group：Human Factors in the Healthcare Setting. BMJ Books, West Sussex, 2013.
10) 石垣琢磨：メタ認知トレーニング（Metacognitve Training；MCT）日本語版の開発．精神医学 54：939-947，2012.
11) 石垣琢磨：メタ認知トレーニング（MCT）の理論と実践．花園大学心理カウンセリングセンター研究紀要 10：5-10，2016.
12) Oberauer K：Access to information in working memory：Exploring the focus of attention.

J Exp Psychol Learn Mem Cogn 28：411-421, 2002.
13) Hoshino T, Tanno Y：Modulatory effect of motivation on the association of trait anxiety and cognitive performance：A pupillometric study. J Behav and Brain Sci 7：273-286, 2017.
14) DeChurch LA, Mesmer-Magnus JR：Measuring shared team mental models：A meta-analysis. Group Dynamics, Theory, Research, and Practice 14：1-14, 2010.
15) Mayo AT, Woolley AW：Teamwork in health care：Maximizing collective intelligence via inclusive collaboration and open communication. AMA J Ethics 18：933-940, 2016.
16) Edmondson AC：Psychological safety and learning behavior in work teams. Administrative Science Quarterly 44：350-383, 1999.
17) Swendiman RA, Edmondson AC, Mahmoud NN：Burnout in surgery viewed through the lens of psychological safety. Ann Surg 269：234-235, 2019.
18) Mehrabian A, Ferris SR：Inference of attitudes from nonverbal communication in two channels. J Consult Psychol 31：248-252, 1967.

IV 初期診療のマネジメント

2 地域連携と院内の体制整備

はじめに

　母体救急にかかわる医療スタッフがSAMコンセプト（テクニカルスキル，診療アプローチ，マネジメント）に基づき，チームで効率よく診療を行えるようにJ-MELSアドバンスコースの教育内容が作成されている。しかし各医療機関で実際に診療を行うには，それを実現するための場が必要であり，地域内の連携体制を構築し，院内体制を整備しなければならない。

　医療機関の地理的分布や医療体制も都道府県によって異なっており，医療機関ごとに地域における役割，規模，各診療科の対応能力や院内システム，文化も異なる。そのため，これらの特性を鑑みて臨床現場ではさまざまな工夫をして，診療体制の最適解を導く必要がある。本項では参考となる内容について述べるにとどめ，実際の具体的な対応については地域特性と医療機関の文化にあわせて体制を整備していただきたい。

地域連携の体制整備

　都道府県が地域の実情に応じた体制を確保するために策定している「医療計画[注179]」に記載された内容が各地域の基本的な方針である。2024（令和6）年度からは第8次医療計画となるが，このなかで5疾病は，がん，脳卒中，心筋梗塞などの心血管疾患，糖尿病および精神疾患，6事業は救急医療，災害時における医療，新興感染症発生・まん延時における医療，へき地医療，周産期医療および小児医療とされる。

　この体制を前提に地域全体で母体救命のために必要な要素（表IV-2-1）を満たす必要がある。まず，医療計画に基づく医療体制の基本事項について述べ，過去から学ぶべき地域連携の重要性について触れ，必要な取り組みについて概説する。

1. 周産期医療

　地域ごとに「周産期医療圏」が設定され医療機関同士の相互連携が図られ，医療機関は機能分化している（表IV-2-2）。母体急変などにより搬送を要する場合，分娩取扱施設から周産期母子医療センターへの搬送が必要になることがある。搬送先選定を円滑化するた

[注179] 昭和60年の医療法改正から導入された。医療法（昭和23年法律第205号）第30条の4第1項に基づき都道府県が定めるが，現在は6年に一度改定されている。医療計画は，厚生労働大臣の定める基本方針（同法第30条の3）と技術的事項についての助言（同法第30条の8：医療計画作成指針等）に即して定められる。

表Ⅳ-2-1　母体救命に必要な地域連携体制

周産期医療の枠組みにおける連携
救急医療の枠組みにおける連携
領域・枠組みを超えた地域連携（非産科合併症，精神疾患，感染症）
地域で連携したシミュレーションコース開催

表Ⅳ-2-2　周産期医療における医療機関の機能

名称	特徴
総合周産期母子医療センター（三次医療圏に少なくとも1ヵ所整備）	1. 合併症妊娠，胎児・新生児異常など母体または児にリスクの高い妊娠に対する医療を実施する 2. 産科合併症以外の合併症を有する母体に対応する 3. 高度な新生児医療を実施する 4. 周産期医療体制の中核として地域周産期医療関連施設などとの連携を図る 5. 周産期医療情報センターの機能を担う
地域周産期母子医療センター（総合1ヵ所に対し，数ヵ所整備）	1. 周産期に係る比較的高度な医療行為を実施する 2. 24時間体制での周産期救急医療（緊急帝王切開術，その他の緊急手術）に対応する
その他の分娩取扱施設	1. 正常分娩と妊婦健診などの分娩前後の診療を行う 2. 低リスクの帝王切開術への対応 3. 日常の生活・保健指導および新生児の医療の相談などを実施する

〔文献1）に基づき作成〕

めに「周産期救急情報システム」によりNICU空床状況，手術の可否などの情報を共有する地域が多く，搬送先の選定に難渋するときには，総合周産期母子医療センター・周産期医療情報センター・救急医療情報センターなどに配置された搬送コーディネーターが搬送先選定を支援する体制を敷く地域もある。これらの仕組みは基本的に産科疾患や児の疾患すなわち周産期疾患に親和性が強く，必ずしも救急疾患や精神疾患などに円滑に対応できるとは限らない。

妊産婦の多くはかかりつけ医が定まっているため，母体搬送は前述のとおり施設間搬送が主体となる。一方，自宅から119番通報された場合や，未受診の妊婦はかかりつけ医への搬送がかなわず，搬送先選定に難渋することがある。

2. 救急医療

救急医療機関は初期，第二次，第三次救急医療機関に分けられ，それぞれ，外来診療，入院診療，救命救急医療を担っている。そのうち，24時間365日，緊急性・専門性の高い疾患や複数の診療科領域にわたる症例，ほかの医療機関では困難かつ幅広い疾患に対応する高度な医療を総合的に実施する第三次救急医療機関は「救命救急センター（あるいは高度救命救急センター）」として指定されている（表Ⅳ-2-3）。100万人を目途に1ヵ所（全国100ヵ所）を目標に整備が開始されたが，全国の救命救急センターは304ヵ所（2023年12月1日時点）である[1]。

救命救急センターは，緊急度・重症度が高い救急疾患（脳卒中，急性心筋梗塞，大動脈解離，肺血栓塞栓症，心不全，呼吸不全，敗血症，出血性ショック，重症外傷，熱傷，中

表Ⅳ-2-3　救急医療における医療機関の機能

名称	特徴
救命救急センター （100万人に1カ所を目途）	1. 重症および複数診療科領域にわたる重篤患者を24時間体制で受け入れる 2. 初期・第二次救急医療機関からの患者を必ず受け入れる 3. 生命の危機が回避されれば，患者を転床させ，必要な病床を確保する 4. 臨床教育を行う
第二次救急医療機関	1. 入院治療を要する救急患者の医療を確保する 2. 初期救急医療機関からの患者を受け入れる
初期救急医療機関	1. 休日・夜間の外来診療を行う

〔文献1）に基づき作成〕

毒など）の対応に慣れており，集中治療まで継続することはできるが，必ずしも妊婦の対応（重症産科疾患や新生児対応）に慣れているとは限らない。

　病院前救護は消防機関が大部分を担っており，救急救命士が救急救命処置を行うためのメディカルコントロール体制[注180]が整備されている。2021年10月に改正救急救命士法が施行され，救急外来においても救急救命処置が実施できるようになったが，各医療機関において救急救命士に対する研修とその体制を整備する委員会の設置が義務づけられている[2,3]。

3. 周産期医療と救急医療の連携

　2006年，2008年に国内で相次いで脳出血による妊産婦死亡が発生した。搬送先が円滑に決定しなかった背景から，日本救急医学会と日本産科婦人科学会は「地域母体救命救急体制整備のための基本的枠組の構築に関する提言」を行い[4]，以後，救急医療と周産期医療の連携は強化されつづけている（表Ⅳ-2-4）。

　わが国では分娩の約半数が一次施設（診療所や助産所）で扱われ[5]，周産期母子医療センターにおける分娩は30％未満[6]であることから，急変時には高次医療機関への集約化が必要なことは明らかである。とくに非産科合併症（脳出血，敗血症，肺血栓塞栓症，急性心筋梗塞，大動脈解離など）の場合は，母体救命を優先し，分娩取扱施設から救命救急センターなどの成人の集中治療が行える施設への搬送が必要である（出生に至った新生児は別途新生児搬送を検討する）。母体が重症化した際の病院選定に備え，地域の医療機関が周産期医療と救急医療のそれぞれでどのような機能（周産期母子医療センターの指定有無，救命救急センターの指定有無）を担っているかをあらかじめ把握しておくことが重要である。

　状況によっては消防機関の救急隊と連携して，病院選定することも検討できる。週数の早い妊婦の重症救急疾患，あるいは精神疾患が併存するような場合では選定困難事案にな

[注180] メディカルコントロール体制（medical control；MC）：病院前救護における①活動プロトコル策定，②救急救命士に対する医師の指示・指導・助言体制，③救急救命士の再教育，④医学的観点からの事後検証を行う体制をいう。各都道府県と各地域にはメディカルコントロール協議会が設置され，⑤救急搬送体制と救急医療体制に係る検証，⑥傷病者の受け入れに係る連絡体制の調整を含む救急搬送体制などの救急医療体制に係る調整を行っている。

表Ⅳ-2-4　救急医療と周産期医療の連携に関する変遷

時期	内容
2008年10月	日本産科婦人科学会 「周産期救急医療体制特に母体救命救急体制の整備に関する緊急提言」
11月	厚生労働省 「周産期医療と救急医療の確保と連携に関する懇談会」（報告書2009年3月4日）
11月	日本救急医学会，日本産科婦人科学会　合同 「地域母体救命救急体制整備のための基本的枠組の構築に関する提言」
2009年1月	厚生労働省　救急・周産期医療等対策室（医政局内）　設置
3月	周産期医療対策事業等実施要綱（医政発第0330011号　平成21年3月30日）
2010年1月	日本産婦人科医会「妊産婦死亡報告事業」　開始
2011年4月	妊産婦死亡症例検討評価委員会『母体安全への提言』　発行開始
2015年7月	「日本母体救命システム普及協議会 J-CIMELS」　設立
8月	厚生労働省「周産期医療体制のあり方に関する検討会」（報告書2016年12月13日）
2016年12月	厚生労働省「災害時小児周産期リエゾン」　養成開始
2019年2月	厚生労働省「妊産婦に対する保健・医療体制の在り方に関する検討会」（議論の取りまとめ2019年6月10日）
2020年4月	厚生労働省「周産期医療の体制構築に係る指針」
2021年1月	日本産婦人科医会「妊産婦重篤合併症報告事業」　開始
6月	日本蘇生協議会『JRC蘇生ガイドライン2020』に「妊産婦の蘇生」の章が加わる
2024年4月	第8次医療計画（各都道府県：2024～2029年度）

りやすい。高次医療機関はこれらの事情を鑑み，適切かつ速やかに重症母体を受け入れられる院内体制を整備する必要がある（詳細後述）。

産科合併症以外の合併症を有する母体の受け入れは，施設特性と医療機関内の診療科連携に大きく依存する。拠点となる医療機関が明確な地域であれば，必然的にその医療機関への搬送となるが，日常的にその医療機関に過度な負担が偏在しないような工夫が必要である。拠点となる医療機関が複数近接する場合，他医療機関への期待が潜在し，患者受け入れ先がスムーズに決まらないこともあり得る。

都道府県は情報システムの効率的な活用や周産期医療に関する協議会の設置を求められているが，臨床現場を実際に守る医療スタッフは救命を要する重症母体の受け入れ態勢を整える実務的な努力を継続し，使命感と責任感を強くもちPDCAサイクルに基づいて継続的に地域連携の改善を図ることが必要である。

4. 連携を要する医療分野—精神疾患，新興感染症

産科疾患，無痛分娩に関連した麻酔合併症，母体の救急疾患であれば先に述べた周産期医療あるいは救急医療が主体となるが，精神疾患を合併する場合が問題となりやすい。身体疾患の治療を優先しつつも，病状に応じて精神科の入院治療を行える医療機関との連携が必要である。一部の医療機関のみに負担がかかる事態は可能なかぎり避けつつも，患者のニーズにあわせて適切な医療機関で対応できる仕組みが必要である。

また，新興感染症発生・まん延時における対応を柔軟に行えるように高次医療機関はあらかじめ備えておき，感染症まん延時にも日常的に担う医療機能に準じて診療機能を維持できるように努める。

5. 地域連携の促進

地域内の医療機関が連携してシミュレーションコースなどを定期的に開催することは効果的である。地元医師会や地元産婦人科医会などが中心となることもあれば，周産期母子医療センターなどを中心としてコース開催されることもある。

一次医療機関を含む分娩取扱施設との連携にはJ-MELSベーシックコースが優れる。一方，地域の救命救急センターや周産期母子医療センターなどの高次医療機関が交流を深めるには，J-MELSアドバンスコースを検討できる。定期的にコース開催を行うことで，顔のみえる関係が構築でき，それぞれの医療機関の特性，連携に関するイメージの共有，相互の信頼関係など，多くのメリットが存在すると考えられる。

● 院内の体制整備

J-MELSアドバンスコースを受講後に，自ら所属する医療機関においてアドバンスコースに準じた対応が可能であるかは，院内の体制によるところが多い。アドバンスコースはあくまでも標準化（standardized）されたプログラムであり，アドバンスコースの内容よりも優れた診療がすでに可能な医療機関も存在するはずである。アドバンスコースの教育プログラムを参考に各医療機関にとっての最適解を導いてほしいが，院内体制を構築・改良していくにあたり参考となる要素（表Ⅳ-2-5）について順に述べる。

1. PDCAサイクル

医療機関内の母体救命システムを施設ごとに計画（Plan）し，実行（Do）しながら検証（Check）し，改善を図っていく（Act）過程を重視して，PDCAサイクルに沿った取り組みが必要である。一度構築した体制も，時代変化や院内の情勢変化によって変更すべきときがある。日常診療のなかで不具合を見落とさず，継続的に検証することが重要である。

2. 院内委員会の活用

診療科や部門を越えて院内システムなどを構築するときには，各部署の実務者を中心としたプロジェクトチームやワーキンググループなどを設け，短期的に課題の抽出・解決を図るとよい。周産期センター運営委員会や救命救急センター運営委員会などの院内委員会に紐づく位置づけにすると，病院ガバナンスの下で管理しやすい。とくに，院内迅速対応システム（RRS；rapid response system）は医療安全管理委員会，手術関連は手術室運営委員会，MTP（massive transfusion protocol）などは輸血療法委員会，その他，感染管理委員会や臨床倫理委員会などとの連携が必要なことがある。

院内迅速対応システム RRS

心停止を予防するために，一定のコール基準（表Ⅳ-2-6）を満たした場合に集中治療部門の医療スタッフが駆けつける院内システムである。駆けつけるチームを，医師を含む場合はMET（medical emergency team），集中治療部門の看護師など医師以外で構成される場合はRRT（rapid response team）という。周産期部門で発生する院内急変に備えて，母体の特性を加味したコール基準など一定の申し合わせを行っておくとよい。

表Ⅳ-2-5　母体救命に必要な院内体制

PDCA サイクルの体制づくり
院内委員会の活用
院内システムとプロトコル
チェックリストと資器材のセット化
シミュレーション
症例検討と振り返り

3. 院内システムとプロトコル

医療機関が総合力を発揮できるようにするため，あるいは組織的な対応を可能にするために，一定のルール（院内システム）を設けておくとよい。日常に発生する比較的頻度の高い事象に備える場合[181]や，まれであるが重大な事象に備える場合[182]など，複数部署が同時に同じ目標に向かって対応すべき事象に適する。

標準化された対応手順（プロトコルやアルゴリズム）を定めるにあたり，各部署・担当者の活動方針，連絡経路，実際の行動手順，複数部署が状況認識をそろえるためのタイミング[183]などを検討する。この過程で活動全体のフローが時系列で整理され，部署間の相互理解が深まる。活動のみえる化によって不要な不満は解消され，配慮と相互支援が生まれる。また，患者の傍にいない部門では役割が明確になることで医療スタッフの動機づけや満足度向上につながる。

タスクシェア・タスクシフトを行うことも検討する。例えば急速加温輸血装置の使用にあたり臨床工学部の支援を得るなど，新たに院内の専門職を活用することで人員確保が可能なこともある。プロトコル/アルゴリズムに反映させることで効率的な分担が可能になり，質の担保も行いやすい。

一般に，最悪の事態に備えた院内システムは，日常に比較的よく生じる事態においても部分的に活用できることが多い。例えば，大量輸血に備えた仕組みは，輸血用血液製剤のオーダーと連絡手段，輸送の手順，温度管理，不適合輸血を確実に防ぐデジタル照合手順などを包含するはずであり，日常に生じる輸血の円滑性が増し安全性が高まる。

一方，過度にプロトコル/アルゴリズムに依存すると手順を実行するのみの状態となり，本来の目的を見失いがちである。相互理解がなくても一定の質が達成できるメリットはあるが，常に PDCA サイクルを意識してアップデートしていく心構えが重要である。

1）受け入れ判断

重症母体の受け入れ要請があれば，受け入れ可否を迅速に判断する必要がある。判断の遅延は患者の予後に影響し得る。しかし，病態や疾患によっては他医療機関に搬送したほうが適切な場合もあり得る。地域における自医療機関の役割を十分に考慮したうえで，受け入れ可否を速やかに判断する。このとき，複数診療科にまたがる疾患が想定される場合

---

[181] 例えば，産科危機的出血における MTP 発動，超緊急帝王切開（いわゆる Grade A や Category I と呼称される帝王切開）が該当する。
[182] 妊婦心停止に対する対応（帝王切開チーム/新生児蘇生チームの起動や ECPR を含む高度な母体蘇生の計画など）が典型的である。
[183] いわゆるタイムアウト（手を止めて行う手術前の確認や，閉腹前の確認が代表的）などである。

表Ⅳ-2-6　母体のための RRS コール基準の例

項目	徴候	想定される鑑別疾患
気道	☐舌根沈下 ☐進行する吸気性喘鳴	上気道閉塞 アナフィラキシー
呼吸	☐呼吸数 10/min 以下 ☐呼吸数 26/min 以上 ☐SpO_2 94% 以下	敗血症 肺塞栓症 マグネシウム中毒 麻薬過量
循環	☐心拍数 50/min 以下 ☐心拍数 120/min 以上 ☐収縮期血圧 80 mmHg 以下 ☐ショックインデックス 1 以上 ☐分娩時出血量 2,000 mL 以上	分娩後出血 羊水塞栓症 敗血症性ショック
神経	☐意識レベルの低下 ☐不穏・反応低下 ☐けいれん	循環不全 子癇発作 局所麻酔薬中毒
その他	☐医療スタッフが必要と考えるとき	

や診断が明らかでない場合には，各科に連絡していると思いのほか時間を要し，判断遅延につながる．事前に院内でコンセンサスを設けておくのが望ましい．例えば，新生児科への連絡は受け入れ後の報告のみでよいとする医療機関もある（新生児は別途新生児搬送を行う必要がある可能性を考慮する）．

とくに救命救急センターは，重症および複数診療科領域にわたる重篤患者を24時間体制で受け入れることが前提となっているため，妊産婦であっても一般成人と同様に対応できるように備えるべきである．

2）コンサルテーション

すべての事象にあらかじめプロトコルを作成することは不可能である．日々臨機応変な対応により日常業務は円滑になされている．そのなかで，他診療科に速やかにコンサルトできる環境は理想的である．コンサルトされる側はオーバートリアージを許容して対応すべきであるし，コンサルトする側は相談・依頼したい事項を明確にしておくことが求められる．

顔の見える関係が構築されていれば，コンサルテーションの敷居は低下していくものである．徐々に連携を深めていくためには歩み寄りが必要であり，日常的にコンサルテーションする文化を醸成できるとよい．

4. チェックリストと資器材のセット化

役割や活動ごとにチェックリストを作成しておくことは有用である[7]．どの医療スタッフがどの時間帯に急変に対応することになっても，チェックリストにより経験や慣れのみに依存せず同じ質の医療を提供できる．緊急事態ではやるべきタスク漏れのリスクが高まるため，確実に実施すべき事項はチェックリストに含めておく．チェックリストは新人や新たに配属された人への教育にも使用できる．チェックリストを救急カートに搭載する，麻酔器に装備するなどの工夫もできる．まれに遭遇する疾患への対応ほど記憶はあいまい

表IV-2-7　チェックリスト作成で検討すべきこと

どのタスクに有用か
標準化できる範囲はどこまでか
リストに収まらない範囲はどこか
誰が使用するのに適任か
期待される効果は何か
ノンテクニカルスキルの要素は含まれているか
いつどんなときに使用すべきか
みやすく使いやすいか
どこに置いておくか
臨床現場で実用的か

表IV-2-8　産科止血セットの例

子宮内バルーン	1	オキシトシン	10 冷所
分娩縫合セット	1	メチルエルゴメトリン	5
ジャンボクスコ腟鏡	1	プロスタグランジン $F_{2\alpha}$	
ジモン腟鏡	1	トラネキサム酸	4
頸リス鉗子	2	塩化カルシウム	2
胎盤鉗子	1	塩酸メピバカイン	3
2-0 バイクリル	3	ヨードホルムガーゼ	1
3-0 バイクリル	1		
分娩シーツ	2	採血スピッツ	
ディスポ膿盆	2	血液ガス，血算，凝固	各3
精密尿量計付尿道カテーテル	1	生化学（1つはアルミホイル遮光）	2

になりやすいので，チェックリストによって補完すべきである。チェックリストを作成する際に検討すべきことの一覧を示す（表IV-2-7）。

　また，必要な資器材をまとめておくこと（セット化）を検討する。例えば「産科止血セット」「大量輸血セット」を準備しておけば，医療材料や医薬品，手術器械を棚から集める手間は減少し，別部門への出張が必要な場合にも持ち出しが容易である（表IV-2-8）。使用期限，滅菌期限などに留意する必要があるが，日常的な活用と定期的なメンテナンスにより解決できる。金庫管理・冷所保存など管理に制限があるものは，セットを持ち出す際にチェックリストなどにより不備を防ぐ工夫をするとよい。

5. シミュレーション

　シミュレーションは，①教育・訓練，②共通認識の醸成，③院内体制の検証，などを目的に行われることが多い。臨床上問題となった実症例あるいは仮想症例に基づくシミュレーションを行う場合と，J-MELS アドバンスコースなど教育コースのシナリオを活用する場合がある。

1）教育・訓練

　発生頻度が少ないが重大な結果になり得る症例に備えるにはシミュレーション教育が適している。実際に遭遇する緊急事態で思うように動けないことを避けるためには，off-the-job 訓練を繰り返すことが重要である。新人や若手に対しては知識・技能を身につけることにつながる。一方，ベテランスタッフに対してはノンテクニカルスキルの訓練，す

なわちマネジメントスキル（p13参照）の練度を高めることにつながる。

また，シミュレーションを提供する側は，成人教育の基本を身につけることができ，日常業務において周囲の医療スタッフへの教育的介入の質が高まる副次的効果も期待できる。シミュレーションの準備などで自然にコーディネート力が体得される。さらに"teaching is learning"という言葉に集約されるが，教育者側にも大きな学びが期待できる。

2）共通認識の醸成と院内体制の検証

急速大量輸血や超緊急帝王切開など，複数の部門・部署が有機的な連携をしなければならない事態について，部門・部署の垣根を越えてシミュレーションを実施すると多くの学びを得るとともに，顔のみえる関係が構築されさらなる院内体制の向上のきっかけになる。とくに検査・輸血部，薬剤部，臨床工学部などが患者の救命にどのように貢献しているかを模擬的にみてもらうことで，協力的な支援につながることも少なくない。

シミュレーションは，前述した院内システムやプロトコル/アルゴリズムの検証にも適している。同時に，プロトコル/アルゴリズムの定着を図ることもできる。模擬的であっても各部門・部署が同時に動くことで新たに問題点や課題も見い出せれば，PDCAサイクルを回すことができる。一定の期間ごとにシミュレーションを計画することは，検証し改善につなげるために有用である。

6. 症例検討と振り返り

母体救命にかかわったすべての診療科や各部門にとって，重症母体症例は印象的で記憶に残りやすい。たった1症例でもそれをきっかけに問題点を改善するための行動につなげていくことのできる大切な機会である。症例を振り返る目的を明確にし，医療の質の向上を図るための場とする。3つのステップを意識して振り返るとよい（表Ⅳ-2-9）[8]。

振り返りにあたり，個人の問題点を評価したり，責任追及したりすることは絶対に避けなければならない[9]。症例検討における批判や責任追及は悪影響しか及ぼさず，現場の萎縮と士気低下を招き離職率の増加に影響する。とくに部門長などの責任者はこのことを理解し，これからどうすべきかについて組織的な改善策について率先して検討する。大変な症例と直接向き合った医療スタッフは精一杯対応していたはずである。参加者は，明日はわが身の精神で苦労をねぎらい，建設的な発言を心がける。

医療スタッフの知識・技能の不足は事前教育の問題であるので教育体制を修正し，シミュレーション教育の開催や参加資金の調達，業務としての研鑽などを備える。知識・技能があったにもかかわらず，それらが発揮できなかったのであれば，チームパフォーマンスが不十分となった原因があるはずである。システム上の問題はこれまでに述べた院内制度の整備により解決を図る。マネジメントの問題は，ヒューマンファクターが影響していることが多く，Medical Resource Managementの行動指標（表Ⅰ-2-3：p15参照）を参考に具体的なレベルまで解析することで，改善策を見い出す。

対応に難渋した症例の振り返り（morbidity & mortality；M&Mカンファレンス）に限らず，うまく対応できた症例にも多くのヒントが隠れており[10,11]，適宜振り返ることで成功に寄与した因子を特定し，さらに強化することもできる。

表Ⅳ-2-9　症例検討の3ステップ

1	事実の確認	何が起きたか：実際に起きたことを把握する
2	原因の究明	なぜ・どうしてそうなったか：起きたことの背景・理由を解析する
3	情報発信	これからどうするか：改善（再発防止，被害軽減）に向けてどうすべきかを検討する

おわりに

　母体救命のために必要な地域連携と院内の体制について述べた。地域連携には，医療体制に基づく連携に加えて領域・枠組みを越えた連携が必要である。地域でシミュレーションコースを開催することは顔のみえる関係の構築と連携強化につながる。院内委員会を活用しつつシステムづくりやプロトコル作成などによりコンセンサスを得ることで院内体制を整える。チェックリストの作成や資器材のセット化を行うことで円滑な診療が可能になる。またシミュレーションは教育・訓練と院内体制の検証に有用である。過去の症例から学び，明日をよくしていくことはプロフェッションとしての責務である。地域連携と院内体制はPDCAサイクルを回すことによりさらなる改善を図ることが重要である。

文　献

1) 厚生労働省医政局地域医療計画課長：疾病・事業及び在宅医療に係る医療体制について．医政地発0331第14号（令和5年3月31日）最終改正医政地発0629第3号（令和5年6月29日），2023.
2) 厚生労働省医政局長：良質かつ適切な医療を効率的に提供する体制の確保を推進するための医療法等の一部を改正する法律の一部の施行について（救急救命士法関係）．医政発0901第15号（令和3年9月1日），2021.
3) 日本臨床救急医学会，日本救急医学会：医療機関に勤務する救急救命士の救急救命処置実施についてのガイドライン．令和3年9月30日，2021.
4) 日本産科婦人科学会，日本救急医学会：地域母体救命救急体制整備のための基本的枠組の構築に関する提言．2008年11月18日．
https://www.jaam.jp/info/2008/info-20081119.html（Accessed：2023/11/13）
5) 妊産婦死亡症例検討評価委員会，日本産婦人科医会：母体安全への提言2022, Vol.13, 令和5年9月．
6) 中井章人：「産婦人科医療施設の動向」施設情報調査2022より．第171回日本産婦人科医会記者懇談会，2023年2月8日．
https://www.jaog.or.jp/about/conference/171_20230208/（Accessed：2023/10/19）
7) 山下智幸，山下有加：心肺蘇生：質の高いCPRに加え，帝王切開と新生児蘇生に対応できる体制が重要．INTENSIVIST 8：391-412, 2016.
8) 長谷川耕平，岩田充永：内科救急　見逃し症例カンファレンス；M＆Mでエラーを防ぐ，医学書院，東京，2012.
9) シドニー　デッカー著，芳賀繁翻訳：ヒューマンエラーは裁けるか：安全で公正な文化を築くには，東京大学出版会，東京，2009.
10) エリック・ホナゲル著，北村正晴，小松原明哲監訳：Safety-Ⅱの実践：レジリエンスポテンシャルを強化する，海文堂，東京，2019.
11) 芳賀繁：失敗ゼロからの脱却：レジリエンスエンジニアリングのすすめ，KADOKAWA，東京，2020.

症例から学ぶクリニカルパール

1. 出血性ショック
2. けいれん
3. 呼吸困難
4. 発熱と頻呼吸
5. 意識消失
6. 心停止

Ⅴ 症例から学ぶクリニカルパール

1 出血性ショック

症　例：35歳，2妊1産，既往歴に特記事項はなし。有床診療所で妊婦健診を行っていた。
導　入：妊娠39週に陣痛発来し，経腟分娩で出産した。分娩後1時間で1,000 mL以上の出血が持続しており，高次医療機関に母体搬送が依頼された。

搬送元医療機関に到着した救急隊から，以下の連絡が入った。

「産後出血の母体搬送です。出血量は1,500 mL以上で，現在も出血は持続中です。前医で末梢静脈路が18Gで2本確保され，オキシトシン製剤と細胞外液投与，子宮内バルーンが挿入されています。意識レベルは清明，呼吸20/min，脈拍110/min，血圧100/60 mmHg，SpO_2 99%（リザーバマスク O_2 10 L/min），瞳孔 右3mm/左3mm 対光反射両側迅速です。15分程度で到着します」

【来院後経過】
＜第一印象＞
　呼びかけに「はい，わかります」と応答あり，顔面は蒼白。呼吸は速いが，努力呼吸はなし。橈骨動脈は触知できるが，弱く速い。四肢末梢は冷たく湿っており，子宮底を触ると臍上2横指程度。子宮内バルーンが挿入されている。家族は自家用車で向かっている。

＜Primary Survey＞
　A：発語あり，気道狭窄音はなし，明らかな口腔内異物はなし
　B：呼吸 24/min，努力呼吸なし，SpO_2 98%（リザーバマスク O_2 10 L/min），両側呼吸音は清
　C：四肢末梢に湿潤冷感あり，脈拍120/min，血圧100/60 mmHg
　　・POCT（動脈血液ガス）：pH 7.38，BE −6.3 mmol/L，$PaCO_2$ 28 mmHg，Hb 5.2 g/dL，iCa 1.02 mmol/L，乳酸値 5.2 mmol/L
　　・産科的診察：子宮底臍上2横指，子宮底部は収縮不良，子宮内バルーンが挿入され，腟内にはヨードホルムガーゼが挿入されている。バルーンのドレナージポートから非凝固性の出血が持続している。外陰部に裂傷や血腫はないが，腟壁と頸管は確認できない
　　・FASO：子宮体下部に子宮内バルーンあり，胎盤遺残はなし，子宮体部から底部に血腫あり，腹腔内 echo-free space なし，IVC呼吸性変動あり，心嚢液貯留はなし
　　・胸部単純X線は省略し，12誘導心電図は洞性頻脈で narrow QRS，ST変化なし
　D：意識レベルは清明，見当識障害なし
　E：体温 36.6℃（腋窩温）
　F：児は前医におり，夫はまだ来院していない

1 出血性ショック

【初療経過】
　搬送先到着時，意識レベルは清明ではあったが，四肢は冷たく，橈骨動脈は微弱で速く触知されたため，全身管理医に応援を要請した。前医より左前腕に末梢静脈路 18 G が 2 本確保されており，オキシトシン製剤混注の細胞外液が投与中であった。Primary Survey における ABCDEF 評価を開始した。弛緩出血による出血性ショックの状態で非凝固性の出血は持続しており，緊急輸血を中心とした補充療法と子宮収縮薬の追加投与を行いつつ，凝固障害の改善および低体温の予防を含む全身管理を行った。その後，子宮収縮は改善傾向にあり，脈拍 100/min，血圧 120/80 mmHg 程度になった。Secondary Survey で造影 CT を撮像したところ，左腟壁血腫内部に血管外漏出像（extravasation）を認めた。

質問1　搬送依頼の連絡を受けてから患者到着までの準備で行うことは？
　誘　導：
❶人員，場所，医療資源の確保（院内輸血在庫の確認や，緊急度にあわせた輸血製剤の準備など）
❷搬送元や救急隊からの情報確認，チームメンバーへの情報共有
❸リーダー宣言
❹治療サポートを依頼する可能性のある診療科（全身管理医，放射線科医など），手術室，血管造影室，救急初療室，産科病棟，輸血部への連絡など

質問2　患者接触後の診療手順はどのように行うか？
　誘　導：
❶第一印象
❷救命処置 LSI（OMIU）
❸Primary Survey
❹Secondary Survey

質問3　産科危機的出血の宣言ができ，補充療法の注意点を理解しているか？
　誘　導：
❶輸血の緊急度
❷異型適合血の使用（RBC は O 型，FFP・PC は AB 型）
❸急速大量輸血の副作用
❹急速大量輸血の副作用への対処法

質問4　Point of Care Testing（POCT）の評価ができるか？
　誘　導：
❶動脈血液ガス分析で測定した母体の pH，BE，$PaCO_2$，Lactate，iCa 値などの評価
❷FibCare®，TEG®，ROTEM® などの凝固検査で凝固異常の評価
❸必要に応じて検査の頻度および治療効果の確認

質問 5　4Ts を意識した FASO の評価項目が理解できているか？

誘　導：
① Tone：均一エコーの子宮内腔増大→弛緩出血
② Trauma：腟壁内の血腫→産道裂傷，子宮底部の反転→子宮内反症，腹腔内の echo free space→子宮破裂や帝王切開後縫合不全に伴う腹腔内出血など
③ Tissue：不均一エコーの子宮内腔増大→胎盤・卵膜遺残など
④ Thrombin：FibCare® や TEG®，ROTEM® などの凝固検査で評価する

質問 6　4Ts に対する治療を理解し，遂行することができるか？

誘　導：
① Tone：弛緩出血に対し，子宮収縮薬，子宮底輪状マッサージ，双手圧迫を行い，状況に応じて動脈塞栓術や子宮摘出術などを検討する
② Trauma：産道裂傷に対して裂傷縫合や動脈塞栓術などを，子宮内反症には子宮整復術，子宮破裂には開腹止血術，動脈塞栓術，子宮摘出術などを検討する
③ Tissue：胎盤・卵膜遺残や癒着胎盤に対して胎盤用手剥離，子宮内容除去術や場合によっては子宮摘出術などを検討する
④ Thrombin：FFP を中心とした輸血などの補充療法を行う

質問 7　「致死的 3 徴」を意識し，それを回避する方法に関する知識はあるか？

誘　導：
① 致死的 3 徴とは，「アシドーシス，凝固障害，低体温」のことである
② 動脈血液ガスでアシドーシスを評価し，全身状態の安定化を図る
③ 凝固機能の評価と必要に応じた凝固因子の補充
④ 母体の体温を評価し，低体温を防ぐ方法

● 質問の解説

質問1 搬送依頼の連絡を受けてから患者到着までの準備で行うことは？

　本症例は分娩後の持続する出血であり，搬送依頼の連絡を受けた後に，まずは初療チームの招集とリーダー宣言を行い，初療場所を決定する．次に院内輸血在庫の確認や，緊急度にあわせた輸血製剤の準備など，医療資源の確保を行う．ブリーフィングを行い，搬送の電話を受けた産婦人科医が得た情報をチームに共有しておく．産科危機的出血では救急隊来院時にはさらに状態悪化していることもある．必要に応じて全身管理医，放射線科医などへ事前に連絡し，治療を行う初療室や手術室，血管造影室の状況などを確認しておくとよい．

　救急初療室や血管造影室で診療を行う際には，産科診療に必要な器具・薬剤をセット化して持ち運び可能な形態にしておくと，スムーズな診察が可能になる．

質問2 患者接触後の診療手順はどのように行うか？

＜第一印象＞

　患者接触後は最初に第一印象で大まかに全身状態（緊急度，重症度，主病態）の評価を行い，優先順位と医療資源の配分，初療方針を判断する．声かけをして，発語があるかを確認し（AとD），胸郭の上がりを目でみて（B），皮膚に触れ，湿潤や冷汗の有無や橈骨動脈の拍動を確認し（C），体温異常（E）がないかを確認する．さらに子宮底を評価し（F），周囲をみて家族を同定する（F）．いずれかに異常があれば「緊急」と宣言し，全身管理医をコールする．心停止であれば「蘇生」を要し，コードブルーを宣言し蘇生チームの招集を行う．

＜救命処置LSI（OMIU）＞

　患者を初療ベッドに移動させた後は酸素供給源の切り替え（O），心電図やSpO₂，血圧計などの生体モニターの装着（M），末梢静脈路の整理と確保（I）する〔適応があれば用手的子宮左方移動（U）を行う〕．

＜Primary Survey＞

　Primary Surveyでは，ABCDEFいずれかの段階で不安定な状態と判断すれば，全身管理医に応援を要請する．

　会話ができればA（Airway）は開通していると判断できるが，舌根沈下があれば用手的気道確保が必要であり，口腔内に液体異物があれば吸引などの処置が必要となる．酸素化，呼吸回数，換気に異常がなく，努力呼吸などの呼吸様式に異常がなければB（Breathing）に問題はない．産科危機的出血への対応では，C（Circulation）の評価はもっとも重要である．橈骨動脈が弱く速い拍動であれば血圧が低く，皮膚の湿潤や冷感があれば末梢血管が収縮し循環不全が起きていることが予測される．視診や触診で腟からの出血量，会陰切開，外陰部血腫の有無を評価する．さらに腟鏡診および内診で腟壁や子宮腟部を評価する．これらの出血原因を認めなければ，腟鏡で確認することができない子宮狭部や後腹膜への出血である可能性を考慮する．Cの評価では，本コースの必修のスキルであるFASO（focused assessment with sonography for obstetrics）やPOCT（Point of Care Testing）

が重要である。FASOで子宮内の血液貯留，子宮内反，胎盤遺残，腹腔内出血の有無を確認する。補充量に見合わない血液データやバイタルサイン改善がみられない場合は，産科的診察やFASOで確認が困難な後腹膜血腫や不全子宮破裂を疑う必要がある。

　D（Dysfunction of CNS）の異常は頭蓋内疾患や血糖異常，電解質異常だけではなく，本症例のようなCの異常（出血性ショック）やAの異常（気道閉塞），Bの異常（呼吸不全）でも不穏・興奮状態としてみられることがある。意識レベルはJCS（Japan Coma Scale）で評価するが，細かい点数をつけることを本コースでは重要としていない。意識障害を認めず，普段どおりである場合はJCS 0と判断し，刺激をしなくても覚醒していればJCS 1桁，刺激により覚醒すれば2桁，刺激をしても覚醒しなければ3桁というように，JCSの桁数を救急隊や他科の医師との共通言語として伝えることができれば十分である。

　E（Exposure & Environmental control）について，大量出血に対して大量の輸血や輸液が必要となり，加温していない製剤を続けて投与すると低体温に陥るため，加温して血液製剤を投与し，室温設定に注意する。ベッドや処置台が濡れていると体温が奪われることになるため，シーツや覆布が濡れていた場合は適宜交換する。処置中の体温保持環境について確認しながら治療していくことが重要である。

　F（Females', Fetus, Family）の評価では，妊娠中であれば胎児の状態の評価を行う。さらに家族に対しては，治療経過や治療戦略について適宜説明する。

＜Secondary Survey＞

　Primary Surveyの評価，対応でバイタルサインが安定，または改善傾向にみられる場合には，Secondary Surveyで造影CTや病歴聴取などでさらに詳細に原因を検索し，根本治療につなげていく。

質問3 産科危機的出血の宣言ができ，補充療法の注意点を理解しているか？

　出血持続とバイタルサインの異常やSI＝1.5以上であれば，産科危機的出血を宣言し，患者到着前から輸血の準備を行い，到着後速やかに輸血を中心とした補充療法を開始する。院内で血液型が確認されていない場合は血液型不明として扱い，出血性ショックに陥っている状態では，母体救命のために異型適合血（RBCはO型，FFPはAB型）が必要となる可能性が高い。Hb 7 g/dL以上，フィブリノゲン値150 mg/dL以上を目標とし，必要な輸血の割合はRBCとFFPで1：1〜2と，FFPをRBCに比べ多くする。

　輸血関連循環過負荷（TACO：transfusion associated circulatory overload）や輸血関連急性肺障害（TRALI：transfusion related acute lung injury）は輸血合併症であり，呼吸不全をきたし，時に人工呼吸管理などの集中治療が必要となることがある。クリオプレシピテートやフィブリノゲン製剤は過剰な容量負荷なく凝固因子の補充が可能であるため投与を検討する。加温されていない輸血投与に伴う低体温症，輸血に関連した低iCa血症や低K血症に注意し，全身モニタリングを継続する。低体温症は加温回路や体表加温を行うことで予防する。低iCa血症は輸血投与にあわせてグルコン酸カルシウムや塩化カルシウムを投与して予防する。高K血症には，まずはカルシウム製剤を投与し心筋の細胞膜の膜電位安定化を介して不整脈発症を予防し，次にGI療法や利尿を図り，血中カリウム濃度を低下させる。

質問4　Point of Care Testing（POCT）の評価ができるか？

　POCTとは迅速に結果が出る検体検査のことであり，血液ガスやTEG®，ROTEM®などの凝固検査などがある。産婦人科医は常日頃から臍帯血のアシドーシスについて評価する機会が多いが，それに用いている血液ガス分析装置は母体のアシドーシスを評価するためにも有用である。その他にBE，PCO_2，Lactate，iCaなどの値も評価できる場合もあり，治療効果を確認するためにも経時的に検査を行う（静脈血でよい）。

　本症例では動脈血液ガスで，BE －6.3 mmol/L（＜－2 mmol/L），乳酸値 5.2 mmol/L（＞4 mmol/L）と代謝性アシドーシスと高乳酸血症を認め，循環不全に陥っていることがわかる。来院時点ではiCaは 1.02 mmol/L（＞1.0 mmol/L）であるが，輸血投与に伴い必ず低下するため，治療効果判定も含めて適宜確認が必要である。ほかにも凝固障害の程度を確認するうえで，FibCare®，TEG®，ROTEM®なども簡便で迅速に結果が出るため，活用できるとよい。

質問5　4Tsを意識したFASOの評価項目が理解できているか？

　Primary SurveyでおこなうFASOは産科危機的出血における鑑別診断に有用である。他項でFASOの詳細は述べるが，均一エコーの子宮内腔増大を認めれば，Toneである弛緩出血を考え，腹腔内のecho-free spaceを認めれば，Traumaである子宮破裂や帝王切開後縫合不全に伴う腹腔内出血などを考え，不均一エコーの子宮内増大を認めれば，Tissueである胎盤・卵膜遺残などを考える。Thrombinの評価はFASOではなく，非凝固性の出血持続の有無やFibCare®，TEG®，ROTEM®などの凝固検査で評価する。

　また，胎盤遺残や子宮内反症の鑑別，子宮内バルーンの滑脱の有無も確認することができる。

質問6　4Tsに対する治療を理解し，遂行することができるか？

　Toneに問題がある場合は，双手圧迫や薬物療法としてオキシトシンやメチルエルゴメトリンなど子宮収縮薬を投与する。子宮内バルーンによるバルーンタンポナーデ試験はあくまで試験であり，バルーン拡張後15分経過しても出血コントロール不良である場合には別の止血法に変更する必要がある。バルーンの過度な拡張や拡張させる位置によっては出血を助長することがあるため，超音波ガイド下に子宮内腔をバルーンの状態を確認しながら操作を行うほうがよい。

　上記治療に反応しない場合や造影CTで出血源となる動脈性の責任血管が同定される場合は，動脈塞栓術が検討される。動脈塞栓術は出血部位の選択性が高いほど効果が高いが，弛緩出血のような出血部位が広汎である場合，止血のために子宮動脈に加えて卵巣動脈の塞栓が必要なこともある。このような広汎な血流遮断は子宮筋の壊死を惹起することがあるため注意する。また，塞栓後の感染リスク，今後の妊孕性や次の妊娠への影響といった問題もあり，適応を十分に検討する必要がある。これらの治療で対応できない場合には開腹止血手術を検討する。開腹手術であれば，直接，子宮動脈や内腸骨動脈結紮術，compression sutureおよび子宮全摘術などを検討し，出血コントロール困難で全身状態が悪化傾向にある場合にはガーゼパッキングなどのダメージコントロール手術も考慮され得る。

本症例ではPrymary Surveyでは弛緩出血を認め，子宮収縮薬の追加や補充療法を行った。その後，Secondary Surveyにて造影CTを施行したところ，左腟壁血腫内部に血管外漏出像（extravasation）を認めたために，産婦人科医，全身管理医と放射線科医で血腫除去術かIVRなどの治療戦略について検討する。

質問7 「致死的3徴」を意識し，それを回避する方法に関する知識はあるか？

致死的3徴とは，「アシドーシス，凝固障害，低体温」のことを指すが，これらの徴候がそろってしまえば救命はまず困難である。そのため，回避する方法としてアシドーシス改善のための循環不全からの離脱や補充療法による凝固異常の補正，低体温を防ぐための加温などの全身管理が必要である。しかし，重症な産科危機的出血では，時にこの致死的3徴を認めることがあるが，その場合には通常の補充療法や止血戦略のみでは救命困難となり得る。各施設で可能な止血戦略を実行しているにもかかわらず，改善が乏しいかむしろ悪化傾向であれば致死的出血ととらえ，ダメージコントロール戦略に切り替える必要がある。

V 症例から学ぶクリニカルパール

2 けいれん

症　例：41歳，3妊2産，既往歴に特記事項はなし．有床診療所で妊婦健診を行っていた．白衣高血圧の診断で自宅血圧を測定していた．

導　入：妊娠経過中から白衣高血圧症を認めたが，自己申告の家庭血圧は正常範囲内であった．有床診療所で妊娠管理を行い，妊娠37週に陣痛発来したため入院となった．入院時の血圧は180/90 mmHgと高値であった．陣痛間隔が7～8分となった時点で，頭痛と嘔気の訴えがあり，全身性の強直間代性けいれんを認めた．1分程度で自然頓挫したが呼びかけには反応がなかった．子癇発作を疑い，硫酸マグネシウムを投与し高次医療機関に母体搬送が依頼された．

　搬送元医療機関に到着した救急隊から，以下の連絡が入った．

「けいれん発作後の母体搬送です．現在，けいれんは止まっていますが，JCS 3桁の意識障害を認めております．呼吸 16/min，脈拍 70/min，血圧 186/92 mmHg，SpO$_2$ 98％（リザーバマスク O$_2$ 10 L/min），硫酸マグネシウムが持続投与されています．瞳孔 右3 mm/左3 mm 対光反射両側迅速です．15分程度で到着します」

【来院後経過】

＜第一印象＞

　呼びかけには反応はなく，発語はないが酸素マスクのくもりはしっかりとある．胸郭はしっかりと上がっており，頻呼吸や努力呼吸はなし．橈骨動脈はしっかりと触れており，四肢末梢の湿潤冷感はなし．体温異常は明らかにはなく，現在，陣痛発来しているとのこと．家族は自家用車で向かっている．

＜Primary Survey＞

　A：発語はなし，気道狭窄音はなし，明らかな口腔内異物はなし

　B：呼吸 16/min，努力呼吸なし，SpO$_2$ 99％（リザーバマスク O$_2$ 10 L/min），両側呼吸音は清

　C：四肢末梢に湿潤冷感はなし，脈拍 60/min，血圧 174/88 mmHg

　　・POCT：pH 7.35，BE －1.2 mmol/L，PaCO$_2$ 42 mmHg，PaO$_2$ 400 mmHg，乳酸値 2.2 mmol/L，血糖値 92 mg/dL

　　・産科的診察：明らかな性器出血なし，子宮口 3 cm，展退 30％，ステーション －3

　　・FASO：児は頭位で徐脈なし，胎盤は後壁付着で血腫なし，腹腔内 echo-free space なし，IVC 描出不良，心囊液貯留はなし

　今回は胸部単純X線，12誘導心電図はPrimary Surveyでは省略した

　D：痛み刺激でも開眼はないが両上下肢とも動かす様子あり，瞳孔 右3 mm/左3 mm 対光反射両側迅速

E：体温 36.4℃（腋窩温）
F：CTG 所見 子宮収縮は 6 分ごと，FHR 160 bpm, variability あり，家族はまだ来院していない

【初療経過】
　搬送先到着時，明らかなけいれん発作はないものの，意識障害を認めていたため，全身管理医に応援要請を行った．前医より左前腕に末梢静脈路 20 G が確保され，硫酸マグネシウムの持続投与が開始されていた．Primary Survey における ABCDEF 評価を開始し，意識レベルが JCS 3 桁で D の異常を認めた．明らかな四肢麻痺と瞳孔不同は認めなかった．また，陣痛間隔は 6 分で子宮口は 3 cm であった．意識障害があるため，脳専門医に電話でコンサルトしたところ，至急頭部 CT を撮像するようにとの指示があった．頭部 CT 検査の準備中に再度，全身間代性けいれんが出現した．ジアゼパム 10 mg を静注したところけいれんは頓挫したが，酸素化低下あり，まだ到着していない全身管理医へ再度，応援要請するとともに，ABCDEF の再評価を開始した．A の評価にて舌根沈下による気道閉塞を認めたため，下顎挙上を行い換気は十分で速やかに酸素化は改善した．その後，全身管理医と脳専門医が到着したため，経過を報告し，CT 検査室に移動することとなった．

質問 1 搬送依頼の連絡を受けてから患者到着までの準備で行うことは？
　誘 導：
　❶人員，場所，医療資源の確保
　❷搬送元や救急隊からの情報確認，チームメンバーへの情報共有
　❸リーダー宣言
　❹治療のサポートを依頼する可能性のある診療科（脳専門医，全身管理医など），CT 室，手術室，救急初療室，産科病棟への連絡など

質問 2 患者接触後の診療手順はどのように行うか？
　誘 導：
　❶第一印象
　❷救命処置 LSI（OMIU）
　❸Primary Survey
　❹Secondary Survey

質問 3 母体のけいれんを起こす疾患の鑑別は？
　誘 導：
　❶母体心停止や循環不全
　❷子癇
　❸脳卒中（脳梗塞，脳出血，くも膜下出血）
　❹てんかん
　❺低血糖発作，ビタミン B_1 欠乏症

質問 4　けいれんのコントロールができるか？
誘　導：
❶けいれん発作時の治療第一選択薬は？
❷ジアゼパム静注でけいれんが頓挫しない場合は？
❸子癇発作に対する硫酸マグネシウムの投与方法は？

質問 5　各疾患における血圧コントロール目標と方法を理解しているか？
誘　導：
❶妊娠高血圧症候群や脳卒中（脳梗塞，脳出血，くも膜下出血）に対する血圧の降圧目標は？
❷脳梗塞の場合は過度な降圧が脳機能にダメージを与えるので高めを目標にする
❸硫酸マグネシウム投与で結果的に降圧されることがあるが，降圧薬としての位置づけではないことを認識する

質問 6　分娩管理と診断や治療の優先順位を把握しているか？
誘　導：
❶経産婦で子宮口 3 cm，子宮収縮が 6 分ごとの場合の分娩進行は？
❷けいれんの原因精査としての頭部 CT 検査の緊急性はどれくらいか？
❸分娩進行とけいれんの原因検索の優先度を，産婦人科医と脳専門医がそれぞれ議論し決める

質問の解説

質問 1 搬送依頼の連絡を受けてから患者到着までの準備で行うことは？

　搬送元や救急隊から連絡を受けたら，初療メンバーの招集や初療を行う場所および必要資器材の確保などを行う。初療チームブリーフィングを行い，知り得た情報を共有し，リーダー宣言と役割分担，診療手順の確認を行う。本症例では，分娩進行中のけいれん発作であり，まずはけいれんのコントロールが優先される。けいれんが重積している場合には，気管挿管・人工呼吸管理，鎮静薬の持続投与などの全身管理を要するため，全身管理医への応援要請を事前にしておく。

　また，母体のけいれんの原因として子癇に限らず，循環不全や脳卒中（脳出血，くも膜下出血，脳梗塞），てんかん発作や低血糖などが鑑別にあがる。脳卒中の管理は，脳専門医のサポートが必要になるため，患者到着前に脳専門医に連絡しておくとスムーズに原因精査，加療を行うことができる。そして，CT室やMRI室へ連絡し，必要に応じて迅速に撮影できるようにしておきたい。

質問 2 患者接触後の診療手順はどのように行うか？

　第一印象で大まかに全身状態（緊急度，重症度，主病態）の評価を行い，救命処置LSIが必要かどうかを判断する。本症例では第一印象にて"呼びかけに反応がない"ことから，Dの異常があると判断し，「緊急」を宣言後に全身管理医をコールした。救急外来の初療室で対応し，患者を初療ベッドに移動させ，酸素供給源の切り替え（O），心電図やSpO$_2$，血圧計などの生体モニターの装着（M），末梢静脈路の整理（I）を行い，状況に応じて用手的子宮左方移動（U）を考慮する。

　Primary SurveyではABCDEF評価を行う。気道閉塞はなく，頻呼吸や努力呼吸なし，SpO$_2$ 99%とAとBの異常は認めなかった。

　けいれんが持続していれば下顎挙上による気道確保を行いながら，けいれんを止めることを検討する。けいれんが重積しているときの第一選択薬はベンゾジアゼピン系薬剤の静注である。ジアゼパム10 mgを1回，または5 mgを2回に分けて静脈内投与（2分以上かけて）する。子癇の場合は1, 2分で自然にけいれんが停止するため，硫酸マグネシウムによる予防のみで十分な場合もある。ジアゼパム投与後は舌根沈下や呼吸抑制をきたす可能性があり，用手的気道確保や経鼻エアウエイ挿入，バッグ・バルブ・マスクなどの用手的補助換気の準備をしておく必要がある。また，気道確保や換気が不十分な場合は，低酸素血症による状態悪化を招き，母児ともに生命の危機に陥るため，全身管理医の応援要請も必要である。けいれん時のPOCT（point of care testing）として，簡易血糖測定器や血液ガスなどで血糖値異常がないかを確認しておく。

　Dの評価は，けいれんの原因を鑑別するうえで非常に重要であるが，Dの異常はABCの異常でも生じるため，ABCの安定化後に評価を行う必要がある。Dの評価は，①意識，②麻痺の有無，③瞳孔の3項目を行う。意識障害の程度はJCSの1～3桁で評価し，麻痺の有無で頭蓋内疾患の可能性を判断（低血糖も除外する），そして瞳孔異常の有無で頭蓋内疾患の緊急度を判断する。

1. 意識の評価

　意識の評価は，JCS（Japan Coma Scale）や GCS（Glasgow Coma Scale）が救急や脳神経科領域で用いられており，とくに JCS は救急隊や看護師も使用していること，開眼の有無や痛み刺激による反応で分類されており，評価が比較的簡便であることからも JCS を主に評価できるようにしておくのがよい。JCS は開眼の有無により 1〜3 桁の 3 段階に分類されており，刺激なく覚醒している場合は 1 桁，刺激により覚醒すれば 2 桁，刺激しても覚醒しない場合には 3 桁と評価する。救急科医や脳専門医に高度意識障害を伝える際には細かい分類は不要であり，JCS 3 桁であることが伝われば十分である。そのため，JCS 1〜3 桁のいずれかが評価できればよく，本症例は"痛み刺激に開眼がない"ため，JCS 3 桁と評価する。

　なお，JCS 1 桁の場合には，場所，日付，周囲の人物が誰か（職業など）を尋ねることにより見当識の有無を評価する。いずれも回答可能であれば，見当識障害はなく，意識レベルは清明であると判断する。

2. 麻痺の評価

　麻痺の評価は，頭蓋内疾患の可能性を考えるうえで必要不可欠である。通常，子癇発作では麻痺症状は認めないため，麻痺を認めれば頭蓋内疾患を疑う。しかし，低血糖発作でも麻痺症状を伴うことがあるため，頭蓋内疾患否定とともに必ず血糖値の確認は行う。

　麻痺の評価方法としては意識障害が軽度な場合（JCS 1 桁）には，FAST（Face：顔，Arm：腕，Speech：言語，Time：時間）がある。"Face"は顔面麻痺の有無として，左右対称であるかを確認し，"Arm"は開眼下で両側上肢を水平に保持できるかどうかで評価する。"Speech"は構音障害や失語の有無を確認する。これらの 3 項目のうち，1 つでも異常であれば脳卒中の可能性は 72％といわれている。脳卒中であれば早急な治療介入が必要であるため，"Time"も含めた 4 つの頭文字をとって"FAST"と覚える。また，意識障害のために FAST による評価が難しい場合には，痛み刺激による上下肢の動きや，上肢ドロップ試験（仰臥位で両上肢を持ち上げ，同時に離した際に麻痺側が早く落ちる），膝立て試験（両側膝立てを行い，同時に離した際に麻痺側が早く倒れる）などで評価を行う。

3. 瞳　孔

　瞳孔は中枢神経の窓とも呼ばれ，瞳孔径や対光反射から得られる情報は多い。瞳孔径の左右差（瞳孔不同）や対光反射の消失があれば，頭蓋内圧が亢進している可能性が高く，生命の危機が切迫していることを認識し，母体救命を優先とした一刻も早い緊急処置（開頭減圧術など）が必要となる。

　E の評価は，観察のための脱衣，脳保護のための低体温療法を行う以外は保温に努める。低体温は，さらなる凝固障害と全身状態悪化につながるため，保温は重要である。

　F の評価は，分娩経過を適宜把握し，胎児 well-being に注意しながら必要に応じて状況を家族に説明する。けいれん発作後は胎児機能不全に陥りやすいので注意を要する。

質問3 母体のけいれんを起こす疾患の鑑別は？

けいれんの原因で最初に除外すべきは，心停止や循環不全（肺塞栓症，心肺虚脱型羊水塞栓症，致死性不整脈，妊娠関連急性心筋梗塞など）である．その他，窒息などによる高度低酸素もけいれんを生じる．

けいれんの原因として子癇は妊産婦に特有であり比較的頻度が高いが，妊娠関連脳卒中は，わが国における妊産婦死亡の主原因の一つであるため，脳卒中の除外は重要である．子癇のほとんどが良好な経過をとるが，一方で脳出血合併例では致死的な転帰をたどることもある．子癇と脳卒中の鑑別は容易ではなく，頭部CTやMRIといった画像検査は必要不可欠である．正確な読影や，遅滞なく治療介入するためにも，脳専門医と協働して初療を行うことが望ましい．

1. 子　癇

子癇は妊娠20週から分娩・産褥期に生じるけいれんで，てんかんや脳卒中などの原因がない場合の除外診断となる．妊娠高血圧症候群などの高血圧妊婦にみられることが多く，妊娠高血圧症候群の最重症病態の病態と考えられている．けいれんを生じる病態生理は正確には不明だが，高血圧により脳循環の自己調整能が障害され，血管内皮機能不全に陥り，血管原性・細胞毒性浮腫をきたすものと考えられている．症状として，高血圧（75％），頭痛（66％），視覚障害（27％）を生じる．子癇への初期対応としては，母体救命処置（転落防止，気道確保と酸素投与，バイタルサインの評価，静脈ルート確保）と分娩前では胎児心拍数モニタリングを行う．そして子癇再発予防のため硫酸マグネシウムをボーラス投与し，引き続き持続投与を行う．けいれんが再発する場合は硫酸マグネシウムのボーラス投与か，ベンゾジアゼピン系薬剤を静注する．

2. 脳出血，くも膜下出血

わが国では，妊娠関連脳卒中は脳梗塞よりも脳出血の頻度が高い．母体の脳出血は，妊娠高血圧症候群やHELLP症候群といった妊娠中の合併症に由来するものと，脳動脈瘤，脳動静脈奇形，およびもやもや病といった潜在する脳血管障害に由来するものがある．脳血管障害が潜在する場合であっても，脳出血の発生には，脳循環動態の変化，血管内皮障害，血液凝固異常といった母体の変化の影響は少なくない．脳出血の背景に出血傾向があると，術中止血が困難になることがあり，輸血を含めた術前・術中管理は厳重に行う必要がある．脳出血に対して血管内治療を行う場合，脳専門医がよく使用する塞栓物質用溶媒について母体および胎児への安全性が確認されていないため，出血傾向の程度と帝王切開実施のリスクの兼ね合いなど，児の娩出と脳血管障害への治療のどちらを先行させるのか，産婦人科医と脳専門医および麻酔科医と緊密な議論と連携が必要である．

3. 脳梗塞

脳梗塞は，非妊婦では脳卒中の3/4以上を占めるが，母体においては出血性脳卒中の頻度が高く死亡率も高い．脳梗塞の予後は，部位や大きさとともに，治療開始までの時間に依存する．治療介入までの時間が早ければ，実施できる治療の幅が広がるため，疑えば速

やかに画像検査を行い診断，治療へと進めたい．急性期脳梗塞に対しての標準的な治療として，血栓溶解療法があるが，適応が発症から 4.5 時間以内と時間の制約があること，またけいれん発作時には適応外となってしまうことに注意する．血栓溶解療法で使用する，rt-PA（遺伝子組み換え組織型プラスミノゲン・アクティベータ）は高分子量で胎盤通過性がないため，児に対する直接的な影響はない．しかしながら，子宮内出血に起因する胎盤剝離，早産，胎児仮死などの特有の出血性合併症が生じ得るため，投与後は超音波検査での胎児心拍や胎盤の評価を頻回に行うことが推奨される．近年では，血栓溶解療法で症状改善のない場合や，治療適応外の症例に対して，カテーテルを用いた血栓回収療法が積極的に行われるようになった．血栓回収療法は発症後の時間的制約があり，血管内治療は日本脳神経血管内治療学会専門医を有する病院でしか実施することができない現状がある．そのため，最近では rt-PA 静注（drip）を行いながら高次医療機関へ搬送（ship）し，その後血管内治療（retrive）を行う "Drip, Ship and Retrive" を実施した妊婦の症例も報告されている．脳出血同様，娩出と脳梗塞治療との優先順位を児の成熟度や発症からの時間によって脳専門医にコンサルトしたうえで決定する必要がある．

4. てんかん

てんかんは，妊娠前に診断されていればコントロールされていることもあるが，児への影響を考慮して，休薬・変更・減量されている場合や自己中断されていることがあるため，既往歴とともに服薬内容を詳しく聴取する必要がある．

5. 低血糖，ビタミン B_1 欠乏症

けいれんの原因として，低血糖やビタミン B_1 欠乏症などの代謝性脳症も念頭におく必要がある．とくに重症妊娠悪阻の母体けいれん発作はビタミン B_1 欠乏症を疑い，塩酸チアミン 100 mg を投与する．また，妊娠糖尿病でインスリンを使用している場合には低血糖の除外も必要であり，必ず POCT として血糖値を確認する．血糖測定に時間がかかる場合には，先に 50％ブドウ糖 40 mL の投与を検討してもよい．

6. その他

発熱と意識障害を伴うけいれんでは髄膜炎・脳炎の鑑別を要し，緊急度も高いため注意が必要である．また，無痛分娩時には局所麻酔薬中毒の可能性を考える．そのほか，頭部外傷や代謝性脳症（ビタミン B_1 欠乏，電解質異常，肝性脳症，尿毒症など）も緊急度が高いので留意する．

質問4　けいれんのコントロールができるか？

子癇によるけいれんは通常は自然に停止するが，持続する場合や再発する場合は，けいれんのコントロールが必要である．

わが国では，てんかんや脳卒中におけるけいれん発作時の抗けいれん薬の第一選択薬はジアゼパムとなっている．ジアゼパムは，10 mg を 1 回，または 5 mg を 2 回に分けて静注し，けいれんが頓挫するか観察する．ジアゼパム 10 mg の静注で 76％の発作が抑制され

たとの報告があり，けいれんの抑制効果の持続は20分といわれている。ジアゼパムは，生理食塩水やブドウ糖液で混濁するので希釈せずに原液のまま投与する。無効であれば5〜10分後に追加投与できるが，呼吸抑制には注意し，気道管理として用手的気道確保や経鼻エアウエイ挿入，バッグ・バルブ・マスクなどの用手的補助換気を適宜行う。

　けいれんが頓挫しない場合，第二選択薬としてレベチラセタム1,000 mg/生理食塩水50 mL点滴静注，またはホスフェニトイン22.5 mg/kgを150 mg/min以下の速度で投与を検討する。催奇形性や救急外来での使いやすさを考慮すると，レベチラセタムはよい適応であると考えられる。第二選択薬を投与する際には，脳専門医を含む全身管理医に薬剤選択，投与量を相談し，無効例（けいれん重積）であった場合の全身麻酔の適応についてもすぐに相談できる環境を整えておきたい。全身麻酔を要する難治性けいれん重積の場合の第三選択薬としてミダゾラム，またはプロポフォールであるが，通常は経口気管挿管，人工呼吸管理を要する。

　けいれんが頓挫したら，画像検査などで原因検索を行い，疾患ごとの治療をしていく。子癇発作では，母体死亡やけいれん発作予防で優れている硫酸マグネシウム投与が推奨されている。硫酸マグネシウム投与は，4 gを20分以上かけて静注したのちに，維持量として1〜2 g/hrを持続静注する。

質問5　各疾患における血圧コントロール目標と方法を理解しているか？

1. 妊娠高血圧症候群

　妊娠高血圧症候群では，収縮期血圧≧160かつ/または拡張期血圧≧110 mmHgを複数回認める場合は高血圧緊急症を念頭におき速やかに降圧を行う。短時間の過度な降圧は子宮胎盤血流の悪化から胎児機能不全をきたす可能性があり，胎児心拍数モニタリングを行い胎児の状態に留意する。降圧開始基準や降圧目標について，母児の利益・不利益を検討した高いエビデンスレベルの報告は少なく，一定の見解はない。

　降圧後も子癇発作を生じることがあるため，血圧以外のバイタルサインも継続的に評価する。母体救命の観点からは高血圧の回避が望ましいが，降圧による胎児機能不全のリスクもあるため，発症の時期や降圧開始時の血圧値に応じて個別に対応する必要がある。

2. 脳出血

　脳卒中は脳出血，くも膜下出血と脳梗塞ではそれぞれ血圧のコントロール目標が異なる。わが国において，脳出血急性期の場合，降圧目標を収縮期血圧140 mmHg未満で7日間維持することがよいとされる。一方で，収縮期血圧の降下幅が90 mmHgを超えると急性腎障害のリスクが増加するため，過度な降圧を行わず，収縮期血圧の下限を110 mmHg以上に維持することを考慮する（『脳卒中治療ガイドライン2021〔改訂2023〕』参照）。

3. くも膜下出血

　くも膜下出血では，発症直後は再出血の予防がもっとも重要であり，安静を保ち，侵襲的な検査や処置を避ける。例えば，気道確保に用いる経鼻エアウエイや経口気管挿管などは侵襲が強く血圧上昇リスクが高いため，全身管理医による十分な鎮痛・鎮静と血圧モニ

タリング下での実施が望ましい。収縮期血圧は 160 mmHg 未満へ降圧することを目標とするが，重症例で頭蓋内圧が亢進している場合には，過度な降圧が脳虚血を増悪させることがあるため，厳密な血圧管理が必要となる（『脳卒中治療ガイドライン 2021〔改訂 2023〕』参照）。

4. 脳梗塞

脳梗塞急性期に対しては，積極的な降圧は勧められていないが，収縮期血圧が 220 mmHg 以上または拡張期血圧が 120 mmHg 以上の高血圧が持続する場合や大動脈解離，急性心筋梗塞，心不全，腎不全などを合併している場合に限り，慎重な降圧療法を考慮してもよい。また，rt-PA による血栓溶解療法を行う予定がある場合には，収縮期血圧 185 mmHg 以下かつ拡張期血圧 110 mmHg 以下に降圧する。さらに血栓溶解療法後の 24 時間以内の高血圧は転帰不良と関連するとされており，収縮期血圧 180 mmHg かつ拡張期血圧 105 mmHg 未満にコントロールする（『脳卒中治療ガイドライン 2021〔改訂 2023〕』参照）。

降圧薬としてはニカルジピン（Ca 拮抗薬）とヒドララジン（血管拡張薬）がある。ヒドララジンは頭蓋内圧上昇作用があるため脳出血急性期には禁忌であり，画像診断前に降圧する場合には，ニカルジピンを使用することが推奨されている。また，ニカルジピンは子宮収縮抑制作用を有するため，分娩中や産褥期の投与には注意が必要である。硫酸マグネシウムに関しては，投与により結果的に血圧が低下することが多いが，降圧薬ではなく，あくまでも子癇のけいれん発作予防目的で投与されるべき薬剤であることを知っておく。なお，硫酸マグネシウムとニカルジピンの併用は禁忌ではない。

以上のように，それぞれ疾患ごとに血圧管理目標があるが，一方で診断が未確定な段階での血圧管理目標は定まっていない。そのため，画像検索前などの診断未確定時の血圧管理目標は，臨床現場に応じて産婦人科医，全身管理医，脳専門医と協議し設定することが求められる。

質問6 分娩管理と診断や治療の優先順位を把握しているか？

けいれんを生じた母体に限らず，治療戦略を決定する際に，合併している疾患と妊娠終了（分娩）のタイミングのどちらを優先すべきか決断しなければならない場面に突如遭遇することがある。

本症例は経産婦ではあるが，子宮口 3 cm，子宮収縮が 6 分ごとで胎児心拍も問題がなければ，けいれんの原因精査としての画像検査を優先することは可能であろう。しかし，経産婦の分娩が active phase に入っている場合は，分娩が急激に進行することを想定した管理を行わなければならない。

頭部 CT や MRI を撮影する時間，確定診断後の血管内治療や開頭手術を考慮した場合，脳専門医は母体生命を優先するために，検査・治療を可及的速やかに実施したいと考えるはずである。そのような場面において，産婦人科医の立場として，検査・治療と分娩管理のどちらを優先するのか，脳専門医との議論が必要不可欠となる。

脳専門医は，内診所見と分娩進行に関する知識や臨床的感覚は産婦人科医ほど十分では

ないと思われる。そのため，順調な分娩進行中に子宮口が全開大したらどのくらいの時間で児や胎盤が娩出するのか，脳神経科的な検査・治療を開始したい場合にどれくらいの時間で実施できるのか，といった産科的および脳神経科的専門領域に関する情報を共有することで，優先すべき対応を各科間で議論したうえで決定することが重要である。

　検査や治療の優先順位を決めるためにかかわってくる因子として，①胎児の成熟度にかかわる妊娠週数と分娩進行の程度，②検査や治療を行う現場（救急初療室，CT室，手術室，血管造影室など）の距離・位置関係，③全身管理医，脳専門医や産婦人科医を含む他職種間で連携できる関係が構築されているか，といったことがあげられる。そのためには，各施設でいくつかの診療科が協力して治療を行う場合のシミュレーションが有用であると考えられる（例えば，脳出血発症で緊急開頭血腫除去が必要な分娩進行中の母体症例など）。施設ごとに関係部署との間で対応を協議しておくと，実際の診療で役立つ可能性があると思われる。

V 症例から学ぶクリニカルパール

3 呼吸困難

症　例：38歳，2妊1産，既往歴に特記事項はなし．有床診療所で妊婦健診を行っていた．

導　入：妊娠38週の妊婦健診で血圧145/95 mmHg，尿蛋白/クレアチニン比0.8のため，妊娠高血圧腎症の診断で入院した．下腿浮腫と体重増加が著明であった．翌日からの分娩誘発を計画していたところ，夜間から呼吸困難と胸部絞扼感の訴えがあり，モニターを装着したところ，呼吸36/min，脈拍130/min，血圧82/56 mmHg，SpO_2 82％（室内気）であり，顔面蒼白と四肢冷感著明であった．高濃度酸素投与を開始してもSpO_2 88％以上に上昇せず，呼吸苦も持続しており，急性呼吸不全と判断し，高次医療機関に母体搬送が依頼された．

搬送元医療機関に到着した救急隊から，以下の連絡が入った．

「呼吸不全の母体搬送です．現在は意識レベル2桁で呼びかけには開眼ありますが呼吸困難が著しく会話はできません．呼吸36/min，脈拍132/min，血圧78/56 mmHg，SpO_2 86％（リザーバマスク O_2 10 L/min），瞳孔 右2 mm/左2 mm 対光反射両側迅速です．末梢静脈路は20Gで1本確保ずみです．15分程度で到着します」

【来院後経過】

＜第一印象＞

呼びかけに開眼はあり，「はい…」となんとか発語できるが，頻呼吸と努力呼吸あり．四肢末梢湿潤冷感は著明で，橈骨動脈は微弱で速く触知した．子宮収縮はなし，明らかな体温異常はなし．家族は救急車に同乗しており，心配そうにしている．

＜Primary Survey＞

A：発語あり，気道開通，明らかな口腔内異物はなし

B：呼吸36/min，努力呼吸あり，SpO_2 86％（リザーバマスク O_2 10 L/min），両側ともに吸気時 coarse crackle 聴取

C：四肢末梢湿潤冷感あり，脈拍134/min，血圧82/60 mmHg

・POCT（動脈血液ガス）：pH 7.22，BE －8.2 mmol/L，$PaCO_2$ 26 mmHg，PaO_2 52 mmHg，Hb 10.2 g/dL，乳酸値 8.4 mmol/L

・産科的診察：明らかな性器出血なし，頸管拡張後で子宮口3 cm，展退60％，ステーション－3

・FASO：児は頭位でFHRは140 bpm，IVCの呼吸性変動なし，心嚢液貯留はないが全体的に心収縮不良

・胸部単純X線では心拡大と両肺透過性低下あり

・12誘導心電図は洞性頻脈で，明らかなST変化はなし

D：呼びかけに開眼はあるが，刺激がなければ閉眼している，明らかな四肢麻痺なし，瞳孔 右2 mm/左2 mm 対光反射両側迅速

E：体温 36.6℃（腋窩温）
F：陣痛は未発来，variability 減少，家族は病着後，待合室にて待機中である

【初療経過】
搬送先到着時，頻呼吸と努力呼吸あり，すぐに全身管理医に応援要請を行った．前医からは左前腕に末梢静脈路 22 G が確保されていた．Primary Survey における ABCDEF 評価を開始し，気道は開通しているが，頻呼吸と努力呼吸があり，リザーバマスクによる酸素投与でも SpO_2 は 86％と急性呼吸不全の状態であった．全身管理医と情報共有を行った後に，速やかに気管挿管による気道確保を実施した．Ｃの評価では循環不全を認めており，FASO や胸部単純Ｘ線の所見から心不全と判断し，循環器内科医に応援要請を行った．周産期心筋症が疑われ，強心薬などを適宜使用しつつ，循環動態の安定化を行った．低酸素血症状態では胎児心拍数モニタリングは基線細変動が減少していたが，人工呼吸管理下で酸素化改善とともに，基線細変動の改善あり．胸部 CT では両側胸水貯留と両側肺野中枢側優位に浸潤影を呈しており，集中治療室に入室とし，全身管理を行うとともに分娩方法について多職種で協議することとした．

質問1　搬送依頼の連絡を受けてから患者到着までの準備で行うことは？
誘　導：
❶ 人員，場所，医療資源の確保
❷ 搬送元や救急隊からの情報確認，チームメンバーへの情報共有
❸ リーダー宣言
❹ 治療のサポートを依頼する可能性のある診療科（全身管理医，循環器内科医，新生児科医など），CT 室，手術室，救急初療室への連絡

質問2　患者接触後の診療手順はどのように行うか？
誘　導：
❶ 第一印象
❷ 救命処置 LSI（OMIU）
❸ Primary Survey
❹ Secondary Survey

質問3　呼吸状態の評価方法と対応は？
誘　導：
❶ SpO_2，PaO_2 による酸素化の評価
❷ $PaCO_2$，$EtCO_2$ による換気の評価
❸ 呼吸数や呼吸様式の異常による呼吸仕事量の評価
❹ 不安定な呼吸状態には補助換気や人工呼吸の導入を検討する

質問4 呼吸不全の鑑別と対応は？
　誘　導：
　　❶呼吸不全の定義は PaO$_2$ 60 mmHg 以下
　　❷呼吸器疾患以外にも，心原性や肺血栓塞栓症，羊水塞栓症などが鑑別となる
　　❸人工呼吸管理と原疾患の治療を行っていく
　　❹分娩のタイミング，方法も検討していく

質問5 呼吸不全の鑑別診断に必要な検査と評価方法は？
　誘　導：
　　❶病歴聴取，臨床経過
　　❷身体所見
　　❸血液検査
　　❹画像検査
　　❺心電図や心エコー検査など

質問6 分娩後の母体循環の変化を，多職種で共有できるか？
　誘　導：
　　❶妊娠子宮が循環に及ぼす影響
　　❷分娩により子宮から全身循環に戻る容量負荷の考慮
　　❸本症例で分娩をどう扱うか，妊娠 28 週未満であったらどうするか

質問の解説

質問1 搬送依頼の連絡を受けてから患者到着までの準備で行うことは？

　本症例は満期の妊婦であり，救急隊には子宮左方移動を指示する．搬送元と救急隊から情報を受けとったら，初療を行う人員を招集し，チーム内で情報共有と，初療を行う場所や医療資源の確保などを行う．救急隊の情報では，酸素化低下と血圧低下を認めており，事前に全身管理医や循環器内科医への情報共有と応援要請を行う．呼吸不全と血圧低下症例は早期に急変するリスクも高く，呼吸管理や循環管理を行うためにも，救急初療室での対応が望ましく，救急カートや気道確保器具の準備は必須である．また，呼吸不全の鑑別に胸部X線やCT検査は必要であるために，検査室に連絡しておく．さらに，妊娠38週の重症母体であるため分娩が必要になる可能性があり，新生児科医にも情報共有をしておく．経腟分娩が難しい場合には，帝王切開も考慮するため，手術室の状況も把握しておく．

質問2 患者接触後の診療手順はどのように行うか？

　患者の到着後，第一印象で頻呼吸と努力呼吸のBの異常と，四肢末梢湿潤冷感と橈骨動脈微弱のCの異常を認めているため，"緊急"であると判断し，すぐに全身管理医への応援要請を考慮する．Primary Surveyではリザーバマスクによる酸素投与でもSpO$_2$は86％と酸素化低下であり，バッグ・バルブ・マスクなどの補助換気の準備を行い，全身管理医が到着後，気管挿管なども必要となり得ることを情報共有する．全身管理医は，頻呼吸と努力呼吸，そして高濃度酸素投与でも低酸素血症を呈しており，気管挿管の適応を判断した．Bの安定化と並行し，Cの評価ではSI>1.5，POCTで高乳酸性アシドーシスと循環不全状態であると判断する．産科的診察やFASOで出血の有無を確認するが，本症例でははっきりとした出血所見は認めていない．一方で，胸部単純X線で心拡大と両肺透過性低下を，FASOで心収縮不良を認めたため呼吸不全の原因は急性心不全の可能性が高いと判断した．循環不全を呈した急性心不全に対しては，カテコラミンなどの昇圧薬やIABP（intra-aortic balloon pumping：大動脈内バルーンパンピング），体外式循環補助（体外式膜型人工肺；extracorporeal membrane oxygenation；ECMO）の使用を全身管理医，循環器内科医と協議しながら，治療を行っていく．さらに母体の全身状態の安定化を図りつつ，児の状態も評価し，分娩のタイミングを検討し，Secondary Surveyでは胸部CTなどの検査で呼吸不全の原因検索を行っていく．

質問3 呼吸状態の評価方法と対応は？

　『母体安全への提言2022』によると，施設間搬送依頼の理由のうち，呼吸不全は10％である．妊娠中は代謝亢進に伴い酸素消費量が増加するため，1回換気量と呼吸数は増加する．機能的残気量は増大した子宮により減少する．息苦しさは妊婦の多くが自覚する症状の1つであり，受診のタイミングや高次医療機関への搬送が遅くなる可能性があるため，注意が必要である．

　呼吸とは酸素を肺から体内に取り込み，二酸化炭素を肺から体外へ排出することであり，Bの評価は，①SpO$_2$，PaO$_2$による酸素化，②PaCO$_2$，EtCO$_2$による換気，③呼吸数や

呼吸様式による呼吸仕事量の3つを評価する。努力呼吸とは，安静時呼吸では使用されない呼吸筋を動員して行う呼吸であり，たとえSpO_2が正常であっても，不安定な呼吸状態であると判断する。酸素化，換気，呼吸仕事量のいずれかに異常がある場合は，補助換気や人工呼吸導入を検討する。補助換気ではバッグ・バルブ・マスクを使用する。自発呼吸がある場合はジャクソンリースが適しているとされるが，マスクフィットなどの高い技術が必要である。本症例では，PaO_2の低下と努力呼吸，頻呼吸があることから，不安定な呼吸状態と判断し，全身管理医への応援要請を行うとともにバッグ・バルブ・マスクによる補助換気と気管挿管の準備を行った。

　気管挿管は，Bの異常だけではなく，上気道閉塞によるAの異常や，循環不全によるCの異常，そして意識障害によるDの異常のいずれでも適応となる。酸素化目標値に明確なエビデンスはないが，PaO_2 70 mmHg以上，SpO_2 95％以上といわれている。胎児機能の維持には母体酸素化だけでなく子宮・胎盤循環の維持も必要である。

質問4 呼吸不全の鑑別と対応は？

　呼吸不全は，室内気でPaO_2 60 mmHg以下の状態をいう。酸素解離曲線（図V-3-1）から，SpO_2 90％のときにPaO_2が約60 mmHgであることがわかる。母体の呼吸不全の原因は，呼吸器疾患であれば，気管支喘息，肺炎などを鑑別とし，非呼吸器疾患では肺血栓塞栓症や心原性，羊水塞栓症などを考える必要がある。感染や手術などの侵襲後12～48時間にPaO_2/FiO_2比が300 mmHg以下で，心不全や輸液過多ではない両側の肺浸潤を示す場合をARDS（急性呼吸促迫症候群：acute respiratory distress syndrome）と診断できる。病態は肺毛細血管内皮細胞への障害による血管透過性亢進による肺水腫である。

　本症例では妊娠後期に妊娠高血圧症候群となり，安静管理目的に入院したため肺水腫，肺血栓塞栓症，周産期心筋症や胸水貯留などが呼吸不全の原因として考えられる。心原性としては周産期心筋症以外にもまれではあるが，弁膜症や合併症のない若年女性に発生する特発性冠動脈解離なども鑑別にあがる。呼吸不全の原因はこれらの疾患の可能性を考慮し，網羅的な検査，アプローチが必要となる。

　呼吸不全に対しては基本的に人工呼吸管理における，酸素化と換気の是正，そして呼吸仕事量の軽減を目標とする。重症呼吸不全に対しては"肺保護戦略"が重要であり，酸素化や換気の正常値を目指すことが決して患者の予後をよくするわけではない。人工呼吸器は治療器具ではなく，あくまで"生命維持装置"であるということを肝に銘じ，原疾患の治療を行うことがもっとも重要である。人工呼吸管理での対応でも困難な重症呼吸不全では，非妊婦と同様に，肺保護戦略のもとに早期からECMOの導入も検討していく。さらに，分娩のタイミングや方法についても産婦人科医，全身管理医を含めた多職種で協議する。

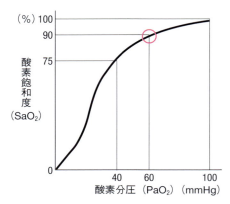

図V-3-1　酸素解離曲線

質問5　呼吸不全の鑑別診断に必要な検査と評価方法は？

呼吸不全は，呼吸器系および循環器系を評価する検査についての知識が求められる．

①病歴聴取，臨床経過

問診や臨床経過からある程度原因疾患を絞ることができる．例えば，気管支喘息が既往にないか，数日前からの発熱や上気道症状の出現の有無で肺炎などの呼吸器疾患の可能性が考えられる．大動脈解離では初発症状として突然の胸背部痛症状が出現することが多く，破水後の呼吸，循環動態の悪化は羊水塞栓症，離床後の呼吸困難では肺血栓塞栓症などを考える．しかし，病歴のみで確定診断できるわけではないので，この後述べる身体診察や各種検査などを行っていくことが必要である．

②身体診察

聴診にて wheeze（呼気時の喘鳴）を聴取すれば，下気道の狭窄を示しており，気管支喘息や心不全を，肺雑音として coarse crackle（吸気時に聴取する水泡音）を聴診した場合には，肺炎や心不全などが考えられる．仰臥位よりも坐位にて呼吸困難が軽減する起坐呼吸は，左心不全徴候として特徴的な所見である．

③血液検査

肺炎などの感染性疾患では炎症反応の上昇を認める．心筋梗塞の診断としてはCK-MBやトロポニンTの上昇を，肺血栓塞栓症や大動脈解離ではDダイマーの上昇を認める．BNPは心室機能の評価に用いられ，通常妊婦の中央値は＜20 pg/mLであり，高値であれば心不全を考える．羊水塞栓症では急速な低フィブリノゲン血症を主とした凝固障害を呈し，胎児成分である亜鉛コプロポルフィリンの検出や補体低下などが診断の補助となり得る．

④画像検査

呼吸不全の原因検索として，胸部単純X線や胸部CTが有用であり，肺炎や心不全などの鑑別が可能である．肺炎は胸部CTで小葉中心性結節や浸潤影の区域性分布を認めることが多く，心不全は単純胸部X線で心拡大を認め，胸部CTでは中枢優位の浸潤影を認めることが多い．そして肺血栓塞栓症などの血管内病変の検索が必要な場合は造影CTを検討する．

⑤その他検査

　その場で簡易に行える非侵襲的な検査として，心電図，心エコーも Primary Survey で行うことができるが，診断に悩んだり疑った場合には，積極的に循環器内科医に相談するとよい。

　本症例では胸部 X 線で心拡大と両肺透過性低下があり，心エコー所見で心収縮能の低下を認め，呼吸不全の原因として心不全を考え，循環器内科に応援要請を行った。

質問6　分娩後の母体循環の変化を，多職種で共有できるか？

　呼吸不全の原因が，周産期心筋症に伴う心原性ショックであることがわかれば，今後の治療戦略を立てていく。満期の妊娠子宮が循環に及ぼしている影響から児の娩出が考慮されるが，娩出時は母体の循環動態が大きく変化する。娩出後は子宮収縮により全身循環に戻る血液量が増加し一時的に心負荷が増える。逆に，分娩時に大量出血となり，出血性ショックが合併する可能性もある。予想される循環動態の変化について情報提供し，どのような準備をして臨むか，全身管理医，循環器科医など多職種で十分に検討する。産婦人科医は心不全の治療や循環補助の方法の詳細や管理方法について必要に応じて全身管理医や循環器科医に尋ねることも重要であり，日頃よりお互い相談しあえる関係性を構築することが重要である。

　今回の症例は正期産期であるが，妊娠28週未満で児の未熟性が問題となる場合であったらどうするか，チーム全体であらゆる情報を集め，あらゆる可能性を考えて最善策を検討していく。

Ⅴ 症例から学ぶクリニカルパール

4 発熱と頻呼吸

症　例：30歳，3妊2産。既往歴に特記事項はなし。
導　入：有床診療所で妊婦健診を行っていた。

妊娠30週に1週間前からの発熱，咽頭痛を主訴に，近医内科クリニックを受診し，解熱薬が処方され帰宅し経過をみていたが症状が改善せず，翌日に子宮収縮，体動減少，少量の性器出血が出現したため産婦人科を受診した。

　来院時，咽頭の発赤および白苔を認め，体温39.5℃（腋窩温），呼吸30/min，脈拍100/min，血圧98/68 mmHgであった。7〜10分間隔の子宮収縮，血性で少量の腟分泌物，子宮口は2 cm開大，展退度60％，ステーション－3であり，CTGでは基線160〜170 bpm，基線細変動中等度，一過性頻脈なし，最下点80 bpmの一過性徐脈を認めた。常位胎盤早期剝離の可能性を考慮し，高次医療機関への母体搬送が依頼された。

　搬送元医療機関へ到着した救急隊から，以下の連絡が入った。

　「胎児の一過性徐脈と，発熱症状のある母体搬送依頼です。意識レベルは開眼あり1桁，呼吸30/min，脈拍115/min，血圧89/55 mmHg，SpO$_2$ 94％（室内気），酸素6 L/min投与下でSpO$_2$ 99％，体温は39.7℃です。左前腕に20 Gで末梢静脈路は確保されており，到着まで15分程度です」

【来院後経過】
＜第一印象＞

　開眼あり，発語もあるが，ぐったりしている様子あり。頻呼吸あるが努力呼吸はなし。四肢末梢は温かく，橈骨動脈は微弱で速く触知する。子宮収縮が強くなってきたと訴えあり。夫が救急車に同乗しており，心配そうにしている。

＜Primary Survey＞
　A：発語あり，気道狭窄音なく，気道開通している
　B：呼吸/30 min，努力呼吸はなし，SpO$_2$ 99％（リザーバマスクO$_2$ 6 L/min），両側肺音は清
　C：四肢末梢は温かく，発汗あり，脈拍122/min，血圧86/54 mmHg
　　・POCT（動脈血液ガス）：pH 7.22，BE －8.2 mmol/L，pCO$_2$ 26 mmHg，PO$_2$ 260 mmHg，Hb 11.2 g/dL，乳酸値8.4 mmol/L
　　・産科的診察：明らかな性器出血なし，子宮口3 cm，展退60％，ステーション－3
　　・FASO：児は頭位で胎児心拍はなし。胎盤後血腫認めず，腹腔内液体貯留なし，IVCの呼吸性変動あり，心囊液貯留はなし
　　・胸部単純X線は省略し，12誘導心電図は洞性頻脈で，明らかなST変化はなし
　D：開眼はあり，明らかな四肢麻痺なし，瞳孔右3 mm/左3 mm　対光反射両側迅速

E：体温 39.7℃（腋窩温）
　F：CTG でも胎児心拍確認できず，6 分間隔の子宮収縮あり，家族は病着後，待合室にて待機中である

【初療経過】
　発熱があるため，事前に標準予防策に加えて飛沫および接触感染予防を行ったうえで対応した。救急隊情報では，頻脈と血圧低下，胎児の一過性徐脈を認めていたために，全身管理医と新生児科医に応援要請し，救急初療室で対応した。
　搬送先到着時，第一印象で橈骨動脈が微弱で速く，C の異常があると判断したが，四肢末梢は湿潤冷感なく温かかった。追加で右前腕に末梢静脈路 20 G を確保し，Primary Survey による ABCDEF 評価を開始し，頻呼吸と SI＞1，乳酸値 8.4 mmol/L と循環不全を認め，産科的診察，FASO では明らかな出血や胎盤剝離所見は認めなかった。搬送先では胎児心拍を認めず，IUFD であった。qSOFA が呼吸 22 回以上，収縮期血圧 90 mmHg 以下と 2 点以上，さらに循環不全状態であったために，敗血症性ショックを疑い，細胞外液の全開投与を開始した。細胞外液を 1,500 mL 程度投与するも脈拍 114/min，血圧 85/55 mmHg であり，全身管理医と相談のうえ，ノルアドレナリンの持続投与を開始した。
　待合室で待機中の夫から，次の情報が得られた。「2 週間前に上の子どもが咽頭炎になり，1 週間前からは本人と下の子どもが同じ症状になった。かかりつけの産婦人科に相談したところ，内科受診を指示された。内科では，インフルエンザと SARS-CoV-2 抗原検査は陰性で，アセトアミノフェン内服と水分摂取，十分な休息を指示され，帰宅した。しかし，その後も症状が続き，不規則な子宮収縮，胎動減少，性器出血がみられたため，産婦人科を受診した」
　その後，搬送先で COVID-19 PCR は陰性，溶連菌迅速抗原検査は陽性であったために，循環不全の原因は劇症型 A 群溶連菌（Group A Streptococcus：GAS）感染症による敗血症性ショックと考え，血液培養 2 セットを別の部位から採取するとともに，アンピシリンとクリンダマイシン，γグロブリンの点滴投与を開始した。その後，子宮口は全開大となり経腟分娩で死産となった。子宮収縮不良と非凝固性の出血があり，DIC を呈していた。出血に対して，子宮収縮薬と輸血補充療法で対応した。止血が得られた後に DIC に対してアンチトロンビンと遺伝子組み換えトロンボモジュリンの投与を検討しながら集中治療室で全身管理を行う方針とした。

質問 1　搬送依頼の連絡を受けてから患者到着までの準備で行うことは？

　誘　導：
　❶人員，場所，医療資源の確保
　❷搬送元や救急隊からの情報確認，チームメンバーへの情報共有
　❸リーダー宣言
　❹治療のサポートを依頼する可能性のある診療科（全身管理医，新生児科医，助産師など），CT 室，分娩室，手術室や救急初療室への連絡など

Ⅴ 症例から学ぶクリニカルパール

質問2 患者接触後の診療手順はどのように行うか？
　誘　導：
　　❶第一印象
　　❷救命処置 LSI（OMIU）
　　❸Primary Survey
　　❹Secondary Survey

質問3 発熱，頻呼吸を伴う場合の評価法と想起される病態は何か？
　誘　導：
　　❶感染症を疑ったら敗血症の状態ではないかの評価を行う
　　❷qSOFA（意識レベル，呼吸数，収縮期血圧）を評価する
　　❸循環不全を伴っている場合はショックの鑑別を行う

質問4 感染症を疑う場合のPOCTに追加すべき項目と主な評価目的は？
　誘　導：
　　❶感染症の迅速評価方法

質問5 敗血症性ショックに対する急性期治療は？
　誘　導：
　　❶初期蘇生と循環管理を行う
　　❷原因菌が不明な場合には広域抗菌薬の投与を検討する
　　❸原因菌が判明次第，狭域抗菌薬への変更を検討する

質問の解説

質問1 搬送依頼の連絡を受けてから患者到着までの準備で行うことは？

　発熱症状のある母体搬送であり，感染症の可能性は必ず考慮し，対応する必要がある。対応としてはスタンダードプリコーション（標準予防策）を基本とし，特定の感染症流行下では，その感染症に応じた追加対策をとる必要がある。感染様式によっては受け入れ場所，入院病床の工夫が必要な場合がある。人員の確保と，リーダー宣言，そして搬送の電話を受けた産婦人科医が得た情報をチームに共有しておく。本症例では発熱，頻呼吸，SI＞1，一過性胎児徐脈などと，母児ともに全身状態が悪く，到着後の状況次第では，母体の集中治療や急速遂娩などが必要となる可能性があると考え，あらかじめ全身管理医や新生児科医などに連絡しておく。

質問2 患者接触後の診療手順はどのように行うか？

　第一印象では頻呼吸はあるが，努力呼吸はなく，橈骨動脈は微弱で速く，Cの異常を認め，"緊急"と判断し，予定どおり救急初療室での初期対応と全身管理医への応援要請を行った。
　Primary Survey では，Cの評価でSI＞1と動脈血液ガスでは高乳酸血症を認め，循環不全をきたしていることがわかる。しかし，FASOや産科的診察では明らかな出血や胎盤剥離徴候などは認めておらず，身体所見では四肢末梢は温かい，いわゆる warm shock の状態である。warm shock は血液分布異常性ショックによるものが多い。Eの評価では体温異常を認め，感染症を疑う。Secondary Survey では病歴聴取が重要であり，本人，夫，家族から同居家族の感染症の有無，本人の既往歴，アレルギー歴などを聴取する。同居家族，とくに子どもの咽頭炎は溶連菌感染症の可能性を疑う一助になる。

質問3 発熱，頻呼吸を伴う場合の評価法と想起される病態は何か？

　発熱に加え，咽頭痛や咳などの症状があれば気道感染症を，頻尿や残尿感などの症状があれば尿路感染症などを疑う。感染症を疑った際には，敗血症という"感染症によって重篤な臓器障害が引き起こされた状態"でないかどうかをqSOFAを用いて評価する。qSOFAは，①意識変容，②呼吸≧22/min，③収縮期血圧≦100 mmHg の3項目のうち2項目以上満たす場合に敗血症を疑う。J-MELSアドバンスコースでは「妊産婦に対する修正版 qSOFA」として，①意識変容，②呼吸≧22/min，③収縮期血圧≦90 mmHg と血圧を低めに設定したものを推奨している。呼吸数の異常は低酸素や循環不全を反映する重要な指標となるため，普段からバイタルサインを測定する際は，呼吸数を測ることをルーチン化することが大切である。呼吸数は，緊急の場合は10秒間の呼吸数を数えて6倍するとよい。意識変容とは，少しでも普段と違う意識状態であった際には1点とする。本症例では，ぐったりした様子，呼吸30/min，収縮期血圧86 mmHg であったことから，qSOFAは3点であり，敗血症を疑う状況である。しかし，注意すべきはqSOFAはあくまで敗血症を疑う際の簡便なスクリーニングとなるが一方でqSOFAが2項目以上満たしていなくても敗血症を否定してはならない。敗血症の診断には，さらに詳しい臓器障害の程度を評

価するSOFAスコアや感染症の精査が必要となる。また敗血症に加えて，十分に輸液を行っても平均血圧65 mmHg≧を保つために血管収縮薬を必要とし，かつ血中乳酸値が2 mmol/L（18 mg/dL）を超える場合は敗血症性ショックである。本症例でも十分量の細胞外液投与後もショックは遷延しており，ノルアドレナリンの持続投与を開始し，かつ動脈血液ガスの乳酸値が8.4 mmol/Lと高値であったことから，敗血症性ショックの状態であった。ショックの際は，鑑別も同時に行う必要がある。ショックの分類は，①循環血液量減少性，②心原性，③閉塞性，④血液分布異常性となっており，敗血症性ショックは血液分布異常性ショックの4つに分類されている（表V-4-1）。身体所見として，通常ショックは血圧低下の代償機構として，末梢血管抵抗を上げて血圧を上昇させようとするため，四肢末梢冷感を伴うことが多い。しかし，血液分布異常性ショックは血管抵抗が下がることで血圧が低下する病態であるため，四肢末梢が温かいという所見を呈し，これをwarm shockという。

ショックでは複数病態が重なることがある。例えば，敗血症性ショックによるDICにより，分娩後に産科危機的出血を伴うこともあり，身体所見のみだけではなく，総合的に判断する必要がある。

表V-4-1 妊産婦におけるショックの鑑別

○循環血液量減少性ショック：産科危機的出血（弛緩出血，子宮内反症，常位胎盤早期剥離，後腹膜血腫，子宮破裂，ほか），高度脱水（悪阻），ほか
○心原性ショック：周産期心筋症，不整脈，急性心筋梗塞，ほか
○閉塞性ショック：肺血栓塞栓症，仰臥位低血圧症候群，ほか
○血液分布異常性ショック：アナフィラキシー，敗血症性ショック，高位脊髄くも膜下麻酔，ほか

質問4 感染症を疑う場合のPOCTに追加すべき項目と主な評価目的は？

POCTとは迅速に結果の出る検体検査のことであり，感染症検査としてはインフルエンザ迅速検査や溶連菌迅速抗原検査，尿中レジオネラ抗原検査などがこれにあたる。特定の呼吸器感染症パンデミック下では，当該感染症の診断キットなどを追加する必要がある。妊産婦の劇症型GAS感染死亡例の半数以上が入院から24時間以内に死亡に至っていることから，非常に緊急度の高い疾患であり，早期診断と治療介入が必要である。劇症型GAS感染症であっても，初発は咽頭痛などの軽微な症状から始まることも多く，見逃すことなく抗菌薬投与を開始することで救命率が上昇すると考えられる。咽頭痛を訴える患者にGAS感染を疑うかを評価する際にはCentor criteriaが有用であるが，妊婦には妊婦用に改変したCentor criteriaを用いることが提案されている（表Ⅲ-7-4：p346参照）。本症例では発熱，咽頭痛に加え，第一子に咽頭炎を疑う病歴があることからGAS感染症を疑い，溶連菌迅速抗原検査にて判明し，早期に抗菌薬治療を開始することができた。

質問5 敗血症性ショックに対する急性期治療は？

　敗血症性ショックに対する急性期治療は，適切な抗菌薬投与と感染源のコントロール，そして循環管理が重要である。感染症を疑い，抗菌薬投与を行う前にはできるかぎり，尿培養や痰培養，血液培養などの各種培養検査を行うことで原因菌を特定することができる。

　原因菌が不明な敗血症性ショックでは広域抗菌薬の投与が検討されるが，通常検討されるカルバペネム系やバンコマイシンなどの抗菌薬では，妊産婦死亡症例にもあるオウム病や結核などの一部の細菌には有効ではないことを知っておく。これらは非定型肺炎などの臨床像を呈するため，全身管理医や感染症科と相談しつつ検討するのが望ましい。劇症型GAS感染症であれば，ペニシリン系抗菌薬にクリンダマイシンを併用投与する。アンピシリンであれば2gを4時間ごと（腎機能により調整する）と，クリンダマイシン600〜900 mgを8時間ごとに投与する。循環管理は，母体の組織低灌流を予防するために，初期蘇生輸液と同時または早期（3時間以内）に血管収縮薬を投与する。初期輸液は各種リンゲル液を30 mL/kg以上で3時間以内を目安とするとよい。また，敗血症では凝固亢進型DICを呈することが多く，本症例後の分娩は凝固障害に関連して産科危機的出血に至る可能性を考慮して備えることが重要である。

V 症例から学ぶクリニカルパール

5 意識消失

症　例：42歳，2妊1産，身長155 cm，体重78 kg，既往歴に特記事項はなし。

導　入：妊娠6週で有床診療所を初回受診した．妊娠9週に妊娠悪阻の症状が強く，嘔吐を繰り返し，食事摂取困難と倦怠感が強いため，入院し床上安静となった．妊娠11週にトイレで立ち上がった際に意識消失あり，転倒したところを助産師が発見した．仰臥位でバイタルサインを測定したところ，意識レベルは清明ではあったが，呼吸24/minの頻呼吸と胸部不快感を認めた．血圧が70/40 mmHgのため，医師に連絡し，細胞外液を500 mL全開投与したところ，血圧は92/58 mmHgと改善傾向にあった．しかし，徐々に意識レベルが低下したため，高次医療機関に母体搬送が依頼された．搬送元医療機関に到着した救急隊から以下の連絡が入った．

「意識障害，頻呼吸と胸部不快感がある母体搬送です．前頭部に縫合を要する3 cmの挫創ありますが，止血ずみです．意識レベルが少し低下しており，現在JCS 2桁，呼吸24/min，脈拍120/min，血圧96/62 mmHg，SpO_2 94%（室内気），酸素6 L/min投与下でSpO_2 98%，体温36.8℃，瞳孔4 mm/4 mm，対光反射は迅速で，明らかな麻痺は認めません．左前腕に20 Gで末梢静脈路確保されており，到着まで15分程度です」

【第一印象】
　呼びかけに開眼あり，発語もある．頻呼吸ではあるが努力呼吸はなし．胸部不快感あり，四肢末梢は冷たく，橈骨動脈は微弱で速く触知する．子宮底は触れず．夫は自宅から車で向かっている．

【Primary Survey】
　A：発語あり，気道狭窄音なく，気道開通している
　B：呼吸24/min，努力呼吸はなし，SpO_2 99%（リザーバマスク O_2 10 L/min），両側肺音は清
　C：四肢末梢湿潤冷感あり，脈拍116/min，血圧104/72 mmHg
　・POCT（動脈血液ガス）：pH 7.45，BE −5.2 mmol/L，$PaCO_2$ 22 mmHg，PaO_2 100 mmHg，Hb 12.0 g/dL，乳酸値4.2 mmol/L
　・産科的診察：明らかな性器出血なし
　・FASO：胎嚢あり，胎児心拍を認める．腹腔内液体貯留なし．IVCの呼吸性変動あり，心嚢液貯留はなし
　・胸部単純X線は両側肺の透過性低下なし，心拡大なし
　・12誘導心電図は洞性頻脈で，明らかなST変化はなし
　D：JCS 2桁，明らかな四肢麻痺なし，瞳孔右4 mm/左4 mm 対光反射両側迅速，血糖値98 mg/dL

E：体温 36.8℃（腋窩温），前頭部に 3 cm 程度の挫創あるが出血はなし
F：家族はまだ来院していない

【初療経過】
　救急隊情報から，意識レベル低下と頻呼吸，shock index（SI）＞1 以上であり，全身状態が不安定であると判断し，チームメンバーを集め，情報共有とリーダー宣言し，初療は全身管理医に事前に連絡したうえで，救急初療室で行うこととした。瞳孔不同や明らかな麻痺症状はないが，頭部打撲あり，意識レベル低下も認めたために，頭蓋内出血などの可能性も考え，脳神経外科医に情報共有を行った。搬送先到着時，第一印象では呼びかけによる開眼と，頻呼吸，四肢末梢湿潤冷感を認め，B，C と D の異常はあり，"緊急"であると判断した。前医により左前腕に 20 G で末梢静脈路確保されていたが，追加で右前腕に末梢静脈路 20 G を確保し，Primary Survey による ABCDEF 評価を開始した。B の評価で努力呼吸はないが頻呼吸を認めたため，リザーバーマスク O_2 10 L/min で SpO_2 99％であったが酸素投与は継続した。C の評価で循環不全状態であると判断したが，産科的診察や FASO では明らかな出血を疑う所見なく，胸部単純 X 線でも明らかな異常所見はなかった。意識レベルの低下あり，D の評価で血糖値の確認と麻痺の確認を行ったが，いずれも異常はなし。頻脈，SI＞1，意識レベル低下は改善ないが，悪化傾向はなく，移動は可能と判断し，Secondary Survey で意識障害と，循環不全の精査を行うこととした。頭部 CT 上は明らかな頭蓋内出血は認めず，体幹部造影 CT を行ったところ，右肺動脈主幹部に造影欠損像と左膝窩静脈内の造影欠損を認め，肺血栓塞栓症および深部静脈血栓症と診断した。全身管理医，循環器内科医と相談し，ヘパリンの静注と血栓溶解療法を行うこととし，集中治療室に入室した。

質問1 搬送依頼の連絡を受けてから患者到着までの準備で行うことは？

誘　導：
❶ 人員，場所，医療資源の確保
❷ 搬送元や救急隊からの情報確認，チームメンバーへの情報共有
❸ リーダー宣言
❹ 治療のサポートを依頼する可能性のある診療科（全身管理医，新生児科医，助産師など），CT 室，分娩室，手術室や救急初療室への連絡など

質問2 患者接触後の診療手順はどのように行うか？

誘　導：
❶ 第一印象
❷ 救命処置 LSI（OMIU）
❸ Primary Survey
❹ Secondary Survey

質問3 本症例における主症状は何か？ また，鑑別診断と必要な検査は何か？

誘　導：
❶意識消失と意識レベル低下の違いは何か？
❷失神の鑑別：
　　□心血管性失神（不整脈，虚血性心疾患，肺血栓塞栓症，大動脈解離など）
　　□起立性低血圧（脱水や出血による，循環血液量減少など）
　　□神経調節性失神（排尿後など）
　　検査：採血（心筋マーカーやDダイマーなど），心電図，心エコー，造影CTなど
❸意識障害の鑑別：
　　□重症妊娠悪阻（低血糖，電解質異常，ビタミンB_1欠乏症）
　　□低酸素血症
　　□循環不全
　　□頭蓋内出血
　　□敗血症
　　検査：採血（血糖測定，血液ガス検査など），FASO，頭部CT，MRI，培養検査など

質問の解説

質問1 搬送依頼の連絡を受けてから患者到着までの準備で行うことは？

　救急隊からの事前情報から，ABCDEFのいずれに異常がないかを確認し，チームメンバーを招集，リーダー宣言を行いつつ，搬送元や救急隊から知り得た情報を共有するとともに，ブリーフィングを行う。本症例では，B，C，Dに異常のある母体搬送であり，重症病態であることが予想される。全身管理医への応援要請は早期に考慮し，可能であれば初期診療から協働することが望ましい。Bの異常であれば，酸素投与や用手的気道確保，気管挿管の可能性などを考慮し，Cの異常は初期対応を行いつつ，ショックの鑑別も重要となるために，Primary Surveyで行えるFASO，胸部単純X線，12誘導心電図などの検査も迅速に行えるように準備をしておく。Dの異常では，血糖測定や意識障害をきたす電解質異常を評価するための血液ガス検査や，頭部CTやMRIによる画像評価を行う準備が必要となる。また，意識障害の鑑別という点で精神科や心療内科の受診歴のある妊婦であれば，薬物過量内服の可能性を想定し，尿中乱用薬物検査が必要になる可能性もある。さらに，妊娠悪阻による食事摂取不良に伴う意識障害であれば，ビタミンB_1欠乏症に加えてNa，K，P，Mgといった電解質異常の可能性も考慮する必要がある。画像検査で頭蓋内出血を伴っていれば，脳神経外科へ依頼し手術を要する可能性があるため，事前に連絡をしておくことも検討する。

　以上のように事前情報から，限りある時間のなかで最大限の準備を行うことが，安全な母体救命につながる。

質問2 患者接触後の診療手順はどのように行うか？

　重症患者ほど生体モニターの数字が表示されるまでに時間がかかることがある。例えば，高度循環不全の状態では，非観血的血圧測定はエラー表示となり，末梢血管収縮に伴い，SpO_2もエラー表示となるか信頼性に欠ける数値が表示されることがある。そのため，患者に接触した際には生体情報モニターの装着ばかりを優先せず，患者を直接みて，話しかけ，触れることで第一印象を評価することが，重症度の早期の認知と蘇生処置につながることに留意する。本症例のPrimary Surveyのように，頻呼吸に対しても，酸素投与の継続を考慮する。さらに，努力呼吸を認める際には，呼吸仕事量の軽減のために，バッグ・バルブ・マスクによる補助換気や，全身管理医による気管挿管といった対応が必要となる。また，Bの異常は，Cの異常である循環不全による代謝性アシドーシスを呼吸性に代償している可能性もあるため，出血などの評価は必ず行う。転倒エピソードとB，Cの異常を認める場合には，胸部外傷による緊張性気胸や心タンポナーデも可能性として想定される。本症例では胸部単純X線やFASOで心嚢液貯留の有無を確認しているが，積極的に疑われない。到着時には四肢末梢湿潤冷感があり，ショック状態として初期診療すべきである。ショックの鑑別（表V-4-1：p452参照）として，前述した緊張性気胸や心タンポナーデに加え，血液分布異常性ショックによる四肢末梢の温かさや発熱などの感染を疑うエピソードはなく，産科的診察，FASOや胸部単純X線で腹腔内出血，胸腔内出血などの循環血液量減少性ショックを疑う所見は認めなかった。Primary Surveyで診断困難な

Ⅴ 症例から学ぶクリニカルパール

ショックであれば，Secondary Survey にて造影 CT などによる詳細な検査が必要となる。D の評価で意識は JCS 2 桁であり，転倒と頭部外傷を伴っていることから，頭蓋内出血などの除外が必要であるため，麻痺の有無と瞳孔の評価が必要であり，Secondary Survey では頭部 CT や MRI を撮像する。E の評価では体温だけではなく，外傷の有無を評価する。ABCDEF 評価とそれぞれに対しての対応を行い，安定化が得られるか，または増悪傾向にないことを確認したうえで Secondary Survey に移行し，病因診断，根本治療へとつなげていく。

質問3 本症例における主症状は何か？ また，鑑別診断と必要な検査は何か？

Primary Survey で病態診断を行いつつ，酸素投与や細胞外液投与などの支持療法を行うことは，初期対応として重要である。さらに，主訴や病歴を意識することは，Secondary Survey で病因診断を行うための診断推論に重要となる。本症例は，トイレから立ち上がる際に意識消失，転倒し，その後意識障害をきたしている。前医からは意識障害の遷延で転院搬送を依頼されているが，病歴を見直し，主訴を拾い上げることで，重大な疾患を見逃すことなく診断できるかもしれない。失神と意識障害ではそれぞれの考えるべき鑑別診断が大きく異なってくるため，違いをしっかりと理解しておく必要がある。

まず，前提として意識が清明であるということは，中脳にある①脳幹網様体から②視床を経由し，③大脳皮質へ投射される"上行性網様体賦活系"が正常に機能しているということである。

1. 失　神

初発症状の意識消失は失神を指す。失神とは，「一過性の意識消失発作の結果，姿勢が保持できなくなるが，かつ自然に，また完全に意識の回復がみられること」と定義され，基本的な病態生理は「脳全体の一過性低灌流」とされる。くも膜下出血や椎骨動脈の一過性脳虚血発作（TIA；transient ischemic attack）による一部の頭蓋内疾患で失神をきたすことはあるが，頻度は低い。一般的には脳血流低下をきたす病態，つまり心血管性や起立性低血圧，そして神経調節性などによるものが多く，失神の精査で頭部 CT・MRI で頭蓋内に異常を認めないからといって安心してはならない。失神の原因でもっとも除外すべきは心血管性失神であり，急性心筋梗塞や一過性の不整脈の出現，大動脈弁狭窄症，肺血栓塞栓症，急性大動脈解離などによる，一時的な心拍出量の低下により失神をきたすことがある。これらは，見逃せば予後も不良となる。診断には心電図変化の有無や，心エコーによる壁運動の異常，弁膜症の有無，心筋マーカーの上昇，造影 CT などが有用であり，循環器内科医の応援を要請する。また，起立性低血圧の鑑別疾患として，子宮破裂，子宮内外同時妊娠を含む異所性妊娠，卵巣出血，卵巣腫瘍の破裂，SHiP（spontaneous hemoperitoneum pregnancy）などの腹腔内出血の除外は必要であり，FASO が有用な検査である。本症例では，妊娠悪阻，血管内脱水，床上安静といった危険因子があり，血栓形成のリスクが高く，肺血栓塞栓症をきたしやすい状態にあった。肺血栓塞栓症の症状として，呼吸困難（72％），胸痛（43％），冷汗（25％），失神・動悸（22％）が出現する。呼吸困難や胸痛があれば，循環器系疾患を疑うことは難しくないと思われるが，失神も肺血栓塞栓症を

疑うサインであることは忘れてはならない。

2. 意識障害

搬送後の意識レベル低下は意識障害を指す。意識障害は，①脳幹網様体，②視床，③大脳皮質全体のいずれかが器質的や代謝性，持続する低灌流などによって障害された状態である。意識障害の鑑別は数多くあるが，本症例においてとくに重要な鑑別診断として，重症妊娠悪阻（低血糖，ビタミン B_1 欠乏症，電解質異常），低酸素血症，循環不全，頭蓋内出血，敗血症などがあげられる。

重症妊娠悪阻で食事摂取不良であれば，意識障害の原因として低血糖をまず検索する。低血糖であればブドウ糖投与を行うが，投与時にはビタミン B_1 補充を先に行うことが重要である。ビタミン B_1 は糖代謝の補酵素で，ブドウ糖投与により消費される。ビタミン B_1 欠乏の状態で糖補充を行うと，Wernicke 脳症を誘発する危険性がある。Wernicke 脳症は眼球運動障害，失調性歩行，意識障害などを呈する疾患で，適切な治療が行われないと神経学的後遺症をきたす可能性がある。そのため，重症妊娠悪阻の患者の意識障害の対応として，ビタミン B_1 欠乏症の可能性が否定できない状況であれば，積極的にビタミン B_1 の補充を検討する。また，ABC のいずれに異常があっても意識障害をきたし得るため，低酸素血症や循環不全状態の評価は必要である。

さらに本症例では，転倒後の頭部外傷で意識障害をきたしている可能性があるため，脳神経外科医の応援要請とともに，麻痺の有無や，瞳孔所見を確認する。軽微な頭蓋内出血では，意識障害のみが唯一の症状のことがあるため，頭部 CT や MRI などの検査が診断に必要となる。さらに，肺血栓塞栓症と診断されれば，抗凝固療法を検討する必要があるため，頭蓋内や体幹部に出血をきたしている可能性があれば，抗凝固療法の導入前に積極的に出血源の診断を進める必要がある。

本症例では，来院時には意識障害を起こしているが，病歴聴取から有床診療所の初期症状は失神であった。そのため，意識障害のみならず，失神の原因検索も必要となる。失神と意識障害はともに肺血栓塞栓症によるものと判断した。このような鑑別が多岐にわたる症例に対しても，ABCDEF アプローチを行いつつ，網羅的に鑑別診断を行うために，初期対応の時点で早期に応援要請し，各科の専門性を発揮し，チームとして対応することが求められる。

V 症例から学ぶクリニカルパール

6 心停止

症　例：32歳，1妊0産，既往歴に特記事項はなし。
導　入：妊娠41週0日に分娩誘発予定で入院した。入院後，病室で破水感があり，その後に突然の呼吸困難を訴えた。その場に居合わせた助産師がバイタルサインを測定したところ，意識レベル JCS 1桁，脈拍 130/min，血圧 80/40 mmHg，呼吸 30/min，SpO_2 78%（室内気）であったため，即座に産婦人科医をコールした。

【接触後経過】
＜第一印象＞
　呼びかけに反応なく，あえぎ呼吸をしている。頸動脈の触知を試みたがよくわからなかった。

【初療経過】
　産婦人科医による第一印象の評価は，声かけに反応がなく，呼吸様式は下顎呼吸であった。頸動脈の触知を試みたが評価困難であり，心停止と判断し，コードブルーを宣言すると同時にBLSを開始した。胸骨圧迫，バッグ・バルブ・マスクによる気道確保と子宮左方移動とともにAEDを装着したが，除細動の適応はなかった。確保されていた20Gの静脈路より，アドレナリン1 mgを静注しつつ，心肺蘇生を継続した。全身管理医が到着後，心電図波形は無脈性電気活動（pulseless electrical activity；PEA）と心拍再開に至らず，母体の蘇生目的に直ちに帝王切開を行う方針とした。

質問1 第一印象で心停止をどのように判断するか？
　誘　導：
❶意識がない
❷正常な呼吸がない，死戦期呼吸
❸頸動脈は触知できない，または判断に迷う
❹10秒以内に呼吸と頸動脈の拍動を確認できたか

質問2 心停止を確認した際は何をすべきか？
　誘　導：
❶コードブルー宣言，蘇生チームの招集
❷リーダー宣言と場所・人・物の確保
❸一次救命処置（BLS；Basic Life Support）

質問3 妊婦に対する一次救命処置（BLS；Basic Life Support）は何か？
　誘　導：
　❶Chest compression（胸骨圧迫）
　❷Uterine displacement（子宮左方移動）
　❸Airway（気道確保）
　❹Breathing（人工呼吸）
　❺Defibrillation（除細動）

質問4 妊婦に対する二次救命処置（ALS；Advanced Life Support）は何か？
　誘　導：
　❶Airway（気管挿管）
　❷Breathing（人工呼吸）
　❸Circulation（循環管理）
　❹Defibrillation, Drug, Differential diagnosis（除細動，薬剤，鑑別診断）
　❺ECPR（体外循環補助を用いた CPR）
　❻Females' organ/Fetus（蘇生的子宮切開/新生児蘇生）

質問5 母体心停止の原因としてあげられる鑑別疾患は何か？
　誘　導：
　❶重症母体における ABCDEFGH
　❷心停止の可逆的な原因の検索と是正を行う

質問6 自己心拍再開後に行うべきことは何か？
　誘　導：
　❶Primary Survey における系統的アプローチを行い，全身状態の安定化を図る
　❷心停止後症候群（PCAS；post-cardiac arrest syndrome）を念頭においた対応を行う

質問7 蘇生を行うにあたり，どのようなマネジメントが必要か？
　誘　導：
　❶時間・空間のマネジメント
　❷人・物のマネジメント

質問の解説

質問1 第一印象で心停止をどのように判断するか？

　心停止とは，脳血流を含む重要臓器への有効な循環維持が不可能な状態にあることを示す。そのため，心停止は，①意識がない，②正常な呼吸がない，死戦期呼吸，③頸動脈の拍動がないことにより判断する。肩を叩き大きな声で呼びかけても，または痛み刺激を加えても反応がない場合に意識がないと判断する。呼吸停止に限らず，しゃくりあげるような死戦期呼吸や下顎呼吸の場合も正常な呼吸がないと判断する。死戦期呼吸は有効な換気は行われていないが呼吸様運動があるため，見慣れていないとあたかも呼吸しているようにみえるので注意が必要である。下顎呼吸のような呼吸様運動にだまされずに判断するためにも，呼吸の有無ではなく，"正常な呼吸"があるかを確認することが重要である。

　医療従事者の場合は，前述の意識と呼吸の確認に加え，③頸動脈の拍動の確認を心停止か否かの判断に用いることがある。頸動脈の拍動は，示指および中指で甲状軟骨を探り，その指先を外側にスライドし，胸鎖乳突筋と甲状軟骨の間で触知できる。頸動脈の拍動が確実に確認できた場合には心停止ではないと判断できる。しかし頸動脈の拍動の確認は，医療従事者であっても慣れていないと判断に迷うことがある。心停止かどうかの判断に悩み不用意に時間をかけると，迅速な心肺蘇生を開始できず救命困難となってしまう。そのため，呼吸と頸動脈の拍動の確認は10秒以内とし，判断に迷う場合には心停止と考え，直ちに心肺蘇生を行うことが重要である。

質問2 心停止を確認した際は何をすべきか？

1. コードブルー宣言，蘇生チームの招集

　心停止と判断した際は，迅速な心肺蘇生が必要であり，"コードブルー"を宣言する。宣言を行うことで，一人の状況認識が周囲にいる全員に共有され，スタッフ全体がチームとして心停止に対応できるようになる。蘇生チームの招集も同時に行われるために，マンパワーの確保にもなる。妊婦では成人蘇生チームだけでなく，母体蘇生チーム（帝王切開が実施可能）と新生児蘇生チームも招集する必要がある。院外であれば119番通報を行いつつ，救急車が向かうべき正確な場所と妊婦であることを伝える。

2. リーダー宣言と場所・人・物の確保

　母体の心肺蘇生では，胸骨圧迫，気道管理と人工呼吸，妊娠20週以降であれば用手的子宮左方移動，AEDの装着，記録係など多くの人員が必要であり，これらを円滑に行うためにもリーダーの存在は必要不可欠である。また心肺蘇生に必要な資器材の準備と，蘇生に適した場所への移動を迅速に行う。移動中も含め，決して心肺蘇生を中断してはならない。

3. 一次救命処置（BLS；Basic Life Support）

　蘇生チームが到着するまではBLSアルゴリズムに沿って蘇生を行う。詳細は次項で述べる。

質問3 妊婦に対する一次救命処置（BLS；Basic Life Support）は何か？

母体の心停止に対して行うBLSは，Chest compression（胸骨圧迫），Uterine displacement（子宮左方移動），Airway（気道確保），Breathing（人工呼吸），Defibrillation（除細動）であり，覚え方は"CUABD"である。これらの行動は，心停止時に脳を含む主要臓器への有効な循環を維持するための行為であることを強調したい。

心停止と判断したら，コードブルー宣言後に直ちに胸骨圧迫を開始する。胸骨圧迫に際し，妊娠後半の妊婦の場合は人手を確保し，ACC（aortocaval compression）解除のために用手的な子宮左方移動（U；uterine displacement）を併用する。そして人工呼吸の準備ができ次第，胸骨圧迫30回に対して2回の人工呼吸を1サイクルとして行う。AEDが到着したら，AEDを起動しパッドを装着，電気ショックの適応をAEDが判断するため，指示に従い実施する。

以降，各項目について述べる。

・Chest compression（胸骨圧迫）

BLSにおいてとくに重要なのは，Chest compression（胸骨圧迫）である。胸骨圧迫の部位は，非妊婦と同様の"胸の真ん中"あるいは"胸骨の下半分"を圧迫すればよい。胸骨圧迫の深さは胸壁が約5 cm沈む程度とし，過剰な圧迫による外傷を防ぐためにも6 cmを超えないようにする（強く!!）。胸骨圧迫は硬い平面上で仰臥位にして行うことが好ましく，入院ベッドのマットが柔らかい場合などでは，有効な胸骨圧迫が難しいことがあるため，適宜背板を挿入することも検討する。速さは1分間に100〜120回のペースで（速く!!），中断は最小限とする（絶え間なく!!）。また，圧迫は胸郭の形状が元に戻るように完全に圧迫が解除されるべきである（リコイルをしっかり!!）。

・Uterine displacement（子宮左方移動）

子宮底が臍高を越えると（概ね妊娠20週以降），妊娠子宮により腹部の大血管が圧迫され（ACC；aortocaval compression），下大静脈の圧迫に伴い，横隔膜下の静脈系からの静脈還流量（右心房への血液流入量）が減少し，結果的に心拍出量が減少すると考えられている。心停止時に胸骨圧迫を行うために仰臥位になることが影響する可能性は十分考えられる。また，腹部大動脈なども圧迫され，子宮胎盤循環が低下し，胎児の低酸素を助長する可能性もあり，子宮内胎児蘇生（intrauterine fetal resuscitation）の観点からも妊娠子宮による腹部の大血管の圧迫を解除することは必要と考えられる。母体の蘇生時におけるACCの影響に関するエビデンスの確実性は非常に低いが，胸骨圧迫の際は，人手が確保できれば用手的子宮左方移動を実施するのが合理的である。子宮左方移動には患者の左側から妊娠子宮を両手で引き上げる方法と，患者の右側から片手で妊娠子宮を左腹側に押し上げる方法がある。また，左半側臥位では胸骨圧迫の質が低下し得るため，仰臥位で用手的子宮左方移動を行うのがよい。

・Airway（気道確保），Breathing（人工呼吸）

人工呼吸としてBVMを用いて30回の胸骨圧迫後に2回の換気を行う。1回の換気は1秒間で胸が軽く上がる程度にとどめ，過剰な圧はかけないようする。過剰な圧は胸腔内圧を上げ，静脈還流量を低下させ心拍出量の低下を招く。

また，換気がたとえ不十分だと感じても，胸骨圧迫の中断を最小限とするために2回以

上の換気は行わない。

・Defibrillation（除細動）

　心停止時の心電図波形が心室細動（VF），または無脈性心室頻拍（pVT）のときには早期の除細動が重要である。一般的には除細動が1分遅れるごとに約7～10%の除細動成功率が低下することが知られている。AEDが到着すれば，電源を入れた後，音声ガイダンスに従って，右鎖骨下と左側胸部にパッドを装着し，AEDの音声メッセージに従って，心電図解析中は胸骨圧迫と人工呼吸を中断し，患者から離れる。AEDが電気ショックの適応と判断すれば，患者に誰も触れていないことを確認し，"これより電気ショックを実施する"ことを声に出して周りに共有した後に，実行する。電気ショック後には，直ちに胸骨圧迫を再開する。AEDは2分ごとに電気ショックの適応があるかを自動解析する。

　以降，心肺蘇生は蘇生チームが到着するまで，または患者に正常な呼吸や目的のある仕草が認められるまで続けることが重要である。

質問4　妊婦に対する二次救命処置（ALS；Advanced Life Support）は何か？

　蘇生チームが到着したら，より高度な蘇生処置へと移行していくが，ALSにおいても絶え間ない胸骨圧迫がもっとも重要である。全身管理医がいれば，気管挿管を含む高度な気道確保を実施する。気管挿管にあたっては妊産婦では気道が細くなっているため，内径6.0～7.0 mmの気管チューブを使用する。気管チューブの位置はカプノグラフィーにより確認できる。気管挿管後は30：2ではなく，胸骨圧迫は100～120回/minのペースで継続し，人工呼吸は6秒に1回（10回/min）の非同期で行う。

　横隔膜上に静脈路を確保し，アドレナリン1 mgを3～5分ごとに投与を繰り返す。静脈路の確保が難しい場合，上腕骨頭などに骨髄路を確保することも考慮する。モニターで心電図波形を確認し，VFやpVTの場合，除細動器を用いて電気ショックを実施する。電気ショックで停止しない，または再発性のVF/pVTの場合には抗不整脈薬としてアミオダロン300 mgの投与を検討する。アミオダロンが常備されていなければ，リドカイン1～1.5 mg/kgの投与を検討する。また心停止の可逆的原因を鑑別し，治療することも必要である。

　これらの一般的な成人蘇生に加え，母体の心停止に対しては，子宮底が臍高を越える（概ね妊娠20週以降）場合，BLSでも行う用手的子宮左方移動と，母体救命を主目的とした①ACCを根本的に解除すること，つまり分娩が必要になる。また，結果的に，②新生児蘇生が必要となる場合がある。

1. ACCの解除（分娩）

　子宮底が臍高を越える（概ね妊娠20週以降）場合は，ACCを解除し，母体の自己心拍再開（ROSC；return of spontaneous circulation）を得るために母体救命目的の帝王切開を考慮する。ACC解除は，母体心への静脈還流を改善させ，心拍出量の増加に寄与する。つまりACC解除のための分娩の目的は，"母体救命"である。

　通常の成人蘇生に反応がない場合，早期に帝王切開を行うべきである。母体救命目的であり，適応を判断するにあたって胎児心拍の有無や，胎児救命の可否を問う必要はない。

帝王切開よりも経腟分娩のほうが速やかに児を娩出できると判断すれば，鉗子分娩や吸引分娩などが選択され得る。

母体救命のための帝王切開は，確実なALSを実施しているにもかかわらず蘇生に反応しない場合，可及的速やかに開始する。

基本的には，心停止のあったその場で帝王切開を行うことが望ましいとされる。手術室への搬送は，胸骨圧迫を含む蘇生の質の低下，分娩までの時間の延長，蘇生行為自体の遅延につながることが報告されている。そのため，救急初療室や分娩室などでは，母体の心停止を想定して，帝王切開と新生児蘇生に備えておくとよいが，施設特性を加味して実施場所を決定する。

帝王切開に必要な"人的資源"は，執刀医としての産婦人科医である。第一助手も産婦人科医が望ましいが，人手確保ができなければ，外科医や救急医などのバックアップがあるとよい。各施設でコールシステム（母体蘇生チーム）が設けられると，人的資源の確保がスムーズになる。そして必要な"物的資源"は，手術器械・医療材料である。メス1本でも実施可能であるが，施設ごとに必要最小限の手術器械・医療材料をセット化しておくとよい。

2. 新生児蘇生

母体蘇生のための分娩は，妊娠22週位以降であれば結果的に胎児につながることもあり，分娩と同時に新生児蘇生が必要である。

新生児蘇生に必要な"人的資源"として，新生児科医（小児科医），助産師が考えられる。心停止した母体からの出生であり，新生児自身も重篤であることが想定され，日常的に新生児蘇生を行っているスタッフが対応するのが望ましい。効率よく人手が確保できるようにコールシステム（新生児蘇生チーム）を備えるとよい。緊急の場合にはほかのスタッフ（麻酔科医やNICU看護師など）も新生児蘇生に対応できるよう備えておく。"物的資源"として，インファントウォーマ，新生児用救急カートなども必要である。

質問5 母体心停止の原因としてあげられる鑑別疾患は何か？

一般成人における心停止をきたす治療可能な疾患の鑑別として5H5Tがあるが，母体の重症病態の鑑別を特有の事項も含めすべてを網羅的に列挙するとABCDEFGHとなる。確実な蘇生を行いながら，疾患を効率よく鑑別し，心停止の原因となっていれば根本的な介入をする必要がある。ここで，鑑別に集中しすぎて蘇生自体の質が低下しないように，常に胸骨圧迫などの心肺蘇生の質が保たれていることを確認しつづけることが重要である。

質問6 自己心拍再開後に行うべきことは何か？

自己心拍再開後（ROSC）は，重症母体と同様のアプローチが可能となる。まず，病態を安定化させ，その後各原因に対して治療を行っていく。つまり，本コースにおける系統的診療手順として，Primary SurveyとSecondary Surveyを実施する。

心停止の原因があれば，早急に対応する。例えば，心筋梗塞が疑われれば冠動脈造影検査が必要であり，局所麻酔薬中毒が疑われるのであれば脂肪製剤の投与を考慮する。病態

を確実に把握していく Primary Survey，すなわち ABCDEF 評価が重要である。

蘇生後の管理で問題となるのは，心停止の原因とともに心停止後症候群（PCAS）である。PCAS は，心停止後の病態を総括した表現であり，虚血や再灌流障害を主体とした病態で，心停止後脳損傷，心停止後心筋不全，全身性虚血・再灌流障害などがある。蘇生後の脳へのダメージを最小限にするためには，脳保護に留意した集中治療を行うが，厳密な体温管理，呼吸・循環管理，血糖管理などの全身管理が必要となる。妊婦の集中治療にあたっては，非妊婦の集中治療に加え産科的介入を要するので，集中治療医と産婦人科医が連携を行うことが求められる。産婦人科医は自らの専門性に関連したことについて全身管理を行う医師に対して助言や意見を伝える必要があり，また，全身管理を担当する集中治療医・救急医・麻酔科医などは産婦人科医の意見を抽出するように努める。単一科では対応不可能であり，多職種・多科連携が必要である。

質問7　蘇生を行うにあたり，どのようなマネジメントが必要か？

重症度とは，治療の困難性である。重症度の時間的変化率が緊急度である。蘇生の際には，まず緊急度を重視し，次に重症度に配慮して対応することが重要である。

心停止状態は，緊急度・重症度がともに究極的に高い状態であり，即座に対応しつつ，効率よく医療資源を投入していく必要がある。時間的な切迫感からあせってしまうことも少なくないが，限られた時間を有効に活用する。緊急事態に遭遇した直後は医療資源も少ないため，優先順位の高いものから一つずつ実施する。徐々に人的・物的資源が集まってくれば，チーム全体で状況の認識を一致させながら蘇生に必要なことを分担していく。とくに，胸骨圧迫は優先順位が高いため，質を高く保ちながら継続することが重要である。また，心停止に対して，体外循環式心肺蘇生（ECPR；extracorporeal cardiopulmonary resuscitation）を実施できる施設の場合は，ECPR も可能な場所に患者を移動すべきである。

心肺蘇生に必要な役割には，気道管理，薬物投与，除細動，胸骨圧迫，時間カウント，記録，家族対応などがある。効率よく限られたマンパワーで心肺蘇生を行う場合，リーダーはこれらのタスクを職種や職歴の異なるスタッフに割り振る。タスクが集中しているスタッフには，サポートをつけ，タスクを分散させる。救急初療室などのスペースが限られる場合，タスクのないスタッフは蘇生処置を妨げないように注意する。

母体蘇生と新生児蘇生が行われている場面では，これら全体に対しての的確なマネジメントが不可欠であり，母体蘇生のリーダー，新生児蘇生のリーダー，両者をマネジメントするコマンダーがいるのが理想である。夜間休日帯にも日勤帯と同等の蘇生の質が担保できるように，院内システムの整備が必要である。

付　録

1. 薬　剤
2. 被ばくと造影剤
3. 妊娠週数と胎児の成長

付録

1 薬剤

薬剤投与に関するポイント[1]

- 情報源を知り，最新情報を確認する
- 救命が最優先であり，母体に必要な薬剤は躊躇せず使用する
- 医療ケアチームで薬剤使用に関して共通認識をもち，情報共有する
- 初期診療中であっても，時間的・人的余裕があれば下記を検討する
    1. 患者の不安に対し，適切な情報提供と説明を行う
    2. 授乳婦の場合：児の月齢，1日の授乳回数，授乳量を参考に，母体の全身状態にあわせて断乳期間を最小限にする

＜妊婦・授乳婦と添付文書の記載＞

医療用医薬品の添付文書の記載要領が変更され[2]，2019年度から2023年度までは改訂前後の添付文書が混在していた。新たな記載要領では，単に乳汁移行が報告されただけでは「授乳を避けさせること」という記載をしないこととなった（表付-1-1）。

妊婦と薬剤

1．添付文書の解釈と薬剤使用

添付文書上禁忌の薬剤でも，特定の状況下で妊娠中にインフォームドコンセントを得たうえで使用することがある（表付-1-2）。一方，禁忌薬剤でないことが，投与に問題ないことを示すものではない。有益性投与であっても，抗甲状腺薬チアマゾール，パロキセチン，抗てんかん薬，精神神経薬，非ステロイド系抗炎症薬，アテノロール，アミオダロン，ジソピラミド，抗悪性腫瘍薬は当該専門診療科や薬剤師等と相談のうえ，慎重に判断する。

添付文書において，男性に投与した場合の避妊について記載をしているものもある。し

表付-1-1　添付文書の記載要領の変化

改訂前	改訂後
『使用上注意』の「妊婦，産婦，授乳婦等への投与」項目に「投与を避ける」，「使用しない」「（絶対に）投与しない」などの記載がある	『禁忌（次の患者には投与しないこと）』の項目に妊婦が記載されている
妊婦又は妊娠している可能性のある婦人は「禁忌」，あるいは「原則禁忌」との追記がある	『特定の背景を有する患者に関する注意』の『妊婦』の項目に「投与しないこと」あるいは「投与しないことがのぞましい」との記載がある

表付-1-2　使用することのある添付文書上の妊婦禁忌薬

禁忌とされる薬剤	インフォームドコンセントのうえで使用するとき
カルベジロール ビソプロロール	ほかの医薬品では治療効果不十分な高血圧
ワルファリンカリウム	人工弁置換後，ヘパリンでの調節困難例
コルヒチン	ほかの薬剤で治療困難なベーチェット病
イトラコナゾール	深在性真菌症，全身性真菌症
抗悪性腫瘍薬	妊娠期：標準治療，予後，妊娠した場合に選択される治療内容（薬剤），現状あるエビデンスなどをもとに方針決定する 授乳期：データが少ないうえ，母乳移行する薬剤も多く，一般的に授乳禁忌とされているが，生体内利用率が少ない薬剤や投薬量によって授乳が可能な場合もあるため，個別に患者家族と医療チームで検討する必要がある
アスピリン	妊娠36週までの抗リン脂質抗体症候群，妊娠高血圧腎症予防

表付-1-3　妊娠週数と催奇形性，胎児毒性を示す明らかな証拠が報告されている薬剤

妊娠週数	薬剤による影響と特徴	薬剤例
4週未満	ごく限られた医薬品以外胎児奇形出現率は増加しない	角化症治療薬エトレチナート C型肝炎治療薬リバビリン
4週〜 8週未満	器官形成期：胎児への催奇形性がもっとも問題となる時期（明確に催奇形性が証明された医薬品は少ない）	ワルファリン，メトトレキセート，ミソプロストール，ダナゾール，シクロホスファミド，サリドマイド 抗てんかん薬（カルバマゼピン，バルプロ酸ナトリウム，フェニトイン，フェノバルビタール） チアマゾール，ファビピラビル
8週〜 13週未満	口蓋・外性器の形成が続いている：小奇形（形態異常など）を起こし得る医薬品がある	
13週以降	胎児毒性：医薬品が経胎盤的に胎児に移行し，その作用により生じる胎児機能障害	アンギオテンシン変換酵素阻害薬（ACE阻害薬） アンギオテンシンⅡ受容体拮抗薬（ARB） アミノグリコシド系抗菌薬，テトラサイクリン系抗菌薬 ワルファリン，ミソプロストール，サリドマイド，リバビリン，ファビピラビル，非ステロイド系抗炎症薬（NSAIDS）：とくに妊娠28週以降の妊娠後期

かし精液から女性に曝露する薬剤量はごく微量であり，その薬剤により胎児奇形を起こすリスクは非常に低い。

2. 妊娠週数と薬剤作用[3]

薬剤曝露がなくても，自然流産率は約15%，先天異常の自然発生率は3〜5%存在する。流産や先天性異常が薬剤によると思い込んでしまうことも多いため，投薬が必要な場合は自然発生率も含めて情報提供するとよい（表付-1-3）。

ヨード造影剤は妊娠中使用しても問題ないが，ガドリニウム造影剤はリウマチ様皮疹・炎症性皮膚症状などの出現や新生児死亡・死産の頻度が高く[4]，リスクを認識しておく必要がある。

授乳婦と薬剤

1. 母乳育児の効果[5)~9)]

母乳育児は母児両方の健康増進に寄与するということをすべての医療従事者が認識し，安易に薬剤投与などを理由に中断しないようにすべきである．母乳育児の利点は以下のとおりである．

1) 母体

何らかの形で母乳育児を行っている期間が少なくとも3カ月以上あることで，悪性腫瘍（乳癌，卵巣癌，子宮体癌）のリスク低減，心血管疾患，耐糖能異常のリスク低減につながる．

2) 児

母乳を介して免疫細胞を児に与えることができる．母乳栄養の児は生着する腸内細菌叢の影響もあり，中耳炎や腸管感染症の発症率が低いこと，早産児の場合には抗酸化物質や消化酵素などを多く含むことから早産関連の合併症の発症が少ないことなどが知られている[10)]．

2. 授乳中の薬剤投与に関する留意点

授乳中に適さない薬剤は，抗悪性腫瘍薬，放射性ヨード（ヨウ化ナトリウム），コカイン，アミオダロンである．抗てんかん薬，抗うつ薬，リチウム，抗不安薬は慎重に投与する必要がある．患者の病態に基づき薬剤を選択し，余裕が出てきた段階でQOL（quality of life）を考慮に入れる．薬物の母乳への移行は基本的には微量（母親に投与された薬剤の約1％未満）であり，日常診療で使用するほとんどの薬剤については授乳を中断する必要はない．安易な授乳中止の指示は，母児にとって著しい負荷を強いることになることに留意すべきである．

3. 薬剤の母乳移行性と対応

母乳への薬剤移行に関連するのは，薬剤，母体，乳児の3つの因子である[11)~14)]．

1) 薬剤因子

薬剤と母乳移行性の関係を表付-1-4に示す．

2) 母体因子

実際に母親に投与される薬剤の量や投与経路，併用薬剤によって，母乳の移行性は変化し得る．

3) 乳児因子

完全母乳か否か，1日の授乳回数と母乳摂取量，児の月齢，児の体重，児の合併症の有無，併用薬剤によって，児の薬剤吸収や血中濃度が変化する．

これらの要素を考慮しながら，児の薬剤摂取量を最小にするように工夫することができる．授乳のタイミング調整は有用であり，服薬する前に授乳する，児が長時間寝るタイミングを見計らって服薬する，などの工夫が効果的である．

表付-1-4 薬剤特性と母乳移行性の関係

	薬剤特性	母乳移行の傾向
1	分子量	200〜400以下であると一般に母乳中に移行しやすいとされる
2	蛋白結合率	血漿蛋白結合率が低い薬剤は母乳中へ移行しやすい
3	生体利用率	生体利用率が低い（経口吸収率が悪い）薬剤は母乳移行する量も少なく，児に移行しても児の消化管から吸収されにくい
4	脂溶性	脂溶性が高い薬剤は母乳に移行しやすい
5	半減期	半減期が長い薬は児が母乳から摂取する量が多くなりやすい
6	解離定数	酸性の薬剤は母乳中へ移行しにくく，塩基性の薬剤は移行しやすい（母乳pHは6.8で，血漿pHは7.4である）

4. 搾乳時の注意点

医療機関によって方針が異なる場合，薬剤の影響がなくなるまで搾乳に変更することがあり得る。母乳分泌量を減らさない観点からは1日8回以上（3時間ごと）の搾乳がよい。

5. 造影剤

ヨード造影剤およびガドリニウム造影剤の造影剤投与後24時間または48時間の授乳中止が添付文書では勧められているが，2019年6月に日本医学放射線学会から「授乳中の女性に対する造影剤投与後の授乳の可否に関する提言」のなかで，造影剤使用後の授乳制限は特段の理由がないかぎり必要がないとする見解が発表されている[15]。いずれの造影剤も母乳移行が少ないうえに，さらに乳児の吸収が少ないため問題とならないためである[16)〜20)]。半減期もおおよそヨード造影剤1時間，ガドリニウム1.5時間と短いことも考慮できる。

6. 有用な情報源

薬剤特性に関する情報は，インタビューフォーム（interview form）や添付文書を参照することで得られる。医薬品医療機器総合機構のホームページから容易に検索できる[21]（QRコードA）。また，「妊娠と薬情報センター」は，妊娠・授乳中の服薬に関する情報を扱う厚生労働省事業として国立成育医療研究センター内に設置された機関であり（QRコードB），医療関係者向けにも授乳中に安全に使用できると考えられる薬の一覧表などをホームページで公開している。米国国立生成研究所（NIH）の運営するLactMed®[22]は常に更新されつづける信頼できる情報源であり，薬物名ごとにインターネットで検索できるため有用である。

また文献[13]は授乳中のリスクを5段階に分け，もっとも安全L1，比較的安全L2，やや安全L3，やや危険L4，禁忌L5として示しており用いやすい。

A：医薬品医療機器総合機構：
医療用医薬品情報検索

B：国立成育医療研究センター：
妊娠と薬情報センター

付録

参考資料

救急で頻用される薬剤と妊娠中，授乳中の対応[11)～14)22)23)]を示す

薬　剤	妊娠中	授乳中
昇圧薬	アドレナリンをはじめとするカテコールアミン系については有益性投与であるが，治療が母体の安定化に必要な場合は躊躇なく投与する	
利尿薬	日常臨床でよく使用されるループ利尿薬（ラシックス®）やカリウム保持性利尿薬（アルダクトン®）などは有益性投与であり，治療において必要であれば選択肢としてあげられる	授乳に関してループ利尿薬であるラシックス®やアルダクトン®は比較的安全に使用できる
解熱鎮痛薬	アセトアミノフェンは通常使用可能 NSAID：妊娠後期（妊娠28週以降）は投与しない 湿布薬もNSAID含有のものは妊娠末期には避けるほうがよい	アセトアミノフェン（L1例カロナール）・イブプロフェン（L1例ブルフェン）・ジクロフェナクナトリウム（L2例ボルタレン）が望ましい
抗ヒスタミン薬	古くから使われている薬で疫学研究も多数，催奇形性の報告はほとんどない．とくにクロルフェニラミン（ポララミン®）を推奨する文献がある	ロラタジン（クラリチン®），塩酸セチリジン（ジルテック®），塩酸フェキソフェナジン（アレグラ®），テルフェナジン（トリルダン®）は母乳移行が少なく安全に使用可
抗菌薬	ペニシリン系，セフェム系は安全	ペニシリン系，セフェム系，マクロライド系は安全
抗ウイルス薬	アシクロビル，バラシクロビルは比較的安全 抗インフルエンザ薬のなかではデータ量はオセルタミビル（タミフル®）が多く使いやすいが，ザナミビル（リレンザ®）やラニナミビル（イナビル®）も胎盤移行という点で胎児への影響は少ないと考えられる	アシクロビル，バラシクロビル，抗インフルエンザ薬も母乳を介した影響は少ないと考えられる
副腎皮質ステロイド	ステロイドの妊娠初期に使用した場合口唇口蓋裂の発生率が3倍程度高くなることがいわれているが，妊娠12週以降には口蓋形成が完了するためそのリスク増加はない．母体治療目的の投与は胎児移行の少ないプレドニゾロンが第一選択となる	パルス療法などの症例以外は通常どおり授乳可能 パルス療法などにおいても，乳汁中濃度が高くなる投与後2時間以内を避ければそれ以降は問題ない可能性がある
気管支拡張薬	β_2刺激薬は治療のためには非妊娠時同様に使用できる	β_2刺激薬は問題ないがテオフィリンは児への影響を考慮する必要あり
吸入ステロイド	基本的には喘息の管理では第一選択の薬ブデソニド（パルミコート®）はデータが多く使いやすい	授乳期間も使用可能

文　献

1) 山下有加，関沢明彦：妊産褥婦への薬物投与．樫山鉄矢，清水敬樹編，ER実践ハンドブック，羊土社，2015，pp354-357.
2) 厚生労働省医薬・生活衛生局長：医療用医薬品の添付文書等の記載要領について．薬生発0608号第1号，平成29年6月8日，2017.
3) 日本産科婦人科学会，日本産婦人科医会編集・監修：産婦人科診療ガイドライン―産科編2023，2023，p405.

薬　剤	妊娠中	授乳中
鎮咳薬	デキストロメトルファン（メジコン®）はデータも豊富で安全といえる	授乳ではコデインなどは児の傾眠傾向を引き起こす可能性あり 非麻薬性の鎮咳薬は問題ないと考えられる（メジコン®など）
胃薬系	メトクロプラミド（プリンペラン®），H_2ブロッカー（タガメット®，ザンタック®，ガスター®），PPI（とくにオメプラゾール）は比較的安全	とくに問題なく使用できる H_2ブロッカーではファモチジン（ガスター®）やラニチジン（ザンタック®）はデータの蓄積量が多く安全
抗コリン薬	アトロピン，ブチルスコポラミン（ブスコパン）は比較的安全だが，母体や胎児頻脈の影響はブスコパン®のほうが少ない	長期使用は母乳分泌を減少させると報告があり，最小限にとどめるべき
整腸薬 下剤 止痢剤	下剤の第一選択は塩類下剤（®マグラックス，マグミット，酸化マグネシウム）。効果がなければ大腸刺激下剤を考慮（ラキソベロン®，センノシドなど）	基本的に安全に使用できるが止痢剤のロペラミド（ロペミン®）で授乳への移行が報告されているが，乳児に影響を与える可能性は低いと考えられる
点眼薬 点鼻薬 口腔用剤	基本的には使用可能 点眼の場合点眼後に涙嚢部を圧迫することを指導するとよい（鼻を介した全身への吸収を減らす）	妊娠中と同様に基本的に使用可能
外用薬 皮膚科使用薬	外用薬は基本的に使用可能 角化症治療薬エトレチナートの内服は禁忌	外用薬は基本的に使用可能 エトレチナートは安全性が不明であることから授乳中は慎重に対応すべき
ワクチン	インフルエンザや破傷風トキソイドなどは安全に投与できる。生ワクチンは投与しない	基本的にすべてのワクチンを打つことができる
嗜好品	タバコ：禁煙を指導 アルコール：基本的には安全量は不明であり，禁酒が無難である カフェイン：1日300 mg以下なら安全との報告がある（コーヒー300 mLで120 mg，同量で玉露は800 mg，紅茶は25 mg，ウーロン茶は10 mg，玄米茶・番茶は5 mg）	タバコ：受動喫煙や児への影響から禁煙指導は大切 アルコール：母乳に移行するため，アルコール摂取後2時間は授乳を避ける カフェイン：新生児の半減期は3日前後と長いためコーヒー3杯程度にとどめる
睡眠薬	現時点では催奇形性が明らかにある薬はないため妊娠初期では人工妊娠中絶の根拠とはならない。また，妊娠後期においても必要と判断すれば継続してもよいと考えられる	授乳による児の傾眠傾向などの報告はあるが，児の飲みとる量などにより個別に判断する必要があり，必ず断乳しなければならないわけではない

4) Ray JG, Vermeulen MJ, Bharatha A, et al：Association between MRI exposure during pregnancy and fetal and childhood outcomes. JAMA 316：952-961, 2016.

5) Chowdhury R, Sinha B, Sankar MJ, et al：Breastfeeding and maternal health outcomes：A systematic review and meta-analysis. Acta Paediatr 104：96-113, 2015.

6) Victora CG, Bahl R, Barros AJ, et al；Lancet Breastfeeding Series Group：Breastfeeding in the 21st century：Epidemiology, mechanisms, and lifelong effect. Lancet 387（10017）：475-490, 2016.

7) Gunderson EP, Lewis CE, Lin Y, et al：Lactation duration and progression to diabetes in

8) Peters SAE, Yang L, Guo Y, et al：Breastfeeding and the risk of maternal cardiovascular disease：A prospective study of 300000 Chinese women. J Am Heart Assoc 6：e006081, 2017.
9) Magnus MC, Wallace MK, Demirci JR, et al：Breastfeeding and later-life cardiometabolic health in women with and without hypertensive disorders of pregnancy. J Am Heart Assoc 12：e026696, 2023.
10) Henderson G, Anthony MY, McGuire W：Formula milk versus maternal breast milk for feeding preterm or low birth weight infants. Cochrane Database Syst Rev 17：CD002972, 2007.
11) 伊藤真也他編：薬物治療コンサルテーション 妊娠と授乳，改訂3版，南山堂，東京，2020, p777.
12) Briggs GG, et al：Drugs in Pregnancy and Lactation, 20th ed, Wolters Kluwer, 2021, p1461.
13) Hale TW, et al：Medications and Mother's Milk, Springer Pub Co, 2023.
14) American Academy of Pediatrics Committee on Drugs：Transfer of drugs and other chemicals into human milk. Pediatrics 108：776-789, 2001.
15) 日本医学放射線学会造影剤安全性委員会：授乳中の女性に対する造影剤投与後の授乳の可否に関する提言．2019年06月27日．
http://www.radiology.jp/member_info/safty/20190627_01.html（Accessed：2023/10/22）
16) Bettmann MA：Frequently asked questions：iodinated contrast agents. RadioGraphics 24（suppl 1）：S3-S10, 2004.
17) Tremblay E, Thérasse E, Thomassin-Naggara I, et al：Quality initiatives：Guidelines for use of medical imaging during pregnancy and lactation. RadioGraphics 32：897-911, 2012.
18) Webb JAW, Thomsen HS, Morcos SM：The use of iodinated and gadolinium contrast media during pregnancy and lactation. Eur Radiol 15：1234-1240, 2005.
19) Wang PI, Chong ST, Kielar AZ, et al：Imaging of pregnant and lactating patients：I. Evidence-based review and recommendations. AJR Am J Roentgenol 198：778-784, 2012.
20) Kubik-Huch RA, Gottstein-Aalame NM, Frenzel T, et al：Gadopentetate diglumine excretion into human breast milk during lactation. Radiology 216：555-558, 2000.
21) 独立行政法人 医薬品医療機器総合機構：医療用医薬品情報検索．
https://www.pmda.go.jp/PmdaSearch/iyakuSearch/（Accessed：2023/10/22）
22) National Institute of Child Health and Human Development. Drugs and Lactation Database.
https://www.ncbi.nlm.nih.gov/books/NBK501922/（Accessed：2023/10/22）
23) Ito S, Koren G：A novel index for expressing exposure of the infant to drugs in breast milk. Br J Clin Pharmacol 38：99-102, 1994.

付録

2 被ばくと造影剤

被ばくの考え方

　放射線検査，放射線治療にはX線撮影やCT検査，IVR（画像下治療）などの多くの種類があるが，妊婦においても放射線検査，放射線治療は有用であり，放射線被ばくを避けられない。本来，放射線被ばくは国際放射線防護委員会（ICRP）が勧告し，国ごとに線量限度が規定されている（表付-2-1）が，医療被ばくは線量限度に含まれない。それは医療の目的を達成するために必要な放射線量は個々の患者によって異なるので，一定の限度を設けることができないからとされている。しかしICRPが示している放射線防護の三原則のうち，①正当化（検査・治療の有益性が危険性を上回る），②最適化（診断に必要な画質が得られる適切な線量にする）は不可欠である（3つ目は線量限度）。

被ばくの影響と被ばく量の低減

　人体の影響には，①ある被ばく線量（＝しきい線量[注184]）を超えると高い頻度で障害が生じ，その障害の程度は被ばく量とともに増大する確定的影響（deterministic effects）と，②障害の発生頻度は被ばく量とともに高くなるが，その重篤度は被ばく量に依存しない確率的影響（stochastic effects）がある。確定的影響には急性放射線障害（表付-2-2）や急性皮膚障害，白内障などがあり，被ばく量によってさまざまな症状を呈するが，しきい値より小さい被ばくでは影響はない。確率的影響には遺伝性疾患や悪性腫瘍などがある。確定的

表付-2-1　線量限度

	実効線量限度（全身）	
一般公衆　平常時	1 mSv/year	・水晶体　15 mSv/year ・皮膚　　50 mSv/year
放射線業務従事者 ・平常時	100 mSv/5 years 50 mSv/year	・水晶体　150 mSv/year ・皮膚　　500 mSv/year
女性	5 mSv/year	
妊娠中女性	1 mSv （出産までの内部被ばく）	・腹部表面　2 mSv （出産までの腹部表面）
・緊急時	100 mSv	・水晶体　300 mSv/year ・皮膚　　1,000 mSv/year

[注184] しきい線量：同じ線量を被ばくしたとき，全体の1％の人に症状が現れる線量。

表付-2-2　急性放射線障害

線量当量（Sv）	障害
0.25	一時的な白血球低下
0.5	一時的なリンパ球低下
1	悪心，嘔吐，食欲不振，全身倦怠
2	出血，脱毛，5%の人が死亡
4	50%の人が死亡
7	99%の人が死亡
1〜8	骨髄症候群（出血，貧血，免疫不全，感染症，敗血症，創傷治癒障害），骨髄死（被ばく後1カ月前後）
8〜30	消化器症候群（下痢，脱水，ショック，腎不全，循環不全），消化管死（被ばく後8〜14日）
>20	中枢神経症候群（失調，錯乱：被ばく後1時間以内），中枢神経死（被ばく後24〜48時間）

影響では重篤度は被ばく量とともに増大するが，確率的影響では被ばく量に依存しない。被ばく量にはX線撮影やCT検査，IVRなどの外部被ばくと核医学検査の内部被ばくに分かれる。核医学検査では全身の被ばく量とともに特定臓器の等価線量（後述）に注意する。

人体への重大な影響を防ぐために被ばく量を低減する必要がある。外部被ばく低減の三原則は線源から離れ（距離），遮蔽し（X線であれば鉛エプロン装着），照射時間を短くすることである。X線撮影やCT検査では撮影範囲や撮影回数，撮影条件に留意し，IVRではX線管の距離を最大限にしてX線受像機に近づけ，透視時間を短くする。許容される範囲の低いパルスレートにする，最小限の撮影コマ数にする，斜位方向からの照射を避け，拡大視野を避け，照射野を絞るなどの対応策をする。またX線管から出る直接線だけではなく，照射部位などから発せられる散乱線にも注意する。被ばく低減のためには放射線科医や診療放射線技師との連携が必要となる。

線量の表現，単位

放射性物質が放射線を放出する能力を放射能というが，放射能の強さの単位はベクレル（Bq）を用いる。核医学検査や放射線治療で使われることが多い。放射線が放出されると人体に吸収されるが，単位質量あたりの吸収した放射線のエネルギーを吸収線量（absorbed dose）といい，単位はグレイ（Gy=J/kg）を用いる。組織や臓器の局所的被ばくを表わすのに等価線量（equivalent dose）が用いられ，吸収線量に放射線荷重係数[注185]を乗じて算出する。さらに，組織や臓器の放射線感受性の違いを考慮して等価線量に組織荷重係数[注186]を乗じ，すべての組織・臓器について和を求めたものが実効線量（effective

---

[注185] 放射線荷重係数（radiation weighting factor）：同一の吸収線量でも，放射線の種類とエネルギーによって被ばくの影響は異なるため，放射線の種類による影響の強さを補正するための係数。γ線，β線は1であるが，α線は20である。

[注186] 組織荷重係数（tissue weighting factor）：組織や臓器ごとの放射線による影響の受けやすさを重みづけするための係数。

表付-2-3　X線検査の被ばく量

検査	実効線量（mSv）	検査	実効線量（mSv）
単純X線撮影		CT	
胸部（正面）	0.05	頭部	2.4
胸部（側面）	0.2	胸部	7.8
腹部（正面）	0.8	腹部	12.4
腰椎（正面）	1.2	骨盤	9.4
腰椎（側面）	1.2	血管造影	
頸椎（正面）	0.1	心臓	11.2
頸椎（側面）	0.1	脳	5.7
骨盤（正面）	1.0	その他	9.3
上部消化管造影	3.3	歯科	
下部消化管造影	7.3	口腔内	0.02
胆嚢造影	2.0	パノラマ	0.05
経静脈尿路造影	2.6		
乳房撮影	0.4（2*）		

表付-2-4　核医学検査の被ばく量

検査	医薬品	投与量（MBq）	被ばく量（mSv） 全身	被ばく量（mSv） 標的組織	被ばく量（mSv） 多い組織
脳血流	^{99m}Tc-ECD	600	0.6	3.1	膀胱 66
脳槽	^{111}In-DTPA	37	1.5	41（脳）	骨髄 1.5
甲状腺	Na^{123}I	3.7〜7.4	〜0.71	〜26	胃〜0.42
	Na^{131}I	3.7	〜1.8	1300	胃〜1.4
肺血流	^{99m}Tc-MAA	40〜150	0.296	〜10.05	肝〜2.4
肺換気	^{133}Xe	370	2.0	0.407	骨髄 0.31
心筋	^{201}TlCl	74	3.0	6.4	腎 23.6
心プール	^{99m}Tc-DTPA-HSA	740	〜0.76	12.8	肝/膀胱 11.4
肝脾	^{99m}Tc-Sn コロイド	74〜148	0.8	〜13.6（肝）	脾〜8.4
肝胆道	^{99m}Tc-PMT	185	〜0.22	90（胆嚢）	肝 6.5
腎（動態）	^{99m}Tc-MAG3	200〜400	〜0.7	〜0.86	膀胱〜11.6
腎（静態）	^{99m}Tc-DMSA	37〜185	6	〜70.5	卵巣〜0.5
副腎皮質	^{131}I-アンドステロール	18.5		125	卵巣 40
副腎髄質	^{123}I-MIBG	20〜40		〜41.1	甲状腺〜9.5
副腎髄質	^{131}I-MIBG	111	〜4.3	1.23	肝 7.9
骨	^{99m}Tc-MDP	400〜800	〜18	〜50.4	膀胱 40　骨髄 7.68
骨髄	^{111}In-Cl	37〜111	〜7.8	〜109	肝 181
腫瘍	^{67}Ga-クエン酸	74〜111	〜6.3		骨髄 17.4
	^{201}TlCl	74〜111	〜19		腎 36
	^{18}F-FDG	185〜370	〜20		脳/膀胱 190

dose）である．等価線量と実効線量の単位にはシーベルト（Sv）が用いられる．

　確定的影響では吸収線量が，確率的影響のうち局所的影響は等価線量，全身的影響は実効線量が問題となる．X線検査と各医学検査の被ばく量を参考として記載する（表付-2-3，4）．

付　録

表付-2-5　胎児に対する被ばくの影響

妊娠週数	影響	累積しきい線量
着床前（妊娠 0〜2 週）	胎児死亡 or 影響なし	50〜100 mGy
器官形成期（妊娠 2〜8 週）	先天奇形（骨格，眼球，性器）	200 mGy
	成長障害	200〜250 mGy
胎児期（妊娠 8〜15 週）	重度精神発達遅延（high risk）	60〜310 mGy
	知的障害	1 Gy ごと 25 IQ 低下
	小頭症	200 mGy
胎児期（16〜25 週）	重度精神発達遅延（low risk）	250〜280 mGy

表付-2-6　妊婦の放射線検査による胎児被ばく量

検査	胎児実効線量 (mSv)	検査	胎児実効線 (mSv)
単純 X 線撮影		核医学	
頭部	<0.01	骨（^{99m}Tc-MDP）	3.3〜4.6
胸部	<0.01	肺灌流（^{99m}Tc-MAA）	0.2〜0.4
腹部（正面）	1.4〜4.2	腎動態（^{99m}Tc-DTPA）	1.5〜4.0
骨盤	1.1〜4.0	腎動態（^{99m}Tc-MAG3）	〜14
骨盤計測	0.2〜0.4	甲状腺（^{99m}TcO4-）	0.7〜1.6
胸椎	<0.01	心プール（^{99m}Tc-RBC）	3.4〜3.7
腰椎	1.7〜10	心筋（^{201}TlCl）	3.7〜4.0
造影検査		心筋（^{99m}Tc-MIBI）	〜17
上部消化管造影	1.1〜5.8	腫瘍（^{67}Ga）	〜12
下部消化管造影	6.8〜24	甲状腺がん転移（^{131}I）	〜22
静脈性尿路造影	1.7〜10		
CT			
頭部	<0.005		
胸部	0.06〜0.96		
腹部（正面）	8〜49		
骨盤	25〜79		

妊婦の被ばく

　妊婦では母体被ばく，胎児被ばくを考慮する必要があり，母体被ばくは一般成人と同様に考える．胎児は放射線感受性が高いため，胎児被ばく線量と被ばく時期（妊娠週数）を考慮して影響を評価する（表付-2-5）．妊娠週数にかかわらず，胎児被ばく線量が 100 mSv 未満では影響は生じないとされている．骨盤 CT でも最大で 79 mSv であり通常問題ない（表付-2-6）．しかしその数値が胎児の被ばくを表すものではなく，判断の参考とすべきである．検査の有益性が被ばくの危険性を上回る場合には，躊躇なく検査すべきである．

核医学検査後の授乳

　放射性医薬品によって異なる．ICRP の指針では表付-2-7 のように示している．FDG[注187]の乳汁内濃度は低く，通常の授乳では乳児の累積被ばく量は 0.085 mSv とされ，授乳自体

2 被ばくと造影剤

表付-2-7 核医学診療後の授乳の指針

授乳不可	^{131}I 治療後
検査後	^{131}I, ^{125}I, ^{65}Ga, ^{22}Na, ^{201}Tl
4 時間不可	^{131}I 馬尿酸(腎動態)と下記以外の^{99m}Tc
12 時間不可	^{99m}Tc-RBC, ^{99m}Tc-DTPA, ^{99m}Tc 骨シンチ(MDPなど)

表付-2-8 造影剤の種類

分類				一般名	代表的な商品名
X線造影剤	ヨード造影剤	水溶性	イオン性 モノマー型	アミドトリゾ酸ナトリウムメグルミン	ウログラフィン®
				イオタラム酸ナトリウム	コンレイ®
				イオタラム酸メグルミン	コンレイ®
			イオン性 ダイマー型	イオキサグル酸	ヘキサブリックス®
				イオトロクス酸メグルミン	ビリスコピン DIC50®
			非イオン性 モノマー型	イオパミドール	イオパミロン®
				イオメプロール	イオメロン®
				イオキシラン	イマジニール®
				イオベルソール	オプチレイ®
				イオヘキソール	オムニパーク®
				イオプロミド	プロスコープ®
			非イオン性 ダイマー型	イオトロラン	イソビスト®
				イオジキサノール	ビジパーク®
		油性		ヨード化ケシ油脂肪酸エチルエステル	リピオドールウルトラフルイド
MRI造影剤	ガドリニウム造影剤			ガドキセト酸ナトリウム	EOB・プリモビスト®
				ガドジアミド水和物	オムニスキャン®
				ガドテリドール	プロハンス®
				ガドテル酸メグルミン	マグネスコープ®
				ガドペンテト酸メグルミン	マグネビスト®
				ガドブトロール	ガドビスト®

には問題はないが,FDG が乳房(胸壁)に集積するため子どもの外部被ばくのほうが問題となる。過度な接触は避け,搾乳のうえで哺乳瓶を用いて授乳するほうがよい。^{99m}Tc-MIBI,^{99m}Tc-RBC や^{131}I も母親から子どもへの外部被ばく(過度な接触)に注意する。

妊婦,授乳婦,胎児に対する造影剤の影響

造影剤にはX線造影剤とMRI造影剤に大きく分かれ,X線造影剤にはヨード造影剤,硫酸バリウムに分かれ,ヨード造影剤には水溶性,油性に,水溶性造影剤にはイオン性,非イオン性に分かれ,それぞれモノマー型,ダイマー型に分かれている(表付-2-8)。造

注187) PET(陽電子断層撮影)検査のために投与する放射性同位元素(^{18}F)をつけたブドウ糖類似物質(fluorodeoxyglucose)。

表付-2-9 各造影剤投与後の授乳中断期間

造影剤		添付文書上の中断期間	臨床対応
ヨード造影剤	イオパミロン® イオメロン® イマジニール® オプチレイ®	一時中止	授乳の中断は不要 （日本医学放射線学会）
	ヘキサブリックス®	24 時間	
	オムニパーク® プロスコープ®	48 時間	
ガドリニウム造影剤	プロハンス®	一時中止	
	マグネビスト® オムニスキャン®	24 時間	
	マグネスコープ® ガドビスト® EOB・プリモビスト®	48 時間	

影 CT や IVR では非イオン性造影剤を用いる。

　造影剤の胎盤通過性は確認されているが，動物の生殖・発生毒性試験では母獣，胎仔，産仔への影響は認められていない。非妊婦と同様に有益性が危険性を上回る場合に検査すべきである。造影剤投与により新生児の甲状腺機能低下のリスクがあり，妊婦に造影剤投与した際には生後に甲状腺機能を注意深く観察することが推奨されている。

　授乳婦については次項を参照されたい。この授乳に関する添付文書の記載はさまざまであるが（表付-2-9），授乳の中断は不要とする意見が一般的である[1]。

文　献
1) 日本医学放射線学会造影剤安全性委員会：授乳中の女性に対する造影剤投与後の授乳の可否に関する提言．2019 年 6 月 27 日.
　　http://www.radiology.jp/member_info/safty/20190627_01.html（Accessed：2023/10/22）

参考文献
1) 荒木力：放射線被ばくの正しい理解："放射線"と"放射能"と"放射性物質"はどう違うのか？，インナービジョン，2012.
2) 環境省：放射線による健康影響等に関する統一的な基礎資料（平成 29 年度版）．
　　https://www.env.go.jp/chemi/rhm/kisoshiryo/pdf_h29/2017tk1whole.pdf（Access：2023/10/22）
3) 日本医学放射線学会，日本インターベンショナルラジオロジー学会，医療放射線防護連絡協議会：『X 線透視における患者防護の要点：10』IAEA ポスター（日本語版）．
　　http://jarpm.kenkyuukai.jp/special/?id=21314（Accessed：2023/10/22）
4) Patel SJ, Reede DL, Katz DS, et al：Imaging the pregnant patient for nonobstetric conditions：Algorithms and radiation dose considerations. Radiographics 27：1705-1722, 2007.
5) ICRP Publication 84：Pregnancy and Medical Radiation. Ann ICRP 30（1）．
6) Hicks RJ, Binns D, Stabin MG, et al：Pattern of uptake and excretion of ^{18}F-FDG in the lactating breast. J Nucl Med 42：1238-1242, 2001.
7) 桑鶴良平：知っておきたい造影剤の副作用ハンドブック，ピラールプレス，東京，2016.

付録

3 妊娠週数と胎児の発育

妊娠週数と胎児発育

通常，分娩予定日を妊娠13週6日までに，月経周期と最終月経，排卵日また妊娠8〜10週の頭殿長（CRL；crown-rump length）または妊娠11週以降の児頭大横径（BPD；biparietal diameter）を用いて決定する[1)2)]。

以降，胎児の成長曲線は図付-3-1のように発達し，出生体重の平均は妊娠20週で約300g，妊娠28週で約1,100g，妊娠36週で約2,500gとなる[3)4)]。

母体も胎児の成長に伴い変化し，子宮底は妊娠20週ごろに母体の臍高となる[5)]。胎児発育，胎位，および子宮付属器腫瘍の有無に影響されると，子宮底長の評価のみで妊娠週数を想定することは困難である。未受診妊婦や情報のない妊婦で妊娠14週以降の場合は，BPDにより妊娠週数を推定することが望ましい[1)]。

胎児の器官形成

胎児の器官形成時期として，妊娠4週ごろより神経管および心臓の形成が始まる[4)]。妊娠8週までに心臓の構造が完成し四肢の区別が形成される。妊娠20週には，胎児は自発的に動くようになる[6)]。それ以降，胎児の脳発達，肺や皮膚および感覚器が成熟していく[4)]（図付-3-2）。

早産と低出生体重児の基準

低出生体重児は出生体重2,500g未満の児と定義されており，1,500g未満では極低出生体重児，1,000g未満では超低出生体重児という。

早産児は出生週数が妊娠37週未満の児と定義されている。また，出生週数が妊娠34〜37週未満は後期早産（late preterm），妊娠32〜34週未満は中等度早産児（moderately preterm），28〜32週未満を極早産児（very preterm），妊娠28週未満を超早産児（extremely preterm）という（表付-3-1）。

2019年のわが国における全出生児の内訳は，低出生体重児9.4％，極低出生体重児0.7％，および早産児（妊娠37週未満）5.6％である[6)]。

付　録

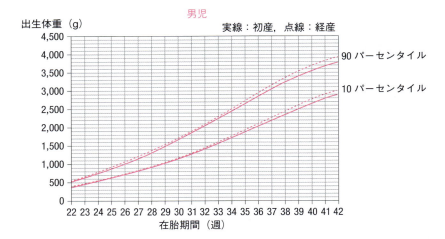

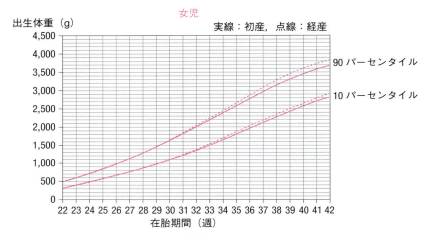

図付-3-1　在胎期間別出生体重標準曲線

〔文献3）より引用〕

早産児の肺の成熟

　児は胎内から胎外生活に切り替わる出生時の啼泣により肺が膨らみ肺呼吸に切り替わるが，そのためには肺胞の内面をサーファクタントが覆い，表面張力を低下させる必要がある。早産児の代表的疾患である呼吸窮迫症候群（respiratory distress syndrome；RDS）は，サーファクタント欠乏のため肺胞虚脱をきたすことが主な原因とされる[7]。サーファクタントは在胎20週ごろより胎児肺で生成されるが，肺胞Ⅱ型上皮細胞における生成能や肺胞腔への分泌は在胎35週前後と個体差があり，早産児では肺成熟が未熟であるためサーファクタント分泌が不十分であり，RDSを起こしやすくなる[8]。

　RDSは正期産期出生の5〜7％で発生し，ほとんどの場合軽度かつ一過性である。一方，早産期出生では罹患率が上昇し，呼吸不全のため出生児の短期予後に直結し，致死的となることがある。また慢性肺疾患を続発し長期予後にも関わることがある[9]。わが国の主要

三半期	着床期	胎芽期（器官形成期）						胎児期									
		第1三半期							第2三半期			第3三半期					
妊娠週数	2	3	4	5	6	7	8	12	16	20	24	28	30	32	34	36	38
頭殿長(cm)								6〜7	12	16	21	25		28		32	
体重(g)								110		320	630	1,100		1,700		2,500	

図付-3-2 妊娠週数に応じた胚〜胎児の発達

頭部: 神経管／大脳半球, 小脳, 脳室, 脈絡叢／眼杯, 水晶体, 視神経, 眼瞼／口唇, 舌, 口蓋, 空洞化, 融合／耳管, 蝸牛, 内耳, 耳小骨／側頭葉, 脳髄, 脳溝, 細胞の移動, 髄鞘化／眉毛／開眼／耳介

胸部: 横中隔, 横隔膜／気管食道中隔, 気管支, 肺葉／原始管, 大血管, 弁, 心室／細気管支／肺胞

腹部: 前腸, 肝, 膵, 中腸／膜壁, 消化管の回転／中腎管／後腎管の集合管形成／糸球体

生殖器: 生殖隆起／陰嚢陰唇隆起／陰茎, 尿道, 陰嚢／陰核, 陰唇

体幹・皮膚: 椎体軟骨, 骨化点／肢芽, 指形成, 水かき形成, 指の分離／指の爪／胎脂／産毛

[文献4）より引用・改変]

付　録

表付-3-1　出生体重と分娩週数による分類

出生体重	
低出生体重児	＜2,500 g
極低出生体重児	＜1,500 g
超低出生体重児	＜1,000 g
妊娠週数	
正期産（preterm）	≧ 37 週
後期早産（late preterm）	34〜37 週未満
中等度早産児（moderately preterm）	32〜34 週未満
極早産児（very preterm）	28〜32 週未満
超早産児（extremely preterm）	28 週未満

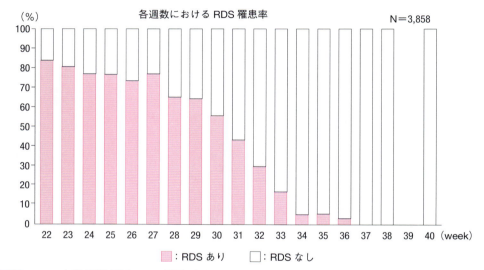

図付-3-3　在胎週数別の RDS 罹患率
〔周産期母子医療センターネットワークデータベース[10]：在胎期間 32 週未満または出生体重 1,500 g 以下の新生児を対象とした 2020 年度集計データ．より引用・改変〕

な周産期医療施設で入院・治療を受けた在胎 32 週未満の早産児または出生体重 1,500 g 以下の新生児データ[10]から，RDS 罹患率は在胎 28 週未満では 70％以上，在胎 30 週で約 55％，在胎 32 週で 30％であり，早産期においては RDS の発症は高率である（図付-3-3）。そのため，早産期の母体救命・治療において妊娠継続または妊娠終結を考慮する際は，出生児の肺の成熟度・RDS 発症も留意すべき事項である。

新生児蘇生の適応時期

　周産期医療の進歩とともに極低出生体重児，超低出生体重児の生命予後は改善しつつあり，生存退院数は増加している。しかしながら，在胎 28 週未満で生まれた超早産児の予後は，平均生存率は 90％以上であったが，出生体重 1,500 g 未満の児の 6.8％に脳性麻痺を認

表付-3-2　極低出生体重児の3歳時神経発達予後

	BW<1,000 g		BW 1,000〜1,500 g		total	
	あり/評価数	%*	あり/評価数	%*	あり/評価数	%*
脳性麻痺	885/9,608	9.2	574/11,938	4.8	1,459/21,546	6.8
片側/両側失明	334/9,285	3.6	103/11,504	0.9	437/20,789	2.1
失明または弱視	518/9,285	5.6	138/11,504	1.2	656/20,789	3.2
補聴器使用	114/7,275	1.6	43/8,965	0.5	157/16,240	1.0
新版K式発達検査　DQ<70	1,824/7,730	23.6	955/9,334	10.2	2,779/17,064	16.3
全領域DQ$, mean (SD)	79.5 (16.7)		87.4 (14.7)		83.8 (16.1)	
姿勢・運動領域DQ$, mean (SD)	82.0 (22.4)		90.3 (22.6)		86.5 (22.9)	
認知・適応領域DQ$, mean (SD)	80.4 (17.0)		88.0 (15.4)		84.6 (16.6)	
言語・社会領域DQ$, mean (SD)	78.5 (19.3)		86.4 (17.1)		82.8 (18.5)	
すべての発達遅滞	2,116/8,678	24.4	1,124/10,485	10.7	3,240/19,163	16.9
NDI（全評価あり）	1,665/6,225	26.7	938/7,721	12.1	2,603/13,946	18.7
NDI（一部評価なし）	1,173/4,001	29.3	634/4,870	13.0	1,807/8,871	20.4
NDI すべての評価例	2,838/10,226	27.8	1,572/12,591	12.5	4,410/22,817	19.3
		%**		%**		
3歳までの死亡	3,378/24,264	13.9	1,134/31,180	3.6	4,512/55,444	8.1
NICU 死亡	3,206/24,264	13.2	967/31,180	3.1	4,173/55,444	7.5
退院後死亡	172/24,264	0.7	167/31,180	0.5	339/55,444	0.6
死亡またはNDI	6,216/24,264	25.6	2,706/31,180	8.7	8,922/55,444	16.1

2020年1月時点のデータベース登録に基づく，2003〜2015年出生を対象とした死亡または障害の割合
%*：評価数に対する割合，%**：登録症例数に対する割合
DQ$：暦年齢での評価の平均値（標準偏差）
DQ：developmental quotient
NDI：neurodevelopmental impairment（神経学的障害）：脳性麻痺，失明，補聴器使用，発達遅滞のいずれか1つ以上の障害を合併

〔文献11) より引用・改変〕

め，約20％に何らかの神経学的障害を認めた（表付-3-2）。

図付-3-4 に示すとおり，在胎22〜27週の極低出生体重児の3歳までの死亡率は低下傾向であるが[10]，新生児蘇生は神経学的予後を鑑みたうえで慎重に検討する必要がある。早産児，とくに生存限界を超えてまもない妊娠22〜24週に出生した児は，胎外における呼吸・循環機能をはじめ，各臓器が未熟であり，集学的に新生児治療を行ったとしても，妊娠28週以降に出生した児よりも生命予後は不良で，さらに生存できたとしても長期神経学的発達に問題が起きることが多いと推察される。そのため，妊産婦本人および家族に対する管理方針や新生児への対応について十分に説明しておくことが重要である。

文　献

1) 日本産科婦人科学会，日本産婦人科医会編集・監修：産婦人科診療ガイドライン―産科編2023，2023，pp43-45．
2) 日本超音波医学会用語診断基準委員会：超音波胎児計測の標準化と日本人の基準値．日超医誌 30：J415-J440, 2003．

付　録

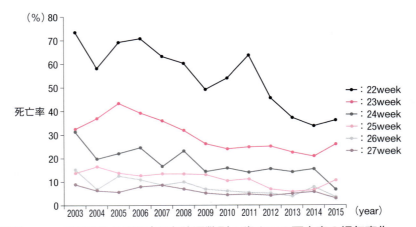

図付-3-4　極低出生体重児＊の在胎週数別3歳までの死亡率の経年変化
　＊　2003～2015年出生，在胎22～27週
〔周産期母子医療センターネットワークデータベース[10]．より引用・改変〕

3) 板橋家頭夫，藤村正哲，楠田聡，他：新しい在胎期間別出生時体格標準値の導入について．日小児会誌 114：1271-1293，2010．
4) Cummingham FG, Leveno KJ, Bloom SL, et al：Williams Obstetrics, 24th eds, McGrew-Hill, New York, 2014, pp127-131.
5) 塚原優已：正常妊娠の管理．日産婦誌 63：N-89- N-92，2011．
6) DiPietro JA：Neurobehavioral assessment before birth. MRDD Res Rev 11：4, 2005.
7) 厚生労働省：2017年人口動態統計．
8) Rubarth LB, Quinn J：Respiratory development and respiratory distress syndrome. Neonatal Netw 34：231-238, 2015.
9) Chowdhury N, Giles BL, Dell SD：Full-term neonatal respiratory distress and chronic lung disease. Pediatr Ann 48：e175-e181, 2019.
10) 周産期母子医療センターネットワークデータベース．
　　http://plaza.umin.ac.jp/nrndata/（Accessed/2024/1/25）
11) 河野由美：Neonatal Research Network of Japan（NRNJ）データベースからみた極低出生体重児の予後．日周産期・新生児会誌 56：203-212，2020．

索 引

索引

数字

1回換気量　44
1回拍出量　61
110番通報　114, 387
2 challenge rule　410
2 way communication　407
4Ts　191
5疾病　412
6事業　412

A

A-aDO$_2$　50
abbreviated surgery　266
ABCDEFGH　12, 142
ABCDEF(P)アプローチ　11
abdominal compartment syndrome　266
ABO不適合輸血　206
ACC　59
accountability　406
ACS　186, 266
action　401
active listening　410
acute hemolytic transfusion reactions　206
acute kidney injury　351
acute respiratory distress syndrome　351, 355
Adams-Stokes症候群　88
Advanced Life Support　136
AED　135
AFE　321, 323, 329
　――診断基準　323
agonal breathing　129
AHTR　95, 206
aHUS　384
AIUEO TIPS　118
AKI　351

ALS　136
amniotic fluid embolism　321, 323, 329
analysis　398
anticipation　399
aortocaval compression　59
ARDS　351, 355
ART　112
Asherman症候群　246
assertion　409
asystole　140
ATP産生　25
atypical hemolytic uremic syndrome　384
authority gradient　405
automated external defibrillator　135
A群溶血性連鎖球菌　334, 345

B

Bakri®分娩後バルーン　220
balloon occlusion　237
Basic Life Support　130
bAVM　283, 286
Bayes' theorem　29
biparietal diameter　481
Bishopスコア　105
BLS　130
B-Lynch suture　230
BNP　279
Bohr効果　50
BPD　481
brain arteriovenous malformation　283, 286
briefing　408
Brugada症候群　278

C

capillary refilling time　197
cardiogenic shock　66
cardiotocogram　108
Centor criteria　345
cerebral sinovenous thrombosis　287, 289
CH　307
chest compression　132
chronic hypertension　307
CICO　40
CICV　40
CIN　239
climate　406
clinical reasoning　27
clinical scenario　73
CO　61
coagulopathy　204
collective intelligence　406
command　406
commander　406
communication　407
compression suture　229, 264, 312
compression-only CPR　131
conflict resolution　407
consumption coagulopathy　204
continuous renal replacement therapy　351
contrast induced nephropathy　239
Couvelaire子宮　312
CPAP　54
critique　401
CRL　481
CRM　396
crown-rump length　481
CRRT　351

CRT 197
cryoprecipitate 205
CS分類 73
CSVT 287, 289
CTG 108
CUABD 131
Cunningham法 218
Cushing現象 84

D

damage control IVR 238
damage control resuscitation 257
damage control strategy 250, 372
damage control surgery 257
Damage Control戦略 250, 372
DC手術 257
DC戦略 250, 372
DC蘇生 257
DCR 257
DCS 257
debriefing 408
decision making 400
defibrillation 135
definitive treatment 27
delayed hemolytic transfusion reactions 206
DHTR 206
DIC 214, 352
　産科―― 214
differential diagnosis 27
difficult airway 34, 138
difficult airway management 40
dilutional coagulopathy 204
disseminated intravascular coagulation 214, 352
distribution 403
distributive shock 66
Douglas窩 171
DPC 21
driving pressure 55

duplex doppler image 177
DWI 86

E

Ebstein病 330
EC法 134
ECMO 360, 381
ECPR 143
Eisenmenger症候群 331
EPAP 54
explicit knowledge 14
extracorporeal cardiopulmonary resuscitation 143
extracorporeal membrane oxygenation 360, 381
extremely preterm 481

F

Fallot四徴 275, 330
FASO 169, 175
FAST 79, 169
FC 204
FDP 204
fever 100
FFP 200
Fg 204
FibCare® 165
fibrin/fibrinogen degradation products 204
fibrinogen 204
fibrinogen concentrate 204
figure-of-eight suture 265
focused assessment with sonography for obstetrics 169, 175
followership 404
Fontan術 332
forcused assessment with sonography for trauma 169
FRC 45
functional residual capacity 45

G

GAS 334, 345
GCS 78
gestational hypertension 307
GH 307
GI療法 207
Glasgow Coma Scale 78
Group A *Streptococcus* 334, 345
Gruber法 225
Guillain-Barre症候群 44
gurgling 35

H

Haldane効果 50
Haymann法 231
HDP 284, 306, 327
heart failure 71
HELLP症候群 283, 306, 328, 384
hemorrhagic shock 191
HF 71
HFNC 52
HFpEF 72
HFrEF 71
high-stakes environment 397
huddle 409
human factor 397
Huntington法 229
HUS 95, 384
hypertensive disorders of pregnancy 284, 306, 327
hyperthermia 100
hypothermia 98, 213
hypovolemic shock 65
hysterectomy 235

I

IABO 258
IABP 66, 143

IAH 266
IAP 266
iCa 163, 205
ICS 53
IE 294, 330
IL-6 342
ILCOR 380
infectious endocarditis 294, 330
International Liaison Committee On Resuscitation 380
interventional radiology 192, 219, 237
intra-abdominal hypertension 266
intraabdominal pressure 266
intra-aortic balloon occlusion 258
intrauterine balloon tamponade 219, 223, 264
intrauterine fetal death 192
intrauterine fetal resuscitation 109
IPAP 54
IPPV 55
ITP 95
IUBT 219, 223, 264
IUFD 192
IVR 192, 219, 237

J

JALA 7
Japan Coma Scale 77
JATEC™ 370
JAXA 396
J-CIMELS 6
JCS 77
J-MELS 9
——コース 6
Johnson の整復法 228

K

K 吸着フィルター 208

L

LABA 53
LactMed® 471
LAMA 53
late preterm 481
leadership 404
lethal diamond 205
lethal triad 205, 253
life-saving intervention 23
life-threatening condition 24
likelihood ratio 29
logistics 13
look back 402
LOS 71
low output syndrome 71
lower airway 33
LSI 23
LVEF 71

M

M & M カンファレンス 420
Mallampati score 34
MAP 61
Marfan 症候群 275, 281, 332
massive transfusion protocol 200, 262
Matsubara-Yano 法 231
MC 414
MDS 95
medical control 414
medical resources 21
medical resource management 397
Mendelson 症候群 199
mental set 408
MET 416
metacognition 397
Mississippi protocol 308
moderately preterm 481
mom comes first 24
Morison 窩 171
MRM 13, 397
MTP 200, 262

mutual support 404
MV 44
MY 法 231

N

nasal airway 37
nasal high flow therapy 351
NBCA 244, 246
NCPR 111
NCSE 91
neonatal cardiopulmonary resuscitation 111
NHFT 351
NIV 54
Nohria-Stevenson 分類 73
non-convulsive status epilepticus 91
noninvasive positive pressure ventilation 54, 351, 358
non-reassuring fetal status 60, 108
non-ST-elevation ACS 186
non-technical skills 13, 396
NPPV 54, 351, 358
NRFS 60, 108
NSTE-ACS 186
NSTEMI 277
NT-proBNP 279
NTS 13, 396
NYHA 心機能分類 334

O

OAM 265, 266
obstructive shock 67
Odds 29
O'Leary stitch 233
OMIU 12
open abdomen management 265, 266
oral airway 37
oxygenation 43

P

pain stimulation 78
parallel vertical suture 232
PCAS 146
PCT 342
PDCAサイクル 416
PE 307
PEA 140
PEEP 43, 162
perimortem cesarean delivery 144, 150
permissive hypotension 257
personal protective equipment 23
PET 479
P/F比 50
planning 402
plethysmograph 46, 61
PMCD 144, 150
POCT 154
POCUS 169
point of care testing 154
point of care ultrasound 169
post-cardiac arrest syndrome 146
posterior reversible encephalopathy syndrome 75, 92, 293
postpartum psychosis 123, 365
PPE 23
P_{Plat} 55
PR-AKI 384
preeclampsia 307, 327
pregnancy related acute kidney injury 384
PRES 75, 92, 293
pressure stimulation 78
preventable maternal death 9
preventable maternal disability 9
Primary Survey 371
prioritizing 403
P-SEP 342
psychological safety 407
puerperal psychosis 365
pulseless electrical activity 140
pulseless ventricular tachycardia 140

Q

qSOFA 340, 341, 343
QT延長症候群 183, 188, 278

R

rapid response system 416
RBC 200
RCVS 92, 287
RDS 482
reassuring fetal status 108
REBOA 237, 258, 372
────アルゴリズム 261
renal replacement therapy 351
Rescue Balloon® 262
respiratory distress syndrome 482
resuscitation 254
resuscitative endovascular balloon occlusion of the aorta 237, 258, 372
resuscitative hysterotomy 144, 150
resuscitative vaginal delivery 145
retained product of conception 173
return of spontaneous circulation 137
reversible cerebral vasoconstriction syndrome 92, 287
reversible posterior leukoencephalopathy 92
reversible vasoconstriction syndrome 288
review of system 118
RFS 108
RH 144, 150
RhD陰性 201
ROS 118
ROSC 137
ROTEM® 165, 167
RPLS 92
RPOC 173
RRS 416
RRT 351, 416
RSウイルス 347
rt-PA 87, 289
rule-in 27
rule-out 27

S

SABA 53
SAMコンセプト 10
SARS-CoV-2 347
selection 400
self-management 397
severity 22
SFTS 95
shared mental model 405
Sheehan症候群 202
SHiP 458
shock index 70
SI 70
situation awareness 398
SLE 95
SMM 405
SnNout 29
snoring 35
SNOUT 29
SOFA 341, 344
SPIN 29
spontaneous hemoperitoneum pregnancy 458
SpPin 29
square suture 232
stabilization 24
STAR 398

ST-elevation myocardial infarction　180, 186
STEMI　180, 186, 277
Stepwise uterine devascularization　265
Stevens-Johnson 症候群　95
strategy　11
Streptococcal toxic shock syndrome　345
stressed volume　203
stridor　35
STSS　345
ST 上昇型心筋梗塞　180, 186, 277
supine hypotensive syndrome　59
supportive therapy　25
supraglottic airway　40
SV　61
SVR　61

T

TAC　266
tacit knowledge　14
TACO　210
tactics　11
TAD　210
TAE　237, 239, 372
target sign　174
task　402
team building　405
teamwork　404
TEG®　165, 167
temporary abdominal closure　266
TEN　95
thrombin　191
thrombotic microangiopathy　384
thrombotic thrombocytopenic purpura　328
TIA　458
tissue　191
TMA　95, 384

Todd 麻痺　80
Tone　191
torsade de pointes　183, 188, 278
t-PA → rt-PA
tracheal tug　35
TRALI　210
tranexamic acid　205, 214
transcatheter arterial embolization　237, 239, 372
transfusion-associated circulatory overload　210
transfusion-associated dyspnea　210
transfusion-related acute lung injury　210
transient ischemic attack　458
trauma　191
triage　21
triple airway maneuver　36
TTP　95, 328
TXA　205, 214

U

unstressed volume　203
upper airway　33
urgency　22
uterine artery ligation　233
uterine displacement　133
uteroplacental circulation　60

V

$\dot{V}_A$　44
$\dot{V}_A/\dot{Q}$ mismatch　49
vacuum packing closure　265
VA-ECMO　66, 187
VALI　55, 351
VAP　54
ventilation　44
ventilator-associated lung injury　351

ventricular fibrillation　140
very preterm　481
VF　140
vigilance　398
VILI　55
VT　44
VV-ECMO　53

W

Wernicke 脳症　459
what if　400
WOB　44
WOMAN trial　205
work of breathing　44
work strain　402
work stress　402
working memory　403
workload　402

Z

zoning　23
Zweifel 法　218
Z 縫合　265

あ

アクシデント　397
悪性高熱　100
アシスタントインストラクター　16
アジスロマイシン　96
アシデミア　157
アシドーシス　157, 158
アスペルギルス　347
圧迫刺激　78
圧迫縫合止血術　221
アトム子宮出血バルーン　220
アドレナリン　141, 302, 391
アナフィラキシー　299
アナペイン®　295
アニオンギャップ　158
アミオダロン　141, 278
アミノグリコシド系　96

アミノフィリン持続静注 53
アルカレミア 157
アルカローシス 157, 158
アルゴリズム 417
安全への主張 409
安定化 24
暗黙知 14

い

イオン化カルシウム 163, 205
医学的適応性 117
異型適合血 201
意識混濁 117
意識変容 117
意思決定 400
意見の相違の解決 407
医術的正当性 117
異所性妊娠 458
イソスポーラ 347
痛み刺激 78
一次救命処置 130
一次閉腹法 266
一過性脳虚血 88
一過性脳虚血発作 458
溢水 72
遺伝子組み換え組織型プラスミノゲン・アクティベータ 87, 289
医は仁術 125
医療計画 412
医療資源 21
インシデント 397
インストラクター 16
陰性感情 124
インターロイキン6 342
インタビューフォーム 471
インテリジェンス 398
院内迅速対応システム 416
インフォメーション 398

う・え

うつ病 365

永久塞栓物質 246
会陰血腫 224
会陰切開 104
会陰裂傷 224
エクリズマブ 384
塩化カルシウム 205

お

応援要請 20
横隔膜上の静脈系 139
応急処置 391
オウム病 346
オーバートリアージ 23
オッズ 29
オピオイド鎮痛薬 291

か

ガーゼタンポン 223
ガーゼパッキング 222, 264
外陰血腫 224, 226
外頸静脈 62
解決策の選択 400
外傷死 370
回旋異常 224
外転神経麻痺 82
解糖系 26
開頭血腫除去術 85
開腹止血 218, 219, 221, 229
解離性脳動脈瘤破裂 286
加温 98
　——回路 213
　——輸血 200
下顎挙上 36
下気道 33
可逆性後頭葉白質脳症 75, 92, 293
可逆性脳血管攣縮症候群 92, 287
過強陣痛 109
核医学検査 478
拡散強調画像 86
拡散障害 49
確実な気道確保 39

拡大自殺 120
拡張型心筋症 334
確定的影響 475
確率的影響 475
ガス交換 43
仮性動脈瘤 177, 262
画像下治療 192, 219, 237
下大静脈径 172
カタルシス効果 120
価値観 26
褐色細胞腫 100
　——クリーゼ 75
ガドリニウム造影剤 469, 471, 479
カプノグラフィー 34, 138
カプノグラム波形 35
換気 44
換気血流不均衡 49
換気困難 34
観血的整復法 229
鉗子分娩 107, 224
患者の同意 117
肝障害 382
眼振 81
間接産科的死亡 4
完全子宮破裂 241
感染性心内膜炎 294, 330
完全大血管転位症 330
完全房室ブロック 185
間代性けいれん 88
感度 29
肝不全 383
鑑別診断 12, 27
顔面麻痺 79
冠攣縮性狭心症 75

き

期外収縮 180, 181
器械分娩 107
器官形成 481
気管挿管 138, 391
危機的出血への対応ガイドライン 195
希死念慮 329, 363, 366

希釈性凝固障害　204
基線細変動　108
気道緊急　35
気道抵抗　48
機能的残気量　45
吸引分娩　107, 224
吸気性喘鳴　34
救急医療　413
救急救命士　390
救急救命処置　391, 393
救急業務　390
救急車　387, 392
救急隊　392
急性血管内溶血　95
急性冠症候群　180, 186
急性肝不全　383
急性呼吸促迫症候群　351, 355
急性心筋梗塞　186, 276
急性腎障害　351
急性水頭症　82, 85
急性妊娠性脂肪肝　328
急性腹症　293
急性放射線障害　475
急速遂娩　107
急速輸血　200
急性溶血性輸血副作用　95, 206
吸入　53
吸入麻酔薬　292
救命救急センター　389, 413
救命処置　23
救命の連鎖　128
仰臥位低血圧症候群　59, 104
胸腔ドレナージ　53
凝固障害　204
胸骨圧迫　132
凝固能　275
橋出血　83
強直性けいれん　88
共同偏視　81
共有メンタルモデル　405
局所麻酔薬　295
局所麻酔薬中毒　246, 295
巨大児　224

虚無・否定妄想　119
禁忌薬　468, 469
緊急子宮弛緩　109
緊急措置診察　115
緊急度　22, 403
緊急肺動脈血栓内膜摘除術　187
筋弛緩薬　292
金属コイル　244, 246

く

空間　22
偶発事例報告事業　2
偶発性低体温症　98
クエン酸回路　26
クエン酸中毒　205
駆動圧　55
くも膜下出血　83, 283, 286, 293
クリオプレシピテート　205
クリニカルシナリオ　73
クリニカルラダー　8
クリプトコッカス　347
クリンダマイシン　346
グルコース・インスリン療法　207
グルココルチコイド　304
グルコン酸カルシウム　205

け

警戒　398
計画　402
経カテーテル的動脈塞栓術　237, 239, 372
頸管裂傷　224, 235
経口エアウエイ　37
経口気管挿管　39
警察官職務執行法　115
経産婦　106
形式知　14
頸髄損傷　44
経胎盤感染　96
経肺圧　55

経鼻エアウエイ　37
経鼻高流量療法　351
経皮的冠動脈インターベンション　186
けいれん　88
　間代性——　88
　強直性——　88
　——重積　100
外科的気道確保　40
劇症型GAS感染症　334
劇症肝炎　383
ケタミン　292
血液ガス　155
血液型　201
血液浄化・腎代替療法　383
血液粘弾性検査　165, 167
血液分布異常性ショック　66
血液冷却　100
結核　347
血管収縮薬　68
血管性浮腫　92, 301
血管内治療　237
血管内溶血　206
結紮術　233
血漿交換　384
血漿交換療法　383
血栓回収療法　87
血栓性血小板減少性紫斑病　95, 328
血栓性微小血管症　95, 384
血管塞栓　242
血栓溶解療法　87
決定の実行　401
権威勾配　405
幻覚　119
健康　27
検査閾値　28
見当識障害　78
健忘　118

こ

高K血症　207
高圧酸素療法　53
高位脊髄くも膜下麻酔　295

構音障害　79
後期早産　481
好気代謝　26
抗菌薬　349
高血圧　74
高血圧合併妊娠　307
高血圧性脳症　75
甲状腺機能低下症　98
甲状腺クリーゼ　100
厚生労働省　415
抗線溶療法　215
高体温症　100
高調音　47
交通外傷　375
抗てんかん薬　468
行動指標　15
喉頭展開困難　34
高二酸化炭素血症　162
紅斑　95
後腹膜血腫　224, 226, 246
後腹膜出血　262
抗プロラクチン療法　280
興奮　119
硬膜外麻酔　294
硬膜外無痛分娩　112
高流量システム　52
コース開催　416
ゴールデンタイム　26
呼気終末陽圧　43
呼吸音　47
呼吸窮迫症候群　482
呼吸筋疲労　48
呼吸仕事量　44, 48
呼吸性アシドーシス　155, 160
呼吸性アルカローシス　45, 155, 160
呼吸不全　49, 355
国際蘇生連絡委員会　380
極早産児　481
極低出生体重児　481
個人防護具　23
誇大妄想　119
骨髄異形成症候群　95
骨髄路　139

骨盤感染　246
コマンダー　406
コマンド　406
コミュニケーション　407
コンサルテーション　418
コンパートメント症候群　262
コンプライアンス　48
根本治療　27, 256

さ

サーファクタント　482
災害　21
災害時小児周産期リエゾン　415
催奇形性　469
罪業妄想　119
臍帯クランプ　110
臍帯静脈血　51
臍帯切断　111
臍帯動脈血　51
作業負荷　402
搾乳　471
刺し口　96
左室駆出率　71
酸塩基平衡　155, 157, 160
産科DIC　214
産科異常出血　192
産科危機的出血　193, 218, 238, 250, 326
産科危機的出血への対応指針　193
産科救急疾患　306
産後精神病　123, 365
産褥血腫　224, 226, 227
産褥性心筋症　189
産褥精神病　123, 365
酸素運搬量　58
酸素化　43
酸素解離曲線　51
酸素需給バランス　64
酸素消費量　45
酸素療法　52
産道裂傷　224
散乱線　476

し

ジアゼパム　90
シーソー呼吸　34
子癇　88, 293, 307
時間　22
弛緩出血　235, 264
時間の切迫性　403
しきい線量　475
子宮圧迫縫合　229, 264, 320
子宮壊死　233, 246
子宮温存　319, 320
子宮仮性動脈瘤　177
子宮虚血　246
子宮筋楔状切除術　234
子宮腔内癒着　246
子宮口　106
子宮左方移動　104, 133
子宮弛緩薬　109, 228
子宮収縮薬　218, 221, 429
子宮整復術　294
子宮全摘（術）　235, 265, 320
子宮胎盤循環　60
子宮底　104
子宮底輪状マッサージ　221
子宮摘出（術）　235, 265, 320
子宮動静脈奇形　177
子宮動脈　233
子宮内外同時妊娠　458
子宮内胎児死亡　192, 341
子宮内胎児蘇生　109
子宮内バルーン　220, 223, 320
子宮内反症　174, 228, 294
子宮内膜炎　246
子宮圧迫縫合　264
子宮破裂　174, 234, 265, 327, 374
子宮卵巣血管吻合部　233
子宮留膿症　233
自己管理　397
自己心拍再開　137
仕事　48
自殺　362, 367
自殺企図　121, 363, 366

自殺総合対策大綱　362
自殺念慮　120
市中肺炎　355
自傷行為　114, 375
視床出血　83
自傷他害のおそれ　114
支持療法　25
死戦期呼吸　129
死戦期帝王切開　144
持続腎代替療法　351
失行　118
実行容易性　403
失語　118
失語症　79
失認　118
児頭下降度　105
児童虐待　123
児頭大横径　481
紫斑　95
脂肪乳剤　296
遮断の3要素　258
車内分娩　111
集合知　406
周産期医療　412
周産期救急情報システム　413
周産期心筋症　189, 278, 329
周産期母子医療センター　387, 389
重症筋無力症　44
重症度　22
重症熱性血小板減少症候群　95
修正大血管転位　330
絨毛膜下血腫　312
絨毛膜羊膜炎　308, 335
重要度　403
出血制御　256
出血性ショック　191, 243, 251
出生時刻　110
出生体重　484
受動的復温　99
授乳婦　470
循環血液量減少性ショック　65
循環血漿量　274
常位胎盤早期剝離　373
上気道　33
状況認識　398
上室性頻拍　180
上室期外収縮　181
上肢麻痺　79
照射時間　476
焦燥　120
衝動性　120
小脳出血　83
消費性凝固障害　204
傷病者　390
情報　22
情報の伝達と確認　407
静脈洞血栓症　289
静脈内麻酔薬　291
症例検討　420
触法行為　115
除細動　135, 184
初産婦　106
ショック　63
　血液分布異常性──　66
　出血性──　191, 243, 251
　循環血液量減少性──　65
　心原性──　66
　閉塞性──　67
ショックインデックス　70
ジョハリの窓　125
徐脈性不整脈　66, 180, 185
ジルチアゼム　75
心因性非てんかん性発作　89
新型コロナウイルス感染症　347
心気・疾病妄想　119
心筋虚血　202
心筋症　278, 329, 333, 334
　拡張型──　334
　産褥性──　189
　周産期──　189, 278, 329
　心原性──　66
心筋障害　66
心筋トロポニン　186
神経学的発達　485
心血管系の手術　294
人権　26
心原性ショック　66
心原性塞栓症　289
新興感染症　415
人工呼吸器関連肺炎　54
人工呼吸器関連肺傷害　55, 351
心疾患合併妊娠　330
心室細動　140, 184, 278
心室性期外収縮　181
心室頻拍　183, 278
侵襲的陽圧換気　55
腎障害　384
心静止　140
新生児蘇生　110, 484
新生児蘇生チーム　145
身体拘束　122
腎代替療法　351, 384
身体的虐待　375
診断仮説　28
診断推論　27
心中　120
心中念慮　122
陣痛　107
心停止　129, 380
心停止後症候群　146, 380
心嚢液　172
心拍出量　61
深部頸管裂傷　235
心不全　71
深部体温　97
心房細動　180
心房粗動　180
心房中隔欠損症　330
心房頻拍　182
心理的安全性　407

す

推定的同意　117
水頭症　286
水泡音　47
頭蓋内圧亢進　80
頭蓋内出血　283, 287, 330

スガマデクス 292
スキサメトニウム 292
健やか親子21 2
ステロイド 352
ステロイド静注 53

―――― せ ――――

生殖補助医療 112
精神科救急医療 115
精神疾患 329, 415
精神神経薬 468
精神保健福祉法 115
成長曲線 481
性的暴行 375
生物学的結紮 232
声門上器具 40
積極的傾聴 410
積極的体内加温 99
積極的体表加温 99
セット化 419
説明責任 406
セボフルラン 228, 292
ゼラチンスポンジ 244, 246
セロトニン症候群 100
遷延分娩 224
全開大 106
線形アルゴリズム 11
全脊髄くも膜下麻酔 294
戦術 11
全身管理医 23
全身性エリテマトーデス 95
前置胎盤 232, 235, 314, 327
穿通性外傷 376
選定困難事案 414
先天異常 469
先天性心疾患 275, 330, 331, 332
先天性大動脈弁狭窄症 330
戦略 11
線量限度 475

―――― そ ――――

造影剤アレルギー 246
造影剤腎症 239
挿管困難 34
挿管の確認 39
双極性障害 365
総合周産期母子医療センター 413
双合診 224
相互支援 404
早産 481
早産児 110
双手圧迫 218, 221
巣症状 80
躁状態 120
早剥 175
総務省消防庁 393
ゾーニング 23
塞栓後症候群 246
塞栓物質 242, 244
鼠径部血腫 246
蘇生 254
蘇生手術 144
蘇生的手術 266
措置診察 115
措置入院 365
尊厳 117

―――― た ――――

体温管理 380
体外式膜型人工肺 360, 381
大規模災害 24
体腔冷却 100
大血管転位 275, 330
退行 126
胎児型ヘモグロビン 51
胎児機能不全 60, 108, 335
胎児心拍数 108
胎児心拍数陣痛図 108
胎児毒性 469
胎児被ばく 478
代謝性アシドーシス 160
代謝性アルカローシス 160
代謝性脳症 89
対人スキル 397
代替案 400

大動脈炎症候群 275
大動脈解離 275, 280, 294
大動脈遮断 243, 258
大動脈縮窄症 275, 333
大動脈二尖弁 275
大動脈閉塞バルーンブロックバルーン™ 262
大動脈瘤 294
体内加温 98
胎盤遺残 170, 173
胎盤後血腫 312, 326
胎盤早期剝離 175, 307, 308, 373
胎盤内血腫 312
胎盤辺縁血腫 312
体表加温 98, 213
体表冷却 100
胎便 110
大量輸血 200
他害行為 114
高安動脈炎 332
多形性心室頻拍 183
タスク 402
タスクシェア 417
タスクシフト 417
タスク配分 403
ダメージコントロール戦略 250
単心室血行動態症候群 330

―――― ち ――――

チアノーゼ 46
チアミン 90
地域周産期母子医療センター 413
チーム形成 405
チームワーク 404
チェックリスト 418
チオペンタール 291
致死性不整脈 184, 278
致死的3徴 205, 253
致死的出血 195, 250
腟壊死 246
腟鏡診 224

腟上部切断術 235, 265
腟壁血腫 224, 226
腟壁裂傷 224
遅発性溶血 206
中等度早産児 481
中毒 89
中毒性表皮壊死症 95
超早産児 481
超低出生体重児 481
直接産科的死亡 4
治療閾値 28

つ

椎骨動脈解離 286
ツツガムシ病 95

て

低 Fg 血症 204
ディエスカレーションテクニック 122
帝王切開 107
啼泣 110
低血圧許容 257
低血糖発作 88
低酸素血症 162
低酸素症 58
低出生体重児 481
低心拍出症候群 71
低体温 213
低体温症 98
低体温療法 147
低置胎盤 232, 235
低調音 47
低流量システム 52
デスフルラン 292
デブリーフィング 408
転院搬送 24, 387
電子伝達系 26
展退 105
伝達手段 408
テント状 T 波 207
添付文書 468

と

動眼神経麻痺 81
洞結節 185
統合失調症 364
瞳孔不同 81
動静脈瘻 262
洞性頻脈 180, 182
頭殿長 481
頭部後屈 36
洞不全症候群 180, 185
洞房伝導能 185
動脈解離 246
動脈管開存症 330
動脈血ガス 155
動脈血栓塞栓症 262
動脈塞栓術 265, 320
動脈バルーン閉塞術 320
トキソプラズマ 347
特異度 29
ドクターヘリ 393
特定行為 393
特定妊婦 123
特発性血小板減少性紫斑病 95
怒責 106
ドブタミン 68
トラネキサム酸 205
トリアージ 21
鈍的外傷 376
トンネルビジョン 398

な・に

軟産道強靱 224
ニカルジピン 75
二次救命処置 136
ニトログリセリン 75, 109, 228
ニフェカラント 278
日本紅斑熱 95
日本母体救命システム普及協議会 6
乳酸アシドーシス 251
乳酸値 164

ニューモシスチス 347
尿量 62
妊産婦死亡症例検討評価委員会 3
妊産婦死亡報告事業 3
妊娠関連急性腎障害 384
妊娠高血圧症 307
妊娠高血圧症候群 284, 306, 327
妊娠高血圧症候群胎児発育不全 308
妊娠高血圧腎症 307, 327
妊娠終結 326
妊娠悪阻 77
妊娠と薬情報センター 471
認知スキル 397
認知的労力 400
妊婦と薬剤 468
妊孕性温存 218

ね・の

熱傷 376
熱中症 100
捻髪音 47
脳虚血 287
脳血管障害 330
脳梗塞 86, 287
脳室ドレナージ術 85
脳室内穿破 85
脳出血 83
脳静脈・静脈洞閉塞症 287, 289
脳性麻痺 484
脳動静脈奇形 283, 286, 293
脳動脈瘤 283, 286, 293
脳動脈瘤破裂 286, 293
脳ヘルニア 81
膿疱 95
ノルアドレナリン 351
ノンテクニカルスキル 13, 396

は

パートナー　112
肺エコー　47
肺虚脱　56
敗血症　334, 340
敗血症性ショック　340, 341
敗血疹　96
肺血栓塞栓症　187, 275, 335
肺高血圧　331
肺水腫　72
ハイステークス環境　397
肺動脈弁狭窄症　330
肺内シャント　50
肺の成熟　482
ハイブリッド手術室　238
肺胞換気量　44
肺胞気式　43
肺胞低換気　49
排臨　106
播種性血管内凝固症候群　214, 352
破傷風菌感染症　95
パスツレラ菌感染症　95
バソプレシン　351
白血病　95
発熱　100
発露　106
ハドル　409
バルーンタンポナーデ法　219, 223, 264
バルーン閉塞術　237
万能供血者　201

ひ

非ST上昇型急性冠症候群　186
非ST上昇型心筋梗塞　277
被害妄想　119
被殻出血　83
非観血的用手整復術　228
非けいれん性てんかん重積　91
皮質下出血　83

微小妄想　120
皮疹　95
非侵襲的陽圧換気　54, 351, 358
ビタミンB_1欠乏　77
非典型溶血性尿毒症症候群　384
一人EC法　134
被ばく　475
被ばく線量　475
皮膚温　97
ヒューマンファクター　397
病院選定　389
標準化　416
病態診断　25
貧困妄想　119
頻脈性不整脈　66, 180, 182

ふ

不安　120
不安定狭心症　186
フィブリノゲン　204
フィブリノゲン濃縮製剤　204
フェンタニル　291
フェントラミン　75
フォロワーシップ　404
復温　98
腹臥位療法　360
腹腔内圧　266
腹腔内圧上昇　266
フグ中毒　44
復唱　408
副腎クリーゼ　100
腹部コンパートメント症候群　266
不整脈　274, 278
　徐脈性――　66, 180, 185
　頻脈性――　66, 180, 182
防ぎ得る母体死亡　9
防ぎ得る母体障害　9
二人EC法　134
不適合輸血　206
ブドウ糖　90

ブピバカイン　295
不眠　120
ブリーフィング　408
振り返り　401, 420
プレシスモグラフ　46
プレセプシン　342
プロカルシトニン　342
プロトコル　417
プロフェッショナリズム　125
プロプラノロール　75
プロポフォール　291
雰囲気づくり　406
分時換気量　44
分析　398
分娩　105
分娩週数　484
分娩進行度　106
分娩取扱施設　413

へ

平均動脈血圧　61
ベイズの定理　29
閉塞性ショック　67
兵站　13
ベーシックコース　6
ベクトル診断　27
ヘモグロビン尿　206
ヘルペスウイルス　347
ベンゾジアゼピン系　91
ベンゾジアゼピン系鎮静薬　291
ベンチュリマスク　52
弁膜症　294, 332

ほ

房室中隔欠損症　330
房室ブロック　180, 185
放射性医薬品　478
放射線被ばく　475
放射線防護の三原則　475
母児間輸血症候群　374
母指球筋法　134

母子健康手帳　112
補充療法　196
母体安全への提言　3
母体救命救急体制　414
母体蘇生チーム　145
母体・胎児専門医　7
母体優先の原則　24
発作性上室性頻拍　182
母乳育児　470
母乳移行性　470
ポピュレーションアプローチ　366
ポプスカイン®　295
ホメオスタシス　24
ポンプ隊　388

ま〜も

マーカイン®　295
マグネシウム　278
麻酔関連合併症　294
麻酔薬　291, 292, 295
末梢血管抵抗　61
マルチタスク　403
マンニトール　293
ミオクローヌス　91
ミダゾラム　90, 291
無痛分娩関係学会・団体連絡協議会　7
無脈性VT　140
無脈性電気活動　140
無脈性心室頻拍　140, 278
メタ認知　124, 397
メディカルコントロール体制　393, 414

メディカル・リソース・マネジメント　13, 397
メンタルセット　408
毛細血管再充満時間　197
網状皮疹　95
妄想　119
もやもや病　284, 287, 328

や〜よ

薬剤特性　471
薬疹　95
優先順位づけ　403
尤度比　29
輸血関連急性肺障害　210
輸血関連呼吸困難　210
輸血関連循環過負荷　210
譲れない水準　400
癒着胎盤　232, 234, 235, 317
溶血性尿毒症症候群　95, 384
要支援児童　123
用手的気道確保　36
羊水　110
羊水塞栓症　321, 323, 329
羊水過少　336
陽性変力作用薬　68
要保護児童　122
容量血管　65
ヨード造影剤　469, 471, 479
抑うつ状態　120
予測　399

ら〜ろ

ラテックスアレルギー　220

ランジオロール　75
卵巣出血　458
卵巣腫瘍の破裂　458
卵膜遺残　170, 173
リーダーシップ　404
リステリア症　346
リストカット痕　96
リツキシマブ製剤　329
リトドリン塩酸塩　228, 278
硫酸マグネシウム　90, 188, 228
両大血管右室起始症　330
輪状甲状靱帯切開　40
輪状甲状靱帯穿刺　40
冷却　100
レジオネラ　347
レジリエンス　407
裂傷縫合　224, 225
レベチラセタム　90
レボブピバカイン　295
レミフェンタニル　291
連鎖球菌性毒素性ショック症候群　345
ロクロニウム　292
ロピバカイン　295
ロラゼパム　90

わ

ワーキングメモリ　403
ワークロード　402
ワイドトリアージ　23

JCOPY	〈(社)出版者著作権管理機構 委託出版物〉
	本書の無断複写は著作権法上での例外を除き禁じられています。複写される場合は，そのつど事前に，下記の許諾を得てください。(社)出版者著作権管理機構 TEL. 03-5244-5088　FAX. 03-5244-5089　e-mail：info@jcopy.or.jp

改訂第2版
J-MELS 母体救命 Advanced Course Text

定価（本体価格 13,000 円+税）

2017年4月15日　　第1版第1刷発行
2017年8月1日　　　第1版第2刷発行
2024年2月20日　　第2版第1刷発行

監　　修　日本母体救命システム普及協議会（J-CIMELS）
編　　集　J-MELSアドバンス編集委員会
発 行 者　長谷川　潤

発 行 所　株式会社　へるす出版
　　　　　〒164-0001　東京都中野区中野2-2-3
　　　　　Tel. 03-3384-8035（販売）　03-3384-8155（編集）
　　　　　振替 00180-7-175971
　　　　　http://www.herusu-shuppan.co.jp
印 刷 所　三報社印刷株式会社

©2024, Printed in Japan　　　　　　　　　　　　〈検印省略〉
落丁本，乱丁本はお取り替えいたします．
ISBN 978-4-86719-082-1